鄭樑生編校

明代倭寇史料

第五輯

文史哲出版社印行

國家圖書館出版品預行編目資料

明代倭寇史料 / 鄭樑生編校. – 初版. -- 臺北
市 : 文史哲, 民 86
面 ; 公分
ISBN 957-549-092-4 (第三輯 : 精裝). --
ISBN 957-549-093-2 (第四輯 : 精裝). --
ISBN 957-549-094-0 (第五輯 : 精裝). --

650.6

明代倭寇史料 第五輯

編校者：鄭樑生
出版者：文史哲出版社
登記證字號：行政院新聞局版臺業字五三三七號
發行人：彭正雄
發行所：文史哲出版社
印刷者：文史哲出版社
臺北市羅斯福路一段七十二巷四號
郵政劃撥帳號：一六一八〇一七五
電話 886-2-3511028 · 傳眞 886-2-3965656
實價新臺幣九佰元正
中華民國八十六年八月初版

ISBN 957-549-094-0

作者簡介

鄭樑生，桃園縣楊梅鎮人。先後畢業於省立臺北師範學校、國立臺灣師範大學、日本國立東北大學、獲日本國立筑波大學文學博士。主修明史、日本史、中日關係史。曾任中小學教員、主任、圖書館編輯、研究所兼任教授。現任淡江大學歷史系教授。著有《明史日本傳正補》（一九八一，臺北，文史哲出版社）《元明時代東傳日本的文獻》（一九八四，同上）《明代中日關係研究》（一九八五，同上。日文版由東京，雄石閣於同年刊行）《元明時代東傳日本的水墨畫》（一九八七，同上）《日本通史》（一九九三，臺北，明文書局）等三十餘冊，及學術論文百餘篇。

明代倭寇史料 第五輯

目次

凡例

一、本書乃據臺灣現有及佚存日本之明代以後刋行之方志中鈔錄有關倭寇方面史料編校而成。
一、本書所輯錄倭寇史料之方志版本包括福建、江浙沿海各府、州、縣所刋行者凡二十三種共三十類。
一、本書所輯錄之史料按省、府、州、縣別及地區，自南而北，依次排列。
一、同種方志中版本不同者，其史料依其刋行年代及卷第之先後次序排列。
一、凡同種方志名稱，只錄其較早刋行者，後出者則僅記刋行年分。
一、凡奇頁邊欄均記各該方志名稱，刋行年分，及各該頁所錄史料之篇名，如：弘治四年刋後代修補八閩通誌（公署）；康熙二十三年刋江南通志（城池）等，以便查閱。
一、凡所錄列之方志史料，均加上新式標點符號，俾便閱讀。
一、凡某一記事，各版本之內容、文字雷同者，僅錄首次出現之史料，後出者則以註標示載錄該史料之頁碼。
一、如句中有明顯爲脫漏之字，則將其所脫之字書於該字或句下之〔　〕中。
一、凡職銜或人名於書寫完全後有益於瞭解某一件事之經緯者，則將其職銜書於各該姓名之上，姓或名書於各該名氏之上、下〔　〕中。

一、凡爲日人姓名而於史料誤記者，均加考覈訂正，將正確者書於各該姓名下之（　）中。

一、如某字之錯誤明顯者，將其正確文字書於各該字下之（　）中。

一、如某字確屬衍字，則於各該字下書〈衍〉字。

八閩通志

明黃仲昭等修，明弘治四年刊後代修補本

〔卷四〇〕

公署

福州府

○鎭東衞指揮使司，在福清縣方民、新安二里，間鎭東城內。洪武二十年，江夏侯周德興奉旨創建。經歷司在正堂之左。鎭撫廳在正堂之右。左、右、中、前、後、中、左六千戶所俱在衞內，列於兩廊前之東西，各有十百戶所。教場在衞之東門外五十步，方廣二百步，中有演武亭。桿寨三處；松下寨在縣東永賓里，大丘寨在南平里，白鶴寨在平北里，上二寨俱縣南。屯田新舊一十八所，共田地四百二十七頃九十二畝三分八釐。計旗軍一千四百三十二名。左所屯二所，長樂縣一所，在永福里等處。福清縣二所，俱在遵義里。右所屯三所，福清縣二所，俱在平元里。興化府莆田縣一所，在□□里。中所屯三所，福清縣二所，俱在靈得里起至新豐里止。莆田縣一所，在延壽里。前所屯三所，福清縣二所，俱在脩仁里。莆田縣一所，在常泰里。後所屯三所，福清縣二所，俱在善福里莆田縣一所，在合浦里。中左所屯三所內，福清縣二所，俱在靈得里。莆田縣一所，在合浦里。烽燧凡七處：松下、峯前上二處在縣東永賓里，大□、後營上二處在平南里，白鶴、大壤、□下上三處在平北里，已上五墩俱縣南。

○萬安千戶所，在福清縣南平南里萬安城內。洪武二十年，江夏侯周德興奉旨創建。吏目廳在所廳之左，鎭撫廳在所廳之右，十百戶所在儀門左右，教場在所城西門外三里，方廣三百步。堠寨四處，俱洪武二十年置。沙塢寨、連盤寨、長沙寨，上三寨在平南里，峯頭寨在光賢里。已上四寨俱縣南。

○小埕澳水寨，在附城東北連江縣，每歲分附近衞所軍士更番備倭於此。方岳重臣合議推擇閩諸衞指揮之有才略者一人以總督之。其因合分軍衞所，又各推指揮一人以分督之，亦終歲而更，後各水寨倣此。福州右衞官一十一員，旗軍一千三百八十九名。鎭東衞梅花、萬安二千衞，正統二年指揮王智重修。經歷司任正堂之東，鎭撫廳在中門外之左，左、右、中、前、後、中左六千戶所俱在衞內，列于兩廊前之東西，各有十百戶所。盛儲軍器庫在候官縣右一坊英達坊內，成造軍火器局在閩縣南津坊內。屯田新舊共三十九所，洪武二十八年并永樂二年制令分軍屯種，以贍軍儲。共田地四百九十七頃三十八畝八分，計旗軍一千六百九十七名。左所屯五所，俱在候官縣二都西禪鋪起，至二十二都嶺柄白沙上。右所屯五所，俱在閩清縣昇平坊渡口起至十都魚坑止。中所屯五所，閩清縣三所，在十六都大樟起，至二十一都林浦門止。永福縣二所，在一都大樟起，至四都牛斜止。前所屯五所，俱在永福縣入都鄭洋起，至十二都魚坑止。後所屯三所，俱在永福縣十九都鐵場起，至二十四都□洋止。中左所屯五所，俱在永福縣二十五都界竹口起，至三十都葛洋止。新屯九所，俱在泉州府永春縣十都卓埔起，至二十都前窓止。

公署

泉州府

○永寧衞指揮使司在晉江縣東南二十都，宋爲水澳寨，元改爲永寧寨。國朝洪武二十年，江夏侯周得興改創爲永寧衞。架閣庫在儀門內之東，軍器庫在儀門內之西，鼓樓、鍾樓俱在衞之左。經歷司在衞堂之左，鎭撫廳在衞北門內之右，監房在西廊之後。左千戶所在衞西譙樓之左，東西兩廊列十百戶所。宣德五年火，景泰四年正千戶張俊重建，工朱克就。天順八年，復壞於風雨。右千戶所在衞西門內之右，景泰間圮，惟儀門僅存。中千戶所在衞東南小東門內，前千戶所在衞南門之右上，二千戶所皆圮。後千戶所在衞西譙門之右，亦景泰間圮，惟儀門僅存。公舘在衞城西門內。正統十二年，指揮同知錢輅剏建，以爲上司及使客舘寓之所。收料庫在衞西廊。成化十三年，巡按監察御史戴用，令指揮使楊晟剏設。軍器局在衞城中城隍廟左，歲久圮壞。成化間，指揮使楊晟移於衞之西廊。教場在衞城西門外坡上，舊在大東門之東。永樂四年，指揮僉事沈瑾移置今所。中爲演武亭。成化十七年，指揮楊晟，增建左右翼房，繞以周垣。營五處，俱洪武二十年剏建，後多頹圮。左千戶所營八百五十間，在海寧門東街，今僅存四百七十八間。右千戶所營八百四十間，在永青門西直街，今僅存四百三十間。中千戶所營八百四十九間，在東瀛門東南街，今僅存五百一十三間。前千戶所營八百四十間，在金鰲門南街，今僅存四百八十九間。後千戶所營八百四十九間，在王泉門北街，今僅存五百二十六間。埠寨一十五處，洪武間𢛳建，本衞撥軍士守嘹以備要害，俱在晉江縣東南。吳山寨、中寨、坑尾寨、沙堤寨、新寨、尾寨、古雲寨、沙浦寨、倉後寨、東店寨上十寨在二十都。龍婆寨、湖邊寨、東浦寨、深蘆寨、龍尾寨，上五寨在二十一都。屯田新舊共一十四所，左所屯二所，在安溪縣，共田地三十三頃六十畝，計旗軍一百一十二名。一在縣西光德等里，一在縣西南永安等里。右所屯四所，共田地六十七頃二十畝，計旗軍二百二十四名。晉江縣一所，在縣西南一二都磁竈。南安縣一所，在縣西三十都八尺。安溪縣二所，一在縣西新溪等里，一在縣東北來蘇等里。中所屯二所，共田地三十二頃六十畝，計旗軍一百一十二名。同安縣一所，在縣東一、二、三、都豐塘等處。安溪縣一所，在縣西北新溪等里。前所屯二所，俱在安溪縣東北崇善等里，共田地三十三頃六十畝，計旗軍一百一十二名。後所屯四所，俱在安溪縣西北，共田地六十七頃二十畝，計旗軍二百二十四名。二所在崇信等里，二所在龍涓里三洋南斗。烽燧二處，俱在晉江縣南二十都龍坡古雲。

○福全千戶所在晉江縣東南十五都，洪武二十年江夏侯周德興𢛳建。兩廊列十百戶所。成化五年，正千戶蔣輔重建。教場在所城東門內北偏，營八百五十三間，在本所城中，今僅存五百八十一間。埠寨一處，在晉江縣南十都潘徑，洪武二十一年刱建。屯田新舊二所，共田地六十七頃二十畝，計旗軍二百二十四名。南安縣一所，在縣北九十都。東埔惠安縣一所，在縣北二、三等都塗嶺等處。烽燧十處，俱在晉江縣。安平在縣西八都，坑山在十六都東門外，洋下上二處在十五都，陳坑在十一都，石捆、潘徑、隘埔、石頭、蕭下，上五處在十都。已上九處俱縣南。

○金門千戶所在同安縣東南十九都，洪武二十年江夏侯周德興刱建。兩廊列十百戶所。教場在所城北門外，營八百六十間，在本所城中，今僅存五百六十五間。埕寨八處，俱在同安縣，洪武二十一年刱建。劉五店寨、澳頭寨，上二寨在十七、八都。牛嶺寨、檨林寨，上二寨在三、四都。甌山寨在五都。已上五寨俱縣東。洪山寨在七、八都。西山寨在一、二都。天寶寨在九、十都。上三寨俱縣西。屯田一所，在漳州府龍溪縣南二十一等都，共田三十五頃三十畝，計旗軍一百三十名。烽燧六處，南安縣四處石井在四十三都，溪東在四十五都，街內、下吳，上二處在四十六都。已上四處俱縣西南。同安縣二處，白石頭在縣南十都，棄了在縣東南十九都。

○崇武千戶所在惠安縣東二十七都，洪武二十年，江夏侯周德興，以小兜巡檢司舊址刱建。兩廊列十百戶所。教場在所城東門外，營九百八十七間在本所城中，今僅存七百一十七間。埕寨一處，在惠安縣東南二十六都青山，洪武二十一年刱建。屯田新舊二所，共田地七十二頃，計旗軍二百四十四名。晉江縣一所，在縣北四十一都下莊。惠安縣一所，在縣西北十五都大中。烽燧二十二處，俱在惠安縣。海頭在六都，下頭在七都，後黃、峯尾，上二處在八都。大山、高山，上二處在九都。蕭山在十都。爐頭、下朱，上二處在十一都。後任在三十四都。上十處俱縣東北。白沙在縣西南十九都，白崎在二十三都，柯山在二十四都，獺窟在二十五都。大詐、古雷，上二處在二十七都。赤山在二十八都，埕埭、小坾，上二處在三十都。尖山在三十一都，青山、馬頭，上二處在三十二都。已上一十一處俱縣東南。浯嶼水寨，在府城西南同安縣嘉禾，舊設於浯嶼，後遷今所，名中左。每歲分永寧、漳州二衛軍士更番備倭於此。永寧衛官二十六員，旗軍二千二百四十二名。漳州衛官一十二員，旗軍六百五十六名。

〔卷四二〕

公署

漳州府

○鎭海衛指揮使司在衛城中。洪武二十年，江夏侯周德興奉旨剏設時，指揮僉事李實僅草創三間署事。正統間，指揮同知桂福始闢地營建衛堂，東西各建一廳兩房爲上司，按臨寢息之所。又買地以易衛前軍營，剏建譙樓。左右亦各建一廳兩房，爲使客往來棲息之所。成化十六年以後，指揮僉事張文復漸次修葺。經歷司在衛治之東，鎭撫廳在衛治之西，左千戶所、中千戶所，上二所俱在衛堂之東。右千戶所、前千戶所，上二所俱在衛堂之西。已上六公署俱正統間桂福剏建，成化間張文重修。教場在衛城南門之外，中建演武亭。屯田四所，洪武三十四年制，令分軍屯種，共田地五十七頃七十九畝七分，左所屯一所，在南靖縣歸德里。右所屯一所，在龍溪縣十二三都。神山尾中所屯一所，在長泰縣石銘里。前所屯一所，在龍溪縣十二三都寺園林。

○陸鰲千戶所在所城中，洪武二十年，江夏侯周德興奉旨剏建，列十百戶所於兩廊。景泰五年，本衞指揮使田旺闢所堂後空地增建公廨為使客棲息之所。成化十四年，指揮僉事張文重修一新。鎮撫廳、教場、營房、寨。屯田一所，在漳浦縣東坡洋，共田地一十二頃三十二畝四分六釐，計旗軍四十二名。烽燧。

○銅山千戶所在所城中，洪武二十年江夏侯周德興奉旨剏建，列十百戶所於兩廊間。鎮撫廳。教場在所城西門之外。營、寨。屯田一所，在漳浦縣六等都林前，共田地一十七頃五十畝，計旗軍六十名。烽燧。

○玄鍾千戶所在所城中。洪武二十年，江夏侯周德興奉旨剏建，列十百戶所於兩廊。天順六年，巡海按察司副使王凱增建屋宇於廳後空地，以為使客止宿之所。成化十七年，正千戶陳晃申請規措修建一新。鎮撫廳。教場在所城西門之外。銅山西門澳水寨，在府城南漳浦縣五都，每歲分鎮海衞幷陸鰲、銅山二所軍士更番以備倭寇。鎮海衞官一十八員，旗軍九百三十七名。陸鰲千戶所官二員，旗軍二百五十一名。銅山千戶所官五員，旗軍三百二十八名。營。屯田一所，在漳浦縣三都良峯山，共田地一十二頃二十三畝，計旗軍四十二名。烽燧。

公署

福寧州

○福寧衞指揮使司在州治之東，舊資壽寺址。洪武二十年，江夏侯周德興奉旨刱建。成化間，指揮同知張武撤而新之。正堂之後爲聚勳堂，儀門之前爲譙樓。經歷司在正堂之東。成化十八年，經歷楊序重建。鎭撫廳在儀門之右。左、右、中、前、後五千戶所在六房之後，南向。每所俱有十百戶所。儀仗庫、貨財庫，上二庫在衞堂左右，以耳房爲之。軍器局在衞堂西北。教場在州城西門外，中有演武亭。成化十一年，指揮同知沈進重脩。寨凡八處，青灣寨、三沙寨，上三（二）寨在五都。可家寨在八都。黃崎寨、小篔簹寨、大篔簹寨，上三寨在十一都。南鎭寨、水澳寨，上二寨在十二都。已上俱在州東，洪武間刱置。本衞分軍守備。景泰間省，其扯猶存。屯田十所，洪武二十八年制，令分軍屯種，共田地一百九十二頃七十四畝四分，計旗軍七百一十七名。左所屯二所，俱在州一都，草坂底起至四都止。右所屯二所，俱在州五都，大清化起至六都大飛泉止。中所屯二所，俱在州二十都，大坪起至二十一都止。前所屯二所，俱在州二十一都，杉洋起至二十五六都崇儒上至。後所屯二所，俱在州四十四、五都，青皎起至四十六都下舖止。烽燧，即烟墩，凡二十一處，俱在州城東。沙松、臺澳，上二墩在一都。後崎、賴離，上二墩在三都。大青盡、小青盡、東壁、離智、烽火，上五墩在五都。梅花在七都。三山、大峰、南金、金家，上四墩在八都。黃崎、白巖，上二墩在十一都。南嶺、白露、水澳，上三墩在十都。沙埕在十五都。古縣在四十一都。

○大金千戶所在州城南五十二都大金城內，出（洪）武二十年，汪（江）夏侯周德興奉一〈衍〉旨刱設。吏目廳、鎭撫廳、教場在所城西門外，舊在東門外網裏。洪武二十七年，千戶趙，移今所。寨凡五處，俱在州南。高羅寨在四十三都，下澣寨在五十一都，延亭寨、車安寨、西臼寨，上三寨在五十三都。烽燧，即烟墩，凡一十七處，俱在州南。長門在四十二都。積石、閭峽、南山、羅浮、赤崎、小南，上六處在四十三都。北山頂在四十五都。塔尾、下許，上二處在五十一都。青山、界石，上二處在五十二都。劉金、下簞、車安、石湖、關崎，上五處在五十三都。

○定海千戶所，在連江縣東二十七都埕角澳定海城內。洪武二十年，江夏侯周德興奉旨剏建。吏目廳、鎭撫廳、教場在所城外東南一里許。埕寨一處，在連江縣東二十六都之北茭。屯田凡一十五所，一所在縣治前西欽平上里場前，一所在詞臺，一所在朱灣，上三屯在賢義里。一所在安仁上中里桐灣，上三所俱在中鵠里。丹陽，已上三屯俱縣東。一所在定田，一所在新安，上二屯在縣南新安里。一所在二十九都安海，一所在郭宅墩，一所在陀隴，上三屯在嘉賢上里。已上三墩俱在縣東。一所在清河里陀市，一所在光臨里可溪，上二屯俱縣西。一所在縣東北建興里高洋。烽燧，即烟墩，凡八處，洪武間設，俱連江里。官塢、官海、黃崎、裏頭，上四處在二十六都。長崎、大埕，上二處在二十七都。小澳在永貴里，已上七處俱縣東。東岸澳在縣東南安慶里。烽火門水寨在州東一都松山。永樂十八年，剏設於三沙海面。正統九年，侍郎焦宏以其地風壽（濤）洶湧，泊舟不便，命移於今所。每歲分編州左、中、福寧三衞，官軍更番以備倭寇。福州中衞官一十一員，旗軍一千三百八十九各（名），福□中衞官一十一員，旗軍一千三百八十九名。福寧衞官一十一員，旗軍九百九十名。

大金千戶所官四員，旗軍三百名。把總公舘在演武亭之東，福州左衞公舘在把總公舘之西。福州中衞公舘在把總公舘之東，福寧衞公舘在福州中衞公舘之東，水寨教場□□□亭，亭之北爲軍器部。

興化府

○平海衞指揮使司在衞城中。洪武二十年，江夏侯周德興奉旨刱設，興化衞指揮僉事呂謙督建。正統八年，本衞指揮王茂脩。景泰三年，指揮使姜銘安重脩六房幷增建穿堂。經歷司在正廳之西，久廢。鎭撫廳在衞治東南。景泰三年，鎭撫胡俊、趙震脩。成化間重脩。左、右、中、前、後五千戶所俱在衞治南，每所各列十百戶所。公舘在衞城，西南指揮使李全廨舍。正統三年，指揮同知王茂改建。教場在衞西一里許，中有演武亭。埠寨一處，在奉谷里。屯田五所，共田地八十七頃五十畝二分，計旗軍二百八十五名。左所屯一處，在仙遊縣興泰里觀洋等處。右所屯一所，在硿上等處。中所屯一所，在鳳冲等處。前所屯一所，在埧頭等處。後所屯一所，在馬洋等處。上四屯俱在莆田縣廣業里。烽燧，即煙墩，凡三十二處，俱在莆田縣。洪武間刱設。本衞分軍守嘹。天順三年，按察司僉事牟奉令各巡檢司弓兵代之。浦口即下徐、砱頭山，上二處在延壽里。蔡墩山在永豐里。巖沁山、余埔山、東蔡山，上三處在望江里。已上六處俱縣東北，今屬迎仙寨巡檢司。埕口山、雙髻山、後埔山，上三處在興福里。三江口、珠浪、寧海，上三處在連江里。塔山在莆田里。穀城山在谷清里。已上八處今屬冲沁巡檢司。嵌頭山、石井山、上歐山、小澳山、赤岐山、石獅山，上六處在武盛里。大崙山、章厝山、鯽魚山、林邊山、蠔山，上五處在合浦里。已上一十一處今屬嵌頭巡檢司。湖邊山、岐頭山、慕山、石城山、澄港山、蔡山、東林山，上七處在奉谷里，今屬青山巡檢司。

○莆禧千戶所在所城中，洪武二十年，江夏侯周德興奉旨刱設，興化衛指揮呂謙督建。廳之前兩傍列十百戶所，儀門之前爲譙樓。鎭撫廳、教場在所城外西北一里許，中有演武亭。烽燧，即烟墩，凡一十四處，俱在莆田縣東南，洪武間刱設，本所分軍守寮。正統十一年，御史丁澄令吉了巡檢司弓兵代之。吉了山、塔林山、庵前山、文甲山、山西山、東山柄、尖頭山、埋頭山、後埔山、度邊山、西山，上一十一處在新安里。大洪山、吳山、蠣山，上三處在崇福里。南日山水寨在府城東南新安里，吉了巡檢司之東，濱海。洪武初設於南日山，後移置今所，名仍其舊。每歲分興化、平海、泉州三衛軍士更番以備倭寇。興化衛官九員，旗軍一千一百五十名。平海衛官一十五員，旗軍一千七百六十名。泉州衛官一十二員，旗軍一千一百五十名。

閩書

〔卷六〕

明何喬遠撰，明崇禎刊配補鈔本

方域志

福州府福清縣

○海壇山，在縣東南大海中，其山如壇。又以其有嵐氣往來，名東嵐山。衡狹而從百餘里，周可三日行。控環島七八百里，於岐海中最大。唐牧馬地。宋初置牧監，尋以駑騾罷。皇祐中許漁民耕墾，淳熙中有戶三千矣。元戶滿四萬陞州者，以海壇諸里佐之也。其山南曰黃崎，曰柴園，曰牧上，曰砦頭，曰沉頭，曰大小鰲，網爲三十六泒，湖環巒如陠陀，其東高者曰軍山。王氏有閩謫戍（戍）罪人於此。海壇人舊事私記曰：「海壇山週圍八百里，分海上、海下，四、五、六、七、四都，人戶計三千七百八萬四千餘口，秋鹽魚課等米計二千餘石。巡河四塞烟墩二十四所，外隔小琉球，三晝夜內通海口港一潮水。居民依山佃種，瀕海採捕，各村地名百有餘處，房屋三千餘座，馬牛產畜無數。中有軍山，東北可望鼓、旗二山，西南覩漳、梁等處。左有東嵐，瑞湖中有一團，平坡積雨不溢，久旱不涸。春有靈芝草，夏有雙頭蓮，秋來蘋蓼吐冬，至石花鮮右有顯跡，湖潭分出三十四凸，一十二凹。深處沙善沒人，淺處長流，有龍窟焉。前元庚申，交馬產駒以貢於朝。有葫蘆澳，其黿鼉高於人，魚鱉不可勝取。有碧沙洋，產人參、百花、砦鐘門三鎭街衢闤闠，景物繁華，而科第人材，鐘門爲盛，蓋海表名區也。皇朝洪武中，遣江夏侯視海防倭，侯以轉委福州右衞指揮李彝。彝索賄無厭，而有林揚者素任俠有氣，率里人逐彝。彝怒，遂畫圖貼，說本山畫作微小孤嶼，外通琉球，一晝夜內接鎭東城，三晝夜巡司只畫一寨烟墩悉行抹剎。太祖覽圖下旨曰：「天下孤山人民既不得他用，又被他作歹，盡行調過連山附城居住，給官田與耕，官室與居。」於是東南至福建、廣東，北直沽、彭湖三十六嶼，盡行調過。下令三日爲期，後者死。皆倉卒不得舟，編門戶、床簀爲筏以渡。値暴風，十九覆沒。時海壇已墟，而田稅五千餘石，錢三十餘萬，及其他雜徭皆如故。諸徙者既失業不任，繇賦鞭笞逮繫無虛日，多鬻子女，至有雉經者，有司不敢問。揚奮然曰：「傷我海頭，民不死海，且死賦。乃詣闕上書具狀。有旨逮繫彝，并繫揚，候守臣還報。彝懼，投繯死。閩中守臣遷延不即報，至宣德初報。上詔釋揚，復下旨：「凡自孤山調移者，產業、稅銀及遞年雜役俱免一半。」於是廣、閩、浙、潮調移之人皆頌揚德，揚子孫科第纍纍不絕云。今其地漸有居人耕墾。

泉州府晉江縣

○彭湖嶼，嶼爲泉州興化門戶，昔人於此防琉球，而今於此防倭，有汎兵守焉！宋志：彭湖嶼在巨浸中，環島三十六人多僑寓其上，苫茅爲舍，推年大者長之。不畜妻女，耕漁爲業，雅宜放牧，魁然巨羊，故食山谷間，各𠷣耳爲記。有爭訟者取決於晉江縣，府外貿易，歲數十艘，爲泉外府，其人入夜不敢舉火，以爲近琉球，恐其望烟而來作犯。王忠文爲守時，請添屯永寧寨水軍守禦。元島夷志：島分三十有六，巨細相間，坡隴相望，有七澳居其間，各得其名。自泉州順風一晝夜可至，有土無木，土瘠不宜禾稻泉人結茅爲屋居之，氣候常暖，風俗朴，野人多眉壽。男女穿布衫，繫以土布，煮海爲鹽，□□爲酒，採魚蝦、螺蛤以佐食，爇牛糞以爨，焚魚膏爲□□。產胡麻、菉豆，山羊孳生，數萬爲群，家以烙毛刻角爲記，晝夜不收，各遂生育。土商興販，以廣其利。地隸泉州晉江縣。皇朝洪武初，內徙其民，遂墟之。萬曆中於此屯兵防倭也。指揮唐垣有彭湖要覽。彭湖，考之圖經，係琉球山川，在東南大浸中，地界泉、漳、興、福，其去內地也埒於琉球。隋開皇中遣虎賁陳稜師過其地，虜男女數百人而還。洪武五年，以居民叛服不常，遂大出兵驅其大族，徙置漳、泉間，今蚶江諸處猶有遺民焉。山之所產，惟山猪、老鼠、花蛇、蜈蚣。菜則芥菜，高五六尺。花則茉莉，其英百葉，其香撲鼻。草則藤蔓，可取爲燒洗兵舡之用。藥則天門冬、山茨、菇疾、藜子、白芥子，其最佳者。山猪之形無異家豬，但其色赤，跳飛若神，取之亦難，食之令人驟發瘡毒。獨山蛇、蜈蚣彌山而是。花蛇大者丈餘，小不下六七尺，伏藏地中，暮夜之間潛來几上，探之亦不咬人，咬人亦不大害。凡洋船過彭湖，則另一氣候。未至，尚穿綿，一至，便穿葛。其海水號彭湖溝，其水分東西流，一過此溝，水即東流，達於呂宋。呂宋回日過此溝，水即西流，達於泉、漳。

〔卷三〕

方域志

漳州府海澄縣

○海澄縣，東抵鎮海，西抵龍溪，南抵漳浦，北抵同安，本龍溪漳浦縣地。皇朝正德以來，惡少私出，貨番誘寇，禁之不止。嘉靖九年，巡撫都御史胡璉，議移巡海道鎮漳州，置安邊館於海滄，歲委各府通判一員住劄，半年一易，俗猶未化。二十七年，軍門朱紈，立保甲，嚴接濟。巡海道柯喬，議設縣治於九都之月港。巡按御史金城以請，轉行覆議。適地方稍寧，知府盧璧，議暫停止。三十年，復於月港建靖海館，通判往來巡緝。三十五年，海寇謝老突至，擄掠屯燬，久之，倭夷入寇本土，頑民乘機煽亂，自號二十四將等名色，結巢盤據，寖成化外。四十二年，軍門譚綸，請設海防同知住劄，姑行招撫。然陽順陰逆，終不馴戢。四十三年，巡海道周賢宣，計擒巨寇張維等，地方始定。適土人聽選官李英、陳鑾，具奏設縣，復行覆議。四十四年，知府唐九德，議割龍溪縣一、二、三都，四、五都，六、七都，八、九都，二十八都第五圖，并漳浦縣二十三都第九圖地方，就於月港橋頭設爲縣治。軍門汪道昆，巡按御史王宗載，奏請俞允，名縣海澄。隆慶元年，縣治成，乃以八、九都爲附郭，內立五圖爲三坊，餘都爲鄉落，立四十二圖爲五里。
第一坊、第二坊圖三宋龍溪始安鄉惠恩里。山曰：儒山、席帽。
第三坊圖二宋始安鄉崇仁里。山曰：虎甲、龍頭、陳坑。
第一里圖十宋惠恩崇仁二里。山曰：南岐鋪頭、大鰲石壁、侯山。
第二里圖九宋始安鄉崇德里。山曰：槐浦、漸山。潭曰：龍潭。井曰：龍井。
第三里圖十宋龍溪始安鄉禾平里，漳浦安仁鄉沙澳里。山曰：雲蓋、塘頭。潭曰：茭洋。

〔卷三三〕

建置志

漳州府

○衞民祠，祀皇朝死事太守熊尙，初配以晉江主簿史孟常，陰陽訓術正楊仕、洪之從太守死者。而萬曆中配以義七陳言，以言嘉靖中有說倭功。
○崇賢祠，祀邑人浙江按察僉事贈太僕寺少卿莊用賓，以有禦倭功。
○忠勇祠，祀泉州衞指揮僉事贈指揮使童乾震，以死倭。
○歐陽指揮祠，祀指揮僉事歐陽深以死倭。
○蕪湖丞贈應天府通判陳一道祠，以死倭。

晉江縣

○縣故無城，皇朝嘉靖季始築以備倭，相址者德化令張大綱，成城者先後令陳綵、蔡常毓。爲門四，爲水門二。東曰朝宗，西曰阜成，南曰迎薰，北曰拱極。萬曆二十九年，令廖同春闢子城于南門，額曰迎秀。三十一年，令高金體開古吉字街，塞舊門，闢新門，稍東之，額曰任興。

○皇朝嘉靖三十七年，泉中倭。

○王中丞祠祀，巡撫王忬以築城功。

○林令祠，祀知縣林咸以死倭。

南安縣

○南安縣在府城西十五里，古武榮州也，故無城。皇朝嘉靖三十七年，縣被倭掠，令涂光裕以請，繼者夏汝礪始建城。

惠安縣

○惠安縣在螺山之陽，三國吳將張梱塾處也。宋初徙塾梱於青山，即山下建縣治，是爲太平興國六年。縣故無城，皇朝嘉靖季，都御史王忬議築以防倭，令俞文進典之，鄉紳李愷佐役甚力。爲門四，南曰通惠，北曰朝天，東曰啓明，西曰永安。設上下水關，通蓮華山。下水以入龍津，陂上關曰玉蓮，下關曰龍津，皆在永安門。

德化縣

○德化縣在龍潯山西南，丁溪北，唐歸德場治所也。舊無城，今皇朝嘉靖三十六年，令鄧景武始議築，周圍八百三十七丈。三十九年，倭大掠永春，令張大綱約之爲六百六十八丈，以便守禦，然僅東西二門。萬曆元年，令秦霑開北門。十八年，令丁永祚開南門，朝丁溪之水，廼四門矣。

建置志

龍溪縣

○忠勇祠，在八都盤陀嶺埔，皇朝嘉靖四十三年，參將戚繼光追倭至無象舖，與戰，大捷。時官兵傷死者八十餘人，繼光與巡海道周賢立祠祀。隆慶五年，復將從征曾一本陣亡指揮朱璣，及王世賓、戴守、陳文標、劉大有等并祀於此。

海澄縣

○海澄縣城，嘉靖三十六年，寇亂草創，築土堡。隆慶元年設縣，仍舊堡葺之。四年，守羅青霄，以南北形隋方焉。門四：東曰清波，西曰環橋，南曰揚威，北曰拱極。

福寧州

○福寧州城，在龍首山下，晉置溫麻縣治於四十一都。溫麻，屯名也。唐改置長溪縣在今所，其溪源來自浙江慶元桃嶺下，又來自壽寧縣大蜀山，又來自政和西門嶺，皆流下福安寧德入海。彼時縣治未置，溪流俱在封域中山岡，紆廻約五六日程，然後趨海，溪所以名長矣，古未城也。皇朝洪武二年，海寇侵境。明年，山寇鄭龍、姚子美爲亂，鎭守駙馬都尉王恭，檄百戶甯祥先後討平之。又明年，始築城，周三里。二十年，復置，衞。人衆城小，江夏侯周德興，撤東城，拓廣里許。永樂五年，海寇復熾。御史韓瑜，都指揮谷祥，復增築四門，月城門。正德中，知州萬廷彩、歐陽嵩，先後浚濠加廣。嘉靖三十四年，知州鍾一元，以郭西民移在城外數被寇，復拓城二里。三十七年，夏潦城崩。參議顧狆，折（拆）卸舊城，增高補厚。明年，倭逼城，又值淫潦，城工方新，崩塌無完堞。都司張漢，令軍兵取雜木環城立柵，結戰柵爲守具，倭遁去。分巡舒春芳，復作城。其後屢有修治，高二丈三尺，厚一丈三尺，周一千五十八丈。

○金城寨，在州北金字山，壓城而峙。皇朝嘉靖間，倭登是山，矢石、火藥乘高雨下，城幾不守。萬曆二十九年，兵巡陳良材，設臺山巓，可屯兵數百名，樓曰：「無敵」。

○福安縣在辰山下，舊未城，惟土城牆，立四門，廣、袤各二里，周十餘里。皇朝正德元年，分巡阮賓命累甎爲之，周八百九十六丈五尺，高一丈，厚一丈。增立小西門。嘉靖三十七年，倭報急，令李尚德請撤而高厚之。工未畢，倭至。明年，陷。其冬，令盧仲佃力修之，增小北門。次年，工畢，倭大至，不得犯而去。萬曆九年七月，大水夜至，全城漂沒，死者數千，城盡圮。當道議遷城，令汪美不可，廼修舊城之南而展其東，築西門壩，高一丈八尺，以遏水。萬曆二十七年，令陸以載謂東城鶴山高逼，不利防守，改仍舊。

○儒學，在縣南金山下。初在縣西龜湖山上，元皇慶元年，邑簿胡璉建龜湖寺，移學于縣東，皇朝因之。正德十三年水，令于震復移于龜湖山。嘉靖十二年，颶毀。按巡御史白賁，分巡僉事王廷，議徙今所。三十八年，毀於倭，令盧仲佃重建而大之。

○（寧德縣）東洋行縣在十五都，嘉靖辛酉倭變作，東洋民乘亂肆掠。院道以其地僻民頑，議設一縣。令林時芳申建行縣於周墩，分主簿一員駐箚其處，一方稅賦就其徵收。

〔卷四〇〕

扞圉志

○閩自無諸以兵從番君滅秦，及助漢伐楚，其時軍士必君長自領之。建安八年，孫策始立南部都尉於建安。吳景帝福建有都尉營，晉福州有典船校尉，又有溫麻船屯州兵。唐高祖嘗以其子壽王爲越福十二州招討海賊使。開元十九年，始置泉山府兵左衛營、右衛營。二十一年，置經略使。至德二年，復置經略、寧海二軍刺史爲防禦寧海軍使，盜寇既平，易以觀察。至元和，二軍亦罷。宋掌軍官，先後有澄海宣義指揮、威果指揮、全捷指揮、廣節指揮。不教閱保節指揮有馬雄略指揮、壯城指揮、牢城指揮、剩員指揮、都作院指揮、養老寧節指揮等名。其提舉兵馬則有駐泊兵馬都監，有兵馬都監，又有兵馬都押，及押隊官，而統馭之者郡太守也，故當時稱郡守曰郡將。元設兵戍諸路，有萬戶翼、萬戶府之名。皇朝洪武元年，置六衛於閩中，從其郡名，曰泉州衛，曰建寧衛，曰汀州衛，曰漳州衛，曰邵武衛，曰興化衛。四年，置福州都衛指揮使司，建寧都衛指揮使司，復置延平衛。八年，以福州都衛爲福建都指揮使司，置福州左、右二衛，建寧都衛，爲福建行都指揮使司。置建寧左、右二衛。十九年，置建陽衛指揮使司，隸福建行省都司。二十年，命江夏侯周德興，入福建抽兵防倭，移置衛所當要害處。德興抽兵五千餘人築城一十六，增設巡簡司四十五，分隸諸衛。興化隆慶志：江夏侯周德興，經營海上，建置衛所。又以瀕海地疎節濶目，非一衛一所能遙制，更設巡司於瑕隙地，司各有寨城。有官有射手百間，雜以房帳、墩臺、斥堠相望。登高望之，若繁星之麗天河矣。自兵政凌夷，巡警失職，當道者遂贅疣之，廼減削射手數，移以餉水陸兵，存在寨堡僅三之一耳。不知巡司絡繹，分則自衛疆場，合則併力剿捕，懸軍揷羽，脣齒相依。又：附寨村落，去郡城迢遞，有警各携老穉，挾衣糧馳入寨城避鋒鏑，此又堅壁清野意也。昔宋燕達守延州懷寧寨，以五百兵破羌胡三萬騎，彼其官非巡尉，兵非射手邪？此亦有昧乎其言也。二十一年，置福建沿海五衛：曰福寧，曰鎭東，曰平海，曰永寧，曰鎭海。千戶所十二：曰大金，曰定海，曰梅花，曰萬安，曰莆禧，曰崇武，曰福全，曰金門，曰高浦，曰陸鰲，曰銅山，曰玄鍾。置福州中衛。二十四年，置武平千戶所將樂千戶所，以福建都指揮使司領福州左、右、中，及福寧、鎭東、興化、平海、泉州、永寧、漳州、鎭海十一衛，以福建行都指揮使司領建寧左、右，延平、汀州、邵武、五衛，及武平、將樂二千戶所。宣德八年，增設浦城縣盆亭巡簡司。景泰五年，調邵武衛後千戶所，置永安守禦，隸延平。六年，上杭草寇竊發，命選行都指揮之有才幹者守備汀、漳二府。成化七年，以龍巖山賊肆竊，抽調漳州衛中所、鎭海衛後所，置守禦千戶所於龍巖，曰中中千戶所。十三年，調撥建寧右衛前所，置浦城。弘治十七年，調漳州衛後所，置南詔。嘉靖四十二年，以閩中連歲苦倭，議設總兵鎭守。春、秋二季駐福州，夏、冬二季駐鎭東　設五寨欽依把總，以烽火、南日、浯嶼三寨爲正兵，小埕、銅山二寨爲奇兵。又爲之分汛地，嚴會哨。復分福建地方爲三路，以福寧爲北路，轄福寧衛所軍幷陸營兵。烽火、小埕二寨，興化爲中路，轄福州、興化、平海、泉州、永寧各衛所軍，幷南日寨、興、泉二府陸營客兵。漳州爲南路，轄漳州、鎭海二衛所軍，幷浯嶼、銅山二寨，及漳州陸兵。各設立參將駐劄，尋改中、北二路參將爲守備，以都指揮行事。隆慶□□年設浯銅、海壇二遊兵把總。萬曆四年，以南澳屬閩廣之交，設副總兵專駐協（協）守漳、潮，又設玄鍾遊，兵隸焉。而北路守備。二十年，仍改爲參將。二十二年，仍改建寧行都司爲守備。二十三年，復題改中路守備爲遊擊將軍，以便彈壓。

○都司衛所。

○福建都司。

○福州中衛隸所五，左、右、中、前、後各有千百戶凡五。

○福州左衛隸所六，左、右、中、前、後、中左各有千百戶凡六。

○福州右衛隸所六，左、右、中、前、後、中左各有千百戶凡六。

○興化衛隸所五，左、右、中、前、後各有千百戶凡五。

○泉州衛隸所五，左、右、中、前、後各有千百戶凡五。

○漳州衛隸所六，各有千百戶左、右、中、前、後凡五。

○弘治十七年，有賊百餘詐稱公使，入詔安城，殺傷甚衆。明年，調後所官軍守詔安，曰南詔。千戶所僅四，龍巖中中守禦千戶所。南詔守禦千戶所凡六。

○福寧衞，閩上游也，隸所七，各有千百戶，左、右、中、前、後凡五。墩臺二十一。大金守禦千戶所。

○定海守禦千戶所在連江縣，二所墩臺共十七，凡七。

○鎭東衞，隸所七，各有千百戶，左、右、中、前、後。梅花守禦千戶所在長樂縣東。萬安守禦千戶所凡七。

○平海衞去興化府城東九十里，扼海上衝，北峙草嶼、連盤，東控鸕鷀、烏坵，西挹湄洲，與琉球、日本相望，莆藩籬喉舌也。隸所六，各有千百戶，左、右、中、前、後凡五，墩臺十二。莆禧守禦千戶所與湄洲山對峙，自莆至中門爲地極處一線而通，左支自賢良港而出吉了散而東湖、西亭諸山，右支自金沙舖而東出莆禧，散而文甲、山柄諸山。其人習海，勇敢而和。聞賊奮號先登，城以不陷。寇入其郛，古屋舊閭，無所殘毀。墩臺五凡六，其汎地曰次衝。

○永寧衞，東濱大海，北界祥芝及浯嶼寨，南連深滬、福全，爲泉襟裾。隸所十，各有千百戶。左、右、中、前、後凡五，墩臺八。崇武守禦千戶所在惠安縣，極東北接湄州界，於興化南連泉城之日湖。東面距海，南峙祥芝，泉上游也。墩臺二十二。

○福全守禦千戶所，在晉江縣南，三　跨海，西通陸附所，有大留圳，上二澳，要衝也。墩臺十。金門守禦千戶所在同安縣浯州嶼，西連烈嶼。中、左南達擔嶼，鎭海、料羅盡其東。官澳極其此用七，更可至彭湖，同盡處也。墩臺十三。中、左守禦千戶所，在同安縣嘉禾嶼，海中峙也。東抵烈嶼、金門，南至大海一百里，與擔嶼相會。西與海澄五澳合界，北至同安內港，與高浦相望。墩臺九。高浦守禦千戶所在同安縣，都爲同西障，墩臺七凡十。

○鎭海衞，隸所七，各有千百戶，左、右、中、前凡四，墩臺九。陸鰲守禦千戶墩臺五。銅山守禦千戶所墩臺三。玄鍾守禦千戶所，閩南盡處也，墩臺七凡七。

福建行都司 舊有建陽衞，革。

○建寧左衞，隸所五，左、右、中、前、後各有千百戶凡五。

○建寧右衞，隸所六，各有千百戶，左、右、中、前、後凡五，浦城守禦千戶所凡六。

○延平衞，隸所六，各有千百戶，左、右、中、前、後凡五。永安守禦千戶所，景泰初，沙、尤寇起，調邵武右所于此守禦，凡六。

○邵武衞，隸所四，左、右、中、前各有千百戶凡四。

○汀州衞隸所五，各有千百戶，左、右、中、前、後設在洪武初。二十四年，廣寇擾武平，撥中所官軍往守禦，旋別調補缺。成化二年，上杭、溪南寇起，撥右所官軍往守禦，今四。上杭守禦千戶所在縣北隅，凡五。

○將樂守禦千戶所。

○武平守禦千戶所，東界長汀，西界江西安遠，南界廣東程鄉，北界江西贛縣。以上二所直隸行都司。

鎭守寨遊

○督撫軍門標下遊擊管領四營二遊，曰標前營標、左營標、右營標。後營曰標前遊標。左遊皆名色把總領之。遇汎，標前一營防守省城，餘三營二遊各掣撥二哨，分布箚守沿海地，如長樂之魁洞墩，閩縣之閩安，鎭侯官之雲嶺關，連江之館頭墩、東庠墩，羅源之濂澳，寧德之鑑江爲次衝。

鎭守總兵

○標下坐營官：統領一，營二。遊曰新前營，曰標前遊、標右遊，皆名色把總領之。遇汎，各分兵箚守沿海地，東營牛田，松下小祉曰最衝，江頭、白鶴、江田、大祉，曰次衝。汎畢，標前、標右二遊專駐鎭東備倭。

分守北路參將

○標下浙營一，土營二，俱住福寧州，皆名色把總領之。遇汎，各掣撥兵一哨，箚守沿海地下滸堡、閭峽堡、大金所、三沙堡、黃崎堡、沙埕墩、鑑江、漳灣。

○烽火寨，欽依把總一員水寨也，設在國初。北界浙江蒲門，南界連江濂澳。曰礵山，曰大金，曰浮羅，曰箬頭幫，其汎地也爲最衝。嘉靖中，巡撫譚綸，總兵戚繼光，定會哨地。如倭賊由浙而南，則烽火門分兵北箚井下門，與浙船會，而南則與小埕會，哨于西洋山。其後把總朱璣以汎地延袤三百餘里，難速，及請分兵船爲二枝，一泊官澳，一泊崙山。後又分左、右、前、後爲四哨守之。萬曆二十年，復增中哨防守三沙。

○小埕寨，欽依把總一員水寨也，在連江縣定海所前，爲省會門戶。白犬山、竿塘山、東湧山、東洛、西洛，其汛地也爲最衝。其會哨地，北則分劄於西洋，與烽火會，南與南日會，哨于梅花所之南茭。
○臺山遊，名色把總一員，地屬福寧孤島也，當閩之上游。
○崙山遊，名色把總一員，與臺山相峙外海，福寧門戶也。滋澳、西洋、沙埕官澳，商（商）船所經，海寇出沒焉，其汛曰次衝。
○五虎遊，名色把總一員，遊在大海中。又一五虎也，爲陸海。

分守中路遊擊

○標下興化前營，名色把總一員，營在興化南門外，浙兵也。遇汛，輪撥一哨東戍莆禧、文甲門沿海地，又撥三隊目兵北守三江，據險分布，固莆門戶，其餘屯劄本營操練防守。

城池

○興化左營，名色把總一員，營在府城北門外，浙兵也。遇汛，輪撥一哨東戍賢良澳沿海地，又撥三隊目兵守三江，皆與前營官兵，俱賢良、莆禧右臂也。地瘠民少，勇悍而好鬬，習海捕鮮，耕荒坵，植麥豆。平海右營，名色把總一員，營在平海城南門外，浙兵也。遇汛，分布嵌頭、青山、蔡山、南哨沿海要害。泉州舊營，名色把總一員，營在泉城東門外。遇汛輪撥三哨出守安海、料羅、圍頭、福全汛海地，一哨防守城池。泉州新營，名色把總一員，營在泉城北門外。遇汛，輪撥三哨出守崇武、大岞、小岞、古雷、永寧、沙隄沿海地，一哨防守城池。
○南日寨，欽依把總一員水寨也。故在興化青山巡司之東，環嶼二十里，在海中。中湧、淡水島寇從南北來，必此汲。國初置戍，成化末移吉了，民無保障，相率西徙而山空。烏坵、苦嶼、東甲、西寨，其汎地也，爲最衝。其會哨地，北則分箚於松下，移至南茭，與小埕會。南則與浯嶼會哨於平海衞之湄洲。

○海壇遊，名色把總一員，遊在福清海壇山。洪武初，徙壇民于內地，盜藪焉。中湧、淡水島夷南北來，必此汲。隆慶初，始建遊兵鎭守。東庠觀音澳，其汎地也，爲最衝。

○湄洲遊，名色把總一員，湄洲嶼也。在莆禧東海島間，天妃之神所產地嶼，故有居民。皇朝初內徙，山多茂草，可樵採。馬匹、騾驢數十成群，自孳自牸，人騾逐之不可得。勢家主之，徐取以鬻。隆慶初，設遊兵於此。湄洲山、大岞、小岞，其汎地也。內有淡水，島寇時來汲，曰最衝。

分守南路參將

○標下前部中營，名色把總一員，營在漳郡西門外，浙兵也。萬曆十一年，以山寇吳雙引之亂，設守府城。遇汎，輪撥隊兵沿海擺塘哨探。前部左營，名色把總一員。萬曆初設，浙兵也。防守銅山沿海地，兼備油柑嶺、鳳山等孔道。前部右營，名色把總一員，土兵也。在陸鰲所，北抵莆頭，南至古雷沿海地。遇汎，輪撥擺塘哨探，幷守雲山鎭，地備山寇。

○銅山寨，欽依把總一員，水寨也。在詔安縣銅山所西門澳，舊建井尾澳。景泰間，移今所。北自金石以接浯嶼，南自海嶺以達廣東，漳郡濱海重鎭也。其信地鎭海、陸鰲、古雷、甘山、菜嶼，曰最衝。崎尾、井尾、莆頭、劉澳、蘇尖曰次衝。會哨地北則二哨，屯箚舊浯嶼；又二哨，屯干沙洲。

自此而南則爲廣東界。

泉南遊擊，天啓初以紅夷設轄浯嶼、浯銅二遊。

○浯嶼寨，欽依把總一員水寨也。在同安極南，孤懸大海中。左連金門，右臨岐尾，水道四通，爲漳州、海澄、同安門戶，國初建寨焉。久之，以其孤遠，移入廈門而寨名仍舊。廈門者，中左千戶所，嘉禾嶼地也。嘉靖戊午，倭泊浯嶼，入掠興、泉、漳、潮，據之一年，廼去。巡撫譚綸，總兵戚繼光，請復寨舊地。尋復，以孤遠罷。萬曆三十一年，有夷舟至泉城下不覺，當事者因移建郡東之日湖。是去郡三十里，不禦門戶守堂奧矣。其信地則惠安之崇武，晉江之祥芝、永寧、圍頭，同安之料羅，曰最衝惠之獺窟同之官澳，曰次衝。其會哨地，北則分綜於湄洲，與南日會，南則與銅山會哨於料羅之擔嶼。

○浯銅遊，名色把總一員。遊在同安縣東嘉禾嶼中左所，與高浦所連界，烏嘴尾、烈嶼，其信地也。曰最衝。汎時分兵二哨，一屯舊浯嶼，一屯大擔嶼，與浯嶼兵合哨。

○鴻江遊，名色把總一員。

○彭湖遊，名色把總一員。南路、泉南俱轄之。遊，晉江海外絕島也。語在晉江方域志。洪武間，居民內徙。嘉靖季賊曾一本、林鳳，據爲巢穴。萬曆壬辰，朝鮮告變，倭且南侵。議者謂不宜坐棄彭湖，因設兵往戍之。其島週圍三十六嶼，北起北山，南盡八罩澳北。山龍門港、丁字門、西嶼頭，倭要路也。曰最衝。娘宮前時上澳，曰次衝。春汎以清明前十日爲期，駐三箇月，冬汎以霜降前十日爲期，駐二箇月。浯銅二寨分兵爲聲援，汛畢，衝要地各有兵船哨守，命曰小防。

○建寧守備一員，土兵也。營在建寧府城，建安、甌寧、建陽、崇安四縣地方，其信地也。

○汀漳守備一員，舊設聽南贛參將節制。弘治三年，議駐武平千戶所，往來上杭提督捕賊盜，象洞、懸繩峰、隘蟠、龍岡、鄭家坪隘，其信地也。

○協（協，以下同）守漳潮南澳，副總兵一員。澳在漳、潮二州海島中。四面阻水，可三百里。潮則通拓林，漳則通玄鍾。山高而隩，地險而腴，歷代居民，率致殷富。成化中，有奸民作梗，始悉徙於內地。嘉靖季，海寇許朝光、吳平等，據爲巢穴，勾倭內訌，罷敝二省數年，殛樸滅之。隆慶初，兩廣總制閩巡撫，議題設險善後，朝命建鎮城，設協守漳潮副總兵一員守之。漳潮近地兵將戍所，悉聽指揮。寇至，出舟師追逐。寇在閩，毋得以走廣辭；在廣，毋得以走閩辭。比來，生聚教訓，有詩書絃誦焉。標下福營把總一員，營在鎮城，與廣營協守城池。汛時輪撥隊兵，沿海擺塘哨探。

○南澳遊，欽依把總一員。官署二：一在南澳鎮，一在玄鍾所。宮前澳、彭山、雲蓋寺，其信地也。曰最衝。玄鍾、走馬溪，曰次衝。

各府巡簡司附

福州府 舊有古田縣谷口杉洋各巡簡司革

○閩縣：五虎門官毋嶼巡簡司，巡簡一員。閩安鎮巡簡司，巡簡一員，其地海門也。客旅魚販，廣浙往來所經。

○侯官縣：竹崎巡簡司，巡簡一員。五縣寨巡簡司，巡簡一員。
○長樂縣：松下巡簡司，巡簡一員。石梁蕉山巡簡司，巡簡一員。司在十五都。山瀕海，東有磁澳，寇衝也。小祉山巡簡司，巡簡一員。
○連江縣：北茭巡簡司，巡簡一員。
○永福縣：際門巡簡司，巡簡一員。
○福清縣：壁頭山巡簡司，巡簡一員。牛頭門巡簡司，巡簡一員。澤朗山巡簡司，巡簡一員。
泉州府 舊有德化縣高鎮，安溪縣源口渡，同安縣塔頭、田浦、苧溪、陳坑各巡簡司，俱革。
○晉江縣：祥芝巡簡司，巡簡一員。司在二十都，距縣五十里。東抵外洋大海，南至永寧及郡城，與崇武所相對。深滬巡簡司，巡簡一員。司在十六都，去縣七十里。東濱大海北永寧衞，南福全所。西鄰潯尾，通南日，接銅山。由深滬抵永寧，間爲佛堂澳，可泊舟，海寇出入必經門戶也。烏潯巡簡司，巡簡一員。司在縣十六都。南臨大海，東接深滬，西連福全。有圳上澳在深滬福全間。圍頭巡簡司，巡簡一員。司在縣十四都，去縣百里而遙。東南闞海，南連洒洲一帶內港。宋時防海，軍去城甚近，守眞德秀移戍（戍）於此。
○南安縣：石井巡簡司，巡簡一員。司在四十三都石井，以防南汎。去縣八十里，山勢陡拔，寨門外，大海也。同安浯洲渡船，由此往來晉江、安平，商（商，以下同）船亦出入於此。
○惠安縣：峰尾巡簡司，巡簡一員。司北障沙格南，距黃崎、犄於、興化、吉了、湄洲島峙，盜船多泊于此，兵船番汎焉。左支一潮入于楓亭、黃崎，對峙如門，而輞川居其內，諸商所集地也。小岞巡簡司，巡簡一員。司在縣三十都界，去縣四十里。城立山巔，前盱大岞，後盼黃崎。四面環海。下瞰嶼前後皆爲灣澳，賊舟登岸可虞也。黃崎巡簡司，巡簡一員。司在縣正東三十里，高山特起，無際大海。湄洲、南日在其東北。正北峰尾，正南小祚，互爲犄角，而黃崎尤險要。海多礁嶼，生寇昧水道，不敢徑至，達輞川，一潮水也。獺窟巡簡司，巡簡一員。司在縣南三十里，島峙海中。北障前頭山，南縈覆釜。南、北風皆可使舟。舟入泉港必經岱嶼、祥芝，在外烽火可相應。

○同安縣：官澳巡簡司，巡簡一員。司在縣東南之浯洲，去峰上二十里。峰上民勇戰鬪，置精兵其處，倭來必不越而攻官澳，然非官澳則峰上守亦孤，唇齒輔車也。峰上巡簡司，巡簡一員。司居浯洲最東，其澳曰料羅。同海外大嶝、小嶝、古浪、烈嶼諸島相望，而浯洲嘉禾爲壯。衞以峰上、官澳、烈嶼、白礁四巡司，高浦、金門、中左三所可爲犄角，而料羅則泉門戶，宜急守。烈嶼巡簡司，巡簡一員。司於浯洲爲外嶼絕海上城，據險乘高，與金門隔潮並峙。海上有警，則烈嶼先受其鋒，船兵汎守焉。白礁巡簡司，巡簡一員。司地錯入龍溪，負山面海陸，則咫尺孔道，水則瞬息。海澄民貧慓悍，賊故不犯，而沈命之徒時出沒。

建寧府

○建安縣：籌嶺巡簡司，巡簡一員。司在南才里龍門頭，距縣百里。

○甌寧縣：營頭巡簡司，巡簡一員。司在水吉營頭街，距縣百一十里。正統四年設。

○崇安縣：分水關巡簡司，巡簡一員。司南唐之閩王寨，宋之大安驛也。轄桐木、觀音、寮竹、蘿嶺、溫林、岑陽六小關，境接楚越，地當衝衢。

○浦城縣：盆亭巡簡司，巡簡一員。司在縣西北安樂里。高泉巡簡司，巡簡一員。司在縣東高泉里。溪源巡簡司，巡簡一員。司在孝弟里太平橋。出沒爲盜奏置於此，興化鄉巡簡司巡簡一員司在縣東太平里高陂正統年置。

興化府

○莆田縣：迎仙寨巡簡司，巡簡一員。寨在府治東北四十里，莆、清之交也。前臨海，後負江口。長橋水自荻蘆溪東流數十里，合江入海。地饒民衆，商賈所湊，奸宄穴焉。冲沁寨巡簡司，巡簡一員。寨在府治東六十里，三面阻海，與岐頭三江澳港相接，原即山巘，建石爲城。下多村落，海上烽起，則斂民入城，與弓兵共守。其民歲販糖飴稻、麥之屬，浮溫、臺、泉、潮，貿易爲利。嵌頭巡簡司，巡簡一員。寨距莆東西九十里，介山海間。賈泊、寇船，什沓往來。城在石崖之嵌，漁農數百餘戶，聯延其址。青山寨巡簡司，巡簡一員。寨距縣治東九十里而遙，東、西、南三面阻海，夷舟多繇此入。而南日山峙其南，渡海不五十里，莆門戶也。吉了寨巡簡司，巡簡一員。其地宋曰擊蓼，距郡城八十里。前控南網，右引小嶼，左帶湄洲。居民業海，貲貨輻輳，市廛聯絡，城枕海涘，巨浪觸嚙，歲費修築。東有吉了水寨。大洋巡簡司，巡簡一員。司距郡城八十里，東抵仙遊，西至白沙，南福清，北永福，地當四邑衝。山谷中居民星散，奸宄易叢。萬曆中，廣業里有嘯聚，置司焉。

○仙遊縣：白嶺寨巡簡司，巡簡一員，司故小嶼寨也，在莆大海中。嘉靖三年，令蕭弘魯，以縣白隔嶺，迫近山寇，奏請移司於此。

福寧州 舊有松山巡簡司革。

○大質當巡簡司，巡簡一員。司在秦嶼堡。青灣巡簡司，巡簡一員。司在牙裏堡。蘆門巡簡司，巡簡一員。司在桐山堡。高羅巡簡司，巡簡一員。司在四十三都閭峽堡。延亭巡簡司，巡簡一員。司在五十都下滸堡。柘洋巡簡司，巡簡一員。司在三十三都。司城元末中書參政袁天祿築，以團義兵保州境。皇朝正統六年置。

○福安縣：白石巡簡司，巡簡一員。司在三十四都黃崎鎭。

○寧德縣：東洋航嶺巡簡司，巡簡一員。司在六都雲淡門。

右官守要害

○宋有天下，懲藩鎭之慠所在擁兵，念其難合而慮其復發，令諸州召募軍士，部送闕下。上者以備禁旅，其次以還，戍於諸州。大自藩府，小至郡縣，皆有京師兵，日禁兵，又曰屯駐，又曰屯泊，又曰就糧軍，皆禁兵也。諸州募而部送闕下者，皆壯勇士。所募之餘，則以給役於州城，以備畜牧、繕修之用。福建有三軍焉：曰水軍，曰保節軍，曰崇節軍。水軍置在福建漳、泉、邵武，保節置在建、汀、南劍，崇節置在福、漳、泉、興化，皆步軍也。是名曰廂兵。康定初，趙元昊反，西邊用兵，禁兵外戍乏人，令諸州益募土兵爲就糧軍。其時福建之營曰宣毅，福建路州二，泉南、劍漳、汀、邵武、興化各一，凡二百八十人。西師罷省，宜叙名寖廢。其後議者謂東南雖安，不宜弛備。嘉祐四年，詔諸州募就糧軍、威果各營於本州，又益遣禁軍駐泊，長吏兼本路兵馬鈐轄，選武臣爲都監，專主訓練。治平三年，定諸路禁軍額數，福建路得四千五百人，熙寧中改三步軍號，並名保節，隸三十三指揮，一萬一千一百五十人。元豐二年，詔團結東南路諸軍，分兵置將，東南共十三將，而福建路居第十，其名曰將兵。建炎以後，兵制靡定，其禁軍在福建者有威果、廣節之名。廂兵在福建者有寧節、豐國監之名。此外又有選自戶籍，或土豪應募在所團結訓練者曰鄉兵，而福建槍仗手之名最著。靖康初，臣僚言：「天下步兵之精無如福建路，槍仗手出入輕捷，得其術可一當十」，於是召募。應詔槍仗手者廖恩爲盜，福建路以槍仗手捕殺之，故以得名。而建寧則有壯丁民社，其建自乾道，福州有忠義民兵。開禧中，推其法於諸路。忠義民兵，其初爲忠義社團結邑民中，擇豪右長之量授衣甲，其後盜用以息，故開禧中推行之也。又，建炎後置有砦兵，福建路邵武軍十砦；同巡巡簡、大寺、水口、永安、明溪、仁壽、西安、永平、軍口、梅口。建寧府七砦：黃崎、籌嶺、盆亭、麻沙、水吉、苦竹、仁壽。南劍州八砦：嵢峽、洛陽、浮流、巖前、同巡、仁壽、萬安、黃土。泉州五寨：都巡同巡、石井、小兜三縣。福州四砦：韋嶺、甘蔗三縣。水口興化軍二砦，同巡巡簡。漳州二砦，同巡虎嶺。此則各據險阨之處逐捕盜賊，而皇朝巡司之設所由昉也。皇朝置衞所於天下，以開國靖難之人爲之。指揮千百戶或簡戶丁，或調他省，或配有罪籍爲軍，曰衞兵，亦宋人禁兵之意也。衞兵有三：曰征操軍，曰屯旗軍，曰屯種軍。征操軍人則守城，以時訓練，謂之見操軍。出則守寨，按季踐更，謂之出海軍。洪武二十年，遣江夏侯周德興經略海上，防倭戍守。德興刺福、興、泉、漳四郡，民三丁抽一以爲軍，於是有沿海軍衞。衞所初定，民未習土，率潛離城戍（戍）。二十五年，互調其軍於諸衞，故今海上衞軍不從諸郡方言，尚操其祖音而離合相間焉。屯旗軍者，國初奉紅牌及樣田事例之屯軍也。屯種軍者，屯田軍也。江夏侯又沿海置巡簡司，藉兵守之，謂之弓兵，亦宋初廂兵，宋末砦兵之遺意也。其始籍民爲弓兵也，往役者復其家。弘治中，以田賦定差役，而民間僱値倍之。嘉靖季，閩中中倭，軍門議各司弓兵多逃，始司減其兵數。兵減，其僱値徵其贏充軍餉，巡簡弓兵之名徒存而已。景泰而下，則復有機兵之設。始國初置軍衞，立弓兵，本以防禦寇盜也。景泰間，柄兵者建議，凡臨敵失一軍以上，與失機同罪，於是設機兵焉。其初招募民壯，官給鞍馬、器械，復其本戶丁糧。弘治初，令年二十以上，五十以下者充之。州縣八百里者里二人，五百里者里三人，三百里者里四人，一百里以上者里五人。春、夏、秋每月三操，冬則操三歇三。遇警調遣，官給行糧，而工食則給於里甲丁糧。至正德，法廢，廼取之田賦。役者僱直官歲給之，用以守關隘追盜賊，巡捕官督焉，此又宋鄉兵之遺意也。嘉靖季，閩中倭，軍門又於其中選爲標兵隸麾下，奏增機兵之宜而減其數，收贏以足餉。復以倭變增兵，而土兵、客兵起焉。土兵，土著之兵也。招聚郡民，聚處教場，統以將領，曰土營。客兵者，浙兵也。倭之猖獗也，浙參將戚繼光，以所練義烏兵來援，屢與倭戰有功，卒平定之。軍門譚綸奏留其兵，分戍八郡，而軍門總兵聚兵省會尤多，統以將領，曰浙營。

○凡軍衞軍月給米八斗，如銀則月四錢。外衞所軍有出海及守烟墩者，月給米一石，銀則月五錢。更有選練備戰餘丁，亦月給米八斗。軍戶有幼弱老疾者，則優恤之，或月米七斗、六斗、三斗，各有等差，如銀則視其斗數以定多寡。屯旗軍、屯種軍二軍，第歲受日數輸糧於官，並不霑官餼。弓兵，弘治間每名銀七兩二錢，嘉靖季減為五兩有奇。機兵，正德間官給僱直七兩二錢，嘉靖季減數增直。萬曆五年，軍門龐尚鵬，幷減增直之數，輸賦者便之。

福建都司

○福州中衞：旗軍五千七百一十八名，舊額也。今千五百五名，屯種軍百三十九名，種屯軍千五百九十三名。

○福州左衞：旗軍六千七百二十名，舊額也。今二千五百五十三名，屯種軍六十六名，種屯軍千六百九十七名。

○福州右衞：旗軍七千四百九十一名，舊額也。今二千三百五十六名，屯種軍七十七名，種屯軍千六百九十八名。

○興化衞，操屯旗軍六千百八十九名，舊額也。今旗軍七百十七名，餘丁三百五十九名。

○泉州衞：操海屯種旗軍六千百四十七名，舊額也。今操海旗軍餘丁共千二百三十六名，屯種軍三百四十四名。

○漳州衞操屯旗軍四千九百餘名，舊額也。今旗軍七百六十八名。龍巖中中守禦千戶所：操屯旗軍千一百八十餘名，舊額也。今旗軍三百三十一名。南詔守禦千戶所：操屯旗軍千一百八十餘名，舊額也。今旗軍二百九十名。

〇福寧衞：操屯旗軍五千六百餘名，舊額也。今旗軍舍餘千五百二十六名。定海守禦千戶所：操屯旗軍千五百二十名，舊額也。今出海旗軍舍餘八百九十九名。大金守禦千戶所：操屯旗軍千一百二十名，舊額也。今出海旗軍舍餘八百四名。

〇鎭東衞：旗軍八千六百八十七名，舊額也。今操軍九百五十名，出海軍四百六十名，標兵軍三十七名，屯種軍三百二十一名，屯旗軍千四百三十二名。梅花守禦千戶所：旗軍千四百五十八名，舊額也。今操軍三百二名，出海軍四百二十九名。萬安守禦千戶所：旗軍千四百九十九名，舊額也。今操軍五百六十八名，出海軍四百四十名。

〇平海衞與鎭海衞對調旗軍五千五百十六名，舊額也。今旗軍舍餘九百九十二名，出海軍餘百八十名。莆禧守禦千戶所與銅山所對調旗軍千二百二十一名，舊額也。今軍餘七百十七名，出海軍三百十名。

〇永寧衞：操海屯種旗軍六千九百三十五名，舊額也。今操海旗軍千三百九十四名，屯種旗軍七百八十三名。崇武守禦千戶所：操海屯種旗軍千二百二十一名，舊額也。今操海旗軍六百二名，屯種旗軍百九十四名。福全守禦千戶所：操海屯種旗軍五百七十五名，舊額也。今操海旗軍百一十六名，屯種旗軍百一十七名。金門守禦千戶所：操海屯種旗軍千五百三十五名，舊額也。今操海旗軍六百十八名，屯種旗軍七十四名。中左守禦千戶所：操海旗軍千二百四名，舊額也。今羌操六百八十四名。

○高浦守禦千戶所：操海屯種旗軍千二百五十八名，舊額也。今羌海旗軍五百八十八名，屯種旗軍二百一名。

○鎭海衞操屯旗軍四千九百餘名，舊額也。今旗軍七百六十三名。陸鰲守禦千戶所：操屯旗軍千一百九十餘名，舊額也。今旗軍四百八十名。銅山守禦千戶所，操屯旗軍千一百九十餘名，舊額也。今旗軍三百六十七名。玄鍾守禦千戶所：操屯旗軍千一百九十餘名，舊額也。今旗軍三百三十二名。

福建行都司

○建寧右衞

○建寧左衞

○延平衞，操屯旗軍五千六百名，舊額也。今操旗軍千九百八十二名，屯旗軍千七百五十名。

浦城守禦千戶所

○何子曰：閩中成、弘以前山寇多而海寇少，正、嘉以來山寇少而海寇多。國初州縣仍宋、元舊，山林深阻，菁棘蒙密，奸宄時竊發，至乎蔓不可圖。今其地芟夷之後，悉置縣司，即欲嘯聚，靡所藏寄，此山寇多少所由異也。國初太祖嚴通夷禁，寸板不許下海。江夏侯經略海上，城寨方新，士伍驍健，又孰有寇？嘉靖之初，都御史朱紈以禁夷仰藥死，副使柯喬亦坐誅。海上市易未易，輒禁絕，至乎季年，倭從浙直入犯，閩中大亂。以數歲於今，閩人生息益衆，非仰通夷，無所給衣食。又，閩地狹山多，渠瀆高陡，雨水不久蓄。歲開口而望吳越、東廣之粟船，海烏能禁哉？倭故蹂躪吾民乎？來亦有時，今其所行劫海上者，率吾內地之民，假其面目，借其名號，殺越于貨，了無畏恐，此海寇多少所繇異也。方此之時，山寇少矣，當事者眷眷憂海上倭，要以前所言海外之倭有時，內地之倭無日也。予友寧國沈有容，舊爲浯嶼把總，海濱之民，皆知其生業，出入貿遷何業，所藏貨物當往何夷，市劇奸捕治之，其次可用爲耳目，力使者籍爲兵。彼習知衝犂抵拒之法，見刀刃而不懼，望旗幟聽金鼓銃砲，色不怖而又爲之利。器械、堅船具有容，爲把總數年泉中絕海寇嗟乎？事在其人哉？雖然，人何容易？今夫武將一途，仕路啞竇也。文吏恥之而不敢言，且無人知也。不費之文吏，費之督總矣；不費之督總，費之兵部矣；不費之兵部，費之煬竈中央之人矣；而又欲自肥其身家，非虛冒（冒）賣放剝刻，何得也？下朘軍士，上噆國家，而贊武備予於武臣乎？何誅在當事與在當事與？

○贊曰：虎去爪牙百獸起，敵桓桓如林，以奠南北，陸則剿滅，海則誅，亟有此。隸籍縣官，仰食武將，統領文吏，拂拭殫猷，竭念師武臣力，不者糜費，明神糾（糾）亟。

〔卷四五〕

文淋志

皇朝

鎮守撫臣　洪武二年設

○王恭，濠州人。尙太祖公主。洪武二年，以爲福建行省參政。臨行，諭之曰：「福建從昔富庶，元末困於弊政，朘剝尤甚，民病未蘇。汝往綏之，毋恃親故，國家政令，一本至公，不能守法，朕不敢縱，汝其欽哉！」恭既爲福州築城守，先造一城於城北，今名「樣樓」。

○周德興，濠州人。從一太祖定天下有功，封江夏侯。洪武十三年，承制理福建軍務，沿海邊城，相風土形勢，修築創建，凡海上城池、墩寨，及衞所軍士調配，與孤嶼人民之當內徙者，皆德興經畫之。

巡視撫臣：嘉靖二十六年，以海警，命都御史巡撫浙江，兼管福建福、興、建寧、漳、泉海道地方，提督軍務。二十七年，改巡撫爲巡視。三十一年，復遣僉都御史提督軍務，巡視浙江，兼管福、興、泉、漳地方。三十三年，倭亂，特命尙書提督浙江、福建、南直隸軍務。又專設都御史提督軍務，巡撫浙江，兼福、興、泉、漳地方。其提督三省者改總督。三十五年，復以閩浙道遠，專設提督軍務兼巡視福、興、泉、漳、福寧海道都御史，仍聽總督節制。三十六年，以倭連歲寇東南，置鎭守，設提督軍務兼巡撫福建地方。都察院都御史駐福州，統轄全省，遂爲定員。

○朱紈，字子純，長洲人。正德辛巳進士。嘉靖二十五年，以都察院右副都御史奉勑巡撫南贛、汀、漳。時海寇猖獗，巡按浙江御史陳九德，請置大臣兼巡撫浙福海道，改紈充其官。紈至，嚴禁泛海通番，勾連主藏之徒，凡雙檣餘皇一切毀之。及入漳州，平同安山寇。以忌者陰中嗾御史周寬，給事中葉鏜，奏請改爲巡視。既而漳囚逸入于海大擔嶼與步門，大江諸警驛騷。紈規畫無敗績，督兵追賊，下溫盤、南麂諸洋，大破之。後又從溫州進駐福寧，擒佛郎名王，及黑白諸番，喇噠諸賊甚衆，閩、浙悉定，先後以聞。其後，陳九德疏論紈專殺，濫及無辜，法司覆請遣官會勘，世宗從之。遂革紈職，命兵科給事中杜汝楨按問。汝楨及御史陳宗夔，勘上前賊，乃滿喇伽國番人，每歲私招沿海無賴之徒，往來販鬻，未嘗有僭逆流劫之事。二十七年，復至漳州月港、浯澳①等處，各地方官當其入港，既不能羈留人貨，疏聞廟堂，反受其私賂，縱容停消，使內國奸徒交通無忌。及事機彰露，乃始狼狽追逐，以致各番拒捕殺人，有傷國體。及諸賊已擒，又不分番民首從，擅自行誅，誠有如九德所言者。紈既身負大罪，反騰疏告捷，而海道副使柯喬，都指揮僉事盧鏜，復與佐成之，法當首論。兵部、三法司再覆，如汝楨言，紈、鏜、喬遂得罪。紈，爲人精廉勇任，開府閩浙有盪定功，雖張皇太過，然勘官務入其罪，功過未明，竟憂恐仰藥，公論惜之。

○王忬，字民應。嘉靖二十年進士。以僉都御史經略通州，復巡撫山東。値倭寇大入浙之臺郡，而閩中時亦有警。廷推忬以原官提督軍務，巡視浙江，兼管福、興、泉、漳地方。亡何，改巡視爲巡撫。忬請得用便宜行事，南會二廣，北會江左諸鎭，犄角應援。而是時俞參將大猷，湯參將克寬，俱武勇饒材略，忬虛己任之。都指揮盧鏜，坐前都御史尹鳳事，以贓累俱繫獄。忬並奏釋，爲別將。忬在浙、閩可二歲，凡十餘捷，所得沿海大猾爲倭內主者擊之，覆其家。城海上縣，曰長樂，曰福清，曰惠安。後仕總督薊遼、保定都御史，以虜入邊，下獄論死。

○胡宗憲，字汝貞。績溪人。嘉靖戊戌進士。甲寅歲，以御史按浙。用武略見，推超拜僉都御史提督軍務，兼巡撫浙福，晉總督，與巡撫阮鶚諸道兵勦徐海于平湖之沈家莊。又遣辯士說王直來降，斬于市，閩、浙悉定。累進少保兼太子太保、兵部尚書、右都御史。官一子錦衣千戶。壬戌，被逮京師。世宗念其功，宥歸不問。尋坐分宜相客事，復就繫，竟死獄中。宗憲有膽勇機智，善因人器使，其行賞畧刻，千金不吝，能折節遇謀勇士，以故將佐皆樂爲盡力。敢任危疑，不以文法自困，卒成戡定。隆慶六年，訟復原官，賜祭葬。

提督軍務兼巡撫福建地方都察院御史一員嘉靖三十六年置，見巡視撫臣下。

○阮鶚，桐城人。嘉靖甲辰進士。倭寇東南無寧歲，侍郎趙文華奏請置撫臣於閩，從之。於是鶚以邊才得名，自浙江巡撫都御史改福建，福建有巡撫自鶚始。其時軍府草創，兵食俱詘。倭以數萬衆攻會城，勢且岌岌。鶚且戰且守，卒以卻（卻）倭。未幾，爲流言所中去。

○劉燾，字仁甫。天津衞人。嘉靖三十九年代王詢爲巡撫。時倭寇頻歲焚掠，其年三月，鳩衆數萬，繇南臺寇福州。燾，素有威名，善騎射，走及奔馬。下令大開城門，往來不禁。親率死士千餘，邀賊閩安鎭。身發三矢，中其三酋，應弦而斃。賊大奔潰，赴水死者無筭。凱旋之日，士民歡迎馬首。無何，復出軍禦倭長樂之北鄉，遇賊壺井山下，手射二酋。賊駭，潰遁去。以病免。倭復至閩，人思之。

○游震得，倭之入寇也，興化府政和、壽寧、福安、寧德等縣皆被陷沒，論者咎震得懦縮不支。

○譚綸，字子理。宜黃人。嘉靖甲辰進士。以浙江參政丁艱家居。廣賊流刦江西起復，勦平之，改福建參政，乞終制。亡何，倭陷興化，又起復。綸以僉都御史巡撫本省。綸至，以精兵千人自隨，斬倡亂衞卒，責諸將必滅賊。先後與都督戚繼光破倭境上，復遣偏帥擊古田諸山寇，悉平之。凡俘斬二千二百有奇，獲被虜三千餘人，衞所印一十五章，悉以功歸前督府王詢。是時詢方獲罪，得藉以釋，晉副都御史。復擒滅神前澳玻璃嶺諸孽，及龍巖楊一、蘇阿普、藍松山等，閩中賊悉平。得請補制，後以薊遼功陞右都御史、兵部尚書。卒贈太子太保，諡襄敏。

○汪道昆，字伯玉。歙人。嘉靖二十六年進士。束髮修古文，辭登嘉靖丁未進士。初試令，歷兵部郎，爲閩藩臬使。以兵事乘間當司馬，指出佐中丞。視閩師，復上差，功次踰中丞。旋進中丞。道昆入閩，汗衣蓐食。五年于外，其畫軍事，首議餉次。議兵三議，責成四議事任。宿將如俞大猷、戚繼光、湯克寬輩皆專倚而推轂之。轅門士伍，待以殊恩，咸感激爭奮，遂破吳平夷龍頭寨，殲楊一、蘇阿普餘黨，而倭酋以次授首。官終兵部左侍郎。

○殷從儉，字汝中。臨桂人。嘉靖甲辰進士。陳乞學職，領廣州教授，累陞廣東僉事。引疾歸，用薦起福建僉事。歷參議、副使、參政、南太僕少卿，提督南贛，轉巡撫閩中。在閩歲餘，值倭寇初殄之後，一以休息爲事。方倭至時，籍民丁田爲戍餉，名曰丁四糧六，每易一撫臣，輒增分數，即歲裋必取盈。從儉悉復原制，省冗費，汰虛兵，肅吏治，居官不以孥自隨，衣不文采，食不兼肉。甫以內臺簡召，疾三日卒。有司省其橐，月俸數十而已。士民里號巷哭，即樵夫賈豎，爭獻一楮致轅門下，復像祠之西湖之上。

○劉堯誨，字君納。衡州人。嘉靖癸丑進士。授新喻令，擢南給事中。累僉都御史，巡撫閩中。寇林鳳劫掠濱海郡邑，堯誨設方略，合番、漢兵攻之，遂有東番魍港、呂宋國玳瑁港二捷。策南澳一島，介漳、潮間，賊往往憑之爲患。奏設總兵居守，復奏留鹽筴銀數萬備軍前之需。於是庫有餘錢，倉有餘賘，晉副都御史致仕。歸後歷南兵部尚書。堯誨神情凝默，語不當機不輕出。與人交，貌疎意眞，久而益篤。其言曰：「學貴純一，一累情欲，便墮陰界。」

○趙參魯，字宗傳。鄞人。隆慶五年進士。自庶吉士改給事中，以言事謫高安典史。後稍遷僉事，督閩學。時學使阿執政意，操士如束濕，務在汰多而錄少，參魯一切寬行之。其甲乙多奇中，後來爲巡撫，行鄉約保甲法，閩境少盜。寧德之支提寺，故盜藪也，僧大千請內降藏經，將聚徒其間，過三山，參魯留勿遣姦商黃錦輩，闌通諸夷開島興界，參魯捕置重辟，躬行海上蒐軍實，嚴海禁，疆事大飭，終南刑部尚書。

〔卷六二〕

註：

①「浯澳」，世宗實錄，卷四七一，嘉靖二十八年四月丙午朔條；明史，卷三二二，日本傳；籌海圖編，卷八，寇踪分合始末圖譜，俱作「浯嶼」。

文涖志

知縣

興化府

○陳大有，南海人。蒞任旬餘，倭方破莆，乘勝以四千餘人從寧海間道薄城下西鄉，叛民附之，環城三匝。大有諭衆曰：「吾誓與此城存亡，敢遁者斬！」於是賑貧窮，分部伍，携二家僮宿城南樓。晝不傳餐，夜不帖席，時時戎服，單騎或徒步繞陴飭守。外則重脩土城，環以木柵，簡閱精銳爲遊兵，巡邏城下。賊來，令堅箚土城內，左右協擊之。城上佐以矢石，間縋死士，乘其怠，斫其營，創流星飛鈎之制。而賊之竹牌、雲梯，轉爲所絀。最後，諜知賊造呂公車、太車以來，度所必歷處，遣人瘞礧、插樁，或暗洞、土穴。車至，輒齟齬摧蔽，其他所有長技，輒隨方破壞，前後相持五十餘日。亡何，戚將軍繼光提大兵至，殺賊逐之，仙邑竟全。兩臺交疏其嬰城死守功，仙人爲保障殊勳錄紀之。

〔卷六四〕

文湔志

漳州府

同知

○鄧士元，徐聞人。以監生任本府推官，才識明爽，幹辦勤勞，撫處月港頑民，會剿饒寇張璉，皆有功，陞任海防。本府添設海防同知自士元始。歷本省鹽運司同知。

知府

漳州府

○羅青霄，忠州人。嘉靖壬戌進士。自兵部郎任伉爽自喜。兩造當庭，剛果立斷。葺郡志，修文廟及朱文公祠，創天寶學田以贍士。築八卦樓郡城東，用發地勝。增建敵臺，作四門月城固守。圍以月港寇亂，因通販禁嚴，請當道弛之軍餉故有額，自汪中丞加派丁四米八，民間重困。議徵減半，遂得爲例。又建議除客兵，練土著等一十八事　駸見之行，以挂議致仕去。

通判

漳州府

○吳用章，盧陵人。繇舉人任。才具宏廓，文學優長，職專督儲，往追輸者浮費倍正額，用章掃而更之。時征海寇，軍務旁午，餽餉咸應期輸辦，以得成功。嘗署龍溪、漳浦二邑。公廉明決，暇日課教諸生，所得士後多顯者。

知縣

漳州府龍溪縣

○劉欽命，盧陵人。以舉人任。時倭寇犯境，民多棄城。欽命砌以大石，增卑培薄。工垂就而寇至，復值暴雨，雉堞多壞，設法立柵禦之。且戰且築，令富民分粥饑民，以消內叛。寇聞其威惠，引去。陞均州知州。以不阿中貴人，爲所中，械繫赴京。事白，謫判。楊公博，聞其善守漳浦城，奏調大同以捍虜。

文𣳘志　〔卷六五〕

知縣

漳州府和平縣

○龔有成，嘉定人。繇舉人任。時値倭、饒二寇發，土寇乘之，大肆劫掠。有成繕浚壕，經營防禦，前後勦滅溪東小篆諸賊，具著勞績。調龍南縣，尋陞贛州同知。

文𣳘志　〔卷六六〕

知州

福寧州

○孫勳，南海人。以舉人任。時海寇披猖，新設軍門治兵行部至州。州故不習見軍門，皆惶恐重足。而任軍門者又責供張治辦。勳直用卑遜，免州民日擁勳輿出入，軍門竟出境，閭閻無毫髮騷擾，擢常德府同知。

○柴應賓，鄞人。以舉人任。州方倭警，一有事，即横派里甲，強索舖戶，吏緣爲奸，應賓一洗其弊。女墻久圮，僝工甫就，倭忽至，城賴以完。卒官。

○夏汝礪，融縣人。嘉靖初，爲南平教諭，待士以誠，賢愚僉益。擢知南安縣縣故無城，前一年爲倭所掠。汝礪集民城之。計田出直，計下出夫不二載工完。未幾，土寇楮鐸作亂，率衆攻城，堅不可入，因督兵挫之九日山下。秩蒲擢福寧州知州，復培州城之雉堞，州賴以固。

知縣

福寧州

○李堯卿，番禺人。以舉人任。政平訟簡，民安其業。倭犯，城單弱無援。堯卿與參將王夢麟，歃血盟衆。賊有張車登陴者，堯卿手刃其六七，有進逃遁之策者，立叱斬之。併攻三日，城陷，死之。贈太僕丞，蔭一子。

○林時芳，潮陽人。以舉人任。時邑方苦倭，州里爲墟民匿山谷不返，即返夜驚，復潛遁。時芳多方招集，綏撫流散，至於刑誣賴，弛鹽禁，戮假倭，乎鄰猾，創殘之後，能使道不拾遺，民心快焉。〔卷六七〕

武軍志

開疆使臣

○周德興，濠州人。從太祖定天下有功，封江夏侯。洪武十三年，承制申飭福建軍務，沿海邊城，相風土，度形勢，修造創建，履綦袭帶，靡不涉歷。

總兵建置見扞圉，嘉靖以前爲暫遣，嘉靖以後爲駐鎮。

○戚繼光，字元敬。其先定遠人。父景通，以大寧都司掌印入坐神機營。歸養母人，稱景通孝廉將軍。

始，孝廉將軍未子，魯橋故有異人，下帷通賓客。及孝廉將軍至，褰帷與入，曰：「端人也，吾無隱爾。」魯橋異人衣褐衣，據槁木，自言八百歲矣。嘗爲將軍一省母病，言無恙也。問之幾何？子曰：「猶未之知，明年某日朝，會茅山爲公察早晚。」至期往見，賀曰：「將軍有子也。」後十三年戊子歲十月閏朔，其時矣！此爲三朝虎臣，兄衞霍而弟之也。老夫乞以爲弟子名之曰：『長壽』。後五年，當復舉其功名，亦差亞。後十有三年，繼光果生。及期，其母夢神人衣絳衣，降于庭，虎變躍梱內。是日，日華五色，孝廉將軍命之曰：「繼光。」幼而好弄押闔，多權奇。孝廉將軍從方士受大還錮鼎，烹永偶，退火出丹室，命繼光主扃。繼光進武火大烹，扃戶自若。既排戶入，大驚孺子冒不測而攖，九龍敗矣。覆鼎出，永皆成金。覆試之，百端不死。孝廉將軍貯硝樓中，戒毋上也。繼光私舉火爲戲，燄薰天。孝廉將軍厲詰之，弗應。跡之，則燃且燼，圜而熸入版者三寸。孝廉將軍灑然異之，孺子得天侈矣。年十餘，降隼方頤，英氣勃勃。稍長，折節爲儒，以經著。既冠，襲世官。亡何，孝廉將軍死，不能家。嘉靖庚戌，待試武闈。會虜犯京師，繼光上便宜，言事山東，歲遣治兵，使者部兵入戍。繼光任中軍以從。輯和衆心，一軍皆服。陞總督備倭都司，尋轉浙（浙，以下同）江都司僉事，補浙東參將，分部臺州。浙中苦倭，繼光練義烏人爲兵以破賊。曰：「戚家新兵，所至破竹。」嘉靖四十一年春，倭賊繇福建長樂、連江、福清南下，聚黨焚劫，新賊繼至，巡撫都御史游震得，莫之誰何。言官言：「倭毒閩且十歲，劫衆聚徒，且十萬財力竭矣，當事凜凜，莫誰何。閩中故屬胡宗憲督撫，請亟發督府兵，不然且不保。」上如言官議，下宗憲。宗憲令繼光將新兵八千，出浙帑萬金予之，使副使王春澤監其軍。繼光引兵從間道入福建，破倭橫嶼絕島中。再旬入福清，大破之牛田。賊殊死走興化，銜枚趨之。夜四鼓，抵賊營，連破其六十餘營，斬倭千餘級，餘多溺死者。平明，領兵還城，而興化人始知。其郡中士民，具旗幛行酒郊勞，振旅會城。而汪道昆以兵備副使福清，操壺漿迎謂曰：「將軍至此，不世之伐也。顧何不即此大創倭？」繼光語道昆：「某此來，非奉朝旨者，且餉則不足，公欲終完閩，可入浙見胡公。公與游公，雖於胡公同爲鄉舊，乃胡公重公重於游公，必得兵若餉，予眇然一夫，從公殉國矣！」繼光班師，道昆告震得曰：「戚家新兵無失也，願再奉詔旨入浙請援。」震得如其計。道昆行，新倭繼至，圍興化，陷之矣。時興化衣冠巨族繁侈相望，地新被倭村落，一錢寸帛皆在城中，食玉薪桂，兼之疫瘴大行，士民晝夜乘郛望救兵。兵備副使翁時器，居城中，巽懦寡謀。震得遣總兵劉顯赴援，以兵少不進。遣一把總領兵三百往，賊盡扼之。居數日，顯又遣帳下兵八人齎文于時器。賊殺之帳下，兵衣上刺天兵二字。賊既殺八人，則衣其天兵衣，詐爲顯約書，縋城而上曰：「今夕且息鈴柝，將有所謀。」或疑其詐，請錮之。時器怒，不聽，罷鈴柝如約。夜未半，八人者斬關延賊，城中大亂。賊殺人狼藉，士大夫立斃鋒刃者數人。攝守者通判奚世亮，亦爲亂兵所殺。時器與參將畢高遁去。賊焚公署，火民居。旬餘，子女玉帛，搜掠一空。親兵嚮導與之，流連歡飲，駐城中者六十餘日，乃破平海城居之。仍繫人索贖取船，無得脫者。事聞，上震怒，罷震得，并逮時器及高等，俱謫戍。乃用譚綸爲巡撫都御史，而以繼光爲總兵，鎮守福建。時宗憲已罷總督，繼者巡撫趙炳然。見道昆至，慨然資遣，命繼光携萬兵兼程入閩。繼光直趨平海，部勒士卒，鷄鳴蓐食，晨壓賊壘衝之。倉卒大亂，刺眞倭二千三百餘級。一時狐豕，鏟洗無遺。轉而逐倭於仙遊，立破之城，嘉靖四十二年也。先是，莆人夢月墜地，中一老人言曰：「我是天兵，放火殺人，滅王綱，破土成，歷午未，至申酉，牛女界，號令明，重熙歲，見太平。」至是，人測之，土成，城也。重，繼也。熙，光也。歲，帥也。繼光自是用兵連破閩中，賊聞戚兵來，無不膝受刃。繼光與俞大猷同爲名將，學不如也，而威力過之。大猷或不能旦夕拯水火爲持重，而繼光如奔電迅雷，立見除掃矣。嘗以春月至崇武所城，民方下田，倭驟登岸，繼光出兵逆之。裨將請待兵稍集乃出擊，寬片餉耳。繼光曰：「春月農郊，婦子在田，倭得殺良民一人，即盡數斬之，何足贖失？必立往」，竟勝之。繼光以總兵鎮閩，乃其來時方爲參將。閩人見繼光驟立功，第稱曰戚參將，戚參將云。繼光故以參將入閩，進副總兵。再論功，最進中軍署都督同知充總兵，入薊，擁總理虛名，秩如故。神宗即位，遣兵部右侍郎汪道昆閱薊，用脩薊功。遞進左都督，加秩少保，兼太子太保，階特進光祿大夫。繼光所得久鎮薊，以張居正善任之。居正沒，人併言繼光，命移鎮廣東。踰年，疾作，得謝還卒。戚將軍，名將也。起裨校，屢遷至大都督，佩兩印，跨制三道，大小數十百載，所殺鹵萬計，人言其善用寡。已，又曰：「善用衆。」已又曰：「善用敗。」已則曰：「善用勝人之言。」曰縣官自急海事以來，悉天下力厭之。東南大約越卒十不能易倭一，而戚將軍提千餘烏合之士，躪（躪）穴梟夷之，即無論戚將軍用寡，已今諸邊大將將不過三千人，勢不能他有所舉，獨戚將軍能將數萬人若一人而肝膽之，即無論戚將軍用衆已，戚將軍所遣卒，或不幸以敗告，戚將軍治兵益自如自利瑕釁慢敵使懈即陰鼓我氣驟鬬之，故戚將軍敗，往往爲勝端，即無論戚將軍用敗已他將，見小勝則小溢，大勝則大溢，此自爲懈。其勝也，往往爲敗端，乃戚將軍治兵益自如，故其勝也，又爲常勝端，即無論戚將軍用勝已。戚將軍在浙，有紀効新書；在薊門，有練兵實紀；治兵者悉遵用。

○胡守仁，字子安。浙（浙）江觀海衛人。起家世胄，領軍有功，歷官是任。歲乙亥，海寇林鳳，糾（糾）黨剽掠，巢彭湖島殺人。守仁率把總王漢等剪除之。守仁，戚繼光麾下也。從繼光談兵，嘗記繼光所授爲紀效新書、練兵實錄。

○朱先，字後之。蘇州衛人。拔雋武闈，隸俞、戚部下。前後身經數十戰，官至總兵。倭報旁午，毅然請移駐鎭東，團練水陸，欲一舉而振之，竟不得行。性獨廉靖，秋毫無所犯。前帥閩人，是爲父母之邦，凡體統儀節，自亞成規。先力欲仍其舊，共事者故抑之，遂拂衣去。去日，行李蕭然。家居時，特飲酒家，或遇其故部曲，輒與過酒家快飲而別。

北路

○劉炌，字光大，世爲寧波衛指揮使。嘉靖三十五年，福清縣被倭，官兵屢挫。炌夜襲其巢，賊繇古田、寧德望海遁。炌即提兵繇捷徑宵行，趨寧德縣石壁嶺，要賊逸路。北至嶺隘，倉卒布列，未備而賊已至。部曲散亂，僅家兵數人在側。顧懷印者曰：「爲我保此，吾死之矣！」即挺身執鐵鈀，格殺三賊。力盡無援，賊衆擁至，斃于賊刃。所揮鐵鈀，尚堅執不墮。

南路參將

○張元勳，東安人。沉毅有謀，繇百戶從征太平賊有功，陞正千戶。又征横嶼等處，累陞北路守備。剿福安倭四十級，以功陞南路參將。累敗曾一本，及大征助戰，斬獲數多，人頌其功，擢廣東總兵。

遊寨把總

○劉國賓，以臺州衛指揮任烽火把總。萬歷（曆）元年，海寇林鳳數十船突入港，國賓檄協（協，以下同）總刻期同勦。至𦨴竹洋，與賊遇，協總後期不至。人勸之避，曰：「衆寡不敵。」國賓曰：「死吾分也。」轉戰至寨前，發銃反風焚我舟，戰士俱殲，國賓死之。按臺劉良弼，題請恤錄。

〔卷六八〕

武軍志

指揮使

福州左衛

○趙儀，定遠人。其先趙清，洪武中以功陞都督僉事。正統間，有鋼者調福建都指揮僉事，儀以天順間改任。有榮者，成化間任烽火寨欽依把總，身先士卒，屢平劇盜。有渠魁，口銜刀，左右手各執一刀，飛侵榮舟。榮迎砍之，遂入賊舟，擒斬殆盡，自是海寇膽落今襲。

○閔賢，光州人。其先閔得，洪武初以功任廣洋衛指揮同知。永樂中，有聚者陞指揮使。賢以成化中改任。嘉靖末，有溶者沉勇多智，善擊劍。倭寇入境，將兵禦戰海上，計十餘年，斬獲千級。功未上，又與倭戰舟山，火攻失利，死焉。弟清襲，以溶故加都指揮同知，仍世襲指揮使。

○陳言，江夏人。其先陳新，永樂初以功陞安慶衞同知。至亮，陞指揮使。言以正德中調任。善騎射，好賢禮士。嘉靖間，兩任烽火寨把總，躬督戰舸拒賊。搆樓一所，以講武事卒。子紹芳襲。隆慶三年，緣事革爲民，今未襲。

指揮使

福州右衞

○朱義，海州人。其先朱成洪武間以功陞密雲中護衞指揮使。義，正統初調任至璣。嘉靖間，任烽火寨把總。癸亥春，擒倭流江，以四十馘百級，奪回被虜男女三百餘。其冬，復有井門之捷。隆慶二年，廣賊曾一本寇閩，屢戰有功。一本遯璣，率舟師追之，中火炮死。事聞，襲官，進二級。萬歷（曆）中，子正色以璣功，加陞都指揮同知，尋以侵用屯糧革職。

鎭東衞

○高志守，山後人。其先卜兒罕忽力。正統十四年，以□□功授指揮僉事。天順中，倒剌火調本衞。成化間，□□賜姓高。嘉靖末，有懷德者禦倭死事。志守用父功□任，今襲。

指揮僉事

鎭東衞

○□瑛，五河人。父敏，正統中以功陞福建都指揮使。瑛

○劉師琦，壽光人。其先劉勝，洪武初以功授楊州衞副千戶。永樂初，調本衞。師琦，嘉靖中以倭功陞任，今襲。

○呼鶴來，和州人。其先呼海，洪武末以功陞保定衞副千戶。永樂中，調本衞。隆慶初，有良朋者，偉貌豐頤孟諸戚繼光奇其狀，令督兵轉餉，無後期。屢於海上奏奇捷，陞指揮同知。發大砲，沉巨寇曾一本船。轉戰大□，陞本省參將。巨寇林鳳，據彭湖出沒，爲濱海患。良朋先登深入，陞廣東副總兵，本省都督僉事。築鎭東城，徙廣西大帥，佩征蠻將軍印，平昭州征府江。賜白金、文綺，尋乞歸。卒，予祭葬，贈驃騎將軍。上護軍良□子鶴來任今職。

〔卷六九〕

武軍志

泉州衞

○（童乾震）①都司泉州衞指揮僉事，屢有擒殺海賊功。傳至（童）乾震，嘉靖中任銅山水寨把總。三十四年，倭自福清縣海日登岸。乾震承檄勦捕，與其子養銃，千戶白仁，義士陳學書等，領兵哨禦，屢有斬獲。福清人爲語曰：「軍中有二童，倭賊且一空。」居旬日，當道檄震爲前鋒，刻期殲之。乾震與養銃、仁學書等奮勇直前，抵東嶽山，與賊交戰數十合，斬擒十有一顆，殺傷三十餘。自辰至申，殊不卻退。約指揮劉玠爲援，而玠兵不至。賊見勢孤，湧出包圍。乾震身被二鎗，奮麾唱戰，遂死於陣，而養銃僅身免。事聞，命即□口地方立祠祭祀，子孫陞襲二級。養銃遂得襲指揮使。養銃嘗任南日山寨把總，有擊沉海賊功，以老退休。子與藩襲，復以養銃從父戰福清時有擒斬倭首功未敍，復加陞都指揮同知，與藩能詩與予遊。今襲。

指揮僉事

○孫廷槐，定遠人。始祖巖，以良家子從太祖渡江□，爲徐中山常開平部將，先登功多，歷陞世襲武毅將軍，除燕山右護衞。子孫選授浙（浙）江金鄉、處州如前職。景泰元年，王敬參作賊麗水，有政者冒（冒）矢石生擒元兇，芟夷群寇。三年，轉陞泉州衞世襲指揮僉事。至廷槐，嘉靖間奉檄征剿海寇，生擒山賊周洗、楊孔受等有功。復征進廣□□□，乘勝追至秋溪橋，馬蹶，墜水死，進指揮同知。今襲。

○唐海，六合人。永樂中，繇平海衞調任。嘉靖中，有濟澄者，歷汀漳守備，廣東、貴州都指揮僉事。回衞，奉委守興化石壁澳，擒斬倭賊有功。子高楨，嘉靖季襲舉武科，亦有擒倭功。今襲。

○歐陽深，南安人，唐歐陽四門之後。少爲郡諸生，性慷慨，家世饒貲，深以好施盡之。嘉靖丁巳以後，閩被倭害日慘。壬戌，復合叛民數萬，發掘墳墓，求貲贖屍，人心洶懼（懼）深時以納級除授本衞提兵，招賊筍江，從數騎直入賊中，觀其虛實，歸遣人諭以禍福。賊率衆來歸者不絕。深日以私財市牛酒犒賞之，選其悍鷙者置左右不疑，人皆感憤，樂爲用。嘉靖四十一年春，率兵攻賊施思備等於東田鄉，破走之。遂進剿青陽、陳村、下衡等處。其夏，進攻江一峰諸賊于雙溪，至于尾嶺山徑，連破七寨。復進兵英林、潘逕等處，擊退李五官，擒殺韋老等。遂追剿水田、下浯等處，斬獲倭賊百餘級。乃遣人宣諭謝愛夫、黃元爵、陳子愛等，俱棄甲來歸，散其黨萬四千餘人。於是賊酋蘇光祚、康大福等，聞風麕至。獨江一峰、李五官等遁據沿海，擁衆尚有萬餘。深遣人撫諭解散，乃督千戶王道成，百戶白希周，分道追剿，生擒江一峰、李五官，南蠻老施思備、王二千、李三直等百一十八人。俘斬泉州市。論功進行都司。其年，倭破興化城，盡掠金帛，出據平海衛，伺舟出海。軍府檄深應援。兵次東蕭，與賊戰，斬首百餘級。乘勝直進，賊來援者衆，深與部士薛天申、周岳鎭等血戰益勵，皆死之。事一聞，詔立祠歲祀，錄其子孫。今襲。

○俞大猷，霍丘人。始祖敏，以開國功授本衞前所百戶。大猷貌朴辭蹇，忠誠自許，動擬古人。爲秀才時，從泉中王宣林、福趙本學授易。而本學能即易衍兵，旣襲官，從李良欽擊荊楚長劍。嘉靖十四年，登會武舉時，遣兵部尚書毛伯溫征南安。大猷上伯溫書請行，謂自許不敢後古奇士。旣得掌千戶印，於金門所上禦賊書於僉事，僉事呵杖之曰：「武人安書？」奪其印。大猷笑曰：「此非吾自見地。」二十一年，虜大入山西，詔天下大選材官。大猷曰：「可矣！」走謁御史，自言學古兵法，通曉邊塞，詩書爲基，忠孝爲根。選材官應詔無踰大猷。御史上名兵部，大猷齎資走京師，復上伯溫。書伯溫大奇之，送贊畫宣大軍門。爲軍門者侍郎翟鑾，大猷□上鑾書，因爲切近三事以獻：一曰別馬步，二曰教□□，三曰重正兵。鑾召入口對。大猷召其素號知□者，折其爲弱，指其素恃堅營者，辯其爲虛。鑾曰：「吾不當以武弁待予。」下堂禮之，大驚一軍。而是時虜遁，大猷知鑾無意，遂辭歸。伯溫因爲大猷請命，擢守備汀、漳。旣至，日教技擊，暇與其秀士讀易，論文林菁，逋結次第平定。亡何，海寇作，發海舟大破之。當道交薦，陞廣東都司僉書。特新興、恩平二縣賊屢招屢叛，有司不能制。巡撫兩廣都御史歐陽必進，徼（檄）大猷撫諭之。大猷出榜招徠，極其切至，二縣賊皆化爲民。大猷復時時攜糗精單騎入村，教以忠信仁義，戰守自弦之法。復從數人入諸徭峒諭教之，峒人驚服，皆回心獻欵（款）。會福建海寇張甚，巡視浙（浙，以下同）福都御史朱紈，奏遷福建都司，而必進留之平交平黎，皆有功，因請於朝，以爲海南右參將。三十一年，倭寇浙直，勢甚猖獗。朝命以都御史王忬提督浙福，以大猷爲浙江左參將。是時，我中國人王直、毛烈，亡命入海爲倭嚮導。大猷與參將湯克寬，入海擊直。直遁。復數以樓船破倭。三十四年，陞南直隸副總兵。時松江柘林賊盈二萬，連年不可討。朝命以張經爲總督，尙書經始至，欲大猷急戰。大猷曰：「某可殺，寧可使擊不勝哉？」與經謀，急調楚、粤兵爲先鋒。兵未至，會朝命遣侍郎趙文華監軍。文華督促經戰，而經聽大猷爲持重。文華怒，論劾經。□□楚、粤兵至，大猷將之，大敗賊王江涇，而經亦用□□河船，計多所得。賊擊賊六金壩，殺首三百餘級。而文華劾書先已至。□□上前，世宗大怒，論經死，大猷奪祖職。已，倭至日熾，公卿臺諫皆言大猷可任。其明年，使充爲事官，鎭守浙直總兵。連破賊吳松江口營前沙茶山，斬首千五百餘級。移定海，乘兩雪，焚舟山寇，進署都督僉事。明年，進署都督同知，海上無警者二年。而世宗怒王直爲倭嚮導，必欲得而殺之。總督胡宗憲，使蔣洲、陳可願入海說直。直有歸意，求貢市。副總兵慮（盧）鏜，請許之。兵部〔侍〕郎唐順之，主其說而大猷欲用太祖、太宗禦倭法，剿絕毋留，以正中夏外夷之體，與僉事王詢倡論侯（

候）其至出擊之。宗憲曰：「敢擊？論死！」使鏜迎直海上，大猷陳兵誇示之。直至，則宗憲下直獄俟命。倭怒宗憲紿之，焚舟走柯梅，人殊死戰。夜乘舼入閩，閩中巡按御史將論劾宗憲，宗憲劾大猷，委罪曰：「是背笑我不戰者。」有旨□捕詔獄，顧朝論皆稱大猷有功無罪，得發大同立功。大猷念倭騷動東南，不過費財糜卒耳，虜於中國，□為不決之隄，欲自見平生而勢位未可，乃為總督都御史李文進制獨輪箄兵車，可推輓上下，強弩神□□堅，及遠簟笰龍盾，而虜弓矢弗能及也。文進試之，用數十輛，步騎數百人挫虜數萬於安銀堡，遂以其制聞於朝。京師置兵車營，自大猷始也。湖廣鎮箄苗，起巡撫都御史黃光昇，言大猷用兵如神，臣在廣東時，見其平交平黎，算無遺策，有才如此，豈敢置散地，乞補臣所部裨將。楚中諸苗，皆大猷昔時調遣從征伐者，令其當事，必有以威撫之。詔以為鎮箄參將。四十年，廣饒平賊張璉，聚寇數萬，攻陷江閩諸州，詔江、閩、廣三省會征之，用師二十萬人。復以為南贛參將，督江兵進剿。時三省尚屬胡宗憲節制，宗憲故論劾大猷矣。至此，又欲使急擊賊。大猷曰：「急擊賊，四走耳，當攻其巢穴。」宗憲一聽大猷之所為，璉巢在萬山中，山徑斗絕，大猷疾引萬人，據其高巔栢嵩嶺。璉果奔歸，數戰盡捷。而廣兵觀望，久不至。大猷察賊窘，計離其黨，執璉自贖。璉執有日，廣兵聞，疾至，奪之。江兵不平，欲與鬬。大猷撫几大罵，敢鬬者死。夫吾惡賊不靖耳，何必在我？江兵、廣兵，又何擇焉？馳散其黨二萬，不戮一人，以示恩信。乘勝誅林朝曦賊，殺二千而返。論功賜金，陞副總兵，鎮守南贛、汀、漳、惠、潮，尋進總督同知。大猷請置縣五嶺間，善後朝曦，為置平遠一縣，以屬潮。四十一年，福建山海寇無慮數十萬，督撫游震得，請以大猷控制全閩、江、廣、湖數道，朝命未下。其冬，賊陷興化城。明年春，大猷馳至贛，與都督劉顯、戚繼光剿滅之，移鎮惠潮。有倭二萬，海賊吳平與通，諸山寇亦起。勑江、廣、福建三鎮撫臣，偕大猷討平之。大猷次第誅，欵（款）使人招平，平率衆來謁，單騎見之。平啼泣投身，其諸酋不甚聽平，平不能自決，然猶爲大猷殺倭百餘級而與之絕。大猷居平梅嶺，而平終不戰。詔書必得之，使閩、廣二帥會征。大猷曰：「兩將不可以相使，盍歸責一將？當事迂之。久之，廣兵不至，平遁。御史諭（論）罷大猷官。會河源、翁源二縣山賊李亞元等爲寇（寇），兩廣總督吳桂芳，抗留于朝曰：「大猷可以將別將，別將不能將大猷；大猷得留。」分五道兵征之，俘斬萬餘。而廣西古田縣者，苗賊據之七十年所矣。嘉靖末年，其酋韋銀豹、黃朝猛入會城，劫布政司庫，手刃參政（黎）民衷。桂芳復請用大猷鎮守議征。詔復都督同知，佩廣西征蠻將軍印，是爲隆慶二年。此時總督兩□□□移鎮薊遼，上書乞大猷與同練車破虜。繼綸□□□以海賊吳平雖死，其黨曾一本復熾，復疏□□略之。瀚問大猷破賊計。大猷言：「賊之所忌，閩船、閩兵，當造舟募兵於閩。」瀚與諸司嫌其遲久，大猷作拙，速解規之。瀚不能用，大造舟廣城下。大猷言：「廣省城外即海，不似閩港紆深，賊來欻忽耳。倏入一炬，奈何？」瀚又不然其說。居數月，一本突犯廣城，火所造舟，殺擄旬日。瀚及諸司悔，復問計。大猷曰：「計在始議諸公。」曰：「閩舟成，賊遁奈何？」大猷曰：「其勢擁腫，將安所遁？」明年，舟成。遇賊漳、潮。旬日三捷，生擒一本。兩省論功，皆首大猷。於是始往廣西議征古田諸公謂：「用兵七八萬可矣！」大猷曰：

「必十五萬」，竟以十萬分七哨，入居三月，計誅朝猛，生擒銀豹，破堅巢百餘，擒斬賊級七千四百六十餘，俘獲賊屬千餘。於是總督侍郎殷止茂，上功於朝。改縣爲州，州曰：「永寧」。而巡按御史誣劾大猷所擒銀豹非眞。兵部覆奏：「大猷故東南名將，必不陘謬爲奏。」移鎭福建。時方議攻賊彭湖，忽有新倭自漳、泉趨福寧。大猷遣兵追之。將及，副使鄧之屏促向彭湖，新倭猝入烽火寨，殺把總去。御史論劾大猷。大猷竟不言之，屛短坐免官，時萬曆元年也。大猷結髮□將在兵間五十餘年，旌旗所指，動以報明主，拯□□爲念。長於料敵，未嘗敗衄。居常稱：堂堂天朝，匪□□寇非蠻，則虜帝王之師，有征無戰，節制之兵，□□萬全，寧費寧遲，不敢輕動取勝。與其完目前之局，無寧預計數十年後經營紆謨而永之，然世多不然其說。至其爲之不就而後信服，而卒從之。至於永久訏謨一時，當事固未能決也。其倭陷興化時，與人急在燃眉，而大猷講五攻十圍之道，鑿溝壘，堵海堧以待。戚繼光至，然後與劉顯一鼓平之。興化所由陷，坐劉顯玩戰，與人怨次骨而亦大詘大猷。顧大猷謂：「吾不先鑿溝塹堵海堧者，戚公驟至，能無一倭逸漏耶？」此時譚綸方爲福建巡撫，上功於朝，繼光顯，皆得陞廕，大猷賞金而已。綸貽大猷書曰：「節制精明，公不如綸；信賞必罰，公不如戚；精悍馳騁，公不如劉；然此皆小知，而公堪大受。公誠如霍大將軍，任如諸葛丞相，大如郭汾陽，忠如文信國，毅似于肅愍，可以托孤寄命。知及仁守，當今之世，舍公其誰？公幸自愛。」綸入爲兵部尙書，大猷貽綸書曰：「某平生志在征虜，而見用江□乖違本素。今年七十餘，老矣！妾媵尙有胎產膂力，□敵精卒二十許，人公許我大受，今其時也。」綸疏起爲後軍都督府僉書，大猷友人李杜諷大猷：「老也，盍□休？」大猷曰：「吾祖父世官，享國家祿俸，未有以報。□□□主上沖歲，夷虜時肆憑陵。平生志在西北邊，老當益壯，斃而後已。矧譚公在位，又知我心，虜自□□成祖北伐而後，未有用大陣勝之者。□□□世宗庚戌之變，將士㥘懦未能列一陣見敵，此國恥也。□□穆宗皇帝，奮武大閱，而陳法久廢，諸將幾不能軍，何以示國威，衛天子於是？」以其故大同時，制車法上之於朝曰：「禦虜之法，非車不足以制。古人制字曰軍，曰陣，曰轅之類，無不用車者。馬隆依八陣作偏廂，車偏，扁也。詩曰：『小戎俴收，即車之扁。』小者淺而收之也。蓋古人取任載不多，而得便旋之。用火器、衣糧之類，皆可載。」往時王崇古協（協）理戎政，請專委大猷訓練。三年□□□欲推之九邊會編。卒嘆曰：「無同吾志者矣！」乞□□而京師練車遂罷。大猷歸，尋卒。賜祭葬，贈左都□□孫世襲指揮僉事。大猷在軍，風角占候遁甲者，□□信潛心學問，起基卑邇，以爲實修。當世士大夫□於道者莫及也。至其雅量鎮俗，東晉風流，或亦□□輕財好施，同郡待以舉火者數十家。平生推□□丘深、鄧城、湯克寬、陳第有國士之風，薦挽不遺□□□。克寬坐繫，以身保任之，其後皆至總兵。□□□□□今襲指揮僉事。

副千戶

○鄧起，沙縣人。繇開國功授滁州百戶。歷二世，調泉州衛右所。嘉靖間，有城者，登武科第一，功授中軍指揮，陞廣東僉事、遊兵把總、通泰參將。累官至提督狼山副總兵。城，狀貌魁傑，家貧力學。能詩善書，從王愼中學。爲人沉毅有謀，喜賓客，閑騎射。既授祖職，有擒安溪、龍溪山寇，海洋番賊功。歲乙卯，浙直倭寇猖獗，奉檄赴援，大戰徐功山、普陀蓮花洋、羊山、陽弋橋等處，斬首千餘級，爲通泰參將。王江涇、陸涇壩之捷，皆與俞大猷共事，論功相亞。其總兵狼山，方疏置舟師，適倭寇百船突至，城兵不滿四十艘，攻沉倭船無數。倭焚舟登岸，犯白蒲、如皐，復奮擊之，擒斬幾盡。時嚴氏柄國，使人徵賄，城不爲意，破嗾陷，逮繫落職。從雲中李總督，以卒千人破達虜萬餘衆。是年，倭攻陷興化，□□巡撫以城請拔城雲中，拜閩遊擊將軍。未幾，□□徵時與俞大猷爲刎頸交，及奮行間，立戰功，其勇□氣節亦相類。子銓，銅山把總，鑣見縉紳鍾。萬歷（曆）丁□武進士，官貴州總兵。善詩有韜略，爲廣東副總兵。有征黎功，所著有籌海重編。銓子中溥，武進士，廣東□司，今世襲千戶。

○□養正，寶坻人。先世榮，永樂中調右所百戶。養正，嘉□李承檄，戍興化南日寨之青山。倭寇海上，養正甫至戍，即遣其僕守慶還家，趣治縷絮爲戰裝，具鬻貲□□募士兵。守慶持絮若貲至戍，而報倭至。養正督□□□發五矢中三倭，皆驚遁。詰朝倭黨，蜂出猖獗，□□□士多以逃匿爲計。養正叱之，即提衆往擊，引□□□倭性故悍，雖激矢穿胸，曾不退北，反以前驅，□□□僅守慶追隨，且射且卻。賊刃逼身，養正奮□□□□反斷賊右臂。在傍者追至，守慶抱賊請伐□□□□□詞懇切，倭亦不曉所謂，遂斬守慶足，斷□□□□□養正。養正傷足及臂，尚張目僚賊，神□□□□而自斷。挺身如壁，賊解去其衣甲，居□□□□□上者目睹情狀，爲之慟哭，聲震天地。□□□□□□□□竟三月耳，當道題請陞二級，□□□□□□□□□配祭，今世襲副千戶。

○王遵，望江人。洪武中，以福州衞百戶陞任。傳至道成，與俞、戚、歐帥，及指揮歐陽深有俘獲海寇功。今襲。

（卷一〇〇）

英舊志 縉紳

汀州府歸化縣

○潘賜，字文錫。才思高邁，操履方正。永樂中，授行人，出使日本回，獻德化書、永樂大典頌。上覽之，稱善。陞禮部郎中，轉鴻臚少卿。再使日本，還陞江西參政。仇家摘其詩句，以妖言坐落職。洪熙初，起南刑部主事。宣德間，復除鴻臚少卿，復使日本。朝廷深嘉獎勞，未幾卒官。

（卷一〇四）

英舊志 縉紳

汀州府歸化縣

○沈玉璋，嘉靖間貢授海寧簿。寧無城郭，人鮮知兵。玉璋至，以職司邏捕，勤於訓練。後值海寇掠境，躬率東倉兵禦之，邑賴以全。致政歸，愛弟玉振，弗忍分異，邑人稱友。

（卷一三三）

英舊志 縉紳

福寧州

○林愛民，字子之。初授戶部主事，三餉強邊，談形勝如指掌。榷稅潯陽，舟至，無不即渡關者。關令救溺貨有賞，愛民令救人者，賞倍之。出羡金置周濂溪、陶淵明祭田。嘉靖庚戍（戌），虜入都下，邊兵入援，芻料乏，尚書獨呼林員外助我，乃率城夫馳收菽，格取民車，與守者三爭門而出，賴以不絕。管銀藏，斤斤出納。時羽士方有寵，歲費香金十七萬，以虜入，故直不時給。啇賂權閹，欲發老庫銀給之，爭不可。曰：「老庫備非常，非奉旨誰敢發者？」閹怒，廉其私無所得，累忤大司農。自郎中謫興國州同知，署大治縣。當吳楚之交，寄庄仇殺，累年不解，一勘平之。判嘉興，值倭變，守北樓四十日。築桐鄉城。工成而寇至，賴以不破。再判保定，均驛馬政，省下邑糜金數千緡。復郎戶部，擢廣東海北僉事，散珠盜百餘艘。值朝命採珠，率屬矢神，不敢私一顆。竟以忤部使歸。子子淡諸生也，博學多識。

〔卷二三二〕

英舊志 閭巷

汀州府福寧州

○程伯簡，嘉靖丙辰，倭萬餘攻堡。伯簡編甲伍，選游兵精壯，前堞弱者次之。婦女裹首運石、傳餐，立干後。倭更番挑戰七晝夜，伯簡誓衆死守。倭見衆皆稟命伯簡，知其爲魁首也，爭向射之。伯簡殊不撓沮，賊馳二雲車至，伐樹杈格，使不得薄堞，遂以草烏弩及銃斃數倭倭，乃宵遁。伯簡死城上，鄉人李春榮等爲立祠，幷共難四十餘人並祀之。

○白受采，百戶驎子。驎守白鶴嶺。寧德城陷，坐累繫獄。萬曆改元，漳寇訌海上，采與第祥自陳願擊賊贖父，竟以失援偕劉把總死松山，當道嘉其志，厚恤之。（卷二四一）

閨閤志

泉州府同安縣

○諸生王式妻吳氏，嘉靖己未避倭大嶝寨中，寨陷被擄，罵不絕口。賊怒，將殺之。有告賊曰：「此大家妻，可挾以索贖。」乃令嫗扶之行。適道旁有泉深數丈，遂投而死，人名泉曰：「義泉」。

○海澄庠生林鳳翔妻葉氏，年二十，夫亡事姑孝謹。嘉靖季，倭入寇。葉歸襄父喪，與衆婦避賊，涉淺溪。猝遇賊，衆婦被執，葉獨抗不就。賊刃其胸，大罵曰：「死賊何不速殺？」賊刳唇吻，猶罵不絕，死之。（卷二四二）

閨閤志

建寧府浦城縣

○貢士游銓妻張氏，適銓奉匜，沃盥有賓，案儀其出丈夫，子二，長業儒，次在襁；女子二，其長已嫁，季及方笄也。嘉靖辛酉，寇發建屬，邑多被攻圍。張氏慮且莫測，數提誨其季女曰：「凡我婦質，順適其晏，以一所天幸矣！彼變之窘，惟溺與刃，女謹識之！」銓聞讓曰：「婦言不祥，無袤而憊者。」與張曰：「婦聞士尙其節，必崇於夙；女愛其身，必明於素。君將節砥，胡是不解。無惡不祥，使婦與女能明不祥，祥莫大焉。居亡何，海航諸寇誘倭夷數千攻政和，陷之。張度不能脫，速呼女曰：「省前誨乎？」頷之，即赴井死。張隨之。閱數日，賊窺井出骸，割帶槖中簪珥，得金可數十時。銓與其兒俱被執于郊外。銓幸先脫，後賊拘銓兒從其家，令取瘞貲，視其毋（母，以下同）、妹，則旣死矣！泣莫禁。賊詰知，故亦相愕曰：「維毋與子，各挾其貲，可以得生，何弗爲也？烈哉！烈哉！」覆之以衣而去。萬曆二十二年旌門。

○范灼妻林氏，年十八喪夫。深居閨閣，雖弟姪不得見。嘉靖壬戍（戌，以下同），倭陷城，捉迫入營。溫語露刃，誘逼相加，嚴厲之意見於色辭，遂見殺也。萬曆二十三年旌門。

○吏目吳天秩妻池氏，嘉靖壬戍，倭陷城。氏被執，抗不入營。賊按劍駭殺，顏色不變。厲聲罵賊，引頸就刃。

〔卷二四五〕

閨閤志

福寧州寧德縣

○庠士龔佐妻左氏，子邦卿甫五歲，佐與父繼亡，內外無靠。左舉三喪，重遭回祿，孤苦酸辛，日夜紡績，課邦卿讀書，仕爲訓導。其後遇倭變，赴水死。

○庠士林示乾妻彭氏，夫死陷城，家無爲殯，百計成禮。倭亂，獨自扶姑山中。姑病篤，減壽籲天；

舅病，朝夕侍養，未嘗就寢。有司以節孝扁堂。

○庠士林文斑繼室謝氏，二十于歸甫二年，斑病篤，一子胎髮未燥。文斑謂曰：「能終事乎？」謝掩泣，剪髮示斑。未幾，倭賊充斥，抱孤子奔竄，凍餓荒山草莽中，竟以撫孤而完節。

嘉靖中，與倭難者一十七人。庠士林鴻漸妻崔氏，倭擄不從，見殺。身磚地。已而屋燬屍焚，天陰雨，其形宛然著磚。庠士林執中妻吳氏，執中被擄，吳以身衞執中，得脫，吳斷兩截。庠士林邦京妻陳氏，崔允約妻薛氏。崔文泰妻林氏，陳輇妻黃氏，徐元呂妻龔氏，俱被倭刃者。林文奎妻何氏，陳翰妻林氏，曹逞妻謝氏，林若山妻周氏，林二陽妻阮氏，林金妻何氏，俱赴水者。庠士黃煥寡妻林氏赴火死。林示纘未婚妻陳淑慈，彭瀾未婚妻陳愛婉，湯日進未婚妻陳繼靜，俱自刃以殉。

（卷二四六）

島夷志

○日本古倭國，在東海中，絔波而宅，自玄菟、樂浪底於徐聞東莞所通中國處，無慮萬餘里。其地東高西下，勢若蜻蜓。古亦曰：「蜻蜓國也。」國君居山城，以王爲姓，以尊爲號。徐福齎五百童男女入海，爲秦始皇求仙無所得，懼不敢歸，避居焉。今其裔也，所統五州七道三島，爲郡五百有奇，皆依水嶼，大者不過中國一村落而已。戶可七萬餘，課丁八十八萬三千有奇，而攝摩（津）、伊勢、若佐（狹）博多，其民相矜，以賈積貲或百萬。和泉一州，鼎食擊鐘，謠俗有中國之風也。薩摩之鸜哥里，其民備禮重爲邪，獨伊紀之頭陀僧三千八百房，頗羯羠者殺。而薩摩、肥後、長門三州之人最喜入寇。言州郡統於山口、豐後、出雲三軍門。三軍門揃擅，剽國分爲三，而總屬山城君。以後豐後獨強，國人服之。愈於山城，其朝貢始末，具載前史。元時世祖遣黑的、趙良弼等諭之，不至。使將將十萬兵往征，風覆其舟於蛇海，終元世不相通也。高帝即位，方國珍、張士誠既誅服，諸豪亡命，往往糾（糾）島夷人寇山東旁海諸郡。帝以即位之二年，使行人楊載諭其國王良懷。賜之璽書曰：「上帝好生而惡不仁，我中國自趙宋失馭，北夷據之，凡百有心，莫不興憤。辛卯以來，中原擾擾。爾時來寇山東，乘胡衰耳。朕本中國舊家，恥前王之辱，師旅掃蕩，垂二十年。遂膺正統。間者山東來奏，倭兵數寇海邊，生離人妻子，損害物命，故脩書特報，兼諭越海之繇。詔書到日，臣則奉表來庭，不則修兵自固，如必爲寇，朕當命舟師揚航捕絕島徒，直抵王都，生縛而歸，用代天道，以伐不仁，惟王圖之！」良懷得之，不至。復寇山東，轉掠溫、臺、明、州傍海民，遂寇福建沿海郡。上復使萊州同知趙秩責讓之。良懷遣其臣僧祖來，隨秩奉表稱臣。上賜文綺帛，若僧衣，遣僧仲猷（祖闡、無逸）克勤等八人護送還國。賜良懷明曆、雜繒，是爲洪武四年。然其人時時剽掠海濱不絕，官軍乏舟，不能追擊。五年，命浙江福建瀕海諸衞造海艘。德慶侯廖永忠，請增造多櫓快舡，來則大船蕩之，快舡逐之。上曰：「善居。」久之，丞相胡惟庸得罪懼誅，欲借倭人爲不軌。惟庸已敗。又久之，事覺，上追怒，於是名日本曰倭，下詔切責其君臣，暴其過，惡天下，著祖訓絕之。而命信國公（湯）和，江夏侯（周）德興經略海上郡。成祖即位，國王名道義者，獲擾邊魁醜以獻，蒸之海上。上嘉之。四年，以俞士吉爲都御史，齎賜之龜鈕、金印、誥命，封爲日本國王，名其國之山曰：「壽安鎮國」。上親製文，勒碑其上。遂給〔本字〕勘合百道，令十年一貢。貢道繇寧波。船無過二隻，人無過二百。然倭狡易叛，亦復時時寇略東北邊。顧其時我方招徠海外諸夷，頗得賚給互市。倭國入貢，亦時踰額。宣德初，復增例船三隻，人三百。是倭往往齎方物、戎器，行海上爲詐欺。得間，則張其戎器；不得，則陳其方物，無所不得利。至其小小抄盜，或不絕，其主良不知也。要以利給賚互市。其貢常先期至，至正統中，乃入桃渚犯大嵩，海濱人絕苦。於是朝廷命重帥恒鎮要地以備之，按堵者且十餘年。成化二年，復詐來稱貢，遂破大嵩諸處。十一年，復使貢。及歸，閫帥用金鼓送之出海，隨以砲銃擊，其舟多沉者。正德中，鄞人朱縞，變姓名爲宋素卿，亡入其國。國王源義澄悅之，遣入貢。素卿與其故族人耳目爲奸利，厚賂閹瑾，得賜飛魚服以歸。嘉靖二年，其西海道大內誼興國，遣僧宗設〔謙道〕入貢。居數日，素卿復爲南海道海（細）川高國所遣，與僧〔鸞岡〕端佐以來，皆止寧波江下。故事，番使止寧波有宴，先至者居上。素卿賄市舶太監，義先閱貢宴之坐上坐。宗設衆不平，攻瑞佐殺之。追逐素卿，抵紹興城下。素卿竄入慈谿，縱火大掠。指揮劉錦與戰，死，遂蹂躪寧紹間。九年，國王源義晴，復附琉球使來言，爲素卿乞宥罪，并請復脩貢獻。是時，夏言爲兵科給事中，言夷人仇殺之禍，皆起市舶。禮部請罷之，而日本貢使絕矣。十八年，復以脩貢，請許之，期以十年，人無過百，船無過三。然諸夷嗜中國貨物，至者率遷延不去。貢若人數，又恒不如約。是時市舶既罷，貨主商家。商率爲奸利，虛値轉粥（鬻），負其責（直）不啻千萬。索急，則投貴官家，夷人候久不得，頗搆難，有所殺傷。貴官家輒出危言撼當事者兵之使去，而先陰泄之，以爲德。如是者久，夷人大恨，言：「挾國王貲而來，不得直，曷歸報？」因盤據島中。並海不逞之民，若生計困迫者，糾引而歸之，時時寇沿海諸郡矣！朝議置大臣兼巡制福海道。詔以巡撫南贛、汀、漳都御史朱紈爲之，是爲二十五年。紈至，則嚴勾連主藏禁犯者，戮無少假。上章鐫暴二三貴官家，浙人口語藉藉罪及，建議主議之臣。而歙人王直者，少任俠多略，一時惡少，若葉宗滿、徐惟學、陳東、王汝賢、王滶等樂與游，而滶爲直義子。直姦出禁物，歷市西洋諸國，致富不貲，夷人信服之。貨至，一主直爲儈。紈禁既嚴，諸奸商藉是益負倭，競責直。直無所出，招亡命千人，逃入海，推許二者爲帥，引倭結巢露衢之雙嶼港。閩淛蠭起之徒益附之，浸淫蠶食，海上聚保矣！紈居淛二年，盛集舟師雙嶼，挑之不出。會夜風雨，將逸去，紈火攻之，多所斬捕。更令福建都指揮盧鏜擣之，俘斬溺死者數百人。餘黨遁入福建之浯嶼，紈帥鏜勦平之。躬督兵衆，塡塞港口，令不得復入。當鏜破雙嶼時，許二逸不得，王直收合其餘衆，更泊他嶼。而廣東有海賊陳四①盼者，自爲一黨。直計殺之，扣關獻捷，以求爾市。官司弗許，賜米百石而已。直大詬，投米海中，益入盜。此時，有滿刺加夷者，故商漳州之月港。漳民畏紈厲禁，不敢與通，捕逐之。夷人憤起格鬬，漳人擒焉。紈語鏜及海道副使柯喬，無論夷首從，若我民，悉殺之。殲其九十六人，謬言於朝。佛郎機夷，行刼至漳界，官軍追擊于走馬溪上，擒得者，紈以厲禁，爲淛中二三貴官家所不樂。先是，言官業請改巡撫爲巡視，以輕紈權，以消淛人解望之意。至是，御史〔陳〕九德，劾紈專擅濫殺。詔罷紈，下鏜、喬。吏〔部〕遣都給事〔中杜〕汝楨即訊。訊報則滿刺加夷來市，非佛郎機行劫者。專擅濫殺，誠如御史言。」詔：「鏜、喬論死繫獄，逮紈至京師訊之！」紈驚，仰藥自盡。從此，當事者以紈爲戒。三十一年，朝廷以王忬提督軍務，巡視福浙，許便宜從事。以俞猷、湯克寬爲分守參將。其明年春，破其寇溫倭。閏三月，大猷入烈港，火賊營。王直突圍去，更集餘黨，掠嘉定劉家河，揚帆西。六合知縣董邦政，追及於吳淞。直値採淘港賊，與合，遂復大糾入寇。羽書狎至，浙東西及蘇、松淮北諸郡。直更造巨船，連舫栅木爲樓櫓入倭，據薩摩洲之松浦津，僞稱徽王，部署宗滿、惟學、東爲將領，汝賢、澂爲腹心，而三十六之夷皆其指使矣！倭賊勇而贛，每戰赤體，舞刀前，不復別生死。大率狡悍，善設伏，能以寡擊衆。而內地久寧，目不見寇，遇輒靡潰。沿海諸郡，僅僅保孤城，賊往來聚散如入無人之境。是年，陷福建之嵊嶼所矣！此時，忬請添設海防，副總兵總督金山等處，以克寬爲之。出盧鏜爲福建備倭都指揮，詔如忬言。復改忬爲巡撫。其明年正月，倭攻嘉定，圍上海，陷嘉善，犯海寧，大掠蘇州，轉掠崇德。上命南京兵部尚書張經，不妨原務兼右副都御史，總督南直隸、浙江、山東、兩廣、福建等處。會大同患虜，上復用忬大同，而以李天寵代。是時，倭大擾江南，而經故總督兩廣有歲，爲諸蠻夷所信服，奏調田東蘭諸州狼、土兵，及承順、保靖二土司兵備前行所。調兵未至，經持重未即戰，而朝廷遣工部侍郎趙文華出視師，劾經養寇玩賊，逮死西市，是爲嘉靖三十四年。先是，徐惟學者貣夷人金，以其姪子海爲質。惟學死，夷求海金。令取償於寇掠。海乃偕辛五郎，聚舟結黨，入南畿、浙西諸路。是時，應天巡撫都御史爲南京戶部右侍郎楊宜，而天寵以怠廢黜。代之者，胡宗憲也。此時倭大猖獗江以南。其冬，復有一百餘人犯福建莆田縣鎭海、鎭東等衞。泉州指揮童乾震，所與戰死於海口者也。蓋閩中犯倭自此始。先是，賊未寇，輒謬詭曰：「某島某倭。」東南人久知王直叛，而不知寇來皆直所坐遣。是歲，朝廷立賞格，有擒斬王直者封伯爵，賞萬金。於是遣生員蔣洲、陳可願充市舶提舉入海說王直。而是時徐海已擁薩摩洲夷入寇浙中，戰敗於崇德。宗憲復使人賄誘之。海念欲歸，恐諸酋疑怨。宗憲使擇便地自營，竟行間賊黨中，復殺海。其年，獻俘京師。此時，文華復以總督尙書視師至。上則加文華少保，宗憲以兵部右侍郎兼僉都御史。上則擢宗憲右都御史兼兵部右侍郎云。又一年，宗憲計誘王直，擒之。上加宗憲太子太保云。直雖已擒，然其餘黨毛烈，知無所歸，尙據舟山，阻岑港，巢柯梅，連犯吳越，首尾巢閩中七八歲。聞所破滅城十餘，掠子女財物不可勝計。官吏、軍民，戰及俘死，不下數十萬。轉漕軍食，橫賞賜乾沒入槖中者，費以鉅萬，而東南膏髓竭矣！是冬，則又犯福州洪塘、南臺等處。巡撫都御史阮鶚，坐逮繫罷爲民。三十七年四月辛巳，倭大至，犯浙江、臺、溫、福建興、泉等府。丙申，陷福淸，殺縣令，劫庫獄，擄男婦千餘。攻惠安，殺知縣林咸。五月戊申，入南安。甲戌，倭自福淸海口出港，參將尹鳳等擊之，斬獲溺死者甚衆。十一月，烈自柯梅駕舟出海，泊福建浯嶼。復移衆南澳山，造屋以居。福、興、潮、廣間，紛紛以倭警聞矣！三十八年，又大至福建，攻福寧州，不克。攻福安、寧德，破之，福、興、泉、漳，無地非倭矣。三十九年，破永定城，又破寧德縣，殺參將王夢麒，知縣李堯卿。興、泉、漳三郡城以外，皆爲賊藪。貧民無賴者竄入賊中，爲之謀主羽翼。掠行人，發墳塚，量其家貲索贖。諸將帥冒（冒）功飾敗。賊滿載歸者，指爲逐遁，阻風旋者，指爲遮擊。上下相蒙，遂成故事。先後巡撫王詢，以避難引疾去。而劉燾貪縱欺誕，厚賄分宜，相言官交章論詆，猶得以風土不便調外矣！是年，胡宗憲檄浙江參將戚繼光來援。繼光故訓練義烏兵，有勇可使，則率之來時，倭據寧德之橫嶼，沮水爲營，官軍坐守踰年。繼光令軍人持束草塡河進，力戰，大破之。生擒九百，斬首二千六百餘，焚溺死者無算。奪所擄三千七百餘人。乘明，勦福清牛田倭，又大破之。夜廻入興化，連破其六十餘營，而繼光復歸于浙。四十一年八月，新倭大至，犯福清、羅源、連江等縣，殺遊擊將軍倪祿。十一月，攻興化府，陷之。殺一同知奚世亮，據城中者三月。分衆攻陷壽寧、政和。其明年，巡撫都御史游震得，具陳失事狀。上從部議，起丁憂參政譚綸統浙兵三千人往，以副總兵戚繼光統義烏兵一枝。而江西兵一枝，則令撫臣自擇良將，星馳應援。震得尋被論罷，陞綸爲僉都御史代之。二月，興化倭結巢崎頭，都指揮歐陽深，率兵追勦，陷伏中，死之。賊乘勝陷平海衞，引舟出海。把總許朝光，率輕舟抄之，賊焚舟還屯平海衞。四月，繼光與總兵劉顯、俞大猷夾攻，大破之，斬首二千二百餘級，墮崖溺死水者無算，縱所掠男婦二千餘人。是戰也，賊與顯及大猷對壘日久頗懈，謂繼光遠來疲乏，未能軍。而繼光兵至如風火，擒殺無遺。興化人德繼光如親父兄。興化圍解，繼光分前將趨福州，合擊長樂寇，破之。倭屯海上者盡遁，殘寇五百，繇北嶺窺莆城。千總胡世驅之，多赴海死。四十三年，繼光復擊仙遊殘倭，破之。賊趨同安，繼光追至王滄泙，又追及於漳浦之蔡丕嶺，斬首千餘級。其殘寇得脫者，流入廣東，令兩廣、南贛徵調土兵大集，急擊之。賊掠漁舟入海，遇風多覆溺。乃復登岸，屯海豐金錫。都總兵俞大猷，率兵圍之，相守且二月。賊食盡，將遁，報効副總兵湯克寬，設伏待之，擒斬二千餘人。自是倭寇絕，自東南中倭以來十餘年間，生靈之塗炭已極，倭亦大傷，至盡島不返。隆慶時，海上逋寇曾一本等，復稍稍勾引入犯閩、粵，我亦嚴爲備，旋至旋撲，非如嘉靖之季矣。萬曆中，一使中貴人，摧∴稅中貢，據求百出，海禁懈弛，市舶縱橫逐臭之夫，且爭趨爲樂土。又有亡賴如中行說者，陰爲之畫，東踐朝鮮之郊，南設琉球之版，雌伏梟張，漸窺堂奧。夫志止於剽掠，則癬疥之憂志，不止於剽掠，則膏肓之患矣。

○貢物曰馬，曰盔，曰鎧，曰劍，曰腰刀，曰鎗，曰塗金裝綵屏風，曰灑金厨子，曰灑金文臺，曰灑金手箱，曰描金粉匣，曰描金筆匣，曰抹金銅提銚，曰灑金木銚角盥，曰貼金扇，曰瑪瑙，曰水晶數珠，曰硫黃，曰蘇木，曰牛皮。

○呂宋在海中，國甚小。顧產黃金，以故富厚。永樂三年朝貢，以後罕通。嘉靖季，國人來閩清，夾攻海賊林鳳。萬曆二十年，其主爲漳人所殺，衆來告訴。所挾珍奇衣物甚夥。至三十六年，盡殺我人之貨其國者，閩、廣二省不敢以聞於朝，語在版籍志。

○東番夷人不知所自始，居彭湖外洋海島中，起魍港、加考、灣歷、大員、堯港、打狗嶼、小淡水、雙溪口、加哩、林沙、巴里、大幫坑，皆其居也。斷續凡千餘里，種類甚蕃。別爲社，社或千人，或五六百，無酋長。子女多者，衆雄之，聽其號令。性好勇喜鬭。無事，晝夜習走。足蹏皮厚數分履，棘刺如平地，速不後奔馬，能終日不息。縱之，度可數百里。隣社有隙，則興兵期而後戰，疾力相殺傷，次日即解怨，往來如初，不相讐。所斬首，剔肉存骨，懸之門，其門懸骷髏多者稱壯士。地暖，冬夏不衣。婦女結草裙，微蔽下體而已。無揖讓拜跪禮，無曆日、文字。計月圓爲一月，十月爲一年，久則忘之，故率不紀歲。艾耆老髦，問之弗知也。交易結繩以識，無水田，治畬種禾。山花開則耕，禾熟拔其穗。粒米比中華稍長且甘香。採苦草、雜米釀，間有佳者。豪飲，能一斗。時燕會，則置大罍，團坐各酌以竹筒，不設肴。樂起，跳舞，口亦嗚嗚，若歌曲。男子剪髮，留數寸披垂，女子則否。男子穿耳，女子年十五六，斷去唇兩傍二齒以爲飾也。地多竹，大數拱長十丈，伐竹構屋，茨以茅，廣長數雉族。又，共屋一區，稍大曰公廨，少壯未娶者曹居之。議事必於公廨，調發易也。娶則視女子可室者，遣人遺瑪瑙珠雙，女子不受則已。受，夜造其家，不呼門，彈口琴挑之。口琴薄鐵所製，齧而鼓之，錚錚有聲。女聞，納宿，未明，徑去，不見女父母。自是宵來晨去，必以星累，歲月不改。迨產子，女婦始往婿家迎婿。如親迎，婿始見女父母，遂家其家，養女父母終身，其本父母不得子也。故生女，喜倍男，爲女可繼嗣，男不足著代也。妻喪，復娶。夫喪，號爲鬼殘，終莫之醮。家有死者，擊鼓哭，置尸於地，環煏以烈火乾，露置屋內不棺。屋壞重建，坎屋基下，立而埋之。不封屋，又覆其上。屋不建，尸不埋，然竹楹茅茨多可十餘稔，故終歸之土不祭。當其耕時，不言不殺，男婦雜作，山野默如也。道路以目少者背立。長者過，不問答。即華人侮之，不怒，禾熟復初。謂不如是，將不年也。女子健作，女常勞，男常逸。有盜賊，嚴剔之，戮於社，故夜門不閉，禾積場，無敢竊。有床無几案，席地坐。穀有大小，豆有胡麻，又有薏仁，無麥蔬。有葱，有薑，有番薯，有蹲鴟，無他菜菓。有椰，有毛柿，有佛手柑，有甘蔗。畜有貓，有狗，有豕，有雞，無馬、驢、牛、羊、鵝、鴨。獸有虎，有熊，有豹，有鹿。鳥有雉，有鴉，有鳩，有雀。山最宜鹿，千百爲羣。人精用鏢，鏢竹插鐵鏃，長五尺有咫，銛甚。出入携自隨，試鹿，鹿斃；試虎，虎斃。居常禁不許私捕鹿，冬鹿羣出，則約百十人即之窮追。既及，合圍衷之。鏢發，命中。獲若丘陵，取其餘肉，雜而臘之。鹿舌、鹿鞭、鹿筋亦臘。鹿皮、角委積充棟。鹿子，善擾馴之，與人相狎習。鹿腸中新咽草，將糞未糞者，剖而食之，名百草膏。食豕，不食雞。畜雞惟拔其尾飾旗。射雉，亦但拔其尾。見華人食雞、雉，輒嘔。居島中不能舟，酷畏海。捕魚則於溪澗，故老死不與他夷相往來。永樂初，鄭和航海諭諸夷，東番獨遠竄，不聽約。於是家貽一銅鈴，使頸之，蓋狗之也。至今猶傳爲寶。始，皆聚居濱海，嘉靖末，遭倭焚掠，乃避居山。倭鳥銃長技，東番獨持鏢，故弗格，居山後，始通中國，今則日盛。漳、泉之民，充龍烈嶼諸澳，往往譯其語。與貿易，以瑪瑙、甆器、布、鹽、銅、簪環之類，易其鹿脯、皮、角。間遺之故衣，喜藏之。或見華人，一著，旋復脫去。得布，亦藏之。不寇，不履，裸以出入，自以爲易簡云。連江陳第曰：「異哉！東番從烈嶼諸澳，乘北風航海一晝夜至彭湖，又一晝夜至加老灣，近矣。乃有不日，不月，不官，不長，裸體結繩之民，不亦異乎！且其在海而不漁，雜居而不嬲，男女易位，居瘞共處。窮年捕鹿，鹿亦不竭。合其諸島，庶幾中國一縣。相生相養，至今曆日、書契無而不闕，抑何異也？

南倭北虜，皆有文字，類鳥跡古篆，意其初有達人制之耶？而此獨無，飽食嬉遊，于于衎衎，其無懷葛天之民乎？自通中國，頗有悅好，奸人又以濫惡之物欺之。彼亦漸悟，恐淳朴日散矣！」萬曆壬寅冬，倭復據其島，夷及商漁交病，浯嶼沈將軍有容往勦，余適有觀海之興，與俱。倭破收泊，大員夷目大彌勒輩，率數十人叩謁，獻鹿餽酒，余雜覩其人與事，故掇其大略云。

何子曰：「宋置市舶於泉州，以通諸番。舊志所載有占城、賓達儂、三佛齊、渤泥、眞臘、登流眉、大食、日本、注輦、靈牙、蘇嘉、麻逸、三嶼、白蒲、延日、囉亭、眞里富、三泊單、馬令闍、婆羅斛、雪峯、俱輪、須華、公琶離、佛囉、安達、囉希、吉蘭舟、西棚、波斯蘭、高麗諸國。元三山吳鑒爲泉守，楔玉立脩清源續志，余於友人家僅得其一本，曰：「島夷志志〈衍〉所載凡百國，皆通閩中者。其載三島國有云：國男子嘗經紀泉州，罄其資囊以文其身。旣歸國，國人以其至唐國，貴之，待以尊長之禮，延之座，雖父老不得爭焉。有土塔國，國中有土磚甃塔，其高數丈，刻漢文云。咸淳三年八月畢工，蓋我人爲之書。有古里地悶國，其國淫濫，狁婦不恥，至者多染疾死。泉州吳宅有百餘人貿易其間，旣畢，死者十八九。間存一二類，羸弱乏力，隨風回船。安瀾之夜，則狂魂游蕩，唱歌搖櫓。夜半，或時添炬爗，燿使人魄，遊而膽寒。而其他則載其風俗、土物。夫是百國者，蓋皆大西洋之國也。於今則大西洋貨物盡轉移至呂宋，而我往市，以故，不復相通如元時矣。乃余茲所志琉球、浡泥、麻刺、倭諸夷耳。琉球恭順之國也；浡泥、麻刺，於今不至，以其王死而葬此。嘉靖之季，閩受倭戮矣，我防而絕之，自國初於今爲甚，然聞有中國人入其地，皆來敬禮。古論語在其國中，其人皆通書史，有文墨，特其俗尚佩刀劍，勇不畏死。其悍譎者，海上行劫，而實我奸民勾引之。奸民所闌出犯禁物，得利十倍，走之如鶩矣。呂宋，東番小夷也。呂宋與我市，而東番密邇，我民時至其地，市薪與鹿，聊併記焉！

贊曰：「來王來享，曰是彝常，我所備禦，則在海荒，外壯舟舵，內毖池隍，則永鞏固，號曰金湯。」

註：

①「四」，籌海圖編，卷八，寇踪分合始末圖譜；日本一鑑，窮海話海，卷六，海市、流逋作「思」。

浙江通志

明薛應旂撰，明嘉靖四十年刊本

〔卷六〇〕

經武志 第九之四

○大明洪武四年十月，日本國王良懷（懷良，以下同）遣其臣僧祖來進表箋，貢馬及方物，并僧九人來朝。又送至明州、臺州被虜男女七十餘口。先是，趙秩等往其國宣諭。秩泛海至折①木崖，入其境。關者拒勿納，秩以書達其王②，王乃延秩入。秩諭以中國威德，而詔旨有責讓其不臣中國語。王曰：「吾國雖夷狄，僻在扶桑，未嘗不慕中國之化而通貢奉。惟蒙古以戎狄涖華夏，而以小國視我。我先王曰：『我夷，彼亦夷也，乃欲臣妾我，而使其使趙姓者訹我以好語。』初，不知其覘國也。既而使者所領水犀數十艘，巳（已）環列于海岸。賴天地之靈，一時雷霆風波，漂覆幾無遺類。自是不與通者數十年。今新天子帝華夏，天使亦姓趙，豈昔蒙古使者之雲仍乎？亦將訹以好語而襲我也？」命左右將刃之。秩不爲動，徐曰：「今聖天子，神聖文武，明燭八表，生于華夏而帝華夏，非蒙古比。我爲使者，非蒙古使者後，爾若悖逆不吾信，即先殺我，則爾之禍亦不旋踵矣！我朝之兵，天兵也。無不一當百；我朝之戰鑑，雖蒙古戈船，百不當其一。況天命所在，人孰能違？豈以我朝之以禮懷爾者，與蒙古之襲爾國者比邪？」於是其王氣沮，下堂延秩，禮遇有加。至是，奉表箋稱臣，遣祖來隨秩入貢。詔賜祖來等文綺帛，及僧衣。比辭，遣僧〔仲猷〕祖闡、〔無逸〕克勤等八人護送還國，仍賜良懷大統曆，及文綺紗羅。

○洪武六年，倭夷剽掠海濱。德慶侯廖永忠，上言曰：「臣聞禦寇莫先於振威武，威武莫先於利器用。今陛下神聖文武，定四海之亂。君主萬國，民庶安樂，臻於太平。而北虜遺孽，遠遁萬里之外，獨東南倭夷，負其禽獸之性，時出剽竊，以擾瀕海之民。陛下命造海舟，剪捕此寇，以奠生民，德至盛也。然臣竊觀倭夷，鼠伏海島，因風之便，以肆侵掠。其來如奔狼，其去若驚鳥。來或莫知，去不易捕。臣請今廣洋、江陰、横海、水軍四衞，添造多櫓快船，命將領之。無事則沿海巡檄，以備不虞。若倭夷之來，則大船薄之，快船逐之，彼欲爲寇，不可得也。」上善其言，從之。

○洪武十四年七月，日本國王良懷，遣僧如瑤等貢方物，及馬十疋。上命却（卻）其貢。仍命禮部書責其國王曰：「大明禮部尚書致意日本國王。王居滄溟之中，輔世長民，今不奉上帝之命，守巳（己）分，但知環海爲險，限山爲固，妄自尊大，肆侮鄰邦，縱民爲盜。帝將假手於人，禍有日矣。吾奉至尊之命，移文與王，王若不審巨微，效井底蛙，仰觀鏡天，自以爲大，無乃搆隙之源乎？王涉獵古書，不能詳細，始號日倭，後惡其名，遂改日本。自漢歷魏、晉、宋、〔齊〕、梁、〔陳〕、隋、唐、（五代）、宋之朝，皆遣使奉表貢方物、生口。當時帝王，或授以職，或爵以王，或睦以親，由歸慕意誠，故報禮厚也。若叛服不常，構隙中國，則必受禍，如吳大帝，晉慕容廆，元世祖，皆遣兵征伐，俘獲男女以歸。千數百年間，往事可鑑也。王其審之！」復移書責日本征夷將軍曰：「日本天造地設，隔崇山，限大海，語言異，風俗殊，俾自爲治。覆載之內，外邦小國，非一所也，必有主以司之。惟仁者天必輔之，不仁者天必禍之。前將軍奉書我朝丞相，其辭悖慢，可謂坐井觀天，而造禍者也。往者我朝，初復中土，日本之人，至者云使，則加禮遇；商則聽去來，斯我至尊所以嘉惠日本，故遣（無逸）克勤、仲猷（祖闡）二僧行。及其至也，加以無禮，今又幾年矣。洪武十二年，將軍復奉書肆侮。今年秋，僧如瑤來，廼陳情飾非。群臣言：「是必貪利爲諜者，請誅之！」我至尊不允，曰：「彼小人無知，聽其使令，殺之何益？福善禍淫，天鑒在上。吾中國雖大，安敢違帝命？」本部既聽德音，專差人涉海往問。如瑤之來，果貪利者歟？實爲使歟？將行，群臣又奏曰：「今日本君臣，以滄海小國，詭詐不誠，縱民爲盜，肆寇鄰邦，爲良民害，無廼天將更其君臣，而弭其患乎？」我至尊又不允，曰：「人事雖見，而天道幽遠，奚敢擅專？若以舳艫數千，泊彼環海，使彼東西趨戰，四向弗繼，固可滅矣，然於生民何罪？」本部復觀彼遊方之徒，皆無徒沙門，忘中國之寬，構是非於兩端，識者嗤之。治民之國，信浮圖而構大禍，古至於今，未有也。彼嘗謂元之艨艟覆於蛇海（博多灣），將謂天下無敵，吾不知以天道歟？以人事歟？若以人事較之，元生紫塞，不假舟梁，蹄輪長驅，所向莫阻。蓋長於騎射，短於舟楫耳。況當是時日本，非元之仇讎，非鄰邦之患害，無違帝命。元好強尚兵，加以天厭征伐，海風怒號，沉溺巨艦，淪沒精兵，將軍以爲國人之能，亦何嘗見元帥之盛？聚則駿騎雲屯，散則馬蹄雷震，戈矛掣電，旌旗蔽空，龍虎哮吼，鬼魅潛走，所以八蠻九夷，盡在馭內。惟爾日本，渺居滄溟，得地不足以廣疆，得人不足以爲用，所以微失利而不爭，元亦知畏天命而弭兵禍，以存日本之良民也。今廼以敗元爲長勝，以蕞爾之疆爲大。以余觀之，海中之洲，截長補短，周匝不過萬里，以元之蹄輪長驅而較之，吾不知孰巨與細者耶？今日本邇年以來，自誇強盛，縱民爲盜，賊害鄰邦，若必欲較勝負，見是非，辯強弱，恐非將軍之利也。」

○洪武十五年，倭國使臣歸廷用來貢。備倭指揮林賢，交通樞密，使胡惟庸誣爲寇盜，以計擒之，遣還夷使，私其貨物。中書省舉奏其罪，流竄日本。

○十六年六月，夷船一十八隻，寇金鄉小濩寨，官兵敵卻之。

○明年，胡惟庸僞差廬州人李旺充宣使，以還林賢。賢，率倭兵四百餘人，與僧如瑤來獻巨燭，中藏火藥、兵器，圖謀亂逆。比至，惟庸（已）被誅。朝廷治其逆黨，處賢極刑，夷兵發雲南守禦，降詔切責倭國君臣。詔曰：「曩宋失馭，中土受殃。金元入主二百餘年，移風易俗，華夏腥膻。凡有志君子，孰不興忿？及元將終，英雄鼎峙，聲教紛然。時朕控弦三十萬，礪刃以觀。未幾，命大將軍肆九伐之征，不逾五載，戡定中原。蠢爾東夷，君臣非道，四擾鄰邦，罔知帝賜，傲慢不恭，縱民爲非，將必殃乎。故茲詔諭，想宜知悉！」仍著訓典曰：日本雖朝實詐，暗通姦臣胡惟庸，謀爲不軌，故絕之。」命信國公湯和，經略沿海，設防備倭，且頒下海通番之禁。

○永樂二年四月，對馬、臺（壹，以下同）岐等島海寇，劫掠穿山。百戶馬興拒戰，死之。尋寇蘇、松諸處。日本國王源道義，出師獲渠魁以獻，而盡殲其黨類。四年，上嘉其勤誠，遣使齎璽書褒諭，幷頒勘合百道，定以十年一貢，船止二隻，人止二百。違例，則以寇論。仍命俞士吉充都御史，齎白金、綵幣，幷海舟二艘賜之。封其國之山曰：「壽安鎮國之山」，勒碑其上。上親製文曰：「朕惟麗天而長久者，日月之光華；麗地而長久者，山川之流峙；麗於兩間而永久者，賢人、君子之令名也。朕皇考大祖，聖神文武，欽明啓運，俊德成功。統天大孝高皇帝，智周八極，而納天地於範圍；道寇百王，而亘古今之統紀。恩施一視，而溥民物之亨；嘉日月星辰無逆其行，江河山岳，無易其位。賢人善俗，萬國同風。表表於茲世，固千萬年之嘉會也。朕承鴻業，享有福慶，極天所覆，咸造在廷，周爰咨詢，深用嘉歎。邇者對馬、臺岐曁諸小島，有盜潛伏，時出寇掠。爾源道義，能服朕命，咸殄滅之，屹爲保障，誓心朝廷，海東之國，未有賢於日本者也。朕常稽古唐虞之世，五長廸功，渠搜即敍成周之隆茅微盧濮，率遏亂略，光華簡册，傳誦至今。以爾道義方之，是大有光於前哲者。日本王之有源道義，又自古以來未之有也。朕惟繼唐虞之治，舉封山之典，特命日本之鎮號爲壽安鎮國之山，錫以銘詩，勒之貞石，榮示於千萬世。」奈其狡橘不情，叛服叵測。明年，倭復入寇。平江伯陳瑄，督領海運，與倭寇值于沙門島。追至朝鮮洋，盡焚其舟，斬獲無筭。九年以後，貢者僅□再至，而其寇松門，寇沙園諸處，則時或有之。

○十九年，犯遼東之馬雄島，爲總兵劉江盡殲于望海堝。又明年，復寇浙東，爲朱亮祖破之于溫州，徐忠破之于桃渚。斬馘獻俘，稍知斂戢云。

○永樂二十二年五月，浙江麗水，福建政和二縣賊首周叔光、王均亮等，聚二千餘人，往來兩縣劫掠，漸致滋蔓，請兵勦之。上命兵部尚書李慶等議之。於是慶等奏調沿海備倭都指揮張翥所領兵三千，浙江、福建二都司各調兵二千，俱聽翥率兵捕之。時文淵閣大學士楊榮、金幼孜，共進言曰：「此愚民無知，或爲有司所苦，或窘於衣食，不得巳（已），逃竄山林，苟求活朝暮耳，若寬而撫之，當各散矣。急之，不惟未易獲，且堅其爲盜之心。況兵戈所加，不免枉及良善，願更思處置之宜。」上曰：「卿言良是，可令巡按御史，及浙江、福建三司招撫，如負固不服，調軍勦之未遲。」

○宣德三年閏四月，行在兵部奏：「浙江布政司周幹言：浙江海鹽縣，地臨海岸，每有倭寇。洪武中，設海寧衞及澉浦、乍浦二千戶所。陸置烟墩，水備戰船，瞭望巡守，因得無虞。永樂七年，盡拘軍船赴沈家門，立水寨防守，撤去烟墩。倭寇乘虛，連年縱掠。水寨相去海鹽千里，不能救援，民甚苦之，請如洪武中防守。今累覆勘，皆以爲便。」上曰：「古人云，利不什，不變法。凡謀事，須爲永久之計。其再令巡撫，大理卿胡槩，與三司計議，果孰爲便，然後處置。」既而倭國入貢踰額，復增定格。例：船毋過三隻，人毋過三百。八年，倭王源道義卒，遣使吊祭。十年，嗣王上表謝恩。

○正統四年五月，倭船四十餘艘，夜入大嵩港，襲破所城。轉寇昌國，城亦陷。時備倭等官，以失機被刑者三十六人，惟爵谿所官兵擒獲一賊首，名畢善慶，誅之。七年，倭船九艘，使人千餘入貢。

朝廷責其越例，然亦冀其慕化，姑容之。

○景泰六年，倭夷寇健跳，官軍城守，不得入。

○天順二年，遣使來貢。

成化二年，倭稱入貢，遂破大嵩諸處。官兵因潮落沙淺，夜圍其舟，檣燈達曙，不移舟。巳（已）乘潮遁去。燈皆懸于篙尾，篙皆卓于沙上，乃詐設以疑（疑）追兵。臺閫大臣，坐失機獲罪。

○十一年，遣使〔子璞〕周瑋入貢。勅諭倭王宜恪遵宣德中事例。是時，閫帥備倭者，於倭夷歸國，送之出海，金鼓聲中，隨以砲銃，倭船有被擊而沉者，餘船倖于脫歸，亦稍知畏憚。

○正德四年，倭使宋素卿來貢，請祀孔子儀制。朝議弗許。素卿即鄞人朱縞，少鬻于夷商（商）湯四五郎，越境亡去。至是，充使入貢。縞在倭國，僞稱宗室苗裔，傾險取寵，爭貢要利。沿海奸豪，效尤通番，遂習以爲常云。

○嘉靖二年四月，倭船三艘，譯稱西海道大內誼興國遣使宗設入貢。越數日，倭船一艘，使人百餘，復稱南海道細川高國遣使宋素卿入貢，導至寧波江下。時市舶太監賴恩，私素卿重賄，坐之宗設之上。且貢船後至，先與盤發，遂致兩夷仇殺，毒流廛市。宗設之黨，追逐素卿，直抵紹興城下。我兵戒嚴，倭乃還。至餘姚，遂縶寧波衞指揮袁璡，越關而遁。把總指揮張浩，欲就追之，問于新建伯王守仁。守仁曰：「歸師莫遏，窮寇莫追，但當把截要害，縱其退，拒其進。進無所獲，退無所資，倭自困絕。於是取之兵，不血刃矣！」時備倭都指揮劉錦，追賊戰沒于海。定海衞指揮李震，與知縣鄭餘慶併力固守，一日數警，而城卒無患。既而倭果困卧，爲暴風潮漂入朝鮮。國王李懌，擒獲中林望、古多羅，械送京師，發浙江按察司，與素卿監禁，候旨。法司勘處者凡數十次，而夷囚竟死於獄。倭奴自此懼罪逋誅，不敢欵（款）關者十餘年。

○嘉靖十七年五月，倭船三艘，使僧石鼎、周良來貢。朝廷復申十年一貢之例，責令送還正德以前勘合，更給堪合，遵照入貢。

○嘉靖十九年，福建繫囚李七、許一等百餘人，逸獄下海，同徽歙奸民王直即汪、五峰、徐惟學即徐碧溪、葉宗滿、謝和、方廷助等勾引番倭結巢于霩衢之雙嶼，出沒爲患。巡視都御史朱紈，調發福建都指揮盧鏜，統督舟師擣其巢穴，俘斬溺死者數百。有蟹眉須黑番鬼，倭奴俱在獲中。餘黨遁至福建之浯嶼，復帥鏜勦平之。紈仍躬督指揮李興，帥兵發木石塞雙嶼港，賊舟不得復入。諸奸豪通番貿易者，各以失利，口語籍籍，紈解官去，東南自此多事矣！

○二十三年四月，使僧釋壽光等百五十人來貢。驗無表文，且以非期，卻之。

○二十六年四月，倭船四艘，使臣周良等四百餘人來貢，仍以非期發外海嶼山停泊一年，期至方許入貢。

○嘉靖二十七年，王直仍招集倭夷，聯舟棲泊島嶼，與內地奸民交通貿易。時廣東海賊陳四③盻等自爲一黨，王直用計擒殺，叩關獻捷，乞通互市，官司弗許。

○三十一年二月，王直令乾夷突入定海關，移泊金塘之烈港，去定海水程數十里。而近亡命之徒，從附日衆，自是倭船遍海爲患。

○是年四月，賊攻游仙寨，百戶秦彪戰死。已而寇溫州，尋破臺州黃巖縣，東南震動。

○三十二年四月，賊薄省城，指揮吳懋宣，率僧兵禦之于赭山，力戰死之。賊陷昌國城，百戶陳表，持兵相拒，斃賊數人死之。自是倭船至直隸蘇、松諸處登劫，皆依烈港王直爲窩堵。參將俞大猷，以舟師擣之。直復至倭島，鼓扇餘兇，逞其毒螫。

○是月，復攻陷臨山城。

○六月，寇嘉興、海鹽、澉浦、乍浦、直隸上海、吳淞江、嘉定、青村、南匯、金山衞、蘇州、崑山、太倉、崇明諸處。或聚或散，偏于川陸，凡吳越之地，所經村落市井，昔稱人物阜繁積聚殷富者，皆蕩爲丘墟，而柘林、八團諸處，胥作賊巢。

○三十三年二月，賊由赭山、錢塘至曹娥，涉三江、瀝海、餘姚，直走定海之王家團。復有盤據普陀山，焚劫海鹽龍王塘、乍浦長沙灣、嘉興、嘉善諸處者，有攻直隸之崑山、蘇州、松江、諸城者。既又奔蕭山，分寇臨山、瀝海、上虞，轉攻嘉興。官兵與賊戰于孟家堰，指揮李元律，千戶薛絅、宋應蘭死之。又，賊徒四十餘，突至百家山，百戶趙軒、梁瑜戰死。入寇沈家河智扣山黃灣諸處都司周應禎戰死之。寇蒲門壯士所，乘舟遁出金山洋，突入松門關，薄□□門臺州。又，賊二百餘人，登自海門港，直趨臺州仙居、新昌、嵊縣，屯于紹興□橋村。又，賊二千餘人焚劫嘉善，廣西領兵百戶賴榮華戰死。

○三十四年正月，領兵僉事任環，與賊戰于吳淞江采淘④港，斬首二百餘級。既而我軍失利。四月，賊衆四千，攻圍金山城，寇常熟。先是，徐惟學以其姪海即明山和尙質於大隅州夷，貸銀使用。惟學至廣東南嶼，爲守備指揮黑孟陽所殺後，夷索故所貸於海，令取償於寇掠。至是，海乃偕夷酋辛五郎，聚舟結黨，衆至數萬，入南畿浙西諸路，據柘林、乍浦。餘衆數千，寇王江涇。巡按浙江御史胡宗憲，令人載藥酒誘賊，賊中毒死者過半。仍督參將盧鏜，與總兵俞大猷，統浙直狼、土等兵大戰。賊大敗，斬首三千級。餘賊遁至羞母亭，悉擒斬之，更名其地爲滅倭涇。布政胡松紀：國家地廣治極，文恬武嬉，海壖姦商乘時盜販，因緣忿怒，轉爲寇賊。民不覿兵，爲日既久，望風奔潰，莫之誰何。賊既連得利，內附外連，聲應氣合，徒黨滋蔓，動以數千萬計。又善用兵，能以少爲衆，所徵四方材勇慓悍武力之士，率殲其手，勢若烈火燄燄，狡焉思啓。蓋自壬子春，更癸丑、甲寅，恣行轉掠，戕殺燔燒，叢萃藪窟，新故環迭，而兩浙、三吳之禍變慘矣。乙卯春，柘林巢賊積增至萬餘人，出掠嘉善諸處。夏四月，劇賊徐海、麻葉等，探知嘉、杭兵調松江搗巢，率衆數千人，水陸並進，聲言先攻嘉興，次及杭。時故巡撫李公，留守杭總督，軍門在華亭無兵可恃，軍民洶洶，甚懼。按史梅林胡公，方巡浙東臺、溫、諸郡，得報，連日夜馳詣嘉興。會賊從嘉善來前□迤邐薄城外，衆益懼甚。公曰：「兵法：攻謀爲上，角力爲下。」□又□□密□□毒酒，□□嬰鑽其頸，投以毒劑，塞如故，載兩船。選兵卒機警而猛者，假冠服，持赤牘坐船上，稱解官解酒餉軍，載向賊所，從道見賊卽褫去寇服走。賊信不疑，馳報諸酋長。諸酋長得酒大歡，相率高會痛飲，率多死巳。又令村市酒家，皆入毒甕中，約償以直。民所有米漬藥水，漸而遺之。賊往往爭取飮餟，輒又死。然賊黨尙衆，我兵寡，且恇怯。適保靖宣慰彭藎臣所領土兵數千人至，可使胡公策。其恃勇犯忌，使人傳語之曰：「賊善伏，且知分合。我兵常爲其誘，宜分奇、正、左、右翼擊防其衝圍。」蓋臣不聽，乘銳直前，果遇伏，墮賊計，挫於城南石塘灣，始大悔，遂有潰志，遠近震駭，大失望。胡公深憂之曰：「如是則我技窮矣！」於是親詣軍營宣諭，且勞苦之曰：「勝負兵家常事，惡足介介？凡爾所以僨者，以不知地利，中其伏。我聞賊曾多死，衆絲棼無紀，且久不得食。息暇可攻，若等無畏。」顧兵多無衣與器械，乃使人悉索諸質肆故衣頒給之，加賜錢帛、牛酒、飲食，召諸金木工晝夜繕造器具，懸重賞。苗兵感激，思奮察可用，乃指畫石塘地形曲折，曰：「汝宜以兵若干爲前鋒，從塘路進；若干爲奇兵，伏道左；水兵船若干環列道右，防其逸。督後前鋒數里候賊。將至某處，前鋒迎敵，作敗走，俟其過伏，伏盡起，三面夾擊，蔑不勝矣。蓋臣如公策，賊果僨敗，北走平望。平望故別有苗兵營 賊不知。會總督張公從松江兼程來視師，而永順宣慰彭翼南，復從泖湖西出，胡公又同督察趙公部署，參將盧鏜等厲激之。且躬擐甲冑，徑馳馬趁出，四面合圍，軍聲遂大振。賊大沮，還走王江涇。既連疲於奔，又餒且病，殆無統紀，遂大潰不支。土兵與我軍乘之，斬首倭二千餘級，墮溺水死者不可勝校。蓋自是嘉興杭人始安枕，軍民主客始知賊猶人，非眞若鬼神、雷電、虎豹然不可嚮，邇浸有鬥志，賊亦自是稍稍顧忌逆氣，狂謀漸以斷，朒始可誘而圖矣。嗟乎！嗟乎！奇變決而波才破，洛澗襲而淮淝捷，嘉山合而博陵奔，蓋自昔禍亂之典必有忠義，材武韜鈐之臣以指揮擘畫，敉寧戡定，蓋天所以奠安，維極綏輯神人，鴻德好生，常假手乎鉅公，偉人實爲之，孰云其果夢夢哉？今公私牘牒所載王江涇戰功淆無紀，余爲詮次之，庶後經世者有考焉！ 賊復一支走崇德，以向省城；一支寇蘇州、常熟，多內地通番奸民爲之嚮導。常熟知縣王鈇，與致仕參政錢泮，俱爲所殺。已，復攻圍，軍□□□，逾月不解。縣乞援兵于府，兵不至，知縣錢錞死之。賊復寇唐行鎮。游擊將軍周璠，迎敵死之。別有賊九十三人，自錢塘白沙灣入奉化仇村，經金峨突七里店，敵殺寧波衞百戶葉紳；由甬東走定海崇丘鄉，復折而趨鄞江橋，歷小溪樟村，敵殺寧波衞千戶韓綱；走通明壩，渡曹娥。時御史錢鯨，便道將還慈谿，適與之値，遇害。巳（已）而過蕭山，渡錢塘，入富陽、嚴州，寇徽州之績溪縣。盧鏜先以勁兵出油口溪扼之。賊奔太平府，渡采石江，道南京城下。京營把總朱襄、蔣陞被殺，城門晝閉。賊鼓行東掠蘇州。復有賊千餘，由掘泥山登犯觀海、慈谿、龍山、定海縣諸處。

○六月，復有賊數千，自柘林走海寧，直抵杭州北關外，屯聚劫掠。時朝廷以御史胡宗憲有才略可大任，遂進都御史，提督軍務；與督察軍務工部侍郎趙文華，恊（協）謀奏乞遣使諭倭王，以弭邊患。令生員蔣洲、陳可願充市舶提舉以往。

○是年九月，賊徒二百餘人，登據舟山之謝浦；復有賊數百，由海門登劫僊居、黃巖。官兵追之。賊奔奉化，走鄞江橋，出四明山至紹興之龕山。宗憲督參將盧鏜，帥梁高□等兵擊斬之。

○十一月，賊衆二千餘人，乘舟遁出南匯口。復有攻犯溫州瑞安者，守備都指揮劉隆戰死。匯流劫仙居、天臺，至嵊縣之清風嶺，宗憲督容美兵盡殲之。又有福建流賊，由臺、溫至寧海，抵奉化之楓嶺，敵殺慈谿領兵主簿畢清，義士杜文明。與象山流賊合夥，突過四明山，攻犯上虞，渡蟶浦港，寇蕭山壁于錢清。胡宗憲親督兵備副使許東望等，統廝陽土兵進勦，斬首伍百餘級。餘孽復由諸暨出東陽臨海，至太平蒲岐巡檢司，得舟而遁。

○三十五年二月，使夷生員陳可願，偕毛烈及夷商松柴門、善妙等七百餘人，乘舟進泊於馬墓港，自言直抵倭島，遍諭豊（豐，以下同）州〔對〕馬、肥前、平〔戶〕、飛蘭諸島，悉巳（已）禁止寇掠。然無稽之語，漫不足信；開市之議，私相許諾，納款請罪之表未至，而福、浙、直隸沿海告警者踵接。據夷商自日本來者云：「日本國主懦弱不制，諸島各恃強爭據，王直所竄，即西海道有豐前、豐後、筑前、筑後、肥前、肥後、薩摩、日向、大隅九州，其所稱曰前平，曰馬肥，曰飛蘭，曰花脚踏，曰鳥淵，曰太村津，曰何馬屈沙，曰他家是，曰卒之毛兒，曰沉馬，曰美美，曰空居止，曰通明，曰巨甲，曰廟里，曰日高諸處，皆筑、肥、豐州之地，總轄于豐後州王。大隅州懸隔一海，亦爲聽□。山口王居日向薩摩之間，亦漸併于豐州王矣！九州入日本國，越斷港而東，水陸程途，計經旬月，舟行而西，僅五六日而已。入我浙江直隸界矣。天朝頒賜勘合貯肥後州，亦有貯山陽道周防州者。各道入貢，必納賞請取勘合而行。頻年寇邊，實九州島夷也。時徐海久據柘林、乍浦。是年四月，將寇南京、浙西諸路，出嘉興，至皂林。遇遊擊將軍宗禮，帥驍騎五十人突之，殺賊甚多。既而復戰，死之。賊遂攻圍。巡撫浙江都御史阮鶚，於桐鄉窘甚。時胡宗憲新受總督軍務兵部左侍郎之命，舊兵不滿千人，乃用計啗賊，圍解。賊乃別遣夷船二十三艘，領衆千六百，登劫鳴鶴場。又夷船八艘，賊衆千餘，登劫臨山、三江。越數日，兩賊合攻觀海龍山城，突入慈谿縣治。時縣原無城郭，知縣柳東伯，負印而走。賊殺鄉官副使王鎔，知府錢煥，焚劫士民極其慘毒。從丈亭港出，欲窺寧波府城。盧鏜帥兵乘輕舟，沿江上下，隨賊向往，用鳥嘴銃擊之。賊疑退屯海口，擄掠貨財多所遺棄，賊後至者拾取之。是月，賊衆五百餘，衝突南奔，將往福建。溫州府同知黃釧，領兵至分水嶺堵截，被賊伏山谷中，繞其後殺之。賊遂趨莆田之广頭登岸，流劫而西，復入浙境，據僊居縣。時阮鶚始出自桐鄉圍中。宗憲移咨鶚，統督兵備副使許東望，參將盧鏜，臺州知府譚綸，指揮伍維等進勦，盡殲賊於僊居。又賊一支寇直隸江北揚州，又一支寇江陰、無錫諸處，所向焚劫。先是，趙文華督察軍務，復命。至是，進工部尚書，奉勅提督軍務，許以便宜行事。總領涿州保定、河間，及河南、山東徐、沛等兵。南來各賊，聞大兵至，退遁常州桃花港，陸續出海洋去訖。時宗憲日與徐海對壘，數遣死士入海營中反間。海果縛其黨陳東等八十餘人乞降。宗憲計徵兵且至，佯許之。及文華至，遂與定謀，進勦大殲賊于沈家莊。徐海溺死，獲其尸梟示。茅坤「紀勦徐海始末」，其略曰：「嘉靖丙辰四月，徐海擁諸倭奴，分道入寇，一由定海關入，略慈谿等縣。一由松江入，略上海，抵無錫、江陰及武進之桃花港。一由海門入，略揚州，控京口，衆各數千人。海則自擁萬餘人，逼乍浦登岸。焚舟，令人各殊死戰。又導故窟柘林賊陳東所部數千人，併力攻乍浦城。是時朝廷方奪故總督張經，而新總督胡宗憲自提督代之甫八日，問幕府麾下，募卒僅三千人，俱孱弱。故總督所徵四川、湖廣、山東、河南諸兵又罷去，所恃緩急者，唯容美土兵千人，及參將宗禮所率河朔兵八百人。南北諸倭合數萬，諜者聲言分掠江淮於越諸州，郡間以拒援兵。而海等將窟乍浦，下杭州，席卷蘇、湖以窺金陵。總督胡公，方召諸司晝計，夜半聞乍浦圍，分遣兵澉浦、海鹽之間爲聲援，而自引兵壁塘棲相犄角。徐海聞胡公卽前巡浙御史督兵戰于鶯〔脰〕湖、五（王江）涇之間覆賊者，遂罷乍浦圍，不復敢窺杭。乃徑略峽石，越皂林，出烏鎮以北。胡公度蘇、湖之間惟鶯湖爲四戰地，於是檄河朔兵自嘉興入，駐勝墩。又以吳江水兵當其前，湖州水兵躡其後。而胡公自引麾下募卒，及容美土兵銜擊之，賊稍稍引去。縱數百人試强弱，輒又敗去。賊怒甚，鼓譟而前。新提督阮鶚，勢皇急走，輕舸入保桐鄉。參將宗禮，與禮將霍貫道等，厚集其陣合擊，殺數十人。會日暮，賊引去。時賊氣雖窘，而宗禮、霍貫道等亦已絕嚮道，不得擇善地休止。賊覘知二將孤壘無援，復縱兵出戰。宗禮、貫道，河朔驍將也。大呼衆力戰，矢砲如雨下，人一當十，復擊殺賊數十百人。而宗禮、貫道各手刃十餘人，賊益怖，海且中砲馳去。貫道面宗禮仰天呼曰：「再得藥數斗，吾兩人可以丁此賊矣！」賊覘知火藥盡，復來戰。貫道與宗禮俱陷衆大敗，賊遂乘勝圍桐鄉。時胡公已引兵躡崇德，聞之，潸然流涕曰：「河朔之兵既敗，此間事殆岌岌矣！賊已困桐鄉，假令復分兵困崇德以劫我，我與阮兩人猶之抱而自沉也。朝廷所以付託我輩者且奈何？」於是還省城檄諸路兵爲戰守計。先是，胡公爲提督時，以諸倭奴乘潮出沒，將士不得斥堠，而戍人言：「王直以威信雄海上，若得誘而使之，或可陰携其黨。」於是遣辯士蔣洲、陳可願，及故嘗與直友善者數輩入海諭直。直果感悅，願如約遣其養子毛海峯款定海關謝過，間以諭徐海。海已勾島人入劫，間言不相入。胡公策曰：「直與海固唇齒也，直既悔悟，海獨不可說之乎？」於是疾走人諭海峯，因厚遺諜者，陰過海所曰：「直已遣子款定海關，朝廷且赦之矣，若不乘此時解甲自謝，他日必將爲虜。」海然其計，於是遣酋自謝，約罷圍去。因以要胡公貨遺他倭酋而疏釋其罪。胡公佯諾，因以銀牌綺幣厚遺來謝酋，而陰令營中盛兵容，私諜者故縱酋瞰之。酋既德厚遺，又內怖兵威，歸以報于徐海。明日，復遣他酋來謝，胡公視之如初。凡數復，海於是始歸心於胡公，願爲胡公死。然陳東獨心竊疑海私胡公遺，猶鞅鞅未之從。海間遣酋次桐鄉城下，私城上兵曰：「某已聽總督胡公約解去矣，城東門故柘林賊陳東黨也，鷙悍不吾從，若謹備之！」是夕，海果道崇德而西，且乞他兵於胡公以夾擊陳東。胡公猶心訝，未之許，而陳東乃盛爲樓櫓撞竿以撞城，城幾壞。一男子爲縉索圜撞竿所擊故窟處竿，至即縉挽以上斬之。又募冶者爇鐵汁灌城下酋，城下酋不敢逼。陳東既無何，聞徐海等解去，道遠勢且孤，亦相與稍稍引去，圍始解，而阮始獲出矣。時五月二十三日也。方阮困桐鄉時，固日夜望援兵之至，而胡公亦重念東南之安危，身之禍福，與阮相且暮，情固急，業已遣兵援之，而各兵狃皂林之敗，逡巡惶怖不敢逼。阮自圍中急，於是兩相猜，而他謗者為飛語以撼兩公者盈道路矣。朝廷聞東南之寇，命尚書趙文華督山東、河朔諸兵來援。趙公故與胡、阮兩公善，嘗推轂中。朝者聞兩公卒有郤，則東南之事牴牾不可圖。於是日夜引兵而南，胡公聞趙公至，謂淮揚、毘陵之間無足慮，獨徐海叵測。而上海之賊萬餘人，由吳淞江西引方急，廼日遣諜者陷徐海以金帛說之，東出海上擊他賊。海果收諸倭酋出乍浦，道平湖。時諜報吳淞江之賊已涉嘉善界，欲西合徐海。胡公念海萬一卒他變，兩相合，奈何？因策海，始已焚舟為深入，今不得舟，必急。於是遣諜詷海謂：海既內附，何不如故約勒兵擊吳淞江賊？且篡奪其輜，掠舟以歸。海果然其計，即引諸酋逆之朱涇道上，斬首若干級，餘賊遂夜走，以故海不及篡奪其舟而還，及他酋脫而出海也。胡公又別遣總兵俞大猷伏飛艦海上遮擊之，溺且盡。於是徐海既德胡公不敢背，又聞吳淞江賊之出為海兵所遮擊，益內怖。日輸款於胡公，遂輦故所戴飛魚冠，及他堅甲名劍數十種，並以輸胡公而間遣其弟洪入質。胡公佯納之，又諜聞徐海麾下，獨書記葉麻⑤為長酋，黠而悍，近與海爭一女子有郤，非用間急縛之，則無以死彼內附之心。於是遣諜就海帳中諷海，縛葉麻以出。葉麻出而諸酋中故隸葉麻部曲者怨且懼矣。胡公恐生他釁，數遣諜持簪珥璣翠遺徐海兩侍女，令兩侍女日夜說海并縛東。東乃薩摩王弟，故帳下書記。海猶豫未決。於是出葉麻囚中，令其詐為書於東，反兵賊殺海。其書故不以遺東，陰泄之於海。海得書謂：「東等將賊殺之。」益德胡公，至泣下，遂日夜謀縛東以報。值尚書趙公移兵渡江來，所過州縣數舉兵向賊，賊輒敗走，俘斬甚多，兵威大布。是時胡公已知徐海甘心於陳東，不欲疾擊海，恐擊之則兩人轉相結而事未易圖。趙公至，乃私約胡公共部署兵擊徐海日急，且召胡公故所遣諜面詰之曰：「若為我諭徐海，海連兵以來，罪不容死。非縛陳東及斬干（千）餘級以獻，恐無以謝朝廷。若能，則吾當同督府諸公疏釋之。不然，若且虀粉矣！」於是徐海益怖，出所故掠中國貨物干（千）餘金賂王弟，詐請陳東代署書記。海因夜得東，即縛以復於胡公。葉麻與陳東相繼縛，而諸酋長洶洶內亂矣。諸酋長既疑且怨徐海，無鬥心，故其氣日窘，海亦自度縱令反故島，當亦必爲諸酋長所殺，故爲內附日固。而胡公與趙公簿責徐海益急。海既急，因念欲掠舟出海，恐爲海上兵所劫；欲列壘拒官兵，又業已內附，且陳東黨固日夜襲殺之也。胡公因遣諜私徐海曰：「我固欲寬，若趙尙書爺以若罪孽大，若何不聽我議數十艘于海上，俘斬賊千餘級以謝趙公，而若因得以自完乎？」海不得已，且疑且諾，因約諸官兵伏乍浦城中。某日時某當引衆出海岸去乍浦城半里而陣，佯令衆酋逐海上艘，某手旗麾之，城中官兵即舉燧爲號，從城中出，亟擊勿失。諸官兵卒如約乘之，諸倭酋逐海上艘如蟻，不及還兵鬥。於是諸官兵得乘勝而前，俘斬數十百人，沒海者無算。於是徐海自以數有功，願與部下諸酋長入款，具庭謁當事諸公，並許之諜往。復期以八月初二日。然徐海猶恐間設甲士劫之，先期一日，卒擁酋數百人，冑而陣平湖城外，自帥酋長百餘人，冑而入平湖城中以求款。海與諸酋長北嚮面當事諸公，按次稽首。胡公謂海曰：「若苦東南久矣，今既內附，朝廷且赦若，愼勿再爲孽。」海復稽首呼：「天星爺，死罪！死罪！」因犒之而出。是日，城中人無不洒然色變者。徐海既出，諸公固已忿其列款，猶冑而入，屬彊脇無禮，又不及如諜故所期月日，而先日卒至也。其習行黠若此，於是闔謀不勒兵誅之，他日必爲患。計部下尙千餘人，猛鷙難即破，永保兵猶迤邐遠道未至也，於是佯令徐海自擇便地居之。海果自擇便地，得沈家莊，即僦沈家莊與居之，是爲八月八日。是時衆復喧然譁諸公輩何不撲滅徐海？不然，且縱之出海上，令自解去，顧豢虎以自禍也，不知諸公者固有待。於是胡公、趙公私自部署兵，又日夜遣使趣永保兵來會。兵未集，恐徐海驚禍且肘腋間胡公，因日遣諜詗海且啗海如曩時。因謀以請於趙公曰：「吾聞善兵者乘其所之，徐海與陳東黨業已相仇，今合塹，何不說徐海以西沈家莊居，陳東黨而自擇東沈家莊以居部下酋乎？而兩附者迫故耳。聞沈家莊故東西兩處而中緡河爲二百金於胡公市酒米，胡公復與趙公謀以藥毒其中而歸之，又令陳東諜以諭海，海果如其言。頃之，永保兵至。會海輸詐爲書夜遺其黨曰：「海已約官兵夾勦汝輩矣。」陳東當果疑。是月二十五日夜，伏邏卒東沈家莊道上瞰之。適徐海皇急，因令酋竊兩侍女出道上，將因間道走，莫府以自托。邏卒瞰知之，歸以報於陳東黨。陳東黨聞之大驚，卽勒兵㬥兩侍女過海所罵曰：「吾死，若俱死耳！」遂私相稍而鬥海中，稍衆大亂。明日，官兵四面合墻立而進，保靖兵先之，稍卻（卻）。河朔兵乘之，又卻。俄而胡公擐甲厲聲叱永保兵，左右列大呼而入，瞰壘下擊會風烈，胡公麾衆束千餘炬，人各持燭縱火焚之。徐海窘甚，遂沉河死。甫食頃，人人驚而攫千餘酋，蒐斬殆盡矣。中所故飲毒首虜黑色者凡三百餘人，於是永保兵俘兩侍女而前，問徐海何在？兩侍女者王姓，一名翠翹，一名綠姝，故歌伎也。兩侍女泣而指海所自沉河處，永保兵遂蹈河斬海級以歸。於是辛五郎帥餘黨乘舟遁至烈港，宗憲約文華，復用兵要擊之，俘斬三百餘。辛五郎與葉麻等囚至京師，獻俘告廟，剉尸梟示，餘賊據定海丘家洋，夜潰圍踰桃花嶺，渡李溪，走鄞之西鄉，由元貞橋走奉化、寧海，與官兵戰于臺州之兩頭門，把總范指揮死之。遂從寧海走溫州，至福建，得舟而遁。謝浦之賊移據吳家山，自秋及冬，屢攻弗克。胡宗憲督麻陽兵，當歲除乘雪夜襲破其巢，悉斬之。

○三十六年四月，賊寇直隸之通州、海門，突流揚州廟灣港。宗憲遣副總兵盧鏜追擊，衝沉其五舟，斬首四十餘級。賊出安東縣，復依船爲巢。池河守禦劉顯，將百人擊破之，斬首百餘級，餘黨遁去。

○七月，生員蔣洲與倭酋德陽左衞門、善妙、松柴門等五十餘人，乘舟進泊舟山，宗憲上其事于朝。

○九月，王直等亦偕夷商水手千餘，乘舟進泊岑港，聲言欲詣軍門乞降，然而五旬不至。宗憲乃設間諜，委曲諭之。直乃遣其養子王滶來見，仍遣之還。

○十一月，直乃桀然詣軍門，遂執之下按察司獄，上疏得旨，誅直于市，梟示海濱，妻子給功臣之家爲奴。田汝成作王直傳略曰：王直，徽之歙縣人。少落魄，有任俠氣。及壯，多智略，善施與，以故，人宗信之。一時惡少，若葉宗蒲、徐帷學、謝和、方廷助等，皆樂與之游。間嘗相與謀曰：「中國法度森嚴，動輒觸禁，孰與海外乎消遙哉？」直因問其母汪嫗曰：「生兒（兒）時有異兆否？」汪嫗曰：「生汝之夕，夢大星入懷，傍有峨冠者。詫曰：此弧矢星也。已而大雪，草木皆氷。」直獨心喜曰：「天星入懷，非凡胎；草木氷者，兵象也。天將命我以武勝乎？」於是遂起邪謀。嘉靖十九年，時海禁尙弛，直與葉宗滿等之廣東造巨艦，將帶硝黃、絲綿等違禁物抵日本、暹羅、西洋諸國，往來互市者五六年，至富不貲，夷人大信服之，稱爲五峯船主。又招聚亡命，若徐海、陳東、葉明等爲之將領，傾貲勾引倭奴門多郎、次郎、四助、四郎等爲之部落，又有從子王汝賢，義子王滶爲之腹心。會五島夷爲亂，直有宿　于夷，欲藉手以報，及以威懾諸夷，乃請于海防將官與之，無孑遺者。且聲言宣力本朝以要重賞。將官餽米百石，直以爲薄大詣投之海中，從此怨中國，頻入內地侵盜。直又嘗以扁舟泊列表，參將俞大猷，驅舟師數千圍之，直以火箭突圍去，怨中國益深，且恥官軍易與也，乃更造巨艦，聯舫方一百二十步，容二千人。柵木爲城，爲樓櫓四門，其上可馳馬往來，據居薩摩洲之松浦津，僭號曰京，自稱曰徽王。部署官屬，咸有名號。控制要害，而三十六島之夷，皆其指使。時時遣夷、漢兵十餘道，流刼濱海郡縣。延袤數千里，咸遭荼毒，而福清、黃巖、昌國、臨山、崇德、桐鄉諸城，皆爲攻墮。焚燔廬舍，虜掠子女、財帛，以鉅萬計。火民死鋒鏑，塡溝壑者亦且數十萬計。比年如是，官軍莫敵嬰其鋒。但爲計狡譎，每殘破處，必詭云某島夷所爲也。故東南雖知王直之叛，而不知受禍之慘皆由直者。獨總督胡公宗憲，前爲御史按浙時，見賊進退縱橫，皆按兵法，知必有坐遣者。且賊酋來者，皆直部落也，而不聞直來，其爲坐遣無疑。先是，間使徽州，收其母妻及子于金華府獄中。至是出之豐衣、食潔、第宅奉之以爲餌，而疏請以移諭日本，禁戢部夷爲名，其實注意伺察直也。上從之，乃遣生員蔣洲、陳可願充正副使以行。胡公以密計授洲等曰：「王直越在海外，難與角勝于舟楫之間，要須誘而出之，使虎失負嵎之勢，乃可成擒耳。」又曰：「王直南面稱孤，身不履戰陣而時遣偏裨雜種侵軼我邊圉，是直常操其逸而以勞疲中國也。要須宣布皇靈以携其黨，使窮髮皆知向化，則直之勢自不能容，然後道之滅賊，立功以保親屬，此上策也。」洲等領計敬諾而行。居無何，倭酋董二被擒訊，道直事甚悉，與胡公所料不爽毫髮，中外始曉然知狀。於是上以宗憲灼見禍本，降璽書褒勞，而閫外之事一以委之。御史金淛、陶承學，交章請立賞格，有能主設奇謀生擒王直者封伯，予萬金。部議，從之。詔曰：「可」。嘉靖三十四年十一月，洲等至五島，遇王激，道以移諭事。激曰：「無爲見國王也。此間有徽王者，島夷所宗，令渠傳諭足矣，見國王無益也。」明日，直出客館見洲等，推髻左衽，旌旗服色擬王者左右。洲等心動，坐論鄉曲，設酒食相對。情款方洽，洲等曰：「總督公遣洲等敬勞足下風波無恙。」直避席曰：「直一介逋臣，總督公不曳尺纓牽而鞫之，而遠勞使，死罪！死罪！」洲等曰：「總督公言足下稱雄海曲，志亦偉矣。而乃爲盜賊之行，何也？」直曰：「總督公之聽誤矣，直爲國家驅盜，非爲盜者也。」洲等曰：「是何言與？足下招聚亡命，糾合倭夷，殺人剽貨，坐分鹵獲而爲之，辭曰我非爲盜者，是何異于昏夜操罟以臨人之池，執之則曰：我非盜魚者，爲君護魚者也。雖三尺童子，知其必不然矣！」直語塞。洲等曰：「總督公統領官軍十萬，益以鎭溪、麻寮、大剌土兵數萬，蒙衝雲屯戈矛雨注，水陸戒嚴，號令齊一，而欲以區區小島與之抗衡，是何異于螳臂以當車轍也。」又曰：「總督公推心置腹，任人不疑，拔足下壽母令妻于獄中，館穀甚厚，則公之心事可知矣，何不乘機立功以自贖，保全妻孥，此轉禍爲福之上策也。」直默然而罷，乃挾洲等巡數小島而還，從此風聞外夷隨其頤指者頗少變，而叛貰倚直爲淵藪者多有離心，直始不安于彼矣。初，直聞母妻爲戮，心甚忿，欲犯金華。及聞洲等言無恙，又竊喜。於是始有渡海之謀，日夜集所親信者計之。謝和等曰：「今日之舉，未可冒昧以往也，當遣我至親爲彼所素信者先往，宣力以堅其心，待彼不疑，然後全師繼進，始可以逞。」直笑曰：「妙算也遂托宣諭別國爲名，留蔣洲在島令葉宗滿王汝賢、王激同陳可願回至寧波詰之，皆云宣諭。至時，徐海、陳東已擁薩摩洲夷過洋入寇矣。今王直歸順，先遣葉宗滿等投赴效力，成功之後，他無所望，惟願進貢開市而已。公得報，已揣知其計，姑從所請，疏上，許之。胡公喜曰：「虜在掌中矣！」先是，桐鄉倭寇敗沒，有零寇百餘據舟山爲亂。胡公遣葉宗滿等協助官軍勦之，盡殄焉。疏上功次，犒賞有差。王激笑曰：「此何足賞，若吾父主，當取金印如斗大。嘉靖三十五年三月，徐海等果擁衆十餘萬寇松江、嘉興諸郡甚急，聲言欲取金陵以建都。胡公乃謀之王激等以觀其意。激等初欲小試，慇懃故甘心于舟山之寇，至于徐海等，正其所倚以圖大事者。且欲速直來共濟，乃辭曰：「是非吾所能辦，須吾父來乃可耳。遂留夏正、童華、邵岳輔王汝賢在軍門，自以招直爲名，與葉宗滿開洋去。是年，徐海等以次就擒，事見茅坤「紀勦徐海始末」中。胡公恐形跡彰露，委心留用王汝賢等，撫摩若親子。然葉宗滿兄弟並加禮遇，時時對將吏士民曰：「直非友賊，顧崛强不一見我，見我當有處也。」直聞胡公意，指謂公誠朴可欺，欲乘機以全親屬。且未知徐海等敗沒，以爲縱不如所料，亦可與之應援，得志而去。遂決策渡海，先遣蔣洲，次遣王激、葉宗滿等率銃卒千餘，執無印表文，詐稱豐洲王入貢，先泊岑港，據形勝分布已定，直乃與謝和等慷慨登舟，釃酒誓衆曰：「俞大猷，吾嘗破之列表，泊岸時須謹備之。」公當直未至時，已度其有隙，豫調兪大猷于金山，而以總兵盧鏜代之。盧鏜者，舊與王激等從事舟山，同□食，撫循倭夷備至。直坦然不疑，惟日聚群倭，礪兵□，伐竹木爲開市計。且索母妻子弟，求官封。時胡公計已定，仍姑列狀上請，以安其心。上已知直爲釜魚，智力俱非宗憲敵，乃顯詔王直，旣稱投順，郤（卻）挾倭同來，以市買爲詞，胡宗憲可相機設謀擒勦，不許疎虞，致墮賊計。宗憲奉詔，秘而不宣。夜馳至寧波城，圖方略，密調參將戚繼光、張四維等，督諸健將埋伏數匝，水陸要害，星羅棊列，魚鳥莫度。乃以夏正等爲死間，諭直曰：「汝欲保全家屬，開市求官，可以不降而得之乎？帶甲陳兵而稱降，又誰信汝？汝有大兵于此，即往見軍門，敢留汝耶？況死生有命，當死，戰亦死，降亦死，等死耳。死戰不若死降，降且萬有一生焉。」直拂然不悅，而胡公與其所親信王激、葉宗滿先遣來見者連床臥，因佯露諸將請戰書十餘篇于几案，王激等竊視驚怖。夜半，胡公作醉夢中語云：「吾欲活汝，故禁不進兵。汝不來，休怨我也。」含糊其辭，吐滿床。王激等漏之于直，直始疑之，又使其子澄嚙指血寓直書云：「軍門數年恩養我輩，惟願汝一見，使軍門有辭于朝廷，即許眷屬相聚，汝來軍門，決不留汝。藉令不來，能保必勝乎？空害一家人耳。」又使邵岳、童華等往來遊說。直猶豫未決，公以直執戀岑港已踰五旬，察其心神，終屬觀望。乃開關揚帆，示欲進兵。直探知四面兵威甚盛，終無脫計。且知徐海等敗沒，孤立無援。因嘆曰：「昔漢高祖見項羽鴻門，當王者不死，縱胡公誘我，其奈我何？」乃曰：「部兵無統，欲得王激攝之！」公知海上諸賊，惟直多智習兵，久雄異域，得人心，爲難制。其餘皆鼠子輩，毋足慮。諸將亦云：「以犬易虎，不可失也。」遂遣激往。直乃桀然詣軍門，時嘉靖三十六年十一月也。胡公執之，付按察司獄。乃集三司諸大夫參議曰：「王直始以射利之心，違明禁而下海，繼忘中華之義，入番國以爲姦，勾引倭夷。比年攻刼，海宇震動，東南繹騷。雖稱悔禍以來歸，仍欲挾倭而求市，上有干乎國禁，下貽毒于生靈。惡貫滔天，神人共怒。問擬斬罪，猶有餘辜，具疏上請。得旨：「斬直于市，梟宗海濱。妻子給功臣之家爲奴。王汝賢、葉宗滿俱從末，減邊遠充軍。」其餘從賊，魚散鳥驚，奔聚山谷。胡公親督官兵，盡掃除之。

註：

①「折」，明史，卷三二二，日本傳作「析」。

②「秩以書達其王」，如據日本史乘所紀，趙秩所至地方爲九州之「征西將軍府」，秩所見者乃征西將軍懷良親王。

③「四」，籌海圖編，卷八，「寇踪分合始末圖譜」作「思」。

④「采淘」，世宗實錄，卷四一三，嘉靖三十三年八月己巳朔庚寅條，籌海圖編，卷六，直隸倭變紀，同年三月条作「採淘」。

⑤「葉麻」，明史，卷三二二，日本傳作「麻葉」。

浙江通志

清倉聖脉修，四庫全書本〔卷三〕

疆域

定海縣

○寧波府志：在府治東北二百六十里，自東門至甬東嶼十五里，過吳洞二嶼又十五里，過蘆蒲嶼又十里，過舵嶼又十里，至大展嶼又十里爲東之盡。從海船渡過蓮花洋金鉢盂，計水道五十里，至普陀山。往東南十里，至朱家尖。往南三十里，至桃花。登步、六橫，俱係懸山，舟行可達。大小洛伽山外係大洋，可達日本國。自南門三里，至道頭水道，二十里，至螺頭門。過橫水洋，向南至大樹，向西至金塘。六十里，至蛟門，三十里，至小港口，十里，至招寶山界。鎭海縣，自西門鹽倉嶼五里，過西高嶺，十五里，至紫薇嶼，十里，至岑港嶼。向西北二十里，至大小沙，向西二十里，至碇齒，爲西之盡。從海船過渡五里，至册子山，又十里，至金塘鄉，又二十里，與鎭海縣蛟門連界。自北門至頌河嶼，向東北十里，過東高嶺，又十里，至皐洩嶼，十里，至白泉嶼，十五里，至北彈嶼。又十里，至大展嶼，與舵嶼連接。從頌河正北二十里，至千欖嶼，又二十里，至馬嶼。從海船過渡至秀山，再渡至岱山外即衢洋，洋外即衢山，與江南崇明鎭洋面接界。〔卷二三〕

城池上

○嘉興府城池，嘉興、秀水二縣附郭 嘉興府志：不知所自始。嘉禾記謂：唐乾寧中，守臣曹信築。吳越備史謂：唐僖宗文德元年，吳越武肅王命制置阮結築。五代晉天福四年，吳越王元瓘拓爲州城，宋謂之軍城，元謂之路城。至元嘉禾志：按圖經云：羅城周一十二里，高二丈二尺，厚一丈五尺。子城周二里十步，高一丈二尺，厚一丈二尺。宋宣和間，知州宋昭年更築。德祐元年，守臣余安裕重修，諮議劉漢傑董其役，增築堡障。元至元十三年，羅城平子城見存。羅城元有門，東門舊曰青龍，後改春波；西門舊曰永安，後改通越；南門舊曰廣濟，後改澄海；北門舊曰望京，後改望雲，續改望吳。又分爲水門，門各有樓。嘉興府志：補東春波，以其路接雙溪之水；西通越，以其路通越王臺；南澄海，以其路通海之大洋；北望吳，以其路通姑蘇臺。嘉興府圖記：至正十六年，路推方叡，同知繆思恭復營城，未就。明知府呂文燧、謝節始竟其役。東舊三里，高倍於舊二尺，面闊一丈。女牆三千四百一十五，月城四，弔橋四，城樓四。城壕南引鴛鴦湖水，西引漕渠，並周羅城，會於望吳門外北麗橋西北。深一丈二尺，闊二十二丈。萬曆秀水縣志：嘉靖三十四年，倭寇郡城，知府劉慤亟築四水門，增埤繕隍。事寧，郡守侯東萊奉檄增高一丈二尺，幫岸三尺，改東門曰澄霽，西門曰阜成，北門曰拱辰，南門曰迎薰。萬曆七年，城圮知縣朱來遠修。二十年，李培加修子牆，增高三尺。秀水縣志：四十四年，知府莊祖誨倡築箭樓、窩舖、馬坡，兩縣分治。嘉興縣轄城垣一千一百七十二丈八寸，秀水縣轄城七百八十丈七尺二寸，凡八閱月而工竣。

嘉興府

○嘉善縣城池：嘉善縣志：舊無城。嘉靖三十二年，倭寇內侵，巡撫王忬因知府劉慤議，奏請築城，命本府通判鄧遷董其事。甲寅冬十月四日興工，次年三月四日竣事。水門五，其南一門今塞陸門四，東曰大勝，西曰太平，南曰慶豐，北曰熙寧，各因其坊舊名也。周一千四百八十八丈，高二丈三尺五寸，厚二丈二尺，計六里三百七十步，凡二千六百六十四垛。箭臺二十六座，望樓四座，旁臺五座，窩舖三十六間。崇禎二年，知縣蔡鵬霄拆去十六間，存二十間。壕周於城，闊六丈。萬曆嘉善縣志：城外東有賓暘門，在石灰坊演武場右，離城二里。西有平成門，在跨塘橋北，距城二里，俱正德五年，知縣胡潔建。萬曆二十一年，知縣章士雅重修。舊無城，故建二門以備啓閉，今則隱然有重關之意示。舊浙江通志：萬曆二十年，知縣章士雅修；崇禎十年，知縣李陳玉更修。

○海鹽縣城池，海鹽縣圖經：城在吳禦越城西北。周六里三十五步，高二丈五尺。池周一千三百四十丈，深一丈二尺，廣六丈九尺。陸門四：曰靖海，曰望吳，曰來薰，曰鎮朔。水門：南、西、北三跨壕門，各有橋。明洪武十七年，設海寧衞於城。是年，浙江都指揮使司以信國公命，檄寧波衞指揮許能加築。永樂十六年，都指揮谷祥復葺之。嘉靖三十二年，都指揮張鈇有外墉之築。明年，知縣鄭茂增築子城四，並城。敵臺十有八，其制可三面瞰外施礮石，歲久城圮。萬曆二十一年，知縣王臨亨重築。舊浙江通志：天啓二年，知縣樊維城修。

○石門縣城池：弘治嘉興府志：自元末張士誠據蘇州，於本縣築城，周五里三十步，置城門四，水門三。洪武十九年，海寧衞奉左軍都督府勘合，將磚石拆運公用，舊址尚存。池在舊城址外，闊七丈，深二丈二尺，里步比城有加。石門縣志：洪武十九年倭寇海鹽，徙城乍浦。天順間，王令輿立四門爲障。嘉靖三十四年，倭入寇，蔡令本端，奉檄度地甃築，明年五月城完。凡七里餘三十步，高二丈七尺，闊一丈。城門水陸各五。三十九年，劉令宗武再建城樓，四南北甕城各一座，添築箭臺三十，敵臺三，壕周於城。

○平湖縣城池：平湖縣志：縣無城郭。嘉靖三十二年，島倭爲亂，署縣事推官殷廷蘭，奉檄築城。三十三年，知縣劉存義，圖度形勢，審定疆理，規制稍具。三十五年，知縣陳一謙，設東北二甕城。四十一年，知縣顧廷對，增女牆，崇雉堞，並高五尺。置窩鋪百有十二，城寬九里。陸門：東曰啓元，西曰毓秀，南曰豫泰，北曰豐亨。其西南曰小南門。水門西、南、北各一，東據當湖巨浸爲二。張時徹修城記：平湖故爲當湖鎭海鹽所治也。宣德四年始析壤而邑之，民以蠶稼魚鹽爲業。嘉靖壬子，寇掠黃巖。癸丑四月，遂掠平湖。時郡守劉慤調兵轉餉，推官殷廷蘭署邑事，挽舟飛控，寇稍稍引卻。乃僉議事城，請於撫按藩臬諸司，次第報可。守乃與殷君揆度土方，爲水門五，陸門五。爲城樓，爲窩鋪，爲外壕，爲內馬道，爲水間。周一千六百十九丈有奇，高二丈，廣如之。表裏以石，覆以磚。凡用官銀三萬二千八百有奇，尅日告成。而知縣劉存義適來，圖所未備，罔不畢具。工起於九月十二日，訖於十二月二十日。

○乍浦城：舊浙江通志：縣東南二十七里。平湖縣志：明洪武十九年，信國公湯和，居守累土，列亭障。永樂十二年，都指揮谷祥，始用石甃。正統八年，久雨頹塌。勘議令杭、湖二府佐嘉興府葺治。景泰二年，都指揮使王謙，設城樓四，欄楯杆櫓俱備。嘉靖三十三年，知縣劉存義增築，併建敵樓十，以眺海帆。謹烽火，市舶出沒皆得指數。城寬九里十有三步，高二丈，廣一丈五尺。陸門四，北水門一。壕周一千六百三十丈，深八尺，闊十丈。弔橋四。崇禎十一年，署縣事李陳玉申詳院道，開設東南水門一座。

湖州府

○德清縣城池：隆慶湖州府志：唐天授間置武源縣，縣治在下蘭山南。天寶間改德清，徙百寮山南。舊無城郭，宋末始築石城。明初，以修海塘徙用其石，止存土郛。縣聯絡溪山，因兜溪而爲池，倚岡邱以成塹。延袤四五里。啓七門：東曰行春臨溪，西曰西成清啇，南曰見山廣儲，北曰武塘。德清縣志：嘉靖二十五年，知縣馮煥於要路四門各圍以石，上作望樓，易臨溪曰拱乾，易廣儲曰峻明，易西成曰賓壓，易武塘曰禮辰。三十二年，倭寇犯浙，署縣事推官方敏建議城之。水門五，又西水門一，陸門五。廢見山、清啇、臨溪而益以迎薰。其拱乾易爲文昌。城周七百七十三丈五尺，高二丈三尺，闊二丈。垜一千五百四十有奇，敵臺七十。月城十丈，月城敵臺三，鋪二十五。

寧波府

○寧波府城池鄞縣附郭寶慶四明志：羅城周回二千五百二十七丈，計一十八里。奉化江自南來限其東，慈谿江自西來限其北，西與南皆它山之水環之。唐末，刺史黃晟所築。成化四明郡志：唐末規制未弘，宋元豐元年曾鞏受詔完之。寶慶二年，守胡榘因其圮剝重修。寶祐間，制置使吳潛復拓舊城，設雉堞，立巡鋪賓卒以邏越，三載畢工。又於開慶二年建望京、鄮堰下卸三門，其甬水靈橋東度則以次繕治。元初隳，天下城池，民居侵蝕，漸爲坦途。至正八年，臺州方國珍爲寇。二十年，浙東都元帥納琳哈喇，以臺密邇慶元，復築城以備，劉基爲之記後。國珍受招安之命，據城開，江浙分省，復加修治。洪武六年，指揮馮林更新之，崇三之一，浚東、南及西三面之壕。十四年，指揮李芳更增葺之。嘉靖寧波府志：府據甬水爲城，南匯它泉，北源姚江，合流桃津，峙爲崇，築高二丈五尺，址廣二丈二尺，面一丈五尺，周回二千二百一十六丈，延袤一十八里。闢爲六門：東曰靈橋，東渡，南曰長春，西曰望京，北曰永豐，東北曰和義。其四門可通輿馬，獨西南爲漕運水路。新設重門，外設弔橋，門各有樓，羅以月城。城之上有敵樓四十六，雉堞三千五百六十四，警舖六十五。外爲壕，自北至西南環繞，通二千一百四十四丈。自和義抵北永豐門，通三百四十三丈，濱大江不設。嘉靖三十五年，守張正和，重建甕門、敵臺，大加繕修。

間淵重修府城記：寧波古於越東偏之地，秦爲鄮邑，隸會稽郡，嗣後廢置不一。及唐開元中始定爲明州城，作於刺史黃晟，即令郡城也。更五代，歷宋代爲修葺，及元隳，城舊築斯廢。方國珍倡亂，民罔奠居，於是廢址復城。邇來海上荷戈，惟憑城固守。郡守邱侯珁甫至，上其事巡按侍御胡公宗憲曁諸藩臬司，咸檄命出公帑以資其費。遂擇日戒事，而以調衢州去，衢守張侯正和來代，即身任其役。因兼屬貳守侯君國治董其事，又分督以五邑之令，夏君儒曹君本，蕭君萬解，宋君繼祖，毛君德京，而張侯則總其成於上。計城周凡二千七百八十七丈，修者二千一百八十二丈，造斥堠六十有六，敵樓四十有六，馬步階七。巡海憲副孫公宏軾，王公珣，曁張侯復修築西南二水門，羅以月城。總費帑銀七千五百五十兩有奇，役民戶之富者四百有奇。經始於乙卯八月，迄工於丙辰正月。雉堞煥如，萬年保障於是乎在。

○大嵩所城，成化四明郡志：郡治東九十里，鄞縣十一都，地名大嵩。洪武二十年，信國公湯和築城。甃池闢東、南、西、北四門，上各置樓，羅以月城、弔橋，四穴水門於西門之側。周城列窩舖二十五。永樂十五年，都指揮谷祥加修，增置敵樓二十。

○慈谿縣城池，嘉靖寧波府志：慈谿城後負石剌峰，前面重江，左山蜿蜒，右山屼聳，距郡西五十里。高二丈有奇，址廣二丈四尺，面朒其十之三，延袤十里。闢爲四門，門各有樓。東曰鎮海，南曰景明，西曰望京，北曰環山。東、西各爲小門，又穴水門於東西之左右，以通潮汐。門各有樓，羅以月城。雉堞二千六百十六，敵樓二十八，警舖二十七。外爲壕，九里五分，北半里際山無壕。洪武初，設戍海儒，有觀海、龍山二衞所，故未有城。嘉靖壬子，倭掠內地。丙辰夏，焚掠殆盡，始爲城。邑人葉照、馮璋、袁煒，並爲記。

○鎮海縣城池，嘉靖定海縣志：薄海爲城，東連招寶山，出洨口；南環以江，北負巨海，西通於鄞，距郡東六十二里。高二丈四尺，址廣一丈，面八尺，周圍一千二百八十八丈，延袤九里。闢五門：東曰鎮遠，南曰南薰，又南曰清川，西曰武寧，又西曰向辰，門各有樓。新設望海樓於北，俱有弔橋，羅以月城。城之上有敵樓十，雉堞二千一百八十五，警鋪三十九。外爲壕，自東抵西，環九百六十六丈。北際海，不設。初城築於錢鏐，歷元而隳。洪武元年，千戶王及賢，始立木柵。七年，守禦千戶端聚，易以石。二十年，信國公湯和建衞，拓而大之。周九里有奇。闢門爲六，各建以樓，上加雉堞、警鋪。外羅以月城，惟小南門無月城。二十九年，指揮劉澄增置。永樂十三年，都指揮佘成，以北抵海，塞北門舊穴，水門於城西，今改置小南門之右。嘉靖十二年，都指揮劉翱，加增雉堞三尺。三十三年，知縣宋繼祖，就城之北面增建望海樓。舊浙江通志：萬曆三十六年，知縣黎民表修葺。

○觀海衞城，嘉靖寧波府志：東北巨海，西峙虎山，背負浪港，山南面五磊諸山，距郡西北百十五里。高二丈四尺，址廣三丈，延袤四里。闢東、南、西、北四門，外設弔橋。門各有樓，羅以月城。雉堞一千三百七十，敵樓二十八，警鋪三十六。外爲壕，九百十四丈。城始於洪武二十年信國公湯和，以慈谿縣塗田建築。永樂十六年，都指揮谷祥增崇之。

○龍山所城，成化四明郡志：郡治北七十里。明洪武二十年，信國公湯和，以定海縣龍頭場石塘團之址築城、鑿池。建門一。永樂十六年，都指揮谷祥，增高八尺。嘉靖寧波府志：龍山背海面山，左亘覆船山，右爲望野。高二丈五尺，址廣二丈，延袤三里。闢東、南、西、北四門，門各有樓，設弔橋於東、西、南三門之外，羅以月城。雉堞八百五十六，敵樓、警鋪各二十。外四周爲壕，五百六十二丈。

○威遠城，嘉靖寧波府志：招寶山雄據海口，與竹山對峙，爲江海之咽喉，郡治之門戶，誠保障要害處也。先是，盧鏜以參將分守東浙，又進鎮守都督，屢平倭難，備知阨塞。與海道副使譚綸，請於總督胡宗憲，於招寶之巔建築城堡。發漁稅千金，卜日鳩工，三閱月而告竣。城凡二百丈，高二丈二尺，厚一丈。雉堞一百六十七，東、西爲門二，內建戍屋四十餘楹。調兵以守，扼截海口，以壓敵衝，與縣城唇齒相應，因名威遠城。

○霩衢所城，成化四明郡志：郡治東南一百八十里，定海縣海晏三都，地名霩衢。洪武二十年，信國公湯和築城、鑿池。闢南、西、北三門，羅以月城。其東爲水門，各冠以樓，置弔橋，復置瞭遠樓於山城，列窩鋪。永樂十五年，都指揮谷祥加修增築，置敵樓，塞水門。嘉靖寧波府志：霩衢南濵大江，自南徂東爲渤海，西接育王山，北負穿山城。高一丈九尺，址廣一丈周四百八十八丈，延袤三里有奇。外東至西北，凡三百七十四丈爲壕，南至西山一百三十二丈爲塹，倍壕三百七十丈。

○昌國衞城，成化四明郡志：郡治南三百五十里，地名後門。洪武十二年，先於昌國縣開設昌國守禦千戶所。十七年，改昌國衞。二十年，起邊海島居民，革昌國縣，以本衞移置象山縣三都海口東門。二十七年，因東門懸海，水薪不便，徙後門。指揮武勝，築城、鑿池，闢東、西、南、北四門，惟北無月城，穴水門於西、南二門之側。永樂十五年，都指揮谷祥重加修浚。嘉靖寧波府志：成化間，指揮張勇又繕葺之。嘉靖三十二年，倭寇入據，後統兵梁鳳加崇焉。舊浙江通志：城高二丈三尺，址廣一丈，延袤七里。城上有雉堞、敵樓、警鋪。外爲壕二百一十六丈，其西北九百一十丈，依山不設。

○定海縣城池，定海縣志：在東海洲中。唐開元置翁山縣，無城。宋熙寧六年，改翁山曰昌國，始築城、鑿池。建炎中，城毁。明洪武十二年，增葺昌國城，設立衞所。指揮慕成，立城五百丈，未就。明年，指揮許友展，成之。十七年，信國公湯和，徙昌國三鄉，止存在城四里立二所，四巡檢守之，而徙衞於象山縣之東。二十七年，改隸定海衞，仍故城，命總師居守。永樂十五年，都指揮谷祥加修。正統八年，戶部侍郎焦宏，以城大兵少，裁東北隅二里，存七里三十步。壕隨城廣。城門凡四。成化間，指揮張勇葺之。嘉靖三十三年，總兵梁鳳加崇焉。萬曆十三年，副總鎭張可大增修。

〔卷二四〕

城池下

紹興府

○三江巡檢司城，於越新編：在府城北四十里浮山北麓，與三江所城對峙，一門西出。嘉靖年有倭寇，始增治之。山陰縣志：湯和所築方一里二十步，高二丈，厚一丈八尺。城樓一，窩鋪四，女牆三百六十六。

○白洋巡檢司城，於越新編：在府城西北五十里山陰境，緣白洋山而城之。舊浙江通志：湯和所築方一百一十丈，高一丈五尺，厚一丈。城門一，譙樓一，窩鋪四，女牆一百七十六。

○三江所城，於越新編：在府城北三十里山陰浮山之陽，踐山背海。山陰縣志：明洪武二十年，信國公湯和築。方三里二十步，高一丈八尺，厚如之。水門有四，北門則堵焉。城樓四，敵樓三，月城三。引河為池，可通舟楫。兵馬司廳四，窩舖二十，女墻六百五十八，墩臺七。

○餘姚縣城池，於越新編：始築於吳將朱然，圍一里二百五十步。元至正年，方國珍復城之。陸門五：東曰通德，西曰龍泉，南曰齊政，北曰武勝。後永清水門二。高明修城記：餘姚為鄞郡外屏。至正十九年九月始築城，十月畢功。凡以里計者九，以大計者一千四百六十。為址二丈，其上之廣殺其址二尺。四面之門有五，其南北又各立水門通舟楫。明洪武年，信國公湯和遣千戶孫仁增治。嘉靖年，復有倭患，乃漸完葺。改東門曰澄清。舊浙江通志：四面引江為池。

○江南城，於越新編：嘉靖年以倭患建。周一千四百四十丈，陸門四：東泰、西成、南明、北固。小陸門二：恩波、流澤。水門二：左通、右達。四門皆有重樓，而北固樓與舊城舜江樓相直通，濟橋亘其中。南北皆為月城，通兩城為一。徐階修城記：餘姚去海百里，夾江，居民數萬家。舊有城，直江北以署所在也。測其生齒，江以南得三之二焉。頃歲倭犯海上，江南人走保城邑不能容，則散入山谷間。邑人少保李公聞之，嘆曰：「今兵興尚未已，江以南脫不保，縣城能獨完乎？餘姚不完而土崩之勢成矣！若益城江南，豈惟姚民將？全浙實屏蔽之。」議既定，有譁於里者。里人邵君、陳君等又為疏言，天子可之。於是總督胡公督典領其事，乃會御史王君本固，羅君元貞，程土物，度形勢，而經費則督府制之。不足，始助以諸郡贖緡。蓋總其費白金鍰計不滿萬者百有十，磐石畚插無不給焉。始於丁巳年九月，以次年六月成。江南北人見城成而不知材之所自出，與役召之及已也。始之譁者乃曰：「城實生我！而顧謂其厲我以自衞乎？」用記之。

○眉山巡檢司城，紹興府志：舊在餘姚之眉山。明洪武二十年，徙孝義二都之湖海頭東南，去縣四十里。方一百八十四丈，高一丈八尺，厚二丈。城門、城樓、更樓、望海樓各一，窩鋪四，女牆一百二十。

○臨山衞城，紹興府志：明洪武二十年，信國公湯和，徙上虞故嵩城於餘姚西北五十里廟山之上，並海而城之，是爲臨山衞。初用土石半。其秋，指揮同知武瑛督築，乃盡用石。爲方五里三十步，高一丈八尺。永樂十六年，增五尺。址厚四丈五尺，面半之。陸門四，水門一。城樓：大五，小三。敵樓十四，月城三。池深一丈五尺，廣五丈五尺。弔橋四，窩鋪三十八，女牆九百九十。兵馬司廳七，瞭望臺一，墩臺九。

○三山巡檢司城，紹興府志：舊在餘姚之金家山。明洪武二十年，徙上林一都之破山西南。去縣六十里，爲方三百五十丈有奇，高一丈五尺，厚二丈。城門一，城樓一，窩鋪四，女牆一百二十五。

○廟山巡檢司城，紹興府志：舊在餘姚廟山。明洪武二十年，徙上虞縣五都之中堰東南。去餘姚縣六十里。方一百四十丈，高二丈五尺，厚二丈二尺。城門一，城樓一，月城二，窩鋪四，女牆一百一十。

○上虞縣城池，上虞縣志：縣舊無城。府舊志所稱縣城周一里九十步者，蓋縣治之衙城也。元至正二十四年，方國珍據有浙東始建議築城。東南平衍，西北因山爲隍，西南則跨長者山，周迴十有三里，高二丈有奇，厚一丈五尺。置樓堞，通五門：東通明，南朝陽，西晝錦，北豐寧，西南金罍。水門在通明、晝錦、金罍三門之側。明初，信國公湯和徙上虞城石往築臨山衞城，縣城惟存土基。嘉靖十八年，縣令鄭芸因故址興築。高、厚視舊稍增，內外俱甃以石，仍置樓堞。通五門，改東曰啓文，西曰來慶，南曰百雲，北曰叢桂，西南曰通澤。三水門如舊。南城增便水門二，以通百雲東西溪之水入城。城下留馬路六尺，內亦如之。

朱袞復修上虞縣石城記：嘉靖十有八年己亥春正月，邑侯莆田鄭士馨芸，下令復石城。就其復於隍者起之，侵者、歸堙者崇，再旬而上工訖。至於秋孟，乃外障以石堞其巔，總高若干丈，延袤十里許。爲城門五，爲水門三，上咸覆以屋穴。水洞二，引離坤二溪之流而隍，則外繞如故。爲馬道，外內惟周。越明年三月告績。是役也，費移之公而歛勿加，勞公諸里而力勿困，無昔者旁近之佐而計以裕，慮不爲浮議所奪而績以底，險設勿失其故而勢以寧，非盧衷定命致勤於民，曷觀厥成？嗣令君子尚其無隳前績，無專外圉以丕昭先民本末之義，庶我邑永永有藉哉！

○嵊縣城池，於越新編：吳賀齊爲剡令所築。宋守帥劉述古，命縣令張誠發修。慶元初，溪流湍暴，知縣葉範累石爲隄，城以全。後水決東渡，提舉李天性增築。明秋，大水又壞，知縣周悅增築。明初，信國公湯和，移磚石築臨山衞城，由是僅存四門。弘治中，知縣臧鳳築隄捍水。十一年，知縣徐恂又築，自是城賴以全。嘉靖時，倭患作，知縣吳三畏力請築城。周一千三百丈。爲門四：東曰拱明，南曰應臺，西曰來白，北曰望越。各有樓，有月城。東陡門扁曰：「溪山襟帶」。亭北有四山，閣當學有起鳳亭，東門有騰蛟亭。

王畿修城碑記：世宗建極之二十九載，海氛爲孽，浙東羽檄無已。嵊知縣吳侯嘆曰：「是可坐受無城之困乎？」乃請於上官，相基度費稽版籍凡五十餘丁，築城一丈計，爲丈九百有奇。因舊址繞山帶溪，工始九月，凡四閱月告竣。東、西、南、北四門。次年，請布政司五百金成之。東陡門北四山閣，則取諸罰鍰漸成之。侯始鳩工钁故址得一磚識云：「漢乙卯歲，剡長吳三畏記夫吳侯築城於千五百載後，而與前令姓氏同築之，歲又同，嘻亦奇矣！」

臺州府

○黃巖縣城池：赤城志，按舊志云：周邑九里三十步。唐上元中築。臺州府志：宋元無考。明初，永嘉侯朱亮祖重築。洪武二十年，信國公湯和，城沿海衞所撤石料徙之海門。嘉靖中，知縣高材請城今處，因委通判綰城之。洎汪令汝達至始竣事。黃巖縣志：城周七里，高二丈，址厚三丈，爲級三。爲門五：東曰鎭海，南曰迎薰，西曰液金，北曰拱辰，東南曰應秀。初城北倚長江，右瀕西港，復於東南鑿河，廣十丈，北入江。西達港，以環其外。

溫州府

○溫州府城池，永嘉縣附郭。萬曆溫州府志：晉明帝大寧元年置郡，始城。悉用石甃。東西附山，北臨江，南環會昌湖。始議建時，郭璞登西郭山望海壇、華蓋、松臺、積穀諸山錯立如北斗，謂父老曰：「若城繞山外，當驟富盛，然不免兵戈水火。城於山，則寇不入斗，可長保安逸。」因跨山爲城，名斗城。時有白鹿銜花之瑞，故又名鹿城。鑿井二十有八，以象列宿。宋、齊、梁、陳、隋、唐因之。後梁開平初，錢氏增築內外城，旁通壕塹。宋宣和間，方臘圍城。教授劉士英謂：「城東負山，北倚江，可無患。唯西南低薄，宜增繕。」乃取甓加築三千九百四十七步。建炎間，增置樓櫓馬而。嘉定間，留守元剛，重修建十門。元禁城郭毋得擅修，歲久圮。至正庚寅冬，海寇登岸，郡守尊達納實哩禦之。明年辛卯重築，建戰棚、窩鋪、砲座。洪武十七年，指揮王銘增築。嘉靖三十七年，倭寇併力攻城，城樓夜燬。通判楊岳，備禦有方，得免。三十八年，繕治城堞，樓櫓一新。四面築敵臺八座。萬曆二十五年，郡守劉芳譽，又增築敵臺一十五座。城周一十八里，計二千九百七十七丈八尺高三丈五尺。址闊一丈二尺，廣九百七十六丈四尺，袤九百九十六丈四尺。城門七：東曰鎭海，俗名窩門南曰瑞安，俗大南門又曰永寧。俗小南門二門旁俱有水門。西南曰來福，俗三角門西北曰迎恩俗西郭門，又曰永清俗麻行門。北曰拱辰俗雙門，旁有水門，曰奉恩，今塞。城西北有二陸門：曰安定，曰江山，今塞。東壕長五百七十六丈，南臨大河，爲壕五百丈。西壕長六百七十丈五尺，北臨大江，爲壕五百七十一丈。

○樂清縣城池，萬曆溫州府志：縣治舊以兩溪縈帶，洪水不時，不可城，城以木柵。至唐天寶三年始築，僅周一里。元廢。洪武六年，以備倭議築，乃因東西兩塩爲石城至溪，仍用木栅，爲壕其外，水陸各有門。至二十年，沿海列置衛所城，乃廢不用。正德間，邑令林有年始置六門，以民壯守之。嘉靖壬子，倭大入黃巖，以無城故。於是都御史王忬，知府龔秉德，躬相地，命邑令楊鑰城之，略如國初，而純以石。東西及壋山之址，南拓之至於三橋。高二丈四尺，址厚二丈。其門三，當溪爲洞，橋爲水門，而翼以四寨：曰疊巖，曰鯉池，曰大巖，曰東山，守稍設矣。然一面未備。戊午、己未，倭連歲至，憑高幾入。參將張鈇，力戰以免。於是同知尹尚孔撤民居而城之，南仍其故。東包小河，截雲山之北，西距西溪。凡爲門大六小四，樓櫓悉備焉。溫州府志：高二丈，東西厚一丈三尺，南北厚一丈，周九里三十步。東北貼山無壕，南附河，西附溪。爲壕門六：東南曰鳴陽，南曰鎭海，西曰迎恩，西北曰肅清，北曰拱辰，東曰忠節。小門四：曰南皋、文筆、簫臺、倉橋。萬曆丙午，復開翔雲門，在縣治西。六年，邑令黃仁榮，周城共築敵臺一十四座。二十一年，推官王引麟增築四座。

○盤石寨城，萬曆溫州府志：盤石衞城在茗嶼鄉。洪武二十年，信國公湯和建。周九里，計一千五百五十四丈，高二丈，厚一丈。嘉靖間重建，增高三尺。壕河一千六百二十八丈，闊五丈，深九尺。門四，水門二，窩舖七十二。

○蒲岐寨城，萬曆溫州府志：蒲岐千戶所城，在瑞應鄉。洪武二十年建。周六百丈，高二丈二尺，厚二丈。門四，敵臺十二，窩舖二十四。

○金鄉寨城，萬曆溫州府志：金鄉衞城在金舟鄉，周一千四百二十餘丈，洪武二十年，信國公湯和立。

○沙園寨城，萬曆溫州府志：沙園所城在十七都，周三里。洪武二十年，信國公湯和建。弘治十四年，邑令劉琦重築。萬曆十六年，邑令章有成重修。瑞安縣志：周六百三十二丈，高二丈五尺，面闊一丈，址闊一丈四尺，廣一百三十八丈二尺，袤一百三十七丈五尺。城門四座，水門一座，敵門十二座，窩舖二十二座。東壕長一百五十六丈，闊三丈，深七尺。西壕同。南壕長一百六十六丈，闊、深並同東壕。

〔卷九〇〕

兵制一

○明實錄：洪武十七年九月，置昌國衛於寧波之象山縣。十九年十月，置澉浦、乍浦二守禦千戶所，隸浙江都指揮使司。十一月，置觀海衛、都指揮使司於寧波之慈溪縣。

舊浙江通志：明設衛所在寧波者四：爲寧波、定海、觀海、昌國。每一指揮轄五千戶所，每一千戶轄十百戶。衛有指揮使、指揮同知、指揮僉事。鎮撫所有正千戶、副千戶、鎮撫百戶。寧波衛轄五所，額軍五千六百名。定海衛指揮使轄五所，外轄霩衢、大嵩，及中中、中左四所。洪武三十年，信國公湯和，徙昌國於象山，存中中、中左二所，隸定海衛。二所共轄二十百戶。觀海衛指揮使司，宋於瀕海置向頭、鳴鶴兩水軍寨。洪武二十年，湯和度兩寨間築城，置衛，調軍戍守。爲中、左、右、前、後五所，外轄龍山千戶所。

○明實錄①：洪武二十年二月，置寧村千戶所於溫州永嘉縣，海安、沙園二千戶所於瑞安縣，蒲門、壯士二千戶所於平陽縣，隸金鄉衛。蒲岐、楚門、隘頑三千戶所於樂清縣，隸磐石衛。六月，置松門衛指揮使司於臺州黃巖縣，以楚門、隘頑二千戶所隸之。九月，築臺州、跳健、桃渚土城，各置千戶所以防倭。

舊浙江通志：明置溫州衞所以統軍，海安所操軍一千名，瑞安所操軍一千名，平陽所操軍一千名，寧村所操軍一千名，壯士所、蒲門所共一城，操軍各一千名，沙園所操軍一千名。各衞所俱有戰船，多寡不等。臺州衞指揮使二員，同知七員，僉事十六員，轄左、右、中、前、後五千戶所，又水軍千戶所。海門衞指揮使四員，同知二員，僉事八員，轄左、右、中、前、後五千戶所，附轄跳健千戶所，操軍一千名。新河千戶所，旗軍八百六十三名，桃渚千戶所操軍一千名。松門衞指揮使四員，同知三員，僉事七員，旗軍二千二十五名，轄左、右、中、前、後五千戶所。後所旗軍五百六十七名。楚門千戶所，旗軍五百六十七名。寧誌備考：洪武二十年，改海寧衞爲海寧所。正千戶三員，副千戶五員，鎭撫一員，百戶九員，多餘一員，原額旗軍一千三百五十一名。

○明實錄：洪武二十七年九月，浙江定海衞奏：所屬霩衢等千戶所，皆瀕海地方，陸路一百二十里，水路則風濤險遠，遇警急，卒難應援。請於穿山築城置千戶所，分調官軍守禦。從之。三十年十二月，置爵溪千戶所，屬昌國衞。

○明法傳錄：永樂十四年十二月，遣將練兵海上防倭。

○明實錄：宣德元年正月，遣行在吏部侍郎黃宗載等清理浙江軍務。

○明從信錄：正統十四年九月，令各處招募民壯，就命。

○明法傳錄：嘉靖八年六月，溫州有海賊之警，有逃軍之變，科臣夏言，請設都御史巡視浙江。從之。

明泳化類編：磐石衛屬浙江溫州府，地瀕海，且饒魚鹽，生理豐裕。時屬承平，士卒多逃役者。嘉靖乙丑秋，知府丁瓚等，議於逃軍名下扣支月糧貯庫，軍士遂恚憤不自戢，糾黨四百餘人，披甲持刃，擁入管頭地方，執主簿吳永賓軍中。時通判栗廷用踰牆走，賊遣人要曰：「還我扣支月糧方肯退兵。」瓚不得已，隨取官銀三千餘兩給之，諸叛卒擁兵如故。先是，蒲岐千戶所報：是年四月內，有賊船三百餘人上岸，擄掠人財，放火燒屋。又有賊船十四隻，約五百餘人登岸，殺擄男婦，燒燬房屋、鹽廠。巡按御史張問行，以其事聞，遂劾奏海道副使傅鑰，指揮胡璉、曹鸞等。至是，磐石又叛，御史王化以聞。時給事中夏言上疏云：「磐石之變，在法尤爲難容，有司因其逃役，扣除月糧，事必有據，何至擁衆稱兵，縛官執吏，敢負國家素養之恩，自蹈叛逆之罪。今又加以海賊犯我邊防，及今不重加處置，誠恐將來有不可收拾之患。乞查照先年事例，添設巡視浙江都御史一員，奉勅前去，假以督軍重權，兼制鄰境。將磐石衛叛軍事情，務要體勘明白，將主首倡亂之人亟加顯戮，以正憲典。仍令設法勦除海寇，一應地方興革重務付之整理。」遂命吏部推舉大臣具文武材略者往彼巡撫。

○明實錄：嘉靖二十六年六月，巡按御史楊九澤言：「浙江寧、紹、溫、臺，皆枕山濱海，連延福建興、泉、漳諸郡，時有倭患。沿海雖設有衛、所城池，控制要害，及巡海副使備倭都司督兵捍禦，但海寇出沒無常，兩省官僚不相統，攝制禦之法終難畫一。往歲從言官請，特命重臣巡視，數年安堵。近因廢格，寇復滋蔓。抑且浙之處州，與福之建寧，連歲礦賊流毒，每徵兵追捕，二府互委事，與海寇略同。臣謂巡視重臣亟宜復設，然雖轄福建、浙江，兼制廣東潮州，專駐泉州。南可防禦廣東，北可控制浙江，庶威令易行，事權歸一。」事下兵部集諸司會議，覆如其言。第廣、潮二府仍隸兩廣提督，有事則恊（協）心議處。上曰：「浙江天下首省，又當倭夷入貢之路，如議設巡撫，兼轄福建福、興、泉、漳等處提督軍務，著爲令。」三十一年七月，改巡撫山東都察院右僉都御史王忬提督軍務，巡視浙江，兼管福、興、漳、泉地方。仍勅許便宜調發兵糧，臨陣按軍法從事。巡按御史毋得干預阻撓。賊中脅從願降，不得一槩渾殺，濫及無辜。於是兼設分府參將各一員，以瓊崖參將署都指揮僉事俞大猷督留守司管操，指揮僉事湯克寬爲之。大猷溫、臺、寧、紹等處，克寬福、興、漳、泉等處，俱聽忬節制。

○明會典：國初，兵事專任武臣，後常以文臣監督文臣。重者曰總督，次曰巡撫。總督舊稱軍門，而巡撫近皆贊理軍務，或提督其按察司。整飭兵備者，或副使，或僉事，或以他官兼副使。僉事：沿海者稱海防道，兼分巡者稱分巡道，兼管糧者稱兵糧道。明實錄：嘉靖三十二年八月，增設浙西杭嘉湖參將一員，分守其地，復於三府增兵備副使一員。三十九年二月，更定浙東守巡官，信地以臺金嚴爲一道，文臣則以分巡寧波僉事改爲臺州分巡，兼管三府兵備。武官則以參將一員守之，以寧紹爲一道。其原設寧紹臺兵備副使及參將，俱令止領寧紹二府。以溫處衢爲一道，其原設溫處兵備分巡副使，令兼領衢州一府，以寧紹分巡事弁於兵備道，從總督胡宗憲請也。復原任寧紹臺參將戚繼光職，充新設金衢臺分守參將。

○明會典：凡天下要害地方皆設官統兵鎮戍，其總鎮一方者曰鎮守，守一路者曰分守，獨守一堡一城者曰守備，與主將同守一城者曰協守。又有提督提調巡視備禦領班備倭等名，其總鎮掛將軍印或不掛印，皆曰總兵，次曰副總兵，又次曰參將，又次曰遊擊。將軍浙江鎮守一員，總兵官：嘉靖三十四年設，總理浙直海防。三十五年改鎮守浙直。四十二年改爲鎮守浙江，舊駐定海，今移駐省城。分守四員，杭嘉湖參將，嘉靖三十五年改設駐海鹽所，屬海寧把總寧紹參將，嘉靖三十九年改設，駐舟山所屬定海、臨觀、昌國三把總溫處參將，嘉靖三十五年添設，駐溫州所。屬金盤把總臺金嚴參將，嘉靖三十九年添設，駐松海所，屬松海把總。遊擊將軍二員，軍門標下左營，萬曆二年改設。軍門標下右營，嘉靖三十九年設。坐營中軍都司，萬曆二年改設。總捕都司一員，嘉靖四十五年添設，駐衢州。把總七員，定海總兵下管遊哨兵船，昌國、松海、定海、金盤、海寧、臨觀、紹興。萬曆八年，革紹興一員。

〔卷九五〕

海防一

○明實錄：嘉靖三十二年六月，南京御史趙震上禦倭方略。言：一、宜行各府州縣隨宜招募，使人自爲戰，家自爲守。一、各該管官軍嚴加選汰。一、錢塘江口宜增置守備。一、捍海塘宜雜植荊棘，勑兵防守。一、募土人習水者爲篙師，有力者爲勁卒，仍調溫處兵，或山東長鎗手。有警則隨機策應，無事則分頭教習。兵部議覆，多採行之。三十三年十二月，兵部覆上提督張經條陳：一、編立本地主兵。言：諸路調兵勞費不貲，而吳浙間者民、沙民、鹽徒、礦徒類皆可用，請於各府所屬州縣二百里以上者編兵三百名，二百里以下二百名。詔允行之。三十五年三月，兵部議覆九卿科道條陳禦倭事宜。一、明職掌。浙江參將俱隨時搶設，職守未明，請以杭嘉湖爲一道，溫處爲一道，寧紹爲一道，各給勅符、旗牌。其臨觀、昌國、金盤等處把總，一如直隸事例，聽撫按會舉。溫處守備，及舊設浙江總督備倭都司係冗員，宜裁革。疏入，如議行。

○觀海指掌圖：防江在於聯絡，防海在於會哨。會哨必於洋山，洋山者，海道必由之路。山圍百里，形似南箕，中平如掌。內有十八嶴可藏海船數百，海水鹽不可飲。惟山頂一泉，清淡可汲。會哨必泊其中，以避風汲水。南至定海，北至吳淞，皆一潮可到，蓋江浙之交界也。故舟山爲浙江之屏翰，而玉環、鳳凰、馬蹟、馬墓等山輔之。洋山又爲江浙兩省之屏翰，而陳錢壁下大衢、小衢諸山輔之。陳錢，中國海山之盡處，海賊擊空明而來，風波無際，望見陳錢則喜中國之將近，而必泊於洋山，以避風汲水。視風然後分綜，然必發艅於洋山。洋山既爲江浙之險要，故防海之道，賊犯江南而浙江官兵不至陳錢者，罪在浙江；賊犯浙江而江南官兵不至馬蹟者，罪在江南；俱以交牌號爲驗，遇賊則江浙官兵聯絡爲一，併力擊殺，或搗其中堅，或截其歸路，或踵其後，或犯其前，毋使登岸入江爲第一策，此江浙海防之大要也。

○觀海指掌圖：大洋山北行二更餘至馬蹟山。海中道里以更計，一更九十里。此二山爲江浙分汛地，最爲扼要。大衢山雖爲浙江洋面，而與大洋、馬蹟三方鼎峙。守大洋、馬蹟者，必守大衢，始臂指相使，呼吸可通。馬蹟二更餘至陳錢山，又一更至盡山。盡山以內爲內洋山，以外爲外洋，順風不三日可至日本矣。由衢山而東，諸山錯列，各有港道，可以泊船，不二更至舟山也。

○職方考鏡：浙海諸山其界有三：黃牛山、馬墓、長塗，冊子、金塘、大榭、蘭秀、劍山、雙嶼、雙塘、六横、韮山、檀頭等山，界之上也。灘山、許山、羊山、馬蹟、兩頭、洞漁山、三姑、霍山、徐公、黃澤、大小衢、大佛頭等山，界之中也。花腦、求芝、絡華、彈丸、東庫、陳錢、壁下等山，界之下也。

○玉環志：玉環乃溫、臺兩府之鎖鑰，樂、太二縣之門戶。外截海洋，內資保障，崇岡峻嶺，周匝繞流，依山築堡。險足以守，四面泥塗，捍禦亦易，此玉環之內勢然也。山外有南麂、北麂横截對峙，又爲玉環之屏塞，此玉環之外勢然也。茲山向爲沃壤，民人聚處，商賈貿易。自洪武二十年控海之兵遂徙沿海居民於腹裏，以致閩、廣、溫、臺各處匪類私搭棚廠聚居各嶴，或沿海刮土，公行私販之鹽，或群聚墾種，坐收無稅之產，網魚捕蝦，捉蛇釣鱔，船艘千餘，藏垢納汚。查玉環原有十八都並分支，附近各嶴可以插種，成爲膏腴者約田三四萬畝。其各嶴口塗地玉環鄉老岸須築塘壩，漸次成熟者約六七萬畝。以天地自然之利，養生齒日繁之民，此玉環一定之生息也。有水師遊巡海上，則洋匪無從而入；有陸路屯聚要隘，則私販無從而出；有戰艦屯泊海口，則詭秘之船隻易於追擒；有快哨遊巡內港，則奸匪之出沒無可潛踪。棊布星羅，稽查森嚴，使商艘、漁船於洪濤巨浪之中，如履康莊，誠利益於民生不小，非第爲玉環一方籌邊固圉之計而已。

○鄭泉海防議：防海之策，海口爲要害，在浙則定海，海寧、海門爲海口，第土兵官軍須參調而用，土兵諳練波濤之險易，又能役使船戶，當於要害處分營，以土兵爲主，令隨便出哨，使得撓彼於舟楫之間，官軍扼於塘岸之口，策之上也。然土兵必用哨船，巡哨在大洋之內，不必過大，大則轉動爲難，須四時分哨上，下更番，庶可有備無患也。

○倭患考原：洪武六年，以於顯爲總兵官，出海巡倭。

○倭患考原：洪武十七年，信國公湯和，築浙江沿海城。

○續文獻通考：明沿海衞所每千戶所設備倭船十隻，每一百戶船一隻，每衞五所，共船五十隻，每船旗軍一百名，春夏出哨，秋冬回守。

○杭州府志：明於會城置都指揮使司統諸衞所衞所，在內地者主守在沿海者主備倭衞。在內地者一，民丁四調一爲戍兵。沿海者九，衞各五所，其外又特設所。三十四，在內地者六，沿海者二十八。衞所官有定員，而沿海特設總督都指揮一人。兩浙海防類考：總督備倭，舊以公侯伯領之。洪武三十年改領於都指揮。把總指揮四人，籌海重編：浙洋沿海舊設四總，後增爲四參、六總。四參者，杭嘉湖一，寧紹一，臺金嚴一，溫處一也。六總者，定海、昌國、臨觀、松海、金盤、海寧也。籌海圖編：參將原設二人，分守浙東西，後分爲四把總，原係指揮四人，後因地方多事，衞所窵遠，分而爲六，裁去備倭總督，而各把總以都指揮體統行事，轄諸衞。而又備戰有船，守瞭有寨，傳警有烽堠、墩臺，衞所外有巡檢司，司有弓兵，而沿海居其半。

○明實錄：洪武三年六月，詔延安侯唐勝宗，督浙江屬衞官軍造海船，修城隍。五年十一月。癸亥，詔浙江瀕海諸衞，改造多櫓快船，以備倭寇。

○籌海圖編：湯信國經理海防，北起乍浦，南迄蒲門，縈紆二千餘里。設九衞及諸所諸巡司，總有百城營寨烽堠，彼此聯絡援應，血脉貫通。

○明實錄：洪武二十三年四月，詔濱海衞所，每百戶置船二艘，巡邏海上盜賊，巡檢司亦如之。二十七年二月，命中軍都督府都督僉事劉德，前軍都督府都督僉事商暠巡視兩浙沿海州郡城隍，以及軍士器械之數，仍督各衞嚴爲備禦。三月，命魏國公徐輝祖，安陸侯吳傑，往浙江訓練沿海軍。時海上有倭寇之警，先命都督楊文節制沿海諸軍備之。至是，復命輝祖等往加訓練。

○明實錄：永樂三年六月，命浙江都司造海舟一千一百八十艘。九年十月，命浙江臨山、觀海、定海、寧波、昌國等衞，造海船四十八艘。

○明實錄：洪熙元年七月，浙江右布政使周幹言：嘉興府海鹽縣，地臨大海，數被倭寇。洪武中，設海寧衞及澉浦、乍浦二千戶所，路（陸）置烟墩，水置海船，官軍往來巡警，晝夜有備，盜賊屏息，百姓安堵。永樂七年，革烟墩，移置海船於沈家門水寨，相去一千餘里，猝有寇至，消息難通。及官軍至，賊船已退；官軍既回，賊船復入。軍無休息，民無安枕。若仍舊各守地方，及量發附近官軍防守，每歲令廉幹都指揮一人總督操備，庶幾倭賊知懼，軍民兩便。

○明實錄：嘉靖五年二月，御史簡霄疏言：沿海諸衞軍伍虛耗，水寨軍及備倭船存者無幾，故寇發率臨時募兵、造船，動失機宜，此不可不慮，宜設法清補復舊額。軍伍既充，則修補戰船，責以操練，乃可備緩急。從之。八年十二月，禁沿海居民毋得私充牙行，居積番貨，以爲窩主。勢豪違禁大船，悉報官折毀，以杜後患。

○肅皇外史：嘉靖二十六年，巡按浙江御史陳九德，請置大臣兼巡福浙海道，從之。以朱紈爲右副都御史，巡撫浙江。紈至浙，知沿海大姓皆利番舶，勾連主藏，轉鬻其貨牟利潤。已，久不歸値，遂搆難，有所殺傷。乃下令申嚴海禁，凡雙檣餘皇，一切毀之。

○明實錄：嘉靖三十一年八月，巡按浙江御史林應箕疏言：浙江寧、紹、臺、溫，地濱大海，盜賊出沒之藪。國初，建衞所四十有一，戰船四百三十有九，董以總督備倭都司、巡視海道副使等官控制，至爲周密。後以海波不驚，戒備漸弛，伍籍日虛，櫓弊樓折，而官船廢矣！嘉靖二十七年，都御史朱紈，議招福清捕盜船隻，勦治有效。因量留福船四十餘隻，給與行糧，使分泊海濱，常川防守，比年所憑恃者此耳。

○明實錄：嘉靖三十二年八月，給事中王國楨，議添設杭嘉二府守備一員，備倭都司駐剳定海，兼轄海寧二把總，屯兵控禦海禁。除通番大船販易接濟外，其餘捕魚樵採無碍海防者，編立字號，發放出入。南京御史宋賢言：錢塘江口宜增置守備，捍海塘，宜增築高峻雜植荊棘，勸兵防守。三十四年八月，督察軍情侍郎趙文華，疏陳國初更番出洋之制，極善，今乃列船港次，猶棄門戶而守堂室，浸失初意。宜分乍浦之船以守海上，羊山、蘇松之船以守馬蹟，定海之船以守大衢。三山品峙，哨守相聯。總兵屯泊陳錢島，以扼三路之衝。然浙直地勢相聯，互爲唇齒，宜設正、副總官官二員，分駐金山、臨山會要之地，共守陳錢。而以參將分守馬蹟等三山，分督汛地，則勢成犄角矣。

○續文獻通考：嘉靖四十四年九月，巡撫浙江劉畿言：寧波故設市舶以通貿遷，屬以近海奸民規利起釁，爰議裁革。今人情狃於近利，輒欲議復，不知沿邊港多兵少，防範爲艱，此釁一開，島倭哨聚遂寢。

註：

①四庫浙江通志所錄明實錄、明法傳錄、明從信錄、明會典、籌海圖編、杭州府志、續文獻通考等，均以摘要方式鈔錄，且以事爲軸，滙錄爲綜合性之史料，其詳略頗異據錄之原書。

②通志所蒐除前條諸書今仍可見者外，亦有其書已佚或在臺未見者，如：觀海指掌圖、職方考鏡、玉環志、鄭泉海防議、倭患考源等，故併予錄列。

〔卷九七〕

海防三

杭州府

○杭州枕江負海，錢塘縣沿江，仁和、海寧二縣瀕海。江口兩山夾峙，南曰龕山屬紹興蕭山縣界，北曰赭山屬海寧縣界。旁有小山，曰鼈子山，謂之海門。江流經府西而南，東接海寧縣界，出海門以入於海。故鼈子門控扼要害，乃省會之鎖鑰。而海寧則瀕海爲縣，東達澉浦，南臨大洋，石墩、鳳凰、黃灣諸山，皆沿海必備之險也。石墩山在海寧縣東五十里，下有小港外通大洋。鳳凰山直揷海中，雖爲海寧縣之水口，實乃省城之下關。黃灣山在海寧縣東六十五里，旁近大海，有黃灣浦與瞰浦接，北通峽石、袁花諸處，最爲險要。

○明洪武初，置浙江都指揮使司防守郡城，其海口特設錢塘江水兵，隸管操都司統轄。海寧設千戶所，隸海寧備倭把總統轄。

錢塘江水兵：領哨官一員，巡船二十隻，兵二百名。每年春秋二汛，出鼈子門、赭山海口哨探警息。

海寧所，洪武三年建衛，二十年改所，在縣治東。千戶等官十八員，旗軍六百九十七名。轄寨一：曰黃灣山寨。在海寧縣東五十里。臺六：曰下館，曰松林，曰丁家村，曰横山 近海塘，曰潘家浦，曰褚家團。烽堠五：曰尖山，在海寧縣東六十四里，南臨大海。曰廟前，曰巖門山，曰赭山，曰石墩。巡檢司二：曰赭山巡司，弓兵一百名；元至正間置，洪武三年遷陳橋，二十年築城赭山。曰石墩巡司，弓兵一百名。洪武二年，於峽石開設，十二年，徙石墩。

嘉興府

○嘉興地處浙西，惟平湖、海鹽二縣之境東臨大海，南澉北乍，延袤百七十里相望，寧紹諸山隱隱列拱。白沙、梁莊、西海口、秦駐山、黃道港諸處，皆爲郡境之衝。而乍浦一關，尤稱緊要。控據海岸，翼蔽金山，外通羊渏大洋，實與江省相爲脣齒云。白沙灣在平湖縣東南五十三里，距乍浦二十里，濱海。梁莊在平湖縣東南四十里，東去獨山五里，距乍浦一十五里，濱海。西海口在海鹽縣東北五十里，南通大洋，北近平湖，浙西之咽喉也。秦駐山在澉浦鎮東北十五里，山下長隄，沿海。黃道廟港濱海，與南岸臨、觀二衛相峙，極爲衝要。

○明洪武初，置嘉興千戶所 隸蘇州衛，防守郡城。其沿海特設海寧衛，領乍浦、澉浦二所 隸海寧備倭把總統轄。

○海寧衛，洪武十七年建，在海鹽縣治西，去海半里，乃嘉、湖二郡之屏蔽。南澉北乍，各相去四十里。東門龍王塘外即大洋，直對浙東臨、觀等衞。迤南半洋，即白塔山，賊每泊此登岸而南，則侵澉浦。西有天寧寺，爲水陸通衢，直抵嘉興，此縣城之咽喉，沿海之要衝也。指揮以下等官六十員，旗軍闕千四十九名。轄寨二：曰北鋪，曰藍田。藍田浦在海鹽縣南三里，浦口有寨。臺六：曰南臺去衞六里，曰麥莊涇，曰朱公亭，曰北臺，曰九里亭，曰三間亭。烽堠一，曰藍田。巡檢司一：曰海口。鎭巡司弓兵七十名。在海鹽縣東北十八里。唐時，於縣東一里置寧海鎭，元置海沙巡司，明初因之，在縣東門外。洪武十九年，徙此地，名沙腰村。

○乍浦所，洪武十七年建，在平湖縣東南二十七里，去海半里。東援金山，西衞海鹽，內捍平湖，浙西之門戶也。千戶等官二十四員，旗軍八百六十名，轄寨七：曰獨樹林，過東五里，即金山衞界。曰梁莊大寨，曰梁莊舊寨，去新寨三里。曰長沙灣，曰蒲山外寨，蒲山，在平湖縣東南三十里濱海。曰金家灣，曰唐家灣。臺七：曰獨樹林，曰益山，曰西山嶺，曰蒲西山，曰聖妃宮，在陳山。曰惹山，惹山即雅山，平湖縣東南十七里。曰東山嶺。烽堠三：曰陳山，陳山，平湖縣東三十里。曰高公山，高公山，在陳山南一里。曰觀山。觀山，一名官山。平湖縣東南二十八里。巡檢司二：曰乍浦巡司，弓兵七十名；在平湖縣東南三十六里，舊爲顧邑巡司。宋、元時置於顧邑城內，洪武十四年徙置乍浦鎭，改今名。十九年，又移於此。曰白沙灣巡司，弓兵七十名。元置蘆瀝巡司於廣陳鎭，洪武十九年，移於白沙灣，改今名。

○澉浦所，洪武十九年建。在海鹽縣南三十六里之澉浦鎭，去海一里，山灣湖峻，爲南路之衝。千戶等官二十二員，旗軍五百二十名，轄寨四：曰西山嶺，曰南海口。在海鹽縣南，離海半里，與東海口俱爲衝要。曰混水閘，曰葫蘆灣葫蘆山浸海中。臺一，曰東園。烽堠五：曰青山，青山，在澉浦鎭東三里，本鎭主山也。曰西山，曰秦駐，曰檣山，長檣山，鎮東三里，橫截海濤，若渚牆然。曰廟山 廟山在鎮西北三里。巡檢司一：曰澉浦巡司，弓兵七十名。在海鹽縣東北十八里，秦駐山北。初在澉浦鎮，洪武中徙於此。海寧把總：統水兵三枝，羊游哨，許山哨，乍浦守關。駐劄海寧衞，隸分守杭嘉湖參將。

○羊游哨：本總督同總哨官一員，部領大小戰船二十隻，兵四百一十四名。汛期泊南羊山聖姑礁，東哨至徐公、上下川、馬蹟等洋，馬蹟、徐公、上川、下川四山並在羊山東。與定海總官兵會哨。南哨至大羊山、沙塘嶼、衢山、鼠狼湖等洋，與定海總北哨官兵會哨。西哨至灘許，與游哨官兵會哨。北哨至小羊山、大小七山、蘇州洋、茅草洋，與吳淞官兵會哨。

○許山哨：總哨官一員，部領大小戰船二十隻，兵三百七十五名。汛期泊許山，東哨至大小七山、蘇州茅草等洋，大七山、小七山並在羊山東北。與直隸官兵會哨。南哨至大羊山、沙塘嶼、東嶽嶴，與定海總北左哨官兵會哨。西哨至北漁山，洋面最廣，正對錢塘江口，西望慈谿後海龍頭山相對。與臨觀總後哨官兵會哨。北哨至白塔港，白塔山在海鹽縣東南二十里，海中有港通魯浦，名曰白塔潭，海舟多泊焉。與本關官兵會哨。乍浦守關總哨官一員，部領大小戰船十八隻，兵四百八十八名，泊守乍浦西海口外。東哨至金山，西哨至海鹽、澉浦、海寧等處海洋。

○杭嘉湖參將：嘉靖三十八年，增設統陸兵四總，前營、後營、左營、右營。水兵一枝游哨，駐劄海鹽縣，海寧一總屬其調度。

○前營：名色把總一員，部領哨官四員，兵四百三十七名，屯劄乍浦所城。汛期劄守乍浦、梁莊。東哨至大營盤地方，與南直隸金山參將標兵會哨。西哨至乍浦牛橋地方，與後營官兵會哨。

○後營：官兵同前營。屯劄海鹽操練，汎期劄守乍浦海口。東哨至牛橋地方，與前營官兵會哨。西哨至海鹽白馬廟地方，白馬廟，在海鹽縣北十八里沙腰村。與左營官兵會哨。左營：官兵同前營。屯劄海鹽縣城，汎期劄守東門一帶。東哨至白馬廟地方，與後營官兵會哨。西哨至秦駐山地方，與右營官兵會哨。

○右營：官兵同前營。屯劄澉浦所城，汎期劄守南海口。東哨至秦駐山地方，與左營官兵會哨。西哨至海寧黃灣，與海寧所官兵會哨。

○游哨：中軍名色把總一員，部領大小戰船十九隻，兵二百五十九名。汎期隨參將駐白塔山海港，巡哨灘許羊山等洋策應，督察各游哨兵船。

寧波府

○寧波三面際海，北面尤孤懸海濱，吳淞、海門呼吸可接。東出鎭海，大洋遼闊，南連閩粵，西通吳會。舟山突起中洲，延袤四百餘里，控扼日本諸蕃，厥惟咽喉之地，故以要害而論，鎭海爲寧紹之門戶，舟山爲鎭海之外藩。海上設備多途，寧波當全浙之衝，尤不可不厚集其力也。

○明洪武初，置寧波衞防守郡城。其沿海特設昌國衞，領爵溪、錢倉、石浦、前後諸所。隸昌國備倭把總，統轄定海衞，領大嵩、霩衢、穿山、舟山、中中、中左諸所。隸定海備倭把總統轄。定海今鎭海。

○昌國衞。洪武十二年，舟山置千戶所，十七年，改衞。二十年，徙象山之東門山。二十七年，又徙後門山，在象山縣西南八十里，去海三里。本衞坐衝大海，極爲險要。石浦關切近壇頭韮山，乃倭船出沒咽喉必由之路。懸海、南北磯等山，設舟師往來巡哨，以爲東路聲援。其西象山縣石浦巡司，則恃之以爲右翼者也。懸海、金齒、八排、朱門等處設舟師往來巡哨，以爲南路聲援。其北牛欄、基旦、門青門、茅海、竿門，則恃之以爲門戶者也。指揮以下等官七十六員，旗軍四千四百八十名。轄寨一：曰南堡。南堡寨在象山縣南三十里，近海邊。嘉靖中，撥本衞幷爵溪所兵共八十名，委官一員帶領防守。烽堠九：曰仁義，曰赤坎，曰黃沙有隘，曰前山，在衞城內。曰後山，後門山，在象山縣南一百里，本衞跨山而成。曰崎頭，與海中積谷山相對。曰嵩嶼，曰何家礦，與海中旦門相對。曰烏石。烏石山與海中牛欄基相對。

○爵溪所，洪武三十一年建，在象山縣西五十五里。北去府城二百七十里，去海一里。本所西北阻山，東逼大海，西並錢倉，南以游仙寨爲外戶，北以象山縣爲喉舌，亦稱要地。千戶等官一十三員，旗軍一千一百二十名，轄寨一：曰游仙。游仙寨在爵溪所南，嘉靖中撥昌國衞軍一百名，本所軍一百五十名，委官一員帶領防守。烽堠七：曰公嶼，在象山縣東十五里，與海中鞍子山相對。曰沙嶺，曰玉泉，曰屏風，屏風山在象山縣東北三十五里，過此爲湖頭渡，乃鄞奉之境。曰外嶺，後有鋸門龍洞，與游仙寨交界。曰趙嶼，曰半路。巡檢司三：曰爵溪巡司，弓兵一百名；在象山縣西五十五里姜嶼渡，舊在爵溪。洪武二十年建所徙此。曰陳山巡司，弓兵一百名；在象山縣東十三里，舊置縣北陳山。正統十二年徙此。曰趙嶼巡司，弓兵一百名。在象山縣東南七里，舊在寧海縣境。正統八年徙此。

○錢倉所，洪武二十年建，在象山縣西北三十里。東去海一里，至大嵩港。約一百里外接竿門、浦門等處。西北至湖頭渡，爲大嵩所界，乃昌國之藩籬，與大嵩相爲犄角者也。千戶等官一十五員，旗軍一千一百二十名。轄烽堠七：

曰青雷，近朱溪中莊一帶。曰東門嶺，後有百畝田。曰蒲門嶺，距象山縣五十里，有東西廚山，前與韮山相對。曰前山，曰中堡樓，曰塗茨，曰杉木。離所三十里。

○石浦前、後二所，洪武二十年，遷石浦巡司，調昌國衛前、後二所築城戍守。在象山縣西南百里。城下一帶水涯可以棲泊戰船。對面有山，即石浦舊城，今謂之石浦關。關外大洋有山，曰壇頭，倭、盜出沒處也。翼蔽昌國，此爲門戶。千戶等官二十四員，旗軍二千二百四十名。轄烽堠六：曰後山，在所城內。曰前山，近所城後，與海中前門，下灣門相對。曰大金山，曰土灣，左有海，中三門碗盞嶼相對。曰松嶼，曰下嶼。與海中後門相對。巡檢司一，曰石浦巡司，弓兵三十名。洪武二年建，初在昌國城內。二十年改置千戶所，遷於象山縣南一百二十里之青山。

○定海衛，洪武十二年，置定海千戶所，二十年，改衛。在定海縣治東，今鎮海縣地，南臨港口。嘉靖中，有靖海營團兵操守，招寶山高聳海口，極爲要害。山巔築威遠城屯劄軍兵，有犄角之勢。指揮以下等官九十一員，旗軍四千四百八十名，轄烽堠十三：曰高山，衛治西北四十里。曰竺山，衛治東南十二里，即小港海口。曰小山，曰鸕鷀，曰候濤山，即招寶山，近城。曰打鼓山，衛治東南二十里，後有黃茅山。曰張師浦，衛治東南二十五里，後有蛟門。曰大尖岡，衛治東南二十五里，後對烈港。曰大魚灣，衛治東南三十五里，斜對黃牛礁。曰長山，衛治東南七十里。曰季嶼，曰鸕鷀，曰汪家路。巡檢司三：曰管界巡司弓，兵一百名。在今鎮海縣西北六十里，宋曰水陸管界巡檢寨，在縣城內。嘉祐中，遷蟹浦上。洪武二十年，徙於縣西四十里，與高山烽堠、蟹渤山相連。曰甬東巡司，弓兵一百名。在今鎮海縣東南十五里甬東橋旁。舊在府東五里甬東隅。洪武二十年，徙竹山海口，與招寶山相對。曰長山巡司，弓兵一百名。在今鎮海縣南四十里，舊爲海內東寨。洪武初，徙於長山鹽場之右。二十七年，徙今所，與大碶頭隘相連。

○大嵩所，洪武二十年建，在今鎮海縣東南百三十里，去海三里，西北去府城九十里。東接霩衢，南連錢倉，東南爲大嵩港，對峙韮山，直衝大海。千戶等官一十七員，旗軍一千一百二十名。轄烽堠八：曰大千，所治東六十五里，與梅山港相對。曰崑亭，後有挺子港相對。曰黃品，所治東五里，後有六橫山相對。曰尖碕，所治東一十五里，前有孝順洋東、西兩嶼。曰港口，離城一里。曰橫山，所治南十五里，又有橫山隘，在所治西十里。曰慈嶼，所治東二十五里，今鎮海縣東南九十里有慈嶼山。曰蛤嶼。所治東二十里，與海中溫州嶼相對。巡檢司一：曰塔山巡司，弓兵一百名。在奉化縣塔嶺上。

○霩衢所，洪武二十年建，在今鎮海縣東南百二十里，去海半里，西去府城百八十里，濱海孤懸。其東南爲梅山港。東至碕頭大洋，南至雙嶼港，俱約五十里。西至大嵩港約百里。北五里爲三塔峰，最險要。千戶等官一十六員，旗軍一千一百二十名。轄臺一：曰三塔山。烽堠五：曰盛嶼，即碕頭洋。曰高山，所治東三里有地名平巖頭，爲深水要衝。曰梅山，隔海十里，北與洰泥港相對，又有梅山隘，爲戍守要地。曰觀山，所治西五里有梅山港，與雙嶼港相對。曰蝦庲。所治西十里，地名深水埠頭，近海口。巡檢司二：曰霞嶼巡司，弓兵一百名。在今鎮海縣南百里，舊爲海內西寨。宋嘉定間徙於縣南。洪武初，改碕頭巡司。正統十三年，改今名。後有輪港相對。曰太平巡司，弓兵一百名。在今鎮海縣南六十里。正統十三年置，名庲頭隘。左右烏礁山、東山相夾，易於防守。

○穿山後所，洪武二十七年建，在今鎮海縣東南九十里，西北去府城百五十里，東南接霩衢，南接大嵩所。東臨黃碕港，最爲要地。千戶等官十七員，旗軍一千一百二十名。轄臺一，曰神堂所治東十五里。烽堠九：曰西山，所治東北五里，懸海。曰碶頭，所治西北一里前有大榭山。曰所後，曰鍋蓋，曰白峰，曰嵩子山，曰嶼山，曰撩蝦埠，曰黃崎臨黃崎港。巡檢司一：曰穿山巡司，弓兵一百名。在今鎮海縣東南百二十里。宋建炎中置白峰巡司。紹興中漸徙而南。洪武初，徙穿山旁，改穿山巡司，二十八年徙此。舟山、中中、中左二所。洪武十三年設舟山守禦千戶所，十七年改衞，二十年徙衞於象山，改置中中、中左二所，在舟山上。千戶等官三十七員，旗軍二千二百四十名，轄寨三：曰干礛在今定海縣北二十五里，曰沈家門，在所東八十里沈家門山外，通蓮花洋。內有趙嶼、南嶼、蘆花嶼、大嶼。去寨三五里，以大嶺口爲阻截要路。七十里至補陀山。曰西碶唐家山北。臺一：曰青雷頭。在青雷頭山，地名畢家灣。烽堠二十一：曰外湖地名曉峰，曰石牆山，在石牆墩臨海，曰包家墩，在海口，曰石衕，曰鹿頸，鹿頸山，在今定海縣西南十五里，臨海。曰蒲沙，地名天同嶼，在岑江司東南。曰西山，在今定海縣西三十五里。曰碇齒，在所西五十里，與烈港相對密邇岑港。曰赤石，赤石山，在今定海縣東北五十里。曰接待，曰奇嶼，在所西北，本名大沙。曰小展，小展山，在今定海縣東四十里，有小展嶼。曰釣嶼，在岱山巡司西，切近海口，爲汛守要地。曰程家墩，地名炭山，離海四里。曰石壜，與柯梅嶺相連 曰謝浦，謝浦山，在今定海縣東二十五里。曰舟山，曰沈家門，曰郎家碶，在所西北，東距奇嶼，西距沙嶼，與西碶寨相連，中爲小沙嶼。曰袁家碶，地名沙嶼，在岑港之東。有長白山、兩頭洞，其相近者爲馬嶼。曰螺峰。所城西南十五里，前有丁家礁。巡檢司四：曰螺峰巡司，弓兵七百名。在螺頭嶼，宋名螺頭，元名螺峰。曰寶陀巡司，弓兵一百名。在補陀山。曰岑港巡司，弓兵一百名。在岑港，距本所東北二十里，乃衝要海口也。曰岱山巡司，弓兵一百名。在岱山所東南三十里。

○昌國把總，統陸兵一總，水兵三枝，游哨、南哨、北哨。駐劄昌國衞。陸營名色把總一員，部領哨官五員，兵五百四十一名。平時屯劄昌國衞操練防守，汎期分發各兵在於沿海衝要地方往來巡邏會哨。

○游哨，本總部領哨官一員，大小戰船三十四隻，兵七百三十名。汎期本總督同哨官伏截韮山汎地，韮山，象山縣東南百里海中，形勢嵯峨，島嶼深遠，昌國第一險要。又東南百里有大雍山，卓然孤立。憑據大洋，直望日本。倭船往來，視此爲準。東游錢倉、爵溪，西游昌國、石浦，往來巡邏。

○南哨，林門哨哨總官一員，部領大小戰船一十二隻，兵二百五十五名，汎期外哨金齒金齒山，在象山縣南百六十里，島嶼頗多，有金齒門港，倭船往來，每栖泊於此，亦南路要衝也。八排八排門港，在象山縣南百四十里，與佛頭山相連。港內多腴田，地下便於栖泊，嘉靖中有兵巡守。等處海洋，南與本區三門哨三門港，在象山縣西南百里，港口爲石浦巡司及上灣番頭一帶。三門去石浦稍遠，而與朱門海洋鄰近，戍守最切。官兵會哨，北與本區下灣門下灣門港在石浦所東南外，卽壇頭。大洋內則舊城東門，港濶潮急，且與火爐頭山對峙。又四門入路總會於此，此守下灣門要地也。官兵會哨。三門哨領哨官一員，部領大小戰船一十隻，兵二百二十九名。汎期外哨空山洋、白礁、茅頭、瓦碟嶼、大佛頭大佛頭山，象山縣南一百五十里，高出海中諸山數百丈。周一百餘里，其地名南田。海中十洲，此爲第一。日本入貢，每望此山爲嚮道，有斗底蝦嶼，烏頭、青後城、壺底等。嶼中甚平曠，地皆膏腴，宜耕稼。稍西爲臺明嶼兩山對峙，中流爲臺，明二州分界處。等處海洋，南與松海總大佛頭官兵，北與本區林門哨林門山，在朱門之東，爲金齒朱門之喉舌，島嶼亦多。官兵互相會哨。下灣門領哨官一員，部領大小戰船八隻，兵一百七十一名。汎期外哨三坑、南礵、大沙灣等處海洋，內防石浦前後二所城池，南與本區林門哨官兵，北與本區牛欄基牛欄基港，在石浦所北，爲石浦關之後戶外洋必由之隘也。有山環抱，可避東北颶風，分哨南北，此爲適中之地。官兵互相會哨。牛欄基領哨官一員，部領大小戰船一十四隻，兵三百一十四名。汎期外哨壇頭、壇頭山，即石壇山，有南北礵壳茶等嶼，可以避風泊船，與石浦關相隔一潮。北礵三嶽、三嶽山，係外海懸島，乃昌國前、後所喉襟，最爲險要。半邊山、半邊山，象山縣東海中，三嶽山西。鎖門、鎖門山，象山縣東南海中，至半邊山十里。後沙等處海洋，內防昌國衛城池。南與本區下灣門官兵，北與本區且門官兵互相會哨。且門哨且門港，在昌國衛東北，係懸海大洋，外有東且山與韮山相對。領哨官一員，部領大小戰船一十三隻，兵二百七十八名。汎期外哨東西且龍洞口、大小睦大睦山，象山縣東南海中一百里；小睦山，象山縣東南四十里。等處海洋，南與本區牛欄基官兵，北與本區青門官兵互相會哨。北哨千門哨，千門港，在象山縣西北，錢倉所南，距石浦關百餘里。哨總官一員，部領大小戰船一十二隻，兵二百九十四名。汎期外哨孝順洋、東西廚、東廚，即東殊山，距象山縣東南八十里；西廚，即西殊山，距象山縣東南六十里。亂礁洋等處海洋。內防錢倉所城池，北與定海總青龍哨官兵，及本區湖頭渡百畝田官兵互相會哨。青門哨，青門港，在象山縣西，爵溪所東南。有山回抱，可以避風、泊船。內接公嶼，外衛四礁，與韮山相對，極爲衝要。領哨官一員，部領大小戰船一十一隻，兵二百五十六名。汎期外哨牛門、鞍子、頭白、嚴洋等處海洋，北與本區百畝田官兵，南與本區且門官兵互相會哨。百畝田哨領哨官一員，部領大小戰船八隻，兵一百六十四名。汎期外哨道人山、道人山，一名雙泉山，象山縣東四十里海中。四礁、亂礁洋等處海洋，內防錢倉所城池。北與本區千門哨官兵，南與本區青門哨官兵互相會哨。湖頭渡哨湖頭渡，在象山縣東北三十里，大嵩所有湖頭關移此。自湖頭渡而西百二十里，而達奉化渡，蓋爲三邑要口。領哨官一員，部領大小戰船六隻，兵九十五名。汎期泊湖頭渡、南隅海洋，內防象山縣地方，北與定海總青龍哨，南與本區千門哨官兵互相會哨。

○定海把，總舊爲定臨觀總，於嘉靖二十八年分爲二總。定海一，臨觀一。其定海總統水兵三枝，游哨、南哨、北哨。駐箚定海，與昌國、臨觀二總並隸分守寧紹參將。

○游哨本總，部領大小戰船一十六隻，兵二百六十名。汎期泊烏沙門。烏沙門在舟山東南，白沙港之南。東哨至東霍山、青鬋廟子湖，東霍山，昌國東北海中。青鬋，舟山外洋，西爲廟子湖。與寧紹參將正游左哨官兵會哨。南哨至韮山，與昌國總游哨官兵會哨。西哨至海閘門溫州嶼，與本區南青、南右二哨官兵會哨。北哨至鼠狼湖衢東洋，由徐公上下川至羊山，與總鎮中游左哨官兵會哨，兼顧落華、花腦、浪岡、海礁、茅草、蘇州、大小七山等洋，仍與直隸、浙西二總官兵會哨。

南哨，青龍左哨，哨總官一員，部領大小戰船一十三隻，兵三百三十三名。汎期泊蹟嶼，東哨溫州嶼，與本區青龍右哨官兵會哨，仍過洋哨至韮山，與昌國總游哨官兵會哨。西哨至湖頭渡，南哨至大麥坑，過洋與昌國總千門哨官兵會哨。北哨至崎頭洋洹泥港，與本區南右哨官兵會哨。青龍石哨，領哨官一員，部領大小戰船一十二隻，兵三百二名。汎期泊溫州嶼，溫州嶼山，在象山縣東海中。東哨至茶銃山海閘門，與本區南右哨官兵會哨。西哨至大麥坑蹟嶼，與本區青龍左哨官兵會哨。南哨至韮山，與昌國總游哨官兵會哨。南左哨，領哨官一員，部領大小戰船一十三隻，兵二百九十五名。汎期泊釣魚礁，東由順母塗哨至白沙港，與本區南中哨官兵會哨。南出烏沙門，哨至赤磡山外洋，與本區南右哨官兵會哨。西哨至崎頭洋，仍與本區南右哨官兵會哨。北由蓮花洋哨至梁橫山，與本區梁橫官兵會哨。南右哨，領哨官一員，部領大小戰船十隻，兵二百一十七名。汎期泊洰泥港，東由石篙港哨至馬順門外海至烏沙門，與本總官兵會哨。南由茶銃山過洋至韮山，與昌國游哨官兵會哨。西由海閘門白馬礁至溫州嶼，與本區青龍右哨官兵會哨。北由崎頭洋至釣魚礁，與本區南左哨官兵會哨。南中哨，領哨官一員，部領大小戰船一十二隻，兵二百七十三名。汎期泊白沙港，在舟山東南，北至普陀。東哨至霍山廟子湖，與寧紹參將正游左哨官兵會哨。南哨至烏沙門，與本區南左哨官兵會哨。西哨至普陀巡檢嶼，與寧紹參將正兵哨官兵會哨。北哨至鼠狼湖，與本區北右哨官兵會哨。

○北哨，北右哨，哨總官一員，部領大小戰船一十三隻，兵二百九十一名，汎期泊鼠狼湖，東哨至蒲嶼，與寧紹參將正游右哨官兵會哨。南哨至廟子湖，與寧紹參將正游左哨官兵會哨。西哨至五爪湖，與本區馬右哨官兵會哨。北由徐公、上下川哨至羊山，與浙西官兵會哨。北左哨，領哨官一員，部領大小戰船一十隻，兵一百九十二名。汎期泊東嶽鬗，東哨至礁潭，由巧門哨至寨子山北近大洋山兩頭洞，一名雙合山，舟山內洋。與臨觀總官會哨。南哨至五爪湖，與本區馬右哨官兵會哨。北哨至沙塘嶼小衢山，與臨觀左哨官兵會哨。馬左哨，領哨官一員，部領大小戰船八隻，兵一百六十一名。汎期泊馬墓港，在舟山北百餘里。東哨至梁横山，與本區梁横哨官兵會哨。南哨至烈港，與臨觀總官兵會哨。西哨至東西二霍山，以顧臨觀沿海一帶。北由兩頭洞、漁山洋至許山，與浙西游哨官兵會哨。馬右哨，領哨官一員，部領大小戰船九隻，兵二百二十四名。汛期泊五爪湖距舟山約二百餘里，東哨至鼠狼湖，與本區北右哨官兵會哨。南哨至白沙港，與本區南中哨官兵會哨。西哨至梁横，與本區梁横哨官兵會哨。北哨至東嶽嵴，與本區北左哨官兵會哨。梁横哨，領哨官一員，部領大小戰船一十二隻，兵二百四名。汛期泊梁横山舟山內洋，專哨横大洋。東哨鼠狼湖，與本區北右哨官兵會哨。南哨至釣魚礁，與本區南左哨官兵會哨。西哨至馬墓，與本區馬左哨官兵會哨。北哨至五爪湖，與本區馬右哨官兵會哨。

○寧紹參將，嘉靖三十一年設。革備倭都司改設。統水兵三枝，正兵哨、正游左哨、正游右哨。駐劄定海今鎮海。三十五年，總鎮移駐定海，本參改駐臨山。三十八年，又移駐舟山，臨觀、昌國、定海三總俱屬調度。

○正兵哨，中軍名色把總一員，部領大小戰船一十九隻，兵五百名。汛畢泊舟山關口。汛期泊普陀巡檢嶼海洋，聽本參往來南北海洋巡哨，遇警截勦應援。

○正游左哨，名色把總一員，部領哨官一員，大小戰船二十九隻，兵五百一十名。汛畢泊舟山關口。汛期出洋泊廟子湖。東哨至李西、陳錢、浪岡、海礁，與總鎮中游左哨官兵會哨。南哨至青幫、霍山大洋，西哨至烏沙門及白沙港，與定海總南中哨各官兵會哨。北哨至三星山、鼠狼湖、大衢洋，與定海總北右哨官兵會哨。仍哨至横大洋、英烈、五爪湖，與定海總北右哨官兵會哨。

○正游右哨，名色把總一員，部領哨官一員，大小戰船二十九隻，兵五百四名。汛畢泊舟山關口。汛期出洋泊蒲嶼，東哨至李西、陳錢、壁下、浪岡、海礁、大洋，與總鎮中游左哨官兵會哨。南哨至三星、東霍大洋，與本區正游左哨官兵會哨。西哨至馬蹟潭、徐公、上下川南北、羊山，與浙西、直隸二處官兵會哨。北哨至大小七山、茅草、蘇州等洋，與直隸崇明官兵會哨。

○總兵管理浙直海防軍務。嘉靖三十四年設，駐劄臨山。三十五年，以定海爲諸蕃貢道，改駐彈壓標下。統陸兵五總，中、左、右、前、後五營。水兵三枝。中軍哨、中游左哨、中游右哨。萬曆九年，移駐省城。

○中營，本標坐營官，部領哨官四員，兵四百名。平時常駐定海今鎮海，防守本城，並本關海口聽備汛期仍巡歷海上，駐定海。四參，六總悉受節制。

○左營名色把總一員，部領哨官四員，兵四百名。平時常駐定海操練。每年汛時更番發守龍山等處地方，撥兵往來沿海巡哨。

○右營官兵同左營，平時常駐劄定海操練，每年春汛更番發守霩䨴等處地方，撥兵往來沿海巡哨。

前營官兵同左營，平時常駐定海操練，每年春汛更番發守錢倉等處地方，撥兵往來沿海巡哨。

後營官兵同左營，平時常駐定海操練，每年春汛更番發守穿山後所等處地方，撥兵往來沿海巡哨。

中軍哨，名色把總一員，部領大小戰船四十六隻，兵七百五十九名。泊定海港，平時把守關口汛期，本鎮坐統出洋，南北往來巡督。

○中游左哨，名色把總一員，部領哨官二員，大小戰船三十六隻，兵七百一十八名。汛畢，泊定海港。汛期出洋劄陳錢嶼。東哨至浪岡海礁大洋，南哨至大霍山，與寧紹參將正游左哨官兵會哨。西哨至蒲嶼，與寧紹參將正游右哨官兵會哨。北哨至花腦，與本標中游右哨官兵會哨，兼顧茅草、大小七、羊山。

○中游右哨官兵同左哨，汛畢泊定海港。汛期出洋泊花腦，東哨日本極東窮洋，南哨至陳錢、裏西二嶼，與本標中游左哨官兵會哨。西哨至落華、羊山、北丁興、殿前山，與直隸官兵會哨。北哨至大小七、茅草洋、崇明，與江北狼山官兵會哨。

海防 四

紹興府

○紹興，北乃海之支港，北流薄於海鹽東極鎮海之蛟門，西歷龕赭入鱉子門，抵錢塘所屬山會等五縣，並皆邊海。蕭山，去海二十里，山陰去海四十里，會稽去海二十里，上虞去海六十里，餘姚去海四十里。自三江至龍山，延袤三百餘里，中有宋家漊、蟶浦、臨山、泗門、勝山、古窰、松浦，均爲要衝之地。曹娥、錢清、浙江三水所會，謂之三江。海口在府東北，港口深濶，直通大洋。稍東有宋家漊，若從此趨陡門一帶海塘，則竟抵郡城。若越港而北，趨浙西，則赭山，其關鍵也。蟶浦，在府東北四十里，北對浙西石墩，南至府城，通連大海。由沿江塘路至百官、梁湖，直抵上虞東。自稱山西至宋家漊接山陰界，凡二十六里。泗門港爲餘姚縣東北之喉襟，越港而北爲浙西澉浦。勝山卽懸泥山，在餘姚縣東北七十里，北浸於大海，俗呼爲勝山。港深而廣，倭船可乘潮以入。

○明洪武初，置紹興衞防守郡城。其沿海特設三江所、隸紹興衞，臨山衞、領三山、瀝海二所。觀海衞、領龍山所，並隸臨觀備倭把總統轄。

○三江所，洪武二十年建。在府東北三十七里浮山之陽。去海一里，去省城八十里。海上有警，烽火於此通焉。東南卽宋家漊，防維最切。北有三江鎭，爲東海之門。舊有小城，嘉靖二年增築，置兵以備倭。千戶等官二十一員，旗軍一千三百五十二名，轄臺一，曰蒙池山。在府東北四十里，與浮山並峙。烽堠六：曰航塢山在蕭山縣東四十里，曰馬鞍山，在山陰縣西北四十里。曰烏峯山，一名龜山，又名白洋山。曰宋家漊，曰周家墩，曰桑盆。巡檢司二：曰三江巡司，弓兵一百名。在府北四十里浮山北麓。小江經其前，大海浸其東，與三江所南北並峙。曰白洋巡司，弓兵三十二名。在府西北五十里白洋山上，濱海緣山築城。

○臨山衞，洪武二十年建。在餘姚縣西北五十里。初置廟山上，後徙上虞縣，故嵩城戍守。去海三里，並海築城。東接三山，西抵瀝海，北有臨山港，直衝大海。海口曰烏盆隘、化龍隘，爲汛守要地。衞東又有泗門港，最爲險要。指揮以下等官九十一員，旗軍五千六百名。轄臺一，曰羅家山。烽堠九：曰趙港，曰烏盆，曰廟山，曰荷花池，曰方家路，曰道塘，在山陰縣西北一十里，本運道塘。曰周家路，曰泗門，曰夏蓋山。在上虞縣西北六十里，南臨夏蓋湖，北枕大海，西近三江口。巡檢司一：曰廟山巡司，弓兵一百名。初在廟山，後改置衞城。因徙於上虞之中，堰在餘姚西北八十里，仍曰廟山巡司，築城戍守。三山所，洪武二十年建。在餘姚縣東北三十五里滸山下，一名滸山所。去海十五里，界於臨觀之間。西以聲援臨山，東以策應觀海，以蔡山、金山、破山並峙而名，其東爲勝山港。千戶等官十五員，旗軍一千一百二十名。轄烽堠七：曰歷山在餘姚縣北三十五里，曰眉山，在餘姚縣西北三十五里，海中望之如修眉然。宋置寨兵一百人。曰徐家路，曰撮嶼，曰蔡山北有望海巖，曰吳家山，在餘姚縣東北六十里，北面大海。曰滸山。巡檢司二：曰三山巡司，弓兵三十四名。初在金山，後移於破山，有小城戍守，仍曰三山巡司。曰眉山巡司，弓兵三十四名。在餘姚縣西北四十里。鬭山。鬭地名湖海頭。

○瀝海所，洪武二十年建。在府東北七十里纂風鎮，去海里許。東衞臨山，西捍黃家堰。近海岸有施湖隘、四滙隘，爲戍守要地。千戶等官十一員，旗軍一千一百二十名。轄臺一，曰西海塘。烽堠三：曰槎浦在上虞縣西六十里，曰胡家池，曰棲樹。巡檢司一：曰黃家堰巡司。弓兵一百名。在府東北八十里會稽、上虞之界，曰纂風鎮，有西會渚爲防禦要地。

○觀海衞，在慈谿縣西北七十里，西南去餘姚縣八十里，去海五里。三山爲右翼，龍山爲左翼，居中節制應援。地屬慈谿而轄於紹興，犬牙勢也。指揮以下等官九十五員，旗軍五千七百四名。烽堠六：曰向頭，在慈谿縣西北八十里向頭山，山亦名西龍尾。東望伏龍山，與龍頭相向。龍頭以東屬定海，龍尾以西屬餘姚，二山捍潮，其中漲塗漸與山接。曰爪晢，在慈谿縣西北七十里大海中。曰西隴山，曰新浦，曰古窰，曰西龍尾。巡檢司一：曰向頭巡司，弓兵一百名。在慈谿縣西北向頭山，宋置，向頭寨，元改爲鎮。明初改巡司。洪武二十年，遷於司東之洋浦。三十三年，革。正統十四年，復置於舊所。

○龍山所，在寧波府北七十里，西南至餘姚縣一百二十里，去海二里。有伏龍山控臨海，際相去僅十里許，爲臨、觀二衛之門戶也。千戶等官一十六員，旗軍一千二百六十三名。轄臺一：曰龍山。烽堠五：曰龍頭，曰龍尾，曰石塘，在慈谿縣西北四十五里。曰青溪，曰施公山。巡檢司一，曰松浦巡司，弓兵一百名。明初置於浦東，洪武二十六年，移於浦西，爲戍守要地。

○臨觀把總，舊爲定臨觀總，於嘉靖二十八年分爲二總。定海一，臨觀一。其臨觀總駐劄臨山，統陸兵三總前營左營中營，水兵三枝，游哨、左哨、後哨。與定海、昌國二總並隸分守寧紹參將。

○前營總哨官一員，部領哨官五員，兵五百四十一名。平時屯劄臨山，汛期分二哨防守觀海衛，巡哨古窰、東山、平石、吳家山諸處，與總鎭防守龍山所官兵會哨。又分二哨防守三山所，巡哨勝山、蔡山、徐家路諸處，與防守臨山衛官兵會哨。又分一哨協守臨山衛，巡哨周家路、泗門、烏盆、趙港、夏蓋山、荷花池諸處，與防守瀝海所官兵會哨。

○左營，官兵同前營。平時屯劄紹興府城，汛期分發防守三江所。東哨宋家漊、蟶浦諸處，西哨龕山諸處。中營，官兵同前營。平時屯劄臨山衛，汛期分發一哨協守觀海衛，一哨協守三山所，二哨防守臨山衛。又分一哨防守瀝海所，巡哨槎浦、西海塘、蟶浦、西滙嘴諸處，與防守三江所官兵會哨。西滙嘴邊海，緊要。

○遊哨，總哨官一員，部領大小戰船十四隻，兵三百名，汛期駐泊烈表港。烈港爲臨觀之門戶，初議設三江、蟶浦、臨山、勝山、古窰五港以衛臨觀，後因各港沙硬水淺難泊，改調烈港出哨。遊哨漁山、兩頭洞、臨觀一帶海洋，東哨至馬墓，與定海總馬左哨官兵會哨。南顧七里嶼，由山定海大小港口沿海一帶，西哨至蠏渤山海洋，北哨漁山、羊山、大小七山海洋，與浙西海寧把總官兵會哨。

○左哨哨官一員，部領大小戰船十三隻，兵三百名。汛期駐泊兩頭洞，東由羲篷礁哨至小衢山、沙塘嶴、東岳嘴，與定海總北左哨官兵會哨。南哨至馬墓，與定海總馬左哨官兵會哨。西哨至火焰頭、青嶼北漁山，與本總後哨官兵會哨。北哨至羊山，與浙西海寧總官兵會哨。

○後哨，哨官一員，部領大小戰船十三隻，兵三百三名。汛期駐泊北漁山，東哨至兩頭洞，與本總左哨官兵會哨。南哨至蠏渤山、烈表港，與本總遊哨官兵會哨。西哨至許山，與本總兵會哨。北哨至大小七、羊山，與浙西官兵會哨。

臺州府

○臺州，三面阻山，一面濱海。南自溫州蒲岐，北抵寧波昌國海岸，五百餘里。臨黃、寧、太之間，四塞孤懸，七港錯列。論適中之地在新河，論形勢之急在海門。由海門而上，直薄府城。增設兵船，嚴禦港口，與桃渚、健跳、松門分守合備，當不在隨汛出洋之例矣。海門港，一名椒江渡港，水流入二十里之中，一分臺州城下，一分黃巖城下，爲臺郡之咽喉。論者謂：「海門之防，視鎮海爲急。鎮海水港既狹，港外連山遠近皆可泊船、分哨。今海門港一潮之遠，止有三山一座，形小勢弱，並無隱蔽。港外四望汪洋，更無山嶴回抱，且西去府城僅九十里，故其所係甚重也。松門港紆縈屈曲，東岸爲朱門山，又東爲搗米門、積谷山及下洋、大陳嶴諸處，外卽大洋，直抵日本。北至化嶼、龍王堂、鯉港、横門大潭、深門諸處，與新河、三汊港接。南至鷄臍、釣棚、峒礁、鹿頭、片嶼、驪洋、邳山諸處，與靈門接。隘頑在其南。隘頑有急，此港責守也。靈門港東近海中鷄臍山，與松門港接，南接楚門、洋坑，下接峒嶕山。中州港南出海中茅堰山，與蒲岐港接；北出海中邳山，與靈門港接。桃渚港外接大海，北達健跳，有鹽塘、除下、仙巖諸海灣。健跳港有長洛渡，濶四百餘丈，出海往茅頭大洋，上接海中茶盤山，至練陀等處，下接海中青嶼、黃毛礵，至牛頭桃渚諸處。新河港港口淺狹，大船難入。

○明洪武初，置臺州衞防守郡城。其沿海特設松門衞、領隘頑、楚門二所。海門衞、領前千戶、新河、桃渚、健跳四所。並隸松海備倭把總統轄。

○松門衞，洪武二十年建。在太平縣東五十里，西北去府城百八十里，去海一里。本宋松門寨改置，衞東即松門港。指揮以下等官五十二員，旗軍二千二十五名。轄臺一，曰小高。烽堠十：曰甘嶼，左與海中石塘山相對。曰蒼峯，曰烏沙，在烏沙浦，距太平縣四十里，南一里抵海。曰車路，在車路浦。曰沙角，曰磊石，在磊石山，南距海，與海中銅礁山對。曰荒嶼，與海中片嶼相對，曰蛤浦，與海中深竹山對。曰盤馬，盤馬山，在太平縣南三十八里海上。曰松門寨。巡檢司二：曰沙角巡司，弓兵八十名。在太平縣南二十五里。洪武二年，設於岐頭山下，二十年，徙此。曰盤馬巡司，弓兵八十名。在太平縣東南四十里。

○隘頑所，洪武二十年建，在太平縣南三十里，衞西南五十里，去海一里。北衞太平，南阻楚門。城外四面皆山，高插天表，東北有慢遊嶺，爲松門之阻隘。千戶等官一十四員，旗軍五百六十七名。轄臺一：曰白嵓。與靈門對，烽堠九：曰長沙，所城東北山下面水可以屯泊，曰岐門，近城，曰驪頭，曰後灣，曰江館與驪頭相連，曰靈門直衝靈門海洋，曰長山與水桶嶼相連，曰曾篷，曰雀海坑。巡檢司一：曰小鹿巡司，弓兵八十名在太平縣西南四十里。

○楚門所，洪武二十年建。在太平縣西南六十里，衛西南百二十里。去海三里，對岸爲溫州、蒲岐。南隔一小港爲玉環山。西北有東門港，由所城至太平溫嶺江之道也。沿山濱海而行，山林茂密，水港出入。又十五里，高山環海，爲南灣嶺。千戶等官九員，旗軍五百六十七名。轄堡寨一，曰楚門游。游門山，西南距海，前與玉環、九嶼相對。烽堠十五：曰漁井，切近深海，曰洋坑前與海中派片山對，曰梅嶼，曰泥湖與前山相對，曰楚門前與大鹿山對，曰了髻在玉環鄉地名山外，曰石橋前與海中黃坎門對，曰清港清港渡在太平縣西南三十五里，爲三山楚門往來衝要。曰東門，曰西門前與茅堰山對𨻶海𨻶玉環山。曰苔山在樂清縣東南七十里海中，曰塔山，曰小青山，曰大青山並在玉環海中，曰馬鞍山在太平縣南四十里又十里至玉環山。巡檢司一：曰三山巡司，弓兵八十名在太平縣西三十里前與玉環山對。

○海門衛，洪武二十年建。在府東南九十里，去海里許。衛北即海門港，三面阻水，爲浙東門戶，水陸重鎮。濱海散漫，無險可依。有三山峙立，椒江南岸爲衛境之望。指揮以下等官五十四員，旗軍六百八十三名。轄臺二：曰東中，在城內。曰中鎮。烽堠一：曰外水。在山上，左與郁江相對，可瞭新河。巡檢司一：曰長浦巡司，弓兵一百名。在黃巖縣東南四十里，本界首巡司。前千戶所，洪武二十八年建。在衛城北七里，去海二里。南臨椒江，與衛城僅隔一水。兩城對峙，勢若輔車交扼互援，均爲重地。東北有連盤港，港深而長背山面水。健跳、桃渚二港皆會於此。千戶等官一十四員，旗軍一百九十六名。轄臺一：曰畫眉山。與外海擔門山相對，近陳嶼。烽堠四：曰中山，左對擔門山。曰長沙，曰輕盈，前對上下竹。曰磊石。左對大勘頭。

○新河所，洪武二十年建。在衛南五十里，去海十里，去松門、隘頑、黃巖各五十里，所謂適中之地也。東南即新河港，陸有藤嶺及橫山諸處，俱爲戍守要地。千戶等官一十八員，旗軍八百六十三名。轄烽堠四：曰洋嶼，前對海中東、西洛山。曰霓嶼，左與三山相對。曰淨應，左對深門。曰新塲。左對狼機山。

○桃渚所，洪武三十年建。在衞東北五十里，爲衞城府治之藩翰。東卽桃渚港。東北十里有昌埠港、昌埠嶺，南有肯埠嶺，北有白蓮嶺，東有安聖寺諸處，皆爲衝要。千戶等官一十七員，旗軍四百一十一名。轄臺一：曰桃渚頭。右對大磡頭。烽堠十二：曰石柱，近所城。曰停嶼，臨桃渚港。曰長跳，曰涸井，右對開海八達門，地名鹽塘。曰昌埠，在東北昌埠嶺。曰大荊山，曰獅子山，在寧海縣南九十里，近牛頭山。曰嶼頭，曰䑋孛頭，山下卽牛頭門。曰下舊城，與東江隘磊石相連。曰望火樓，去牛頭、七磡三里。曰中舊城。巡檢司一：曰蛟湖巡司，弓兵一百名。在府東一百二里。健跳所，洪武二十年建。在寧海縣南一百二十里，衞東北一百十里，去海五里。三面阻山，皆羊腸鳥道，惟東南山前距海，東卽健跳港。千戶等官一十一員，旗軍二百四十一名。轄臺一：曰高灣。左有長洛港。烽堠五：曰茅頭，近裡嶼，曰拆頭，與武典隘相連。曰後沙，近所城，曰小漁西，曰大漁西。與開海頭陀山相對。巡檢司五：曰曼嶼巡司，弓兵一百名。在寧海縣南七十里。曰寶嶼巡司，弓兵一百名。在寧海縣東南八十里。曰越溪巡司，弓兵一百名。在寧海縣東二十三里。曰長亭巡司，弓兵一百名。在寧海縣東百里。曰鐵場巡司，弓兵一百名。在寧海縣北六十里海口。

○松海把總，統水兵十二枝，游哨旋門、靈門、鹿頭、猫頭、深門、海門、關主、山東、西磯、牛頭、門靜、寇門、大佛頭。駐劄海門衞，隸分守臺金嚴參將。游哨本總親統大小戰船四十一隻，兵八百五十三名。汛期泊大陳游哨，各外洋山島有警，會合本參游哨兵船，及策應所在汛地協勦，無事巡督各汛地、兵船哨防。

○漩門哨，哨官一員，部領大小戰船八隻，兵二百三十四名。汎期泊漩門，東南哨至大鹿海洋，與金盤總黃坎門官兵會哨。東北哨至邳山派片，與本區靈門官兵會哨。

○靈門哨，哨官一員，部領大小戰船九隻，兵二百四十七名。汎期泊靈門，東南哨至邳山派片，與本區漩門哨官兵會哨。北哨至峒礁外洋，與鹿頭哨官兵會哨。

○鹿頭哨，總哨官一員，部領大小戰船一十四隻，兵四百六名。南哨至峒礁，與靈門官兵東北哨至釣棚，與猫頭哨官兵各會哨。

○猫頭哨，哨官一員，部領大小戰船七隻，兵一百九十七名。東南哨至釣棚，與鹿頭官兵北哨至狼機山，與深門官兵各會哨。

○深門哨，哨官一員，領大小戰船八隻，兵二百三十五名。泊深門汎地。南哨至狼機山、橫谷山等處海洋，與松門猫頭官兵北哨至三山海洋，與關口官兵各會哨。

○海門關口哨，哨官一員，部領大小戰船七隻，兵一百八十八名。泊關口汎地。南哨至三山，與深門官兵東北哨至旦門，與主山官兵各會哨。

○主山哨，總哨官一員，部領大小戰船一十四隻，兵二百六十八名。泊主山汎地。南哨至東洛，與深門官兵會哨。西哨至旦門，與關口官兵會哨。北哨至技人沙嶼，與牛頭門官兵會哨。

○東西磯哨，哨官一員，部領大小戰船七隻，兵一百十五名。泊東西磯汎地。與大陳山主山官兵會哨。

牛頭門哨，哨官一員，部領大小戰船六隻，兵一百二十九名。泊牛頭門汛地。南哨至北澤、技人、沙嶼等處海洋，與主山官兵會哨。東北哨至漁西、沙堰等處海洋，與靜寇門官兵會哨。

○靜寇門哨，哨官一員，部領大小戰船六隻，兵一百七十名。泊靜寇門汛地。南哨至漁西、沙堰、海洋，與牛頭門官兵會哨。東北哨至昏山、五嶼海洋，與大佛頭官兵會哨。

○大佛頭哨，哨官一員，部領大小戰船七隻，兵一百九十四名。泊大佛頭汛地。西哨至昏山，與靜寇門官兵東北哨至渚門、金齒門，與昌國總官兵各會哨。臺金嚴參將，嘉靖三十八年設，統陸兵四總。左營、前營、中營、右營。水兵一枝游哨，駐劄臺州府，松海把總專屬調度。左營名色把總一員，部領哨官五員，兵五百四十一名。平時屯劄隘頑所，汛期分布汛地，兼顧楚門地方。一哨住守漩門，與洋坑官兵會哨。一哨住守洋坑南與水桶嶼北，與後灣官兵會哨。一哨住守靈門南與後灣北，與蒼山官兵會哨。

○前營，官兵同左營。平時屯劄新河所，汛期分布汛地，兼顧松門衛城池。一哨住守蒼山南與後灣北，與甘嶼官兵會哨。一哨住守甘嶼南與蒼山北，與松門寨堂會哨。二哨住守松門寨堂南與蒼山北，與盤馬官兵會哨，外應猫兒頭汛地兵船聲援。一哨住守盤馬南與松門寨堂北，與新河椿頭官兵會哨。

○中營官兵同左營。平時屯劄海門衞，汛期分布汛地，兼顧海門衞城池。二哨住守新河椿頭南與盤馬北，與海門關口官兵會哨。二哨住守海門關口，分布岳頭長浦南與椿頭北，與水寨官兵會哨。屯守海門水寨南，與岳頭長浦官兵會哨，北應前所陳嶼官兵聲援。

○右營官兵同左營，平時屯劄海門關口，汛期分布前所各沿海汛地，兼顧前所城池。二哨與中營官兵住守海門水寨，南與椿頭，北應輕盈官兵會哨。一哨住守前所陳嶼南與關口聲援北，與輕盈官兵會哨。一哨住守長河南與輕盈，北應桃渚所沿海地方哨禦。

○游哨，中軍名色把總一員，部領大小戰船二十八隻，兵五百六十一名。汛期泊釣棚海洋，游哨邳山大鹿等處外洋。南接金盤總游哨，北至大陳山，與松海總兵船互相會哨。

溫州府

○溫州，襟帶大海，府東九十里有雙崑海口，內控郡城，外連島嶼，爲郡境之門戶。北毗臺、寧，南連閩、粤，北至臺州府三百三十里，自海道而南，至福州府二百二十里。延袤四百餘里，深洋最多。自流江至鎭下門江口，飛雲、海安、黃華、蒲岐諸港止，所在水路衝達，外則霓嶼、三盤、南麂、南龍，均爲海山之要害。而玉環島嶼孤懸，水陸交錯，實溫、臺之門戶，全浙之藩籬，戒備尤不容以不密也。

○明洪武初，置溫州衞，防守郡城。其沿海特設海安、瑞安、平陽三所，俱隸溫州衞。金鄉、磐石二衞，金鄉衞領蒲門、壯士、沙園三所；磐石衞領寧村、蒲岐、後千戶三所。並隸金盤備倭把總統轄。海安所，洪武二十年建。在瑞安縣東北三十里，去海十里。千戶等官十七員，旗軍一千二百五十一名。轄寨三：曰前岡，相連梅頭，前與二礁、東洛、雙礁等山相對。曰後岡，後岡極衝，逼臨深水洋，有梅頭堡。曰丁田。在所東，爲戍守要地。烽堠四：曰埭頭，曰長橋，近城一里。曰鮑田，離城五里。曰店嶼。離城十里。

○瑞安所，洪武二十年建。在瑞安縣城內，去海五里。千戶等官二十員，旗軍一千二百六十名。轄寨二：曰上瑪，曰東山。在所東北，與上瑪東西分峙，爲犄角之勢。坐臨海濱，與梅頭巡司相連，前有鳳凰山停泊兵船，東爲東山港。臺一：曰白塔。烽堠一：曰錢家埠。前與海中銅盤山相對。巡檢司一：曰梅頭巡司，弓兵一百名。

端安縣東五里有海口，爲戍守要地。

○平陽所，洪武二年建，在平陽縣城內，去海十里。千戶等官十八員，旗軍一千二百三十二名。轄寨三：曰烽火，曰江莱，曰汶路口。在平陽縣東三十里，東臨海洋洋嶼門，南援江口水寨，北援眉石南北二寨，地勢險要。臺二：曰山頂，曰蔡家山。烽堠三：曰福泉，曰半嶺近海，曰峯瑞近海。巡檢司二：曰江口巡司，弓兵一百名。初在下埠。正統五年，徙於江口。渡頭在平陽縣南。曰仙口巡司，弓兵一百名。初在平陽縣東仙口山。洪武二十年，徙於縣南十里陌城山。

○金鄉衞，洪武二十年建。平陽縣南七十里金舟鄉。北至府城百八十里，去海七里。東北江口舥艚、炎亭海洋，直衝南麂外洋，並爲險要。指揮以下等官九十七員，旗軍四千九百二十八名。轄寨十一：曰廟背，曰嶼門，曰舥艚，在平陽縣東南八十里。寨東、北兩面皆濱海，又有舥艚堡，嘉靖中置。曰大嶼，曰炎亭，在平陽縣南，衞東七里。西南十里爲大嶼海口。曰大濩，曰小濩，大濩在衞東，有大濩海口，與海中千山相對；南爲小濩寨，近蒲門所。西臨海，北鎮山與龜峯巡司相連。曰石塘，石塘山，在平陽縣西北十五里。曰石坪，曰小漁埜，曰大漁埜。二寨在衞東南，聯坐海隅，最爲衝要。烽堠十五：曰半塘，曰尖山，左與琵琶山相對，可瞭長崙、五樹諸山。曰白崎，曰馬蹟，曰鳳凰近炎亭，曰猫頭，曰上洋，前與南皐嘴相對，近連大嶼。曰畢灣，曰東岡近海，曰嶺門有嶺門隘，曰東山，近海，與小濩相連。曰蒙灣，前與洋蓀門相對。曰蘭頭近海，曰舥艚門，曰奠山。

巡檢司二：曰舥艚巡司，弓兵一百名。近海，前有綠鷹、官嶼等山相對。曰龜峯巡司，弓兵一百名。在平陽縣東南九十里，嘉靖中廢，置龜峯堡。

○蒲門所，洪武二十年建。在平陽縣南百二十里，去海里許。有上下魁隘、城門隘，俱臨海口。東南卽鎭下門、官嶼、洋菰門，直衝臺山外洋，與福建烽火門接界。千戶等官十四員，旗軍一千二百三十二名。轄寨二：曰菖蒲洋，在所東海濱，有菖蒲隘，三里卽流江。曰程溪。在所東南，南至海西抵鎭下門水寨，蒲門之要區也。臺一：曰水竹。可瞭流江、南鎭諸處。烽堠三：曰懸中，前與鎭下門相對。曰四表，去城四里。曰南堡。去城三里。又五里與福建接界。

○壯士所，洪武二十年建。在平陽縣東北五十里。隆慶初，併入蒲門。千戶等官十五員，旗軍一千二百三十二名。轄臺一：曰高洋。地名上魁。下魁城門隘在高洋總路。烽堠三：曰雷嶼近海，曰尖山近海，曰時家墩。

○沙園所，洪武二十年建。在瑞安縣東南二十里，去海一里。千戶等官十三員，旗軍一千二百五十名。轄寨四：曰陡門，曰眉石北，在所東東。至大海，南會陌城，北會陡門，西至平陽所，極爲衝要之地。曰仙口，在所南。近平陽之仙口山，相接宋埠。曰眉石南。在所東南。東濱大洋鳳凰山嶼，一潮可至。西抵仙口。臺一：曰眉頭。烽堠四：曰冷水鋪，前有齒頭山相對。曰宋埠，曰仙口，有仙口堡。曰烽火。與烽火寨相連。

○磐石衞，洪武二十年建。在樂清縣西南五十里，去海一里。指揮以下等官四十九員，旗軍二千一百五名。轄臺一：曰黃華。在黃華山，前對竹嶼山，切近大嶼。烽堠七：曰章嶼，前對海中三盤、大門。曰雙峯，在雙峯山上，前與鵓鳥相對。曰沙角，前對大黃嶼。曰三嶼，曰池嶼，在山上，前對黃裙山。曰洋田，曰日團。巡檢司一：曰舘頭巡司，弓兵一百名。在樂清縣西南五十里舘頭江口。

○寧村所，洪武二十年建。在府東五十里，去海一里。千戶等官一十六員，旗軍一千一百七十五名。轄寨三：曰沙溝前對大䕫山，曰沙村，前對壇頭山。曰長沙。烽堠六：曰黃石浦，曰沙溝，曰沙村，曰七甲，曰長沙，曰九甲。巡檢司一：曰中界巡司，弓兵一百名。在府東青澚山東，後遷於永昌堡。

○蒲岐所，洪武二十年建。在樂清縣東北三十里，去海五里。千戶等官一十員，旗軍九百四名。轄臺二：曰高嵩，在樂清縣東四十里高嵩山。上爲所境之鎖鑰。曰下堡。離所城一里。烽堠八：曰東山，曰南浦，前對分水山。曰後塘，與蒲岐巡司相連。曰鏵鍬，前對橫門山，離所城三里。曰婁嶼，離所城三里。曰下山頭，前對大、小馬山。曰前塘，曰雙陡門外有清港。巡檢司一：曰蒲岐巡司，弓兵一百名。

○後千戶所，洪武二十年建。在樂清縣東三里，去海五里，去蒲岐所三十里。千戶等官八員，旗軍八百一十五名。轄寨一：曰白沙灣。在樂清縣東五里，有白沙嶺，爲水陸要害。烽堠三：曰岐頭，前對大巖頭、薛頭嶼，近白龍港。曰平山，離所城五里，南接嶼山，北接白沙，爲樂清之唇齒。曰嶼山。臨海口前，對麥園頭。

○金盤把總統水兵五枝，游哨黃華、飛雲、江口、鎭下。駐劄金鄉衞，隸分守溫處參將。

○游哨本總，部領哨官二員，船四十八隻，兵一千二百五十五名。汎期屯泊南麂海洋，專禦南龍、長瀨、竹嶼、南漩、綠鷹、沍江、流江、南鎭一帶外海，南與福建烽、火關，北與本參中軍游哨各官兵會哨，爲鎭下、江口二關外藩。

○黃華關，在磐石衞東三十里，東接大海，大、小門霓嶼，南枕港口，溫州之咽喉也。總哨官一員，部領哨官一員，船一十九隻，兵四百二十名。汛期屯泊梁灣海洋，哨守橫坎門、石河、雙排、大鹿、分水、楚門漩一帶，與臺州塔山哨，下接東洛遊兵哨，南接飛雲關各官兵交相會哨。專禦樂清、磐石、後蒲、寧村一帶地方

○飛雲關，飛雲渡橫截南北，往來者必出於此。東爲飛雲水寨，南臨海港，外接鳳凰山，內逼府城，郡境之要衝也。總哨官一員，部領哨官一員，船一十八隻，兵四百五十六名。汛期屯泊鳳凰海洋，哨守銅盤、長瀨、齒頭、南龍、長腰一帶。北接東洛、南麂遊兵哨各官兵交相會哨。專禦海安、瑞安、沙園、宋埠、仙口一帶地方。

○江口關，在平陽縣南二十五里，下臨橫陽江爲往來衝要。又有江口水寨，在金鄉衞東，南臨大海，控五嶼等嶼。外接琵琶、長腰、陌城、洋嶼等大洋，爲平陽門戶。總哨官一員，部領哨官一員，船一十九隻，兵四百五十五名。汛期屯泊洋嶼海洋，哨守舥艚、炎亭、石坪、五嶼一帶。南與鎭下關，北與飛雲關，下接南麂遊兵哨各官兵交相會哨。專禦金鄉、平陽、仙口、陌城一帶地方。鎭下關，在平陽縣東南百四十里，坐臨大海，設水寨戍守。其東卽官嶼。總哨官一員，部領哨官一員，船一十七隻，兵四百三十六名。汛期屯泊官嶼海洋，哨守洋蓀、大嶼、竿山、潼頭一帶，北與江口關，南與福建烽火門，下接南麂遊哨各官兵交相會哨。專禦蒲壯、金鄉、迤南、大小濩一帶地方。

○溫處參將，嘉靖三十八年設。統陸兵九總，標營、左營、右營、中營、前營、後營、蒲岐營、珠明營、炎亭營。水兵二枝。遊哨隨征。駐劄溫州府，金磐把總專屬調度。

〇標營名色把總一員，部領哨官五員，兵四百九十六名。屯箚黃華關、浦東、岐頭衝要海口，專禦磐石、洋田、章嶼一帶地方。南與後營官兵，北與右營官兵會哨。

左營名色把總一員，部領哨官四員，兵四百九十四名。屯箚蒲壯上下魁衝要海口，專禦鎮下門、流江一帶地方。南與福建交界，北與中營官兵會哨。右營，官兵同左營。屯箚石馮衝要海口，專禦樂清後所一帶地方，南與標營官兵，北與蒲岐營官兵會哨。中營官兵同左營，屯箚金鄉大小濩衝要海口，專禦大漁埜、七溪、石塘一帶地方，南與左營官兵，北與珠明營官兵會哨。

〇前營，官兵同左營。屯箚平陽、仙口衝要海口，專禦宋埠、陌城、眉石、陡門一帶地方，南與炎亭營官兵，北與後營官兵會哨。

〇後營，官兵同左營。屯箚海安、眉頭、前後岡衝要海口，專禦寧村、長沙、七甲一帶地方，南與前營，官兵北與標營官兵會哨。

〇蒲岐營，官兵同左營。屯箚蒲岐、下堡衝要海口，專禦竹嶼、前後塘一帶地方，南與右營官兵，北與臺州交界各官兵會哨。

〇珠明營，官兵同左營。屯箚珠明衝要海口，專禦金鄉一帶地方，南與中營官兵，北與炎亭營官兵會哨。

〇炎亭營，官兵同左營。屯箚炎亭衝要海口，專禦舥艚一帶地方。南與珠明營官兵，北與前營官兵會哨。

〇遊哨，中軍名色把總一員，部領哨官二員，大小戰船五十二隻，兵一千一百八十名。汎期屯泊三盤、東洛、麥園頭海洋，哨守雙排、鹵頭門、馬耳嶼一帶海洋，南與金盤總遊哨，北與臺州松門兵會哨。

爲黃華、飛雲二關之外藩。
〇本參隨征領哨官一員，部領大小戰船八隻，兵二百四名。汎期屯泊黃大嶼海洋，以顧南北有警應援。〔卷一四八〕

名宦 三

〇朱紈，獻徵錄：字子純。長洲人。正德進士。浙江巡撫，撫海島倭寇六百餘人，悉受約束。襲破雙嶼賊巢，上下連戰皆捷。改命巡視。處州礦賊起，衢州告急，亦平之，浙省悉定。
〇王忬，湯斌王忬傳：字民應。太倉人。嘉靖進士。倭寇浙直，忬提督軍務巡撫浙江，才識通敏而寬大，善用人。時參將俞大猷、湯克寬以材勇聞，忬推心委任。又奏釋在繫都指揮盧鏜、尹鳳等，分置諸郡，犄角應援。倭賊汪直結砦普陀，乘風憑陵諸郡。其黨徐學、毛勳、徐海、彭老等，列兵近洋，與之呼應。忬授策大猷等，夜從間道火其巢；克寬夾擊之，俘馘三百餘，焚溺死者無算。尹鳳將閩兵邀於表頭、北茭諸洋，又俘馘三百餘人。有蕭顯者尤桀黠，屠南沙，還逼松江。盧鏜掩擊，大破之，斬其首。先後奏捷，如：探淘港、石礅、長礁、吳淞諸戰，俘馘率以千計。又擒漳州通倭奸民蘇老等三十餘人誅之，其入奏也，不自以爲功，率歸之諸將，故人多用命焉！
〇張經，湯斌張經傳：字廷彝。侯官人。正德進士。除嘉興知縣，累陞兵部尚書。嘉靖三十四年，改右都御史，兼兵部侍郎討倭寇。田州瓦氏、東蘭諸兵至，經以瓦氏兵隸總兵官俞大猷，以東蘭、那地、南丹兵隸遊擊鄒繼芳，以歸順、思恩兵隸參將湯克寬，分屯金山衞閔港乍浦犄角三面，以待永順、保靖兵之集。侍郎趙文華，密疏經畏賊不進。詔逮經而永、保兵已至，其日即有石塘灣之捷。倭突嘉興，經遣參將盧鏜督保靖兵，大猷督永順兵，由泖湖趨平望，以克寬引舟師由中路擊之，合戰於王江涇，斬賊首一千九百餘級，溺死者甚衆。自軍興〔以〕來稱戰功第一。經至京，備言進兵始末，乞賜原宥。不納，論死。隆慶初，復官，諡襄愍。

○胡宗憲，王鴻緒胡宗憲傳：字汝徵。績溪人。嘉靖進士。知餘姚縣，擢御史。三十三年，按浙江。歙人汪直據五島，煽諸倭入寇。徐海、陳東、麻葉等巢拓林、乍浦、川沙窪。張經破倭於王江涇。宗憲與有力，超擢巡撫。倭犯浙東，以宗憲爲兵部右侍郎，任總督。初，宗憲令客蔣洲、陳可願諭日本國王，遇汪直養子滶於五島，邀使見直。宗憲以直同鄉里，欲招致之。釋直母妻於金華獄，資給甚厚。直大喜，遣子滶歸，宗憲厚遇滶，令立功。滶遂破倭舟山表，賜滶等金帛，縱之歸、滶大喜，以徐海入犯來告。海引倭分掠慈溪，自攻乍浦，東、葉與俱。宗憲壁塘棲，與巡撫阮鶚相犄角。會海趨皂林，鶚走桐鄉，賊圍之。宗憲遣指揮夏正，持滶書邀海降。海曰：兵三路進，不止我一人也。正曰：「陳東已他有約，所慮獨公耳。」海遂疑東，而東知海營有宗憲使者，大驚，由是有隙。宗正乘間說下海，海遣使來謝，解桐鄉圍東去，復巢乍浦。初，海入犯，焚其舟，示士卒無還心。宗憲使人語海曰：「若已內附，而吳淞江方有賊，何不擊之以立功？且掠其舸爲綏急計。」海以爲然，逆擊之朱涇。宗憲潛焚其舟，海心怖，以弟洪來質。宗憲因厚遇洪，諭海縛東、葉海。遂縛葉以獻。宗憲解其縛，令葉以書致東圖海，而陰泄其書於海。海怒，海妾受宗憲賂，亦說海，於是海復以計縛東來獻，率所部降。宗憲慰諭之，海自擇沈莊屯其衆。沈莊者，東西各一，以河爲塹。宗憲居海東莊，以西莊處東黨，令東致書其黨曰：「督府檄海夕禽若屬矣！」東黨懼，乘夜攻海，海挾兩妾走間道，中稍官軍圍之，海投水死，遂俘洪、東、葉，及海首獻京師。加宗憲右都御史，命兼浙江巡撫事。蔣洲在倭中諭主源義長、義鎮入貢，遣夷目善妙等隨汪直來市，至岑港泊焉。直遣滶詣宗憲，宗憲慰諭，遣夏正偕往。宗憲嘗預爲赦直疏，引滶入臥內，使陰窺之。滶語直，乃入謁宗憲，令至杭，下於獄，論死。以功加太子太保。明年，賊悉蕩平，加少保。

○阮鶚，獻徵錄：號函峯。桐城人。嘉靖進士。浙江提學副使，得人爲盛。浙方苦倭寇，鶚下令諸生操弓矢習射，作忠義之氣。省城戒嚴，撫臣檄諸司畫地防守，鶚當守武林門，則列營關外，令士女分道入遞。至遞，開視他守者，獨無追迫蹂躪之慘，擢右僉都御史，巡撫浙江。賊攻乍浦，追斬之皂林。賊奔桐鄉，鶚冒重圍入桐鄉，賊多方攻擊而鶚隨機應之。計窮，遁去。賊陷仙居，鶚又募金臺諸郡兵，分疑設伏，凡三戰，大破之。而賊首徐海黨與衆盛，復集舊巢，鶚命奇兵四伏，正兵突擊，賊遂大敗四竄。巨魁陳東、麻葉、辛五郎皆就擒。賊奔據沈莊，憑險自固。鶚曰：「不滅海，尚留根蔓乎？」檄諸道分兵四圍，夜渡濠，薄城柵，火其巢。自寅至酉，力戰，俘獲甚衆，徐海始就滅。鶚又謂諸將曰：「寧波鴈門，久爲賊據，而舟山餘黨尚在，奈何安枕耶？」遂夜驅水陸兵並進，大破於蔡奇山、獨山、大潭山，水戰於清港洋、邱家洋，直抵舟山，擒斬殆盡。自是兩浙始得休息，士民思鶚德，相與立祠。

○唐順之，湯斌唐順之傳：字應德。武進人。嘉靖進士。倭犯江浙，順之爲兵部職方郎中，命往浙江視師，與胡宗憲協謀討賊。以禦賊上策，當截之海外，苟縱使登陸，則內地咸受禍。乃躬泛海，自江陰抵蛟門大洋，一晝夜行六七百里，從者咸驚嘔，順之意氣自如。倭泊崇明三沙，督舟師邀之海外，斬馘一百二十，沈其舟十三，擢太僕少卿，加右通政，擢淮揚巡撫，謚襄文。

○宗禮，分省人物考：字周道。其先常熟人，隸籍於燕中。嘉靖武舉，由祖職署指揮僉事，任參將，奉命禦倭於浙。禮，提兵掩擊，敗賊於新城堡。乘勝攻破新場，賊遯去。總督胡宗憲，檄禮隨賊所向追勦之，連有吳江、嘉興之勝。至崇德縣，探倭至皀林，勢且犯杭，率兵往皀林迤西石橋止營禦之。倭萬餘，夾河來戰。禮，統兵不滿九百人，殺傷甚多，賊敗去。番休來攻，三戰三北，死傷無算，軍大振。會石橋前鋒中賊砲，橋失守，禮被重傷，猶裹創奮臂戰，以衆寡不敵，兼乏食，軍無後救，力竭。仰天呼曰：「死當滅賊以報國。」遂遇害。事聞，贈都督同知，謚忠壯。建褒忠祠於皀林，有司以時饗焉。

○俞大猷，名山藏：字志輔。世職泉州衞百戶，登武舉。嘉靖三十一年，倭寇浙直，都御史王忬以大猷爲浙江左參將。時汪直亡命入海，爲倭嚮導，忬議招撫之。大猷言：「招撫之法，必大兵壓前。賊力不支，輸款求降，許以自新。若有不悛，生死在我，徒曰招之，權乃在賊，請用福建樓船破之！」遂與參將湯克寬入海擊直，敗之。大猷議逐倭，謂當用樓船入海與戰。又，倭刦海岸，其患小；倭入河港，其患大。浙西川河互錯，溝港穿貫，難以陸戰。莫若先防河港之入，一入河港，我整搠河船，周防戰備，撤斷津梁，使無所渡。徐進逼之，待其可戰，一鼓乘之。更行調海船堅守海港，使不得遁。忬用其計，數以樓船破倭，而整搠河船之議不行。陞南直副總兵。張經爲總督，調楚、粤兵使大猷將之。大敗賊於王江涇，亦用大猷河船計，多所得賊，爲趙文華所劾，奪祖職。明年，充鎮守浙直總兵，連破賊，移定海，乘雨雪焚舟山寇，進署都督僉事。明年，進署都督同知，海上無警者二年。總督胡宗憲，使蔣洲、陳可願入海說汪直。直求貢市。副總兵盧鏜，請許之。大猷倡候其至擊之之論，宗憲不可。使鏜迎直海上，大猷陳兵誇示。倭從直來者盡殲之，官至後軍都督府僉書。

〇戚繼光，名山藏：字元敬，定遠人。任浙江都司僉書。義烏人故慓勁，繼光言於督撫，請練爲兵。許之，使募三千試之。繼光乃爲鴛鴦陣，陣十有二人，隊長前，次夾盾，次夾枝。兵次四人，夾矛，次夾短兵，樵蘇居後。其節短其分數，明其步伐，合地宜。其器互相鬬試，既習，補浙東參將，分部臺州。嘉靖四十年，倭大至，寧海告急。繼光且之。寧海賊聞繼光至，悉遁去，謂臺州城虛，逼之。繼光聞警促還，昧旦引兵，午至臺，兵行七十里，未食。守吏謂賊近，戒門嚴毋得入。兵爭門而囂，繼光後至，呵之曰：「此汝等爭門時耶？」賊薄城下，滅之乃食。鼓行而進，遇賊花街。一賊左挾矛，右挾刄。壯士朱珏，持短兵折其矛，再折其刄，斬其首，賊大潰。張翼逐之，殺數百人。又逐之瓜陵江圻頭，賊復焚舟，起趨臺。繼光簡精銳千五百人往，賊退次大田東，堅壁不出。會雨甚，間道遁仙居。繼光繇大道先之，圍之數重，四面舉火，蓋二旬有九日。九戰，斬首七百，獲器仗三千七百四十有奇，是爲戚家新兵。所至如破竹，以參將入閩，進副總兵，累進左都督，加秩少保。

○盧鏜，湯斌盧鏜傳：字子鳴。汝寧衞人。嘉靖時，由世廕歷官備倭福建，遷都指揮。擊賊嘉興，擢參將，分守浙東濱海諸郡，與副將俞大猷大破賊王江涇。旋督保靖土兵擊賊張莊，焚其壘。賊出沒臺州外海，鏜勦擒其酋林碧川等，旋擢協守江浙副總兵。賊陷仙居，趨臺州。鏜破之彭溪，乃與胡宗憲共謀滅徐海。宗憲招汪直，鏜亦說日本使善妙，令擒直。直與日本貳卒伏誅，擢都督僉事，爲江南浙江總兵官。倭復犯浙東，水陸十餘戰，斬首千四百有奇。宗憲以蕩平聞，鏜增俸賚金。

○湯克寬，湯斌湯克寬傳：邳州衞人。世廕歷官都指揮僉事，充浙江參將。倭犯溫州，克寬擊敗之。賊寇嘉興屬邑，克寬至海鹽被圍，偕參政潘恩等拒守，賊不能克。無何，陷乍浦城，轉掠奉化、定海。克寬進圍於獨山，民家火焚之，賊半死，餘遁命，爲副總兵，提督海防諸軍。浙西參將張深病，都御史王忬薦克寬代之。總督張經議搗賊柘林，令克寬將廣西土兵屯乍浦，與副將俞大猷相犄角，大戰王江涇，斬級三千。會趙文華劾經，惑克寬言縱倭，遂并逮問，赦免。歷廣東參將總兵官。

○周應禎，舊浙江通志：中都留守衞人。官浙江都司僉書。嘉靖甲寅，倭寇由澉、乍二浦沿海塘據石墩巡司，躪袁化市。中丞檄應禎統兵禦之。龍鳳兩山間爲寇出入孔道，遂營焉。軍令肅然，秋毫無犯。有卒伐竹一竿，刈其耳以徇。諜報賊至靈泉山，應禎躍馬趨之，遇賊力戰，斬數十級。賊奔，追至放雁山址，篠樾蒙密，賊伏敗垣中。提石擊應禎，中首而仆，身被數刃，馬傷，負歸崇教寺。

越宿而絕，馬亦不食三日而死。

○劉錦，舊浙江通志：溫州衛指揮同知。嘉靖間，擢浙江總督備倭，守定海。倭入貢，爭長相讐殺焚掠，自寧波直抵紹興。錦督舟師追勦，與倭戰於霍山，援兵不至，忽戰棚蹋陷，士卒多墮水，賊遂踴躍過舟。錦揮刃奮格，力竭，亦墮水。事聞，進爵世襲指揮。

○游居敬，福建通志：字行簡。南平人。嘉靖進士。浙江按察司僉事，歷按察使，左右政使。浙中時患倭寇，調主客兵數萬計。庫無羨贏，居敬立辦無悞。議者欲練土著，汰客兵。兵當闕而譟，督撫令居敬前諭之，皆解散。在任，衣粗食糲，一席十年，漆枕櫛匣，尚青衿時物，清節爲浙省之冠，仕至南刑部右侍郎。

○趙炳然，史槩：字子晦，劍州人。嘉靖進士。拜御史，按浙江，累擢巡撫。浙罹兵燹之後，炳然廉以率下，悉更諸政令不便者。福建巡撫游震得，請浙兵勦賊。詔發義烏精兵一萬，諭炳然協勦。炳然言：「福建所以致亂者，由將吏撫馭無術。民變爲兵，兵變爲盜，其由來漸矣！今人驅浙兵以赴閩急，竊懼浙之復爲閩也。請令一意團練土著，使人各爲用，家自爲守，急則兵，緩則農，然後聚散兩有所歸，即不得已而召募，亦必先本土，後鄰壤，庶無釀禍本。」又條上防海八事，俱報可，以援勦功進右都御史，後爲兵部尚書，謚恭襄。

○潘恩，獻徵錄：字子仁，上海人。嘉靖進士。浙江左參政，分守杭嘉湖道。方按部海鹽，而島寇猝至，闉之數十匝。時城無見兵，恩鼓舞吏人晝夜睥睨，間不少懈。賊知不可破，乃解。累遷浙江左布政使，首革贓吏出納之弊，數佐臺使者禁斥貪墨，擢右副都御史，巡撫河南。

○吳桂芳，獻徵錄：號白湖。新建人。嘉靖進士。任浙江按察使，左右布政使。時胡宗憲以兵事泰於財慮不給，桂芳爲查理積年隱沒者幾月，得十餘萬緡，宗憲於座起揖曰：「公眞大材也。」仕至工部尚書，總督河道。

○唐堯臣，江西通志：字士良。南昌人。嘉靖舉人，授湖州府通判，陞杭州府同知，擢浙江按察僉事。備兵臺嚴，料理軍餉不絕。倭至，堯臣以戚繼光兵連破之，增俸級一等。

○劉燾，舊浙江通志：天津人。嘉靖間倭警起，爲浙西兵備道。燾精奇門風角之術。至郡，按圖視險，選將募兵，有乍浦、王江涇諸捷。著浙西海防稿行於世。

○譚綸，名山藏：字子理。宜黃人。嘉靖進士。倭寇東南時，臺之仙居、黃巖新中寇，郡兵幾萬人皆巽懦。綸爲臺州知府，簡習精卒千人，一捷於北嶺，一捷於揚沙溪，以此知名，遷浙江副使，爲巡海使者。悉散諸徵調，一意練土著，倍餼餉，備器械，厲威信，必誅賞。教之三月，部士皆爭命死敵。浙寇平，陞參政，轄海如故。仕至兵部尚書，諡襄敏。

○葉夢熊，獻徵錄：字男兆。歸善人。嘉靖進士。萬曆間任浙江海道副使，周視形勝，悉召境內兵，益以海艦令寇至敵於外，無俾闌入，海波息警。會求邊材，臺省交薦，調承平兵備，官至南京工部尚書。

武功一

杭州府

○邵梗，閩書：字良用，仁和人。嘉靖進士。任福建巡海道駐漳州時，海禁廢弛，奸民闌出入，賈禍召寇。梗下令曰：「凡奸民爲賊，間及違禁出物廉有狀者，殺無赦！羅織相告者勿詰。」於是反側帖然。益濬隍增陴，選卒厲兵，徙四郊積蓄入城中，使賊無所掠。倭寇合兵犯長泰，選火藥手百人躡擊之，賊宵遁。又遣舟師攻海寇於月港、銅山、清浦諸處，凡七克，捕斬無算。餘寇自月港掠舟入海，將遁。遣義士沈講率所部兵，與官兵犄角，邀賊舟於東燈，以巨艦衝沈之，擒斬二百餘，寇盜悉平。

○宋應昌，獻徵錄：號桐岡。仁和人。嘉靖進士。知絳州，歷進副都御史，巡撫山東。首請加意防海，復營衞巡司諸舊制。萬曆壬辰，倭突入朝鮮，國王李昖走竄義州。拜應昌兵部右侍郎，經略薊遼、山東、保定等處，防海禦倭軍務。應昌出關臘月，與提督李如松踏冰渡江。正月，兵薄平壤。倭將小西行長，築飛樓，鑿墻穴，守牡丹峯以相犄角。應昌指授方略，圍其三門。外布鐵蒺藜數重，火器齊發，毒烟蔽空。大……以下闕文

人物 四

武功 二

寧波府

○萬表，寧波府志：字民望。指揮僉事椿子，父早世，事母孝。年十七襲職，好學尚氣節中。正德十五年，武會試，累擢廣西副總兵，充漕運總兵官僉事，南京中府。萬氏三世從征死王事。表，身際承平，以才望爲朝臣所推，督漕久，國計贏詘，河渠通塞，靡不曉。暘二洪水，涸漕舟，竝阻議者謂：黃河改流，表著論折之。又具疏極陳本折通融，爲國長利，而又欲開河北、山東圻內一帶荒田，重農薄賦，爲漸減歲漕之地，議者躓之。海上倭起，表散家財，募死士，欲往奮擊。會以都督僉書南京中府道經蘇州，遇倭婁門。率所募士，及少林僧挫賊鋒，中流矢。遺書於子曰：「我家世以力戰報國，我獨持文墨不任兵，晚年增一箭瘢，不亦美乎？」時賊據七團、八團爲巢，官軍數不利。表言於巡撫周統曰：「賊據內地久，民不得田逋，日積而徵調不已，相率爲盜，是驅之助賊也。宜蠲逋弛役，懸賞格以招之。且下募兵，令士著之餉與客兵等，則人人樂歸，得士千即損賊千也。」議行歸者寖衆，而賊方蜂屯諸島。歙汪直者，以驍雄魁其曹。表，策其可誘而縛也，薦向邑人蔣洲、張惟遠①，使爲間。未及行，而表卒。後總督胡宗憲，卒遣洲以致直，實表之謀也。表將家子通經術，熟先朝典故，所著書甚夥。武臣中有儒學者，表爲著。

○胡守仁，閩書：字子安。觀海衞人。起家世胄，領軍有功。歷官福建副總兵。海寇林鳳，糾黨剽掠，巢澎湖島。守仁率把總王漢等剪除之，隸戚繼光麾下。從繼光談兵，嘗記繼光所授爲紀效新書、練兵實錄。

註：

①「蔣洲張惟遠」，世宗實錄，卷四三四，嘉靖三十五年四月己丑朔條，及明史，卷三二二，日本傳，同年二月條作「蔣洲陳可願」。

（卷一七三）

人物四

武功三

紹興府

○王鈁，獻徵錄：字子宣。會稽人。嘉靖進士，授主事，歷陞右副都御史，提督南贛汀漳軍務。峒賊竊出剽掠，調兵轉餉無寧日。鈁一解諸繁令，惟責郡縣恤煢獨，撫流離，不煩兵而底定。晉兵部右侍郎，總督兩廣軍務。肇慶府扶黎，蔡海、大羅山等處，皆盜窟。鈁發偏師，授以方略，擒其魁馬大恩、李汝瑞，破巢三百有奇。倭寇自閩轉入揭陽，鈁調兵邀擊，斬首三百有奇。復犯湘陽，調兵擒勦百七十人。未幾，長樂、興寧、龍川、程鄉諸處，及羅絲峒賊復相煽動。鈁會兵擒斬賊首楊球等。復念廣中冦盜頻繁，當過其衝，乃相度要害，添設廣寧縣治，斷賊出入。先是，督府自置賞功所金錢，得恣出入，無與覈者。鈁改貯梧州府，每有犒賞，移文給之，出納有稽，軍儲以充。召爲南京右都御史，改工部尙書。引年歸，卒贈太子少保，謚恭簡。

○周如斗，獻徵錄：字允文。餘姚人。嘉靖進士。釋褐貴溪，令入爲御史，按蘇松。會島夷入寇，歲大侵。如斗疏蠲常稅什伍，然後以綏攘大計責之總撫將帥諸臣，民讙聲動地，士氣倍奮。有青陽、石湖、婁門、平望、寶山、水濆、分湖之捷。如斗言兵在精不在衆，於應援之兵力爲裁減。滿歲，吳民叩閽請留，得允。寇復至松鄉，民避入城者以萬計，撫院令杜門毋納。如斗厲聲曰：「是驅民於死也！」乃洞開諸門以入。賊屯桃花港，調兵力戰，斬獲無算。仍會浙省兵夾攻之大捷於沈莊，徐海、麻葉、陳東之衆，以次蕩平。按吳三年，躬擐甲以戰者百數，改督學南畿，行部鳳陽。倭由淮陽薄城下，或請避之別郡。如斗曰：「敢以職不任兵辭乎？」乃簡士卒，飭將領，使進擊，賊遁。陞大理寺少卿，晉右僉都御史，撫南畿。督郡縣選土著，時訓練。倭犯三沙，如斗分布督戰，累以捷上。轉副都御史，巡撫江西。未代，會三衢礦賊竊發，壞接婺源。如斗曰：「婺非城不守！」亟令庀工，令下而賊猝至。如斗自太平馳往驅之，賊始出境。抵江西，疾作，卒於官。

○呂光洵，獻徵錄：字信卿。新昌人。嘉靖進士。知崇安，補御史，巡按蘇松。用餘皇，破海寇大洋中。會敵入古北口，與仇鸞爭馬市，一日章十三。上謂有戰無和，有進無退。歷遷右都御史，巡撫雲南。至則首軍昆陽，斬叛首馬其、李應朝。水西宣慰安國亨叛寇霑益，李向陽、方廷美再反，昆陽鬭遮者索反尋甸，並先後討平之，晉尙書。武定府土官鳳繼祖者，徇連他府，大小酋僚有衆，數萬據城以叛，啓出諸蠻攻城郭。然孽始沐氏數莊，豪而兵符故專沐氏。光洵表其繇，并乞符得自調，賊倚川貴爲三窟計，其敗必從貴走川，乞得暫領川貴諸兵道，賊果敗遁，竟授首於川。武定平，改工部尚書以歸。

○范檟，獻徵錄：字子美，會稽人。嘉靖進士。授工部主事，轉員外郎，中出知淮安府。倭躁犯鹽城，轉掠廟灣。檟行次得報，疾馳詣郡，自將卒，屯菊花溝以捍城。晝繕兵械，宵嚴守備。時荒後府藏空虛，諸軍所給饟日千石，餽者三萬人。商賈稀少，倉糧告匱。檟揭榜增糴價招之。乃廟灣賊方發民屋甓墻築堡，因鹽商積粟爲持久計。檟慮饟不繼，言於槽臺，請發數萬金告糴，湖廣難之。先是，軍門已截留運糧五萬石，檟擅發銀三萬兩六道往糴，五旬米至。就船中減價糴之，頃得銀三萬償糴本，而空獲米五萬石。軍興給足，卒以殲賊。會景王舟涉淮，舳艫萬餘艘，群盜知王重載，出謀劫，布黨分徒，往來窺伺。一日，門卒報有貴客入潘氏園，寓孥者曰：「有傳牌乎？」曰：「否。」命詗之。報曰：「從者衆，而更出入。」檟心疑爲盜，陰選健卒數十，易衣帽如莊農曰：「若往視其徒入肆者，陽與飲，飲中挑與鬬相搏，縶以來。」卒既去，檟命輿謁客西門過街，肆搏者前訴，即牧之，得十七人。陽怒曰：「王舟方至，暇問汝鬬乎？」叱令就繫入，夜傳令儆備。漏下二十刻，出諸囚，厲聲曰：「汝輩謂官府當出迎王，而欲乘空虛爲亂，徒送死耳！」咸叩頭伏。晨捕賊首，已遁。於是令飛騎馳報徐揚諸將吏，而斃十七人於杖，餘賊散潰後罷歸。

○徐甫宰，張元忭徐甫宰傳：字允平。山陰人。嘉靖舉人，令武平。當閩粵之界，山寇蟠結，甫宰攜一僕兼程就道。至則問疾苦，寬征徭，拊循搔抑。城久圮，爲亟完之。近賊諸寨舊無城，時苦剽掠。

爲築城立堡者三。李古春、梁寧輩負險以叛，督府將發兵討之。甫宰單騎詣其巢，曉以禍福，賊羅拜泣下，即解甲降。嘗按事之福寧，島寇突至。州守病不能起，城幾陷。甫宰以便宜且守且戰，城賴以全。又以計擒巨盜徐東洲、梁道輝等，藪賊一空。調程鄉，諸寇聞之，相戒勿犯。獨石窟首賊不悛，令其黨擒之，石窟平，甫宰偶出，相傳已他轉，黠首楊六、古良傑等遂謀作亂。甫宰亟還，誅倡亂者，謀遂寢。已而劇賊蠭起，徵兵十萬不能克。甫宰開誠釋縱，懸賞以激衆心，遂俘徐加悌，縛林朝曦、溫鑑，斬首以狥，餘黨潰降略盡。督府上其功，越格陞按察僉事，備兵潮州潮境。巖菁四塞，濱大海。土賊、島寇相煽亂。甫宰或撫或勦，降滅賊衆以萬計。島寇屯鄒堂，甫宰用所降賊，授以方略，擣其巢。大兵隨之斬首萬餘，自是潮無山海之患，以勞瘁乞歸卒。

○呂光午，新昌縣志：號四峯。有膂力，善詩文，工畫，喜談兵。嘉靖倭亂，督撫胡宗憲，養僧兵於杭之禪騎破圍殺倭數百，救出，鶚欲官之，不可。贈米五百石，使入太學。萬曆初年，關白犯朝鮮，聘天下將略者七人，光午居第二，辭不赴。

臺州府

○張元勳，湯斌張元勳傳：字世臣。太平人。嗣世職，爲海門衞新河所千戶，沈毅有謀。值倭警，從戚繼光破橫嶼諸賊，進署都指揮僉事，充福建遊擊將軍。隆慶初，破倭福安，改南路參將。從李錫破曾一本，累進副總兵。五年，擢署都司僉事，代郭成爲總兵官，鎭守廣東。惠州賊唐亞六等刦掠郡縣，元勳進勦，亞六等授首。肇慶、恩平賊陳金鶯等，與鄰邑苔村賊羅紹清、林翠蘭、譚權伯、藤峒賊黃飛鶯、黃高暉等相煽爲亂。故事：兩粤惟大征得敍功，鵰勦不敍，故諸將不樂。鵰勦總督殷正茂，與元勳計，令鵰勦得論功，諸軍爭奮。又密遣副將梁守愚等屯恩平若常戍者。掩不備，斬翠蘭等，生擒紹清，權伯以獻。其諸路鵰勦者，生得金鶯，而高暉等亡去。元勳逐北，至藤峒，生獲之，諸賊盡平。惠、潮地相接，賊首藍一清、賴元爵、馬祖昌、黃民太、曾廷鳳、卓子望等各據險結砦，連地八百餘里，黨數萬人。曾金鶯等滅，諸賊頗懼，佯乞降。正茂知其詐，徵兵四萬，令參將李誠立、沈思學、王紹，遊擊王瑞等分將之。元勳居中節制，數道幷進。賊遇之，輒敗。元勳追亡至南嶺，一日夜馳至，擊破李坑生，得子望等。明年，破烏禽嶂、廷鳳等阻高山，元勳佯飲酒高會，忽進兵擊擒之，先後獲大賊首六十一人，次賊首六百餘人，破大小巢七百餘所。進都督同知，世廕百戶。潮州賊諸良寶旣撫復叛，犯陽江，據故巢，居高山嶺不出戰。元勳積草土，與賊壘平，用火攻之，斬首千餘級。捷聞，進世廕一級。遺孽魏朝義等四巢亦降，惠潮遂無賊。其冬，倭陷銅鼓石、雙魚城。元勳大破之儒峒。五年，大征羅旁賊，進都督，改廕錦衣，尋以疾致仕。

〔卷一七四〕

人物 四

武功 四

處州府

○鄭汝璧，獻徵錄：縉雲人。隆慶進士。授刑部主事，歷遷井陘兵備副使，改赤城參政。赤城在上谷，爲塞外地。汝璧時衣袴褶，與諸將馳走郊原，校武技，講戰略，越陽和謁制府，皆以馬，不以輿。晉河南左參政，遷楡林中路按察使。風勵諸將，勤訓練，戎務改觀。尋遷山東右布政使，累擢至僉都。巡撫青州，賊魏邦齊倡亂，殲之。倭破朝鮮，駐釜山者幾二年。隔一水，揚帆即至。汝璧募標兵，調浙兵，以束伍法整齊之，士皆可用。以憂歸，起南太常少卿，擢延綏巡撫，延綏故所宦地，悉諳其形勢要害，兵爲天下雄。諸將多舊材官，指使如意。敵炒兒忽明愛等入紅崖墩，大帥杜松擊走之。復窺懷遠，遊擊沈應蛟戰卻之，皆汝璧發縱指示之功也。遷兵部右侍郎，總督宣大山西軍務。講戰守，檄行諸道，修城堡，練士卒，治器械，間召故大將麻貴、董一元等談用兵之略，旋以疾乞骸歸。

○樊獻科，福建通志：縉雲人。爲御史按閩。島夷犯瀕海諸郡，汀盜阻山爲潢池。巡撫與諸將鍵城門。獻科慨然曰：「人臣奉璽書境外，苟利社稷，專之可也。山海方螫毒，在事者鍵城自守如元元，何投袂起視師？」諸將始決戰，島夷就殲。

〔卷二〇四〕

列女 三

嘉興縣

○六烈婦，萬曆嘉興府志：全氏、周聰妻吳氏、沈茂華妻婁氏、汪志妻金氏、顧惠妻沈氏、吳銓妻費氏、徐胡妻皆遇倭寇投水死。

列女 四

海鹽縣

○步橋妻朱氏，海鹽縣圖經：海寧朱天弘女。嘉靖三十五年正月，遇倭寇，欲污之，不從，抱幼子投虞溪橋下。倭以槍引之起，朱罵不絕口。倭輪槍戳之，貫其額顱，母子同死。

石門縣

○朱阿妹，萬曆崇德縣志：市民朱潮女。被倭劫至城隍廟橋。朱紿曰：「吾偕祖母來，有金可取。」倭信之，乘間投河，頭觸石柱死，祖母陸亦隨溺焉。

○姚菊香，萬曆崇德縣志：市民姚縉義女。聞倭至，言笑自若，衆嗤之。菊香曰：「若輩第怕死耳，死何怕之有？」及倭至，抱其子自沈於河。數日，屍浮水面，母子相抱如生。

○陸道弘妻朱氏，萬曆崇德縣志：年二十七，抱三歲遺孤匿一樓，爲倭所獲，劫之行。氏紿倭，令抱其孤，下樓投井死。

謹按：姚菊香，嘉興府志作蘭香陸道弘，舊浙江通志作陳道弘，均未詳孰是，今從萬曆志。

○朱貴妻范氏，兩浙名賢錄：倭犯境，夫妻走避，猝與倭遇。倭揮刃殺貴氏。厲聲奮臂爪倭面，倭怒剖其腹，罵不絕口而死。

○吳鑾妻戴氏，萬曆崇德縣志：年二十五，被倭執，將污之。以死力拒，身被數刃而死。

列女　五

烏程縣

〔卷二〇六〕

○錢欽妻茅氏，籌海圖編：賊犯烏鎭，氏與姑引舟猝遇之。賊業已擄姑，并欲及婦。婦時懷孕九月，又攜一幼男隨舟中。呼曰：「吾母子三人俱死矣！」即手抱男沈河而死。賊憤之，復抽刃剖其腹。御史疏其事於朝，勅爲立祠。

列女　七

慈谿縣

〔卷二〇八〕

○姜阿龍妻桂氏，籌海圖編：桂阿寶女。方少艾，賊至，與衆婦走匿。馮氏僻室，室後有池，賊搜室，衆婦競赴池。賊以手挽之，桂絕袂而死。

○馮警妻張氏，籌海圖編：年二十，歸警。六年，遇倭寇，偕姑竄匿。其夫爲寇所殺，張亟收夫屍殮葬。未數日，寇復至。張偕姑及妯娌，買舟逃至管山江，爲寇所及。張知不免，曰：「不死且汚賊手，然馮之嗣不可絕也。」以幼子付其姑，偕伯之妾徐氏即沉於江。賊大驚異，遂舍舟中諸婦以去。

○沈氏六烈，籌海圖編：章氏，沈祚妻；周氏，沈希曾妻；馮氏，沈信魁妻；柴氏，沈惟瑞妻；孟氏，沈弘量妻；孫氏，沈琳妻。沈爲慈谿思橋巨族，家觀海、鳴鶴之間。家衆至二千人，多驍黠善鬭。

自嘉靖以來，海寇上烏山，燬鳴鶴，縱橫蹂躪。沈氏不惟自衛，且能殲其渠魁，奪其所掠，賊甚讐之。至是，賊大至，沈氏豪誓於衆曰：「無出婦女，無輦貨財，誓以死守，不能者先戮之。」章氏亦誓於內曰：「男子死鬭，婦人死義，辱與死等耳！」衆婦皆竦聽。旣而賊圍沈氏，群婦聚于一樓，賊散入戶。章氏遽出投於河，周氏馮氏繼之。柴氏方爲夫礪刃，賊已斫戶入。柴即以刃所賊，旋自刃。孟氏、孫氏，娣姒爲賊所得，相持不放。奪賊刃自刺，皆死焉。忠橋之難，沈宗婦死難者三十餘，其六人尤烈者也。

○王氏二節，慈谿縣志：姜氏、余氏娣姒也，遭倭變，奔匿隣圃。賊窺見二婦，拔刃迫之。余赴池死，姜被亂刃。死事詳孝子王應麟傳。

○茅氏女籌海圖編：年十四，父母亡，獨與兄嫂居。其兄痿臥，賊入縣，嫂出奔呼之以行。女曰：「吾室女也，去將安之？俱去，孰爲扶兄？」賊至，遽縱火，女力扶其兄避於空室，俱被燔灼而死。二屍相攣綰焉！

○錢應文妻朱氏，舊浙江通志：夫亡守志。嘉靖間，倭入寇。負姑匿空舍，四望俱燼，獨所匿處無恙。奉旨旌表。時有一女，初字尙美，衣飾，賊執欲汚之。女詈曰：「汝賊也，吾爲儒家婦，豈從賊耶？速殺我，當以頸血濺汝！」賊怒，刀裂腹死，惜其名不傳。

奉化縣

○竺欽妻陳氏，兩浙名賢錄：嘉靖丙辰五月，倭入奉化。氏少艾，與夫携姑及女而逃。至徐家渡，倭追甚逼。陳度不能脫，言於姑曰：「辱而生，寧不辱而死。」遂令夫負其姑，自抱女，投水中死。

鎭海縣

○傅烈女，籌海圖編：嘉靖中，昌國傅梓女。年十七，美姿色，未嫁。寇猝至，家故瀕海，遂爲賊所得。女即以石自破其面，流血塗地，賊怒磔之。

○李烈女，籌海圖編：昌國人。寇至，執而欲汚之。李罵賊不屈，竟死之。

○葉小九妻嚴氏，籌海圖編：爲賊所執，驅之而前。氏知不免，遂投河而死。

象山縣

○林某妻夏氏，舊浙江通志：嘉靖三十年，倭破昌國。氏被掠，賊欲汚之。不從，乃殺一他婦以恐之。又不從，持石擊賊，賊怒，舉刃破其腹而死。

○王憲維妻邱氏，籌海圖編：賊刦西山，至憲維室。時夜分，賊欲汚之。邱氏不從，執木棍擊之，中賊首。賊以刃刺其腹而死。

○王仁益妻張氏，舊浙江通志：嘉靖四十年，島寇入境，氏適歸寧。父爲賊所殺，氏抱父屍痛哭。賊欲犯之，不從。舉白刃以示氏，即奪刃自刎死。

○俞衡妻王氏，象山縣志：島寇犯境，衡戰死。氏年甫十七，時孀姑在堂，幼子在抱。家故壁立，且暮治織紝，佐姑膳。姑歿，歲且儉，有奪之再醮者。抱子泣曰：「吾所不獲從，地下以此藐孤耳。」剪髮自誓，垂死，足不踰戶。

列女九

臺州府

〇馮光奴，臺州府志：馮良攀女。許字葛坤。年十七，未嫁。嘉靖戊午，海倭焚掠，女扶祖母陳入將軍山茂林中，爲倭所獲。以手引女臂，女奮拳擊倭罵曰：「便殺我，斷不汝從。」倭揮刀斷其右手五指，猶左手提石擊之。倭遂三斷其體，陳得免。倭退，父收其屍，面色如生。巡按上其事，旌之。（卷二一〇）

列女十

黃巖縣

〇項巽妻徐氏，黃巖縣志：年二十七。嘉靖壬子，倭寇至，被執，欲汚之。氏紿之曰：「吾裝在窖室內，願携之以從。」賊縱之入室，遂赴井死。詔旌其門。

〇陳克諧妻解氏，黃巖縣志：名絳奴。年十五，字克諧。倭寇犯境，克諧娶之以逃。至邑西霓橋，其姑分金授之曰：「賊至，當以贖命。」解泣曰：「有死而已。」及賊至，遂投河而死。

天臺縣

〇陳音妻曹氏，天臺縣志：年二十二，性嫻靜，寡言笑，事舅姑孝。嘉靖乙卯冬，倭寇入境，隨姑出避。與夫訣曰：「脫有不虞，有死而已。」既而遇寇，度不得全，遂投水中死。寇驚駭而去，其母王氏亦早寡守節。

○龐氏二女，天臺縣志：龐貴女年十六，龐豪女。年十五。嘉靖乙卯冬，倭寇殺掠至溪畔，逐之急，俱投水而死。

〔卷二三六〕

陵墓二

海鹽縣

○明刑部尚書贈太子太保謚端簡鄭曉墓，嘉興府志：在勾脞山，山在璵城南。

傅詳名臣明穆宗諭祭文：卿以端潔之行，閎敏之才，發解鄉闈，擢秀甲第。職兵曹則飭戎懋績，任銓司則典選稱平。官偶左遷，名益奕起。久歇歷於中外，茂宣樹乎聲猷。總務漕臺，國儲允資以充裕。兼撫淮甸，夷氛世賴以蕩除。少宰貳天曹，丕著公清之譽。中丞理戎，政益蓄撻伐之威。特晉秋卿，克協明允，倚任方切，勤勞足嘉。乃謝事以退休，猶一德之不懈。向將召用，忽報長終。式念往勤之多用，頒恤典顧軫老成之逝，爰贈官階，既節忠以爲名。仍賜葬而諭祭，爾靈不昧，尚克歆承。

江南通志

〔卷一〇〕

清王新命等修，張九徵等編纂，清康熙二十三年刊本

城池

蘇州府

○常熟縣城，唐武德初始遷虞山下，列竹木爲柵。宋建炎間，知縣李閶之建門五。元築土城。張士誠據蘇州，以常熟爲要害，更甃以磚，高二丈二尺，厚一丈二尺，周九里三十步，最爲完固。明永樂歲大祲，民盜城磚以易食。知縣柳敬中慮變，聽其毀而城日以廢。嘉靖間，倭寇亂，知縣王鈇，興工修築。高二丈四尺，建門七，惟西北二門枕山，餘五門內外各有深濠。南門曰翼京，北水門曰望洋，北旱門曰鎮海，西門曰阜城，大東門曰賓陽，小東門曰迎春，西北門曰虞山。萬曆甲午，知縣張集，義增高三尺，內甃馬路。丙午，知縣耿橘，改望洋門曰鎮海，虞山門曰鎮山，鎮海門曰鎮江。

○吳江縣城，梁開平間，錢鏐築，後廢。宋嘉祐二年，知縣裴煜，復建南北二門。元至正十二年，知

縣札牙進，重建北門。十六年，張士誠重築，高二丈八尺，厚一丈五尺，周五里二十七步。陸門四，水門四，旱門一，各以方名，明成化元年，知縣陳堯弼重建城樓。嘉靖間，倭犯境，知縣楊芷倡議增築，高三丈二尺，厚一丈八尺。爲四門月城，城垣長一千八十四丈五尺。十六年，知縣曹一麟，覆以甓，城益完固。

○嘉定縣城，宋嘉定十二年，知縣高衎孫築土城。元至正十六年，張士誠遣其將呂珍重築，始用磚石，計九里。爲門四：東曰晏海，西曰合浦，南曰澄江，北曰朝京，東、西、南水門附焉。明正德間，流賊據狼山，知縣王應鵬，築土牆備之。嘉靖間，知縣李資坤，增拟北水門，又於上建樓三楹。十九年，海寇倡亂，知縣馬麟，增崇土牆。三十二年，倭入寇，知縣萬思謙，改甃以甓。周二千二百六十六丈六尺，基廣五丈，面三丈。後東南毀於霪雨，知縣楊旦重築，崇加四尺，門各建樓。易澄江曰宣文，合浦曰濟漕，朝京曰振武。重濬外濠，周二千六十五丈，深一丈。

○上海縣城，嘉靖間，知府方廉，因倭亂築。周圍九里，高二丈四尺，廣二丈。池深一丈七尺，濶六丈。同知羅拱辰，於四門益以敵樓、箭臺，環濠增以土牆。萬曆中，知縣許汝魁，奉撫城加五尺，開小南門水關，引薛家浜水以通市河，民利賴焉。知縣徐可求、劉一爌、李繼周，相繼甃石。

○丹陽縣城，丹陽舊城，周廻五百六十步，高一丈五尺。明嘉靖年間倭寇內犯，知縣陳奎始築內城。周廻九百七十九丈，徑三百三十三丈有奇，高二丈二尺，下濶三丈，上半之。內城既築，市民移於外者十之七，居人患其隘，白巡撫張景賢，令於城外壘土城。知縣史永壽，增築門有五：曰東門，曰小東門，曰南門，曰小南門，曰北門，曰西門。敵臺二，水關二，濠濶八丈，始合內外城爲一。

○金壇縣城，唐長壽元年築，萬歲通天中，甃以甓。週七百步，高一丈五尺，門十有一。歲久湮廢爲平地。明正德壬申，流賊至江上，知縣董相，率衆廣之，修築土城。週一千二百四十二尺，高二丈，下濶三丈，上半之。闢門六，幷水關，皆甃以石。乙亥，知縣劉天和，以關基不固，又改築之。嘉靖甲寅，倭警，知縣趙圭，甃以甓，壘石爲基。週一千二百三十四丈四尺，高二丈六尺，爲門六。萬曆乙酉，知縣許弘綱，復改築兩水關，高廣於昔。天啓四年，大水，東城圮百餘丈，知縣楊錫璜修之。

揚州府

○揚州府城，揚州有城，自春秋吳王夫差城邗溝，楚王熊槐城廣陵始也。其後，漢、吳、晉俱爲廣陵。自齊、梁迄陳爲兗州，隋復爲廣陵。唐爲揚州，亦名邗州城，皆無異。周世宗命韓令坤築小城於揚州，周圍二千一百八十丈，宋因之。明初，僉院張德林，鎭守揚州，以兵後人稀，因宋大城西南隅改築，僅周九里一千七百五十七丈五尺，厚一丈五尺，高倍之。設門五：南曰安江，北曰鎭淮，西曰通泗，東曰寧海，東南曰小東。各門有甕城、樓櫓、雉堞、警舖、敵臺相望。南北水門二，引官河貫其中，曰市河。其新城經始於嘉靖丙辰二月，時以倭寇，用副使何城，舉人楊守誠之議也。起舊城東南角樓，至東北角樓，周十里，計一千五百四十一丈九尺，高、厚與舊城等。城樓五，設門七，南曰挹江，鈔關在焉。又，南爲便門，東南曰通濟，東曰利津，東北爲便門，北曰鎭淮，又北曰拱辰。闞北亦爲便門，南北即舊城濠口，爲二水門，東南即運河爲濠，北濠引水注之。萬曆二十年，知府吳秀，浚西北濠，甃以石堤，增城堞三尺。二十五年，知府郭光，甃石濠，未竟者四百餘丈，增敵臺一十有六，屹然足恃。

○泰興縣城，宋舊城，殘於寇。紹興間，金兵逼揚州，知縣尤袞，增築土城於外。明弘治間，知縣原秉忠立四門：東曰寅賓，西曰迎恩，南曰南薰，北曰拱極。嘉靖十三年，知縣朱篪，增建延薰門於濟川橋西，復因土城故址而經度之。三十四年，倭入寇，知縣姚邦材，奉詔築城，周延七里，計一千三百五十三丈，高二丈五尺。闢四門：東曰鎮海，西曰阜城，南曰澄江，北仍曰拱極。其小西門居民自具工費，請於郡守報可，名曰通濟門。西水關在阜城門南，五城門外，各建弔橋，內週馬道，外環城濠。四十年，署縣事高郵州同知奚世亮，添建北水關，知縣許希孟，添設五門內重門，幷建樓於北水關上。萬曆二十五年，知縣陳繼疇，增建敵臺，益浚城內外濠。

○高郵州城，有新舊二城，今城即宋舊城也。周圍一十里三百一十六步，高二丈五尺，濶一丈五尺。四圍有濠、塹，地形四面下城基獨高，狀如覆盂，故名盂城。淳熙乙巳，郡守范嗣蠡，建樓於四門上：東武寧門，西建義門，南望雲門，北制勝門。又於南北開二水門通市河至開禧。丁卯，增以重濠。明洪武丙午，復甃以磚。嘉靖丙辰，倭警，知州趙河，補其卑缺。後知州申請撫按州修其七，衞修其三。

○如皋縣城，故熙城。明嘉靖十三年，知縣劉永準新作六門：東曰先春，西曰豐樂，南曰宣化，北曰北極，東南曰集賢，東北曰拱辰。三十三年，縣苦倭患，邑人李鎭等建議築城。都御史鄭曉發帑金築圓城七里，凡一千二百九十六丈，高二丈五尺，城樓四座。外濠深一丈二尺，廣一十五尺，袤三千三百六十丈。爲水關二，知縣陳雍董其成。萬曆年間，知縣王以蒙，築四門月城，知縣張星，築敵臺十三座。

徽州府

○歙縣治在府城外，無城。嘉靖三十三年，値倭入寇，知縣史繼芳議築，周圍七里有奇，高三丈，廣二丈。西南以府城爲屏庇，餘三面皆山不池而險。門傍各有連弩之臺四盼，雉堞鬱起，守障之舍二十四，瞭望樓二所，一在問政公署，一在新安門內。

〔卷一三〕

海防

揚州府

○通州當江海之交，爲第一門戶。其間洲渚港汊叢雜，又魚鹽諸奸挾輿販爲厚利，伺隙劫掠，出沒不常，故狼山尤屬要害。明制本守禦千戶所，自嘉靖初倭寇分掠，通海沿海增置營戍（戍）而通州設參將，未幾，改副總兵。

○掘港營在如臯縣界，始自明初湯和於沿江沿海設立衞所，千戶防守。後因嘉靖年倭警，添設守備哨官管掘港，拼茶白駒、丁美、舍東、臺場、海口五寨所轄交界墩馬路沿海起，至二十八總墩止，共墩臺二十一座，汎地一百五十里，俱係掘港營撥兵防守，下接泰州沿海汎地。

○泰州營，原設守禦千戶所，屬徐州兵備道管轄。後因倭警，添設海防兵備道駐箚本州，有忠義、忠勇二營中軍。

松江府

○金山衛，坐落松江府華、婁二縣界，城臨大海，實爲江浙首衝，蘇松門戶。南遏汪洋，北通鄉浦，西連浙壤，東控柘青，幅幀數百餘里。其邊海要汎，東有胡家廠、金山頭，西有白沙灣、大營盤、新廟廠等處。柘林營，坐落松江府華亭縣東南，口汎地如：周圍二百餘里。城臨大海，南逼海面，東接青村，西連金山。其海東袁浦、西袁浦、草菴、龍王廟、漕涇鎭五處最爲緊要。

○各處海口多灘塗閣淺，而柘林獨否。其來易於登岸，其去易於開䑸。海濱至內地，必由小港出浦。若非潮至，則水澁難行。柘林之西獨有上横涇歡娛菴，深而且濶，可縱行舟，片帆出浦，即是葉謝；行十八里，即抵郡城。嘉靖中，寇據此爲巢。

○青村所營，係明湯信國建，今設守備駐防，統領馬步官兵，分發沿塘十一墩，及汎口要地，如：横林朝陽廟、李家路口、陳家路口、壇廟路口、牛皮小㴑魚秧棚、翁家港、瞭海墩七處，極爲險隘。

○南匯營，地形突出洋中，三面皆海。向年倭寇每察風色，分䑸於洋山、馬蹟，蓋各堡止防一面，而是堡獨三面受敵，今設守備駐防，分南北兩汎。南派把總守一團，鎭北派百總守四團鎭。

○川沙營，坐落松江府上海縣地方，東臨大海，西枕申江，南接南滙，北至寶山黃家灣止。江防則虬港、陳家嘴、東溝、西溝、渡洋涇、曹家渡、陸家渡諸處；海防則川沙窪、三尖嘴、曹家路、蔡路諸處，達嘉定縣界寶山所，延袤共二百餘里。

○按蘇松瀕於大海，自吳淞江口以南，黃浦以東海壖數百里，一望平坦，皆賊徑道，明不能禦之於海，致倭寇深入二府，一州九縣之地，無不創殘，其禍慘矣。吳淞江有海塘而無海口，則上海之川沙、南滙，華亭之青村、柘林，賊據爲巢。而金山界於柘林、乍浦之間尤爲江浙要衝。至於蘇州沿海多港，則嘉定之吳淞所，太倉之劉家河，常熟之福山港，賊舟處處可犯，而崇明孤懸海中，尤爲賊所必經之處，特設參遊，分駐竺泊營前二沙往來會哨，內外夾持，上可以禦賊於海洋，下可巡哨而相守。出職方攷鏡。

〔卷三八〕

名宦 一

總部

○董邦政，嘉靖間，以僉事專領海防，駐上海。時倭賊至，穴民樓俯瞰城內。邦政登陴督戰，用神鎗手擊之，賊解去。尋與同知任環，合擊倭于界嘴、西庵、新莊、沈莊等處，皆勦滅之，論功，爲趙文華所抑，不竟其用。

○翁大立，嘉靖八年，巡撫應天諸郡。會寇嘯聚三沙，兵部郎中唐順之來視師，因共設方略，大破之。後任總河徐州，大水湮沒。大立倣鄭俠爲圖以進，時穆宗好觀燈、採珠，大立疏曰：「願陛下以觀燈之心觀臣之圖，以採珠之心採臣之言。」疏入，不報。中外爲大立危，我有旨，發粟大賑。

蘇州府

○任環，蘇州同知。倭寇東南，躬披甲胄，率兵力戰，徧身書姓名，曰：「死綏職也。爲二親記此髮膚。」與士同寢。食。俸入，悉犒戰士，士樂爲死。既晉僉事，備兵太倉，疽發。聞賊至，急裹創出擊賊，俘斬百餘級。賊望環旌旗，輒遁去。甲寅，賊犯蘇，民爭避入。城扃門不許入。環曰：「第啓之，有我在，勿慮！」遂活數十萬人。時勦倭之功，環爲最。

○萬思謙，嘉靖間知嘉定縣。倭薄東城，乘風焚倉舍，城幾陷。叩頭籲天風返，火滅，乃解去。慮邑城土堞難守，請易以甓。明年，城成，賊果大至，恃以無患。

○彭藎臣，嘉靖倭變時，以宣慰司奉調來援。與倭遇，轉戰至盛墩，斬倭三千餘。力竭，被創死。而倭亦敗退，人改其地爲勝墩。

〔卷三九〕

名宦二

松江府

○湯和，洪武初，封信國公。太祖謂之曰：「日本屢擾海上，卿雖老，強爲朕行，視要地，築城增戍，固守備。」和乃建金山衞，又迤東建青村所，又東北建南滙所，增制守禦千戶所於府城，經畫周密，世守其制。①

○俞大猷，以副總兵駐金山。始至，見兵不滿三百，乃權集河船上兵扼險守要，防遏內突，旋擊賊於平望，又戰於六金壩，皆大捷。

○方廉，嘉靖中，知松江府。時倭寇入犯，廉用顧從禮議築上海城。明年春，寇攻上海。以城固，弗能克。又條上使民間得自募鄉勇，保聚殺賊。立賞格爲勸，減客兵十七，故被寇。五年，民猶得休息云。

○韓崇福，松江教授。倭寇薄城，崇福登陴分守，發二矢皆殪其魁。尋奉檄出浦守禦所，統不滿數百人。寇蜂至，矢集如雨。崇福弗動，徐還射之，無不命中，斬馘而旋。

○劉東陽，上海丞。蕭顯入寇，東陽追擊之。遇賊衆，皆潰走。東陽挺身獨戰，遂遇害。先是，鎭海衞指揮武尙文，同建平縣丞宋鰲，統所部駐兵上海。賊至，尙文擊敗之。追賊，伏發，死。鰲亦力戰，死之。與東陽並祀群忠祠。

○吳桂芳，嘉靖年知揚州。倭寇江北，募練鄉勇守禦，策無不備。議築海門、泰興、如皐、瓜洲四城，城成，民得保全。石茂華，嘉靖年知揚州築外城捍

常州府

○王其勤，嘉靖中，令無錫時，倭內訌。錫城久壞。其勤涖事甫三日，即召父老謀築城。合仕宦家與民分仕版鍤，親督視之。不三月，工甫竣，而倭從福山港至矣，錫人得憑城爲守。又丈田豁免無田之糧數千石，錫人立祠於惠山。錢錞，嘉靖壬子，任江陰令。時倭賊入犯，鄉民避寇者望城櫓而泣。錞啓門盡納之。賊圍城急，援兵不至。錞曰：「睢陽何人哉！吾惟以死報國耳！」於是集千人突圍

出戰。兵潰，錞馬陷泥淖。伏寇起，身被十餘鎗。顧謂左右曰：「吾死國，分也。」遂遇害。巡按上其事於朝，立祠祀焉！祠名「愍忠」。

揚州府

○朱公節，嘉靖年知泰州，繕城郭，浚河隍，倭寇不敢窺伺。悉蠲不急之征，卻常例千金，清白之風至今稱焉！

○朱袞，嘉靖年任揚州同知。倭寇犯境，率兵同高郵衞經歷晏銳禦之，咸戰死。即其地立祠祀之，賜額「雙忠」。

註：

①湯和事跡亦見於本卷常州府，惟其文字與此異，曰：「湯和，與徐遠克常州，奉命鎮守其地。先是，常州城廣袤四十里，大而難守。和斂其東、西、南三面重築之，屹然重鎮。」

〔卷四〇〕

名宦三

太平府

○陳一道，嘉靖間任蕪湖丞。倭寇犯境，承檄南陵防勦。衆皆奔竄，一道鼓勇當鋒，以孤懸被害。義男子義赴援，亦死賊手。事聞，贈應天通判，子義亦贈應天經歷。

〔卷七〇〕

脩築無爲州城記

徐階

無爲州，故有城，周若干丈。其始不知所由築，及元末而圮。今復城之者，監察御史吳君百朋也。嘉靖辛亥、壬子間，倭賊竊寇海上，州人布政參議劉君崙，以侍御憂居，言於同知今按察僉事許君用中，請城以爲之備。而無爲去海遠，衆相與迂之，不聽。後三年，倭寇益肆，致焚燒郡縣，奉命按吏而取其藏。天子詔有司各得爲城自保。於時許君已去州之吏，無能任其事者。明年丙辰，劫守江北。會寇犯淮陽，遠近洶洶。君歎曰：「是尚可不急圖哉？」乃進州守何寵條公帑之羨得若干緡，使具諸費。而召其民告語之，使出力以供諸役。民胥應無後，始事于七月八日，凡爲日九十，城成。寇聞，不敢犯州。父老子弟相與樂其生而頌君之功。于是劉君走書京師，請予記。按誌：無爲隸廬州，廬在曹魏、南宋，蓋南北之界，而攻守者所必先也。想其時高城固門百倍他郡，而民之苦于兵革亦有甚焉者矣！逮我朝混一區宇，列聖相繼禮教，明法令，一寇賊奸宄無所容其間。而廬又于天下爲中土，其吏民晏然無復戰爭之慮，故城之遺址坐視其沒於荒榛野草之中，無復以爲省者夫，豈非治平之徵，而臣民之大幸與？然君子之爲政，未嘗不以其身共天下之樂，亦未嘗不以其心先天下之憂。城郭溝池所以設險，而守國者蓋不俟患之既至乃爲之圖也。若茲城之久而復沒也，又豈非有司之失職而論政者所深慨與？自江南用兵以來戰守之務，取倉卒以致喪敗者多矣。彼其心非盡不知患之當備，惟夫計迂習惰而僥倖免諸其身，故備之弗豫也。無爲今巨州，寇所窺也。非賴吳君，殆不免於焚刦。然國家之制，吏率以九載乃得去。其官惟御史之出按，則一年而代計吳君之日，宜易以僥倖無事而獨汲汲乎備，以脫州人於兵火之中，此其賢於世之君子遠矣。予故爲記其事以告爲政者，使知勸焉。

江南通志

清趙弘恩等監修，清黃之雋等編纂，四庫全書本

〔卷九六〕

武備志

江防

○淮安府濱海三縣，北則安東中，阜寧，南則鹽城、安東，宋漣水地，隔河與廟灣相對。河、淮之流從此入海，其地有白陽、鹽場、團墟、七里、平望、遏蠻等河，縱橫連絡，俱西接官河，東入一帆河，以達於海。俗謂之七條港，其東有雲梯關，自一套以至十三套，前明時，大河衞指揮駐防於此，蓋河海交會之衝云。過大河口而南，爲廟灣，舊本屬山陽縣，今爲阜寧縣地。宋末李全遣海舟出海口，以習海道。明築城堡，設遊擊及海防同知以協守之，皆廟灣地也。廟灣之西爲劉莊，明官兵敗倭於此。追至蝦子港而遁。又有蛤蜊、痲線二港，爲從前窺伺之逕又有窈子港。

○揚州沿海之邑二，北則興化，南則泰州，至海安鎭而止。興化自石礎牐以北，與鹽城分界，有劉莊場，明兵備陳景韶殲倭處。劉莊之下爲白駒場，嘉靖三十八年，副總兵劉顯、曹克新嘗敗倭於此。其地有牛灣河東入於海，設南北二牐。有鬬龍港，自劉莊場北分流，東入於海。有大東河自草堰北分流丁溪河東北入海。自丁溪以下爲泰州境。泰州營舊有六寨，自興化之劉莊、白駒而下，曰丁美，舍在東臺場海口。曰角斜，曰拼茶，在州東濱海之地，與如皋之掘港而六。前明嘗設忠孝、忠義兩

營。嘉靖間，以倭警，復設海防兵備道駐防於此。

○泰州入如皐，歷李家堡豐利、馬家二場，南至掘港營。掘港爲洪武初信國公湯和經理海上時築舊止，設土堡。嘉靖三十三年，倭入寇，巡撫鄭曉奏設把總。三十八年，巡撫李𨯲奏改守備，統東西二營焉。

○崇明，即宋三沙之地，周五百餘里。孤懸大海，四面受敵。西北望通州，西南望太倉，州雖呼吸可通，而皆爲滄波所隔。唐順之所謂天生此一塊土以障蔽南直門戶者也。明多倭寇之警。嘉靖三十二年，倭據南沙。又明年，入野茅港。又明年，寇平洋沙。間一年，掠營前沙。其明年，入水濱港。又三年，據縣後沙。其他侵犯，不可勝計。

○自狼山而南，與常熟、福山相對，爲江海合流鹹淡分界處。烽戍相望，一葦可達。晉咸和五年，石勒將劉澂浮海抄東南諸縣以入海虞此，自北而南也。唐中和間，招討使周寶討周郁於海上，郁退保常熟，走海陵，此自南而北也。

○康熙十九年，始開海禁，（常熟縣）設立狼、福對渡官船二十舸。二十四年，復設海關，許民出海貿捕，自是狼、福之間，往來者項背相望。其福山戍守始自明嘉靖間總督張經之議。既而操江御史高桂春請募水兵萬人，屬參將操練。胡宗憲又請添置遊擊，爲蘇松應援，並從之。倭寇既平，築堡於此。

○太倉爲濱海之門戶，自太倉而南，過七鴉浦爲鎮洋縣界。自鎮洋而南，過劉家河爲寶山縣界。自寶山而南，接松江府境，其地與海中竺箔沙、小團沙相對。太倉爲元時海運放洋之口，帆檣、燈火輻輳於此。自明嘉靖三十年以後，倭寇之警，太倉之地兩被攻圍，城外居民焚掠幾盡。蓋邑當海衝，爲賊蹤駐泊之的故也。劉河營舊爲張家行鎭，元置嘉定州水軍分鎭萬戶府，遂稱水寨。明置三巡檢司，立烽堠六。正統初，金山寇警，侍郎周忱，指揮翁紹宗，復議設軍寨焉。嘉靖四十五年，命設參將於此。

○吳淞口之南舊有土城二，皆洪武間築。正統九年，指揮翁紹宗復建磚城，是爲吳淞旱寨，歲久漸廢。後以倭寇之警，萬曆四年，兵備王叔杲建議改築於旱寨之北，與寶山山麓相距甚邇。萬曆十年，怒濤決李家泓，山漸坍沒，城迫於海。

○松江一郡三面距海，當震澤之下流。晉袁山松築滬瀆壘於此，以扼禦海之門戶，重其防也。其沿海之縣，自北而南，曰上海，曰南匯，曰奉賢，曰華亭，曰金山。而黃浦、川沙、南匯、青村、柘林、金山等營，或分或幷，互相應援。明嘉靖間，倭寇汪直、徐海等嘗據柘林爲巢，穴綿亘二百里。若老鸛嘴、七八團之間，皆其部落所屯聚，華上之間騷然矣！

○上海接壤嘉寶，獨當黃浦之衝，最爲險要。論者謂當守吳淞之李家口以拒賊，上流守黃浦以拒賊，橫渡爲禦防之上策也。舊有墩臺十七座，俱在內塘。每墩間懸六里以達於南匯。康熙二年，以內墩離海過遠，聲息難通，乃建外塘斥堠巡防瞭望，內外相資，爲他堡所不及。自今分縣以來，十五墩以下屬上海，十四墩以上屬南匯。謂之匯者，本堡地形突出海中如嘴，面面受敵，海寇分艘於洋山、馬蹟之間，遇東南風則此嘴大勒口當洋山之衝，遇東北風則此嘴四五六團洪當馬蹟之衝，各堡止防一面，此獨三面拒防，故謂之匯云。南匯之東北有川沙窪，明嘉靖間，賊首陳東嘗屯於此。由南匯而南，爲奉賢縣地，青村營所駐也。營本洪武二十年湯和所建。明鄭若曾曰：松江臨海者三面，金山當其南，南匯當其東，青村當其東南二面轉屈之會，故爲衝要。其地如橫林，朝陽廟、李家路口、壇廟路口、牛皮小勒、魚秧棚、翁家港墩，俱稱險要。自西袁浦而南，入華亭界，柘林營所駐也。有漴缺口爲捍海堰險工之地，蓋以金山、許山聳峙洋面，潮爲兩山所束，直衝漴缺，故易侵齧，今俱修築堅完。柘林所屬如東西袁浦、龍王廟、草菴、漕涇，皆要地也。自華亭而南，入金山界，其地東爲青南之上游，西爲乍獨之界限。明胡宗憲遣將王沛沈賊舟於金山洋，蓋由其地。嘉靖中，設參將於此。

○揚州沿海之邑二：北則興化，南則泰州，至海安鎭而止。興化自石礎牐以北與鹽城分界，有劉莊場，明兵備陳景韶殲倭處。劉莊之下爲白駒場。嘉靖三十八年，副總兵劉顯、曹克新，嘗敗倭於此。其地有牛灣河，東入於海，設南北二牐，有鬬龍港自劉莊場北分流，東入於海。有大東河自草堰北分流丁溪河，東北入海。自丁溪以下爲泰州境。泰州營舊有六寨，自興化之劉莊、白駒而下，曰丁美舍，在東臺場海口。曰角斜，曰拼茶，在州東濱海之地，與如臯之掘港而六。前明嘗設忠孝、忠義兩營。嘉靖間，以倭警復設海防兵備道，駐防於此。

職官志

名宦

○湯和，鳳陽人。洪武初，封信國公。十八年，上曰：「日本屢擾東海上，卿雖老，強爲朕行。視要地，築城、增戍，固守備。」和乃築海上城，起登萊，抵江浙，凡五十九城，民丁四調一爲戍兵。鄭曉名臣記

○陳瑄，字彥純。合肥人。永樂初，以平江伯充總兵，都督，帥舟師海運，又備倭閩海。海溢江北，岸崩。瑄起堤自海門，歷通泰，北至鹽城，凡八百里。又役人二十萬，起高郵、嘉定，爲海運表識，名寶山。後開會通河，罷海運。瑄議造淺艖二千艘，歲運二百萬石，後增至五百萬。疏清江浦引水，由管家湖入鴨陳口達淮。就管家湖築堤十里，以便引舟浚儀眞、瓜洲通湖。鑿呂梁、百步二洪石，平水勢。開泰州、白河通大江，築高郵湖堤，堤內鑿渠亘四十里，淮濱作常盈倉五十區，貯江南輸稅。徐臨、清德州皆建倉，便轉輸。河淺處輒膠舟，濱河置舍五百六十八所，舍置淺夫，俾導舟可行處。緣河隄鑿井樹木，便人行獻陵。初陳七事：其一，言江南轉漕，軍民並困。上覽之，戚然議寬恤，仍勅獎與世伯劵。景陵時鎮守淮安，兼督漕運、漕政，益修漕渠，在江淮間者瑄功爲大。瑄久祠清江浦，漕渠旁往往有瑄祠。鄭曉名臣傳

○董邦政，字克平。陽信人。嘉靖間，以僉事專領海防，駐上海。時倭寇犯境，據高樓瞰城內。邦政登陴力戰，用神鎗手擊卻之。又與同知任環合勦於界嘴、西菴等處，屢有斬獲。舊通志

○翁大立，字道生。餘姚人。嘉靖中，巡撫應天。會倭寇聚三沙，兵部郎中唐順之來視師，因共設方略擊破之。總理河道，徐州水災，居民漂溺，疏請發粟賑濟。舊通志

○李遂，字邦良。豐城人。嘉靖中，巡撫淮揚。時倭寇揚州，屯白蒲諸將請擊之。遂曰：「賊氣方銳，驟攻之，如小挫，事敗矣。」及賊兵益進，遂曰：「賊過如皐必合，合則道有三：自泰揚逼天長、鳳泗，則陵寢震驚；自黃橋逼瓜、儀，則搖南都而梗漕；若從富安而東，海濱斥鹵，掠無所得；至廟灣，滅之必矣！」部分諸將遏賊，毋得逾天長、瓜儀。賊果趨廟灣，遂調兵設覆待之，諸寇殲焉，以功遷兵部侍郎。舊通志

○鄭曉，字窒甫。海鹽人。嘉靖間，歷兵部侍郎、副都御史，總督漕運。時倭寇淮、揚，曉疏請造戰舸，築城堡，練兵將，積芻糗。廟灣諸海口皆增兵設候，屢敗倭，前後斬首九百餘級。今如皐、海門諸城，皆鄭曉所築以禦倭者。王鴻緒明史稿

〔卷一一三〕

職官志

名宦二

○任環，潞安人。嘉靖中。蘇州同知。倭寇東南，環率兵出勦，遍身書姓名，曰：「死綏職也。」爲二親記此髮膚，俸入悉犒戰士，士樂爲死。既督兵備太倉，疽發背，聞賊至，即裹創擊賊，賊望環旌旗，輒遁去。甲寅，賊犯蘇，百姓爭避入城，門扃不得入。環曰：「第啓之，有我在。」遂活數

十萬人，時勦倭之功環爲最。蘇州府志

○彭蓋臣，嘉靖中倭變，蓋臣以宣慰司奉調來援，與倭遇，轉戰至盛墩，斬首三千餘級，力竭被創死。倭亦敗退，人改名其地爲勝墩。蘇州府志

○王鉄，順天人，嘉靖中，知常熟縣。倭至，率官軍追擊於湖上，遇害。事聞，贈太僕少卿。常熟縣志

○曹自守，字伯化。茌平人。素精醫。嘉靖中，知吳縣。值倭亂，後繼以大水，自守散糜施藥，以濟衆。三年不製一衣，不宴一客。署內惟蒼頭一人，門笥不扃鑰，有爲慮家計者。自守笑曰：「吾他日居鄉賣藥足自給。」尋以憂去，後吳民過茌平，遇醫以驢負藥籠者，則自守也，驚拜道左。吳縣志

○祝乾壽，字健卿。應城人。嘉靖間，知崑山。性開敏，通曉土俗。時倭寇攻城，乾壽率衆殲其魁，餘悉潰散。崑山縣志

○方廉，字以清。新城人。嘉靖三十二年，知松江府。時倭寇入犯，廉增陴浚濠，爲守禦計。寇至，弗能克。條上便宜，使民間得自募鄉勇保聚殺賊，立賞格爲勸。減客兵十七，故被寇五年，民猶得休息云。松江府志

○俞大猷，字志輔。泉州人。嘉靖三十三年，以副總兵駐金山，嘗擊倭於平望，又戰於六金垻，皆大捷，斬首三千級。松江府志

○劉東陽，四川人。嘉靖中，任上海丞。蕭顯入寇，東陽擊之，衆皆潰走。東陽挺身獨戰，遂遇害。先是，上海未城，鎮海衞指揮武尚文，同建平縣丞宋鰲，統所部駐焉。賊至，尚文擊敗之，追賊遇

伏死，鰲亦力戰死之。與東陽並祀群忠祠。上海縣志

○韓崇福，字君祉。密雲人。嘉靖間。松江教授，以師道自居，與郡邑禮貌微不合，浩然竟去，諸生馳過江追還之。倭寇薄城，崇福登陴分守，發二矢，皆殪其魁。賊乃引郤（卻）尋奉檄出浦守禦，所統不滿數百人，寇矢集如雨。崇福弗動，徐還射之，無不命中，斬馘而旋。松江府志

〔卷一一四〕

職官志

名宦　三

○王其勤，字時敏。松滋人。嘉靖中，知無錫。時屢有倭患，城久圮。其勤之官甫三日，即召父老謀築城，令宦家與民分任版鍤，親督視之。三月工竣，倭寇至，邑人得登陴爲守。又履畝丈量，釐正其稅，民祠於惠山。無錫縣志

職官志

名宦　四

○錢錞，字鳴叔。顯陵衞人。嘉靖中，知江陰縣。倭寇入犯，鄉民避寇，來者望城櫓而泣。錞啓門，盡納之。圍城急，援兵不至。錞憤甚，推案厲聲曰：「張睢陽是何人？吾願以死報國耳！」於是集千人突圍出戰，兵潰，錞馬陷泥淖，遂遇害。贈光祿少卿，祠名「愍忠」。江陰縣志

〔卷一一五〕

○晏銳，四川人。嘉靖中，高郵衞經歷。倭難起，銳所統皆新募卒，猝與倭遇，衆大奔。寇乘之，銳陷陣死。揚州府志

○吳桂芳，字子實。新建人。嘉靖三十一年知揚州。時倭寇江北，爲募練鄉勇備禦之策，復議築海門、泰興、如臯、瓜洲四城。城成，民得保聚。揚州府志

○石茂華，字崇質。益都人。嘉靖三十四年知揚州。時倭寇作，羽書旁午。茂華從容應之，不動聲色。築外城，捍環河，商民至今呼爲石城。揚州府志

○朱公節，山陰人。嘉靖中，知泰州。繕城郭，浚河濠，倭寇不復窺伺。胥吏以常例進，峻卻之。泰州志

○朱裒，嘉靖三十五年，授揚州同知。倭寇犯境，裒同高郵衞經歷晏銳禦之，俱戰死。即其地立祠，賜額「雙忠」。揚州府志

○熊桴，字元乘。武昌人。嘉靖間，知太倉州。倭薄城，桴晝夜守禦。倭退，苦旱，請上官疏免一歲稅糧，孑遺全活。太倉州志

○萬思謙，字益甫。南昌人。嘉靖中，知嘉定。倭寇薄東城，乘風焚倉舍，城幾陷。思謙叩頭籲天，風反火滅。賊酋千矢石死，乃解去。邑城土堞難守，請易以甓。明年，城成。賊果大至，恃以無恐。嘉定縣志

○唐一岑，嘉靖間，知崇明縣。時縣治新徙平洋沙，一岑築城未畢，倭寇猝至，死之。崇明縣志

〔卷一一七〕

職官志

名宦 六

○陳璋，字圭仲。光州人。嘉靖中，授太平同知。勇敢多才，長於應變。倭賊蕭顯破上海，操撫交薦。璋能辨賊，命同蘇州同知任環統兵籌畫。璋上禦倭二十事，從之。七月，破顯，斬首千餘級，寇遁。

太平府志

○陳一道，字邦緒。晉江人。嘉靖間，任蕪湖丞。倭寇犯江上，奉檄南陵防勦。臨敵，衆潰。一道獨奮勇殺賊，以勢孤遇害。家人子義赴援，亦死。事聞，贈一道應天通判，子義贈應天經歷，立祠縣治東祀之。蕪湖縣志

〔卷一五一〕

人物志

武功 一

○朱紈，字子純。長洲人。正德辛巳進士。嘉靖中，歷四川按察副使，平深溝諸砦番，累遷右副都御史，撫贛。尋倭寇起，改撫浙、閩。賊據雙嶼島，遣將擊破之。又督兵追敗賊于溫盤、南麂諸洋，還平處州礦賊。會佛郎機國人行刦至詔安，紈擊擒其渠魁，悉戮之。御史劾專殺，罷職聽勘，仰藥死。紈在事三年，屢殲巨寇，人多惜之。

○鄭若曾，字伯魯。崑山人。幼有經世之志，凡天文、地理、山經海籍，靡不周覽。嘉靖中，島寇擾東南，總制胡宗憲，大帥戚繼光，皆重若曾才，事多諮決。後以倭平議功，論授錦衣職，辭弗受。所著有籌海等書。

○陸一鳳，字子韶。常熟人。嘉靖壬子舉人，授泉州府同知。奉臺檄討海寇林鳳，大破之。

○孫問禮，字衷虛。萬曆甲辰進士。歷都御史，巡撫南贛，平九連山、銅鼓嶂諸寇。

○蕭應宮，字觀復。常熟人。萬曆甲戌進士，知東昌府。擒劇賊，散其黨，備兵臨洮。邊境不靖，應宮盛暑擐甲，張疑設伏，敵不敢犯。會倭躪朝鮮，應宮以遼海道監東征軍，兼程趨王京，止退守鴨綠之議。既而揭制府冒功奏捷，為所搆，遂得罪。

○周于德，世襲大河衞指揮，歷靖州參將。精勤明肅，進右軍都督，總兵江淮等處有功。嘉靖乙卯，倭犯浙，統兵護糧運，卻寇金漕。遷廣西鎭守，撫勦猺獞，功著嶺海。

○劉榮，宿遷人。初冒父名江，隸燕邸。驍勇多智略。永樂初，積功為總兵官，鎭遼東。倭寇大至，榮依山設伏，潛燒賊船，舉旗鳴礮，伏兵起，賊大敗。餘衆奔，船已燬，亦就縛。自是倭大創，不敢復入遼東。封廣寧伯，始更名榮。卒贈侯爵，謚忠武，子安嗣。

○張洪，字宗海。太倉人。本侯姓。幼撫于張嘗，以鄰家事連坐，戍雲南。黔寧王一見器重，用其策平木邦之亂。永樂初，為行人，出使日本。再使吐蕃。會緬甸宣慰那羅塔殺孟卷宣慰刁木旦而據其地。洪奉詔詰責，凡六往返始復命。後以修撰致仕，杜門著書者數年，乃卒。

人物志

武功二

○李錫，字君寵。世襲新安衞千戶。征倭有功，累陞總兵官，與俞大猷夾擊海寇曾一本，擒之。以征蠻將軍代大猷，鎭廣信。巡撫御史上其功，言錫一年內破賊二百一十四巢，獲首功一萬二千餘級，宜久其任，許之。進秩二等，卒於官。〔卷一五二〕

○金文光，字朴只。石埭人。萬曆三十一年武進士。官福建游擊，合勦紅毛、倭寇有功。歷南贛參將。會屬境土寇踞九連洞爲害，流毒及閩、廣。文光以兵深入勦平之，贛人爲立生祠。

○施臺臣，青陽人。天啓壬戌進士。授龍巖令。縣傍海，値紅毛入寇，臺臣躬督民兵奮勇逐之，寇遁，邑賴以全。

○金孔器，字璉如。建德人。明季由貢授蒲臺令。有奸民據海島，掠海旁諸邑。孔器嚴守備以待之，寇不能犯。調崇義，督兵平土寇，擢南康同知。南康接楚界，多流寇、山賊，往往爲之應。孔器隨宜撫勦，奪還所掠婦女，郡境得安。

○湯和，字鼎臣。濠人。剛毅有智略，從太祖征伐，所至皆捷，累封信國公。後倭寇海上，和度地于近海，設衞、築城五十有九，浙、閩賴之。功臣中獨以壽終，追封東甌王，謚襄武。〔卷一五三〕

人物志

忠節 一

○陳淮，字禹治。崑山人。禦倭寇遇害，子應期舉於鄉，瀝血上陳，詔旌其門，立祠曰「忠烈」。

○錢泮，字鳴教。常熟人。歷官江西參政，所在有聲。以憂歸里。時倭寇方熾，邑令王鐵既連卻之，值倭刼關稅巨萬，取道尚湖入海。泮與鐵率兵邀之，墮伏中，力戰而死。贈光祿卿，廕子，建褒忠祠。

○徐察，常熟人。恪之裔孫，倭寇常熟，統家丁抗敵三丈浦，斬獲甚衆。王鐵、錢泮之難，察亦死之。詔贈官、廕子。

○宗禮，常熟人。世官應天衞千戶，歷都督僉事。驍勇敢戰。嘉靖間，以倭亂調援浙西。遇賊帥徐海於皂林，三戰三捷，以九百騎破其萬衆。海辟易，稱爲神兵。論者謂：軍興以來，血戰功第一。竟歿於陣，詔贈都督同知，謚忠壯，賜祠皂林。

○趙士端，字正叔。常熟人，以歲貢授仙居訓導。倭寇越中，令被害。知士端爲廣文也，將釋之。士端瞋目大罵，倭斷其首，止以身歸葬。

〔卷一五四〕

人物志

忠節 二

○王烈，泰州人。世襲守禦正千戶。嘉靖三十三年，倭寇通州，巡撫鄭曉檄烈往援。至黃茅港，遇伏，力戰不勝，死之。加贈一級，世襲指揮僉事。

○湯克寬，邳州衞人。承世廕，歷浙江參軍，陞副總兵。擊倭於溫州、寧海、蘇松間，輒克之。又爲廣東總兵，破賊吳平，後赴薊鎭。炒蠻入掠，追出塞，遇伏戰死。任巡蕭勇士，嘉靖中，倭寇淮揚，巡應選至廟灣，數戰皆勝。單騎還，遇別寇突至，巡更還戰，矢盡馬傷，遇害。事聞，荷優卹。

○曹頂，通州人。有膂力。嘉靖中，倭寇擾南畿，應募爲兵，大敗賊於江中。復來寇，通頂率水兵，壁於城外，疊出撓賊。賊畏之，引去。以功當爲頭領官，辭不受。倭又由掘巷犯通頂，與戰於城北，殺賊八人。天雨，泥淖，追賊墮塹中。賊大至，攢槊而殺之。

〔卷一九九〕

雜類志

平倭寇

○嘉靖三十二年夏四月，倭犯蘇松郡，屠上海之南匯、川沙，圍嘉定、太倉，所過殘掠。指揮盧鏜掩擊，斬其帥蕭顯。秋七月，太平同知陳璋，敗倭於獨山。冬十月，倭掠蘇松各州縣，移舟泊寶山。總兵湯克寬，擊敗之于高家嘴。倭寇興化，指揮張棟擊殲之。

○三十三年三月，倭掠通州、如皐、海門諸州縣，焚掠鹽場。四月，倭破崇明城，知縣唐一岑死之。進掠蘇州，轉至松江。總兵俞大猷，擊敗之于吳淞所。八月，倭自嘉興還屯採淘港、柘林諸處，進薄嘉定。參將李逢時，敗之於新涇橋。倭退據羅店，官軍追斬之。詔以工部侍郎趙文華禱祀東海，兼督察沿海軍務。

○三十四年夏四月，倭犯江北淮揚諸處，分掠常熟、江陰諸鎭。兵備任環等攻破其巢。倭奔江陰、川沙窪出海去。五月，張經破倭於王江涇，詔以巡按御史胡宗憲爲僉都御史，代李天寵巡撫勦賊。倭分衆兩道，一由蘇州齊門而北，掠滸墅關、長洲五都地。一由胥門木瀆而南，轉掠吳縣、橫鎭，蔓延常熟、江陰、無錫等縣。川沙窪倭犯牐港、周浦，流劫崑山、石浦。六月，倭寇蘇、常諸縣，知縣王秩①、錢錞，居鄉參政錢泮等戰死。任環邀擊，敗之於太湖，復擊于馬跡②山，獲倭投火爇之，幾盡。八月，倭突入歙縣，至南陵，趨太平，犯江寧鎭。操江兵扼之，遂趨秣陵關，流劫溧水、溧陽，趨宜興、無錫，至滸墅關。巡撫曹邦輔，會兵進勦。倭奔太湖，追及楊家橋，盡殲其衆。副使任環，復勦倭于新場，及上海之五里橋，太倉之毛家葛隆諸處，倭走。

○三十五年正月，倭流劫至圌山、山北等港。無爲州同知齊恩，迎戰，敗之。恩子尚文等二十一人，追倭至安港。伏發，皆死。賊乘勝至金山，殺千戶沈宗玉于江中。八月，海寇徐海伏誅。

○三十六年冬十一月，海寇汪直伏誅。

○三十八年四月，江北倭趨通州，進據白浦鎭。副使劉景韶，遊擊丘陞，三戰三捷，倭逸入潘家莊，復盡銳攻之，乃勦絕。廟灣倭合衆攻淮安。參將曹克新，禦戰于姚家宕，大敗之。倭遁入民莊，官兵縱火焚之，無一人脫者。五月，江北兵攻倭於廟灣，破之。追奔至瑕子港，倭開洋去。六月，倭屯崇明三川沙，總兵盧鏜攻破之。秋七月，三川沙倭犯海門，參將丘陞敗之於鄧家莊，復追至鍋團，倭遁。八月，官兵團倭於劉家橋、白駒沙諸處，縱火冲擊，破其巢。又追敗之於七竈莊花墩，盡殄之。

○四十三年二月，戚繼光大破倭于仙遊，俞大猷復大破之於潮州，倭患始息。

黃巖縣志

明袁應祺撰，明萬曆間刊本

城池

○舊城周邑之城九里三十步，或云四百五十步。唐上元中築，廢物且久。國初，吳元年，永嘉侯朱亮詛重築，周圍凡三里。洪武二十年，信國公湯和，城沿海防倭。衞所□□□□門。嘉靖壬子，倭大入，黃巖以無城故，於是□□□于當道，命攝縣事，傅通判倌城之。已而，汪令汝達□力竣其事。周圍凡七里，高二丈，址厚三丈。其門五：東鎮海，西流金，南迎薰，北拱辰，東南應秀。南北二門增設敵臺，北門外復設丹崖第一關。袁令應祺重修，題曰「丹崖孔道」。初，城北枕澄江，右臨西港，汪令又於東南鑿河，廣十丈。北入江西，達于港，環抱其外，鑿時得古硯，鐫「金帶」二字，遂名「金帶河」。

論曰：黃巖負海，海門前所，固巖之咽喉也。國初，湯襄武徙故城營前所，是欲搤其吭，以藩內地也。顧壬子寇飄，舭艖、登鈔二城惟乘堞觀望，烏足恃耶？比縣復建城，視前制則侈矣，然長子之固，不及晉陽公輸之巧，絀於墨守，欲固國者，詎在崇墉峻壑哉？

註：

①此縣志共七卷，存卷一至卷四，故恐遺有無法輯錄之史料。

溫州府志

〔卷二〕

明湯日昭等修，明萬曆三十二年刊本

輿地志

城池

溫州府

永嘉縣

○縣治：因跨山爲城，名斗城。時有白鹿銜花之瑞，故又名鹿城。鑿井二十有八，以象列宿。宋、齊、梁、陳、隋、唐因之。後梁開平初，錢氏增築內外城，旁通壕塹。宋宣和間，方臘圍城。教授劉士英，謂城東負山，北倚江，可無患。惟西南低薄，宜增繕，乃取甓加築三千九百四十七步。建炎間，增置樓櫓馬面。嘉定間，留守元剛，重修，建十門。元禁城郭毋得擅修，歲久圮。至正庚寅冬，海寇登岸，郡守左荅納失里禦之。明年辛卯，重築，建戰棚、窩鋪、砲座。皇明洪武十七年，指揮王銘增築。嘉靖三十七年，倭寇併力攻城，城樓夜燬。通判楊岳，備禦有方，得免。三十八年，有司議繕治城堞，樓櫓一新。四面築敵臺八座。萬曆二十五年，郡守劉芳譽，又增築敵臺一十五座。

○羅城，周圍一十八里，計二千九百七十七丈八尺，高三丈五尺，址闊一丈二尺，廣九百七十六丈四尺，袤九百九十六丈四尺。中丞張佳胤閱溫城詩：星辰錯落永嘉城，四極雲扶雉堞平。疊嶂周環浮海出，大江東去接潮生。瞻雲眼向高天豁，倚杖身從北斗行。此地便堪成保障，何妨吏隱得兼名。城門七：東曰鎮海俗名窟門，南曰瑞安俗大南門，又曰永寧俗小南門。二門旁俱有水門。西南曰來福俗三角門，西北曰迎恩俗西郭門，又曰永清俗麻行門。北曰拱辰俗雙門，旁有水門，曰奉恩，今塞。城西北故有二陸門，曰安定，曰江山，今塞。東壕長五百七十六丈，南臨大河。爲壕五百丈，西壕長六百七十丈五尺。北臨大江，爲壕五百七十一丈。

堡

○永昌堡，在二都英橋里。嘉靖三十七年，郡人王叔果、叔杲倡議捌築，以防倭患。仍奏遷中界山巡檢司於堡內，以助守禦。堡城周圍九百三十餘丈，高二丈五尺，厚半之。陸門、水門各四，中引二渠，鋪舍二十。敵臺十二座，郡人侯一元有記。

○永嘉堡，在二都海口。嘉靖三十七年，巡鹽御史凌公儒按治。以鹽場所在數被倭寇焚掠，因築堡城。周圍七百二十丈，高二丈四尺，厚一丈三尺。陸門

所城

○寧村所城，在永嘉縣三都。洪武二十年，信國公湯和奏建，周圍六百丈。

瑞安縣

堡

○山黃堡，在三十九都，本都居民因倭患捐資築。

所城

○海安所城，在五都。周圍三里一十八步。洪武二十年，信國公奏建，弘治十五年重築。萬曆二年，颶風圮。九年，邑令上官宣重修。

○沙園所城，在十七都。周圍三里。洪武二十年，信國公奏建，弘治十四年邑令劉琦重築。萬曆十六年，令韋有成重修。

樂清縣

○縣治：舊以兩溪縈帶，洪水不時不可城，城以木柵。至唐天寶三年始築，僅周一里。元廢。皇明洪武六年，以備倭議築，父老難之。乃因東西兩塔爲石城，至溪仍用木柵，爲壕其外，水陸各有門。至二十年，沿海列置衞所城，乃廢不用。正德間，邑令林有年，始置六門，以民壯守之。嘉靖壬子，倭大入黃巖，以無城故，於是都御史王公忬，知府龔秉德，躬相地，命邑令楊鑰城之，略如國初，而純以石東西及塔山之址，南拓之至于三橋。高凡二丈四尺，址厚二丈。其門三，當溪爲洞橋，爲水門，而翼以四寨，曰疊巖，曰鯉池，曰大巖，曰東山。守稍設矣，然一面未備。戊午、己未，倭連歲至，憑高幾入。參將張鈇，力戰以免。於是本府同知尹尙孔被檄，按行撤民居而城之。南仍其故，東包小河，截雲山之北，西距西溪，城履平。四周其高厚界準南城，凡爲門大六，小四，樓櫓悉備焉。邑人侯一元有記。

城門，南曰文明通濟、中鎭海東；南西南曰鳴陽迎恩，東北西北曰拱辰肅清。萬曆二十四年，復開翔雲門，在縣治西。

○敵臺，舊無。萬曆六年，邑令黃仁榮，以南城東溪闊大難守，夾城橋築敵臺二座，周城共築一十四座。萬曆二十一年，推官王胤麟，增築四座。

堡

○壽寧堡在窰嶼，嘉靖間邑人朱守宣倡議築，以防倭寇，周五百丈，門五。

○永康堡，在竹嶼。嘉靖間，居民爲避倭建，周四百丈，門三，河洞二。

○福安堡，在十七都獲前。嘉靖間，居民爲避倭建，周四里，門四，水洞二。

衛所城

○盤石衞城，在茗嶼鄉。洪武二十年，信國公湯和奏，知府丁瓚議，發官銀五千餘兩，委同知高美總其事，典史鄧鏐董其役。未幾，知府趙錦以代至，又給銀八百九十兩有奇，竟成之。城北跨鳳凰山，南跨霞陽山，東北、西南皆平地。周圍三里，計九百餘丈。馬路基廣二丈二尺，高二丈。嘉靖三十八年十月，倭夷入寇，邑令區益，增高七尺，厚一丈八尺，垜子八百，仍放南城，長九十丈。城門四：東曰宣陽舊名通瑞，南曰迎薰舊名通福，西曰受成舊名永安，北曰拱辰舊名拱恩。水門二。壕城外池深三尺，廣六尺。內池深二尺，廣三尺。敵臺在霞陽山外，萬曆二十年，邑令林繼志築。周二十餘丈，高二丈八尺。

兵戎志

○敍曰：慮危於安，圖險於易，陰雨未形而綢繆先之，計固貴於豫矣。甌控扼海徼島夷間，竊發脫儲胥不戒，彼直內訌。曩者蹂躪我疆，圉職由兵政敝且。邇海氛幸戢，遼檄播聞，若設防詰戎，清屯給餉，固亦桑土遠悔之思乎！安不忘戰，用爲廩廩述兵戎志。

海防

○溫郡襟帶大海，與島夷對峙。北毗臺、寧，南鄰閩、粵，爲東南要害之區。我太祖統一寰宇，薄海共臣，惟倭奴未至。洪武二年，遣使臣趙秩招之，泛海至析木崖，入其國。倭王良懷（懷良）禮秩，遣夷僧十人隨秩入貢。是年三月，寇蘇州之崇明。太倉守禦指揮翁德，督舟師勦捕，遇於海門之上幫，斬獲甚衆。五月，復寇溫州中界山、玉環諸處。五年，太祖謂廷臣曰：「東夷固非北胡腹心之患，亦猶蚊虻警寤，自覺不寧。與誠意伯劉基等議，其俗尚釋教，宜遣高僧說之歸順，乃遣明州天寧寺僧〔仲猷〕祖闡，南京瓦罐寺僧無逸〔克勤〕往使日本，宣諭敕旨。隨遣夷僧來獻馬匹、盔鎧、瑪瑙諸物。七年，倭賊至近海，靖海侯吳禎，督率舟師追勦至琉球洋，多所斬獲。十六年，夷船寇金鄉小護寨，官兵敵卻之。永樂二年夷船寇穿山諸處。成祖命太監鄭和統督樓船水軍十萬，招諭海外諸番，日本首先納款。永樂九年以後貢者僅一再至。而其寇松門，寇沙園諸處者不絕。宣德、正統、成化、弘治年間，節來貢，嗣以爭貢要利，而夷夏之釁遂釀於茲。嘉靖二年，夷使宗設（謙道）、宋素卿爭貢仇殺，自寧波抵紹興城下。時溫州衞指揮劉錦爲浙江備倭都指揮，督舟師追賊，戰歿于海。二十六年間，福建繫囚李七、許二等百餘人逸獄下海，勾引番船，結巢於霩衢之雙嶼，出沒爲患。上命巡撫都御史朱紈，調發福建舟師擣其巢穴，俘斬溺死者數百。然窟穴雖除，而東南弗靖。徽歙□□王直即汪五峯、徐惟學即徐碧溪，販海通番，而鄞人毛烈即毛海峯，質充假子，時因浙江海禁甚嚴，王直等逃竄身倭國，勾引夷商，招納亡命，自是番船徧海，倭患孔棘。三十一年，寇溫州，尋破臺州黃巖縣，薄省城，東南震動。巡按御史林應箕，告急于朝。朝議：設巡撫都御史，提督軍務，兼判閩、浙。而各設參將，統率兵衆。時承平日久，民不習戰，而應募苗栝容兵莫肯用命。賊鼓衆長驅，凡浙直之地，所經村落、都市，昔稱積聚殷富者，蕩爲丘墟。而柘林、八團諸處，胥爲巢穴矣！尋命將追擊，巡按御史胡宗憲，令人載藥酒誘賊，賊中毒死者過半。餘衆數千，擁至王江涇。宗憲督參將盧鏜，與總兵俞大猷統浙、直、狼、土兵大戰，悉擒斬之。是年八月，朝進胡宗憲都御史，提督軍務。十一月，賊衆二千餘，乘舟遁出南滙口，復有攻犯溫州瑞安者，隨流劫仙居、天臺，至嵊縣清風嶺。胡宗憲，督兵盡殲之。三十四年以後，屢犯郡屬，猖獗莫可誰何。先是，浙東設總督一員，金盤名色把總一員。嘉靖三十五年，總□□□參將，復設金盤備倭把總，專管水關，統領兵船駐劄瑞安。隆慶年間，移駐寧村所，而參將則駐劄盤石衞，其南北要隘，如黃華、浦岐、石塢、梅頭、飛雲鎭、下門等處，俱設名色把總，帶領水陸官兵，畫地防汛。每總不分水陸，俱設兵五百名，以募兵兼衞所選軍充之，海徼控禦各有備矣！頃夷酋侵據朝鮮，海上戒嚴，雖已蕩平，恐或竊發，則衣袽桑土之計，所當豫爲之防者也。

沿海城池地里險要

○海口設左營官兵，防禦水路。東南有鎭下門、官嶴、萍蕨直衝臺山外洋，與福建烽火門交界，設鎭下門關總哨，部領兵船分布哨守。

○沿海巡檢司七：曰中界山，曰梅頭，曰北監，曰館頭，曰江口，曰舥艚，曰池村。額俱陳列弓兵，以禦非常。緣多係虛冒，頃議減，節省助餉。然爲海防計，所當加意振刷者也。

水關

○黃華關、飛雲關、江口關、鎭下關，各設總哨官一員，哨官一員。黃華關屬樂清縣地方，原係水寨，派盤石衞官軍防守。嘉靖三十一年，改設總哨官，帶領民、捕舵兵二百五十五名，軍隊舵兵二百七十六名，大小戰船二十一隻，泊梁灣海洋。飛雲關屬瑞安縣地方，原係水寨，派溫州衞官軍防守。嘉靖三十年，改設總哨官帶領民、捕舵兵二百五十九名，軍隊舵兵二百四十五名，大小戰船二十一隻，泊鳳凰海洋。江口關屬平陽縣地方，原係水寨。嘉靖三十八年，改設總哨官，帶領民、捕舵兵二百四十五名，軍隊舵兵二百七十六名，大小戰船二十二隻，泊洋嶼海洋。鎭下關屬平陽縣地方，原係水寨，派金鄉衛官軍防守。弘治間廢。隆慶四年，題設總哨官，帶領民、捕舵兵二百四十四名，軍隊舵兵二百七十六名，大小戰船二十隻，泊官嶼海洋、金盤游哨。該游初設金盤名色把總，嘉靖三十五年，改設備倭把總一員，左右哨官二員，帶領民、捕舵兵五百二十二名，軍隊舵兵七百一名，大小戰船五十五隻，泊南麂官嶼海洋，參將中軍游哨，專守東洛海洋。初，東洛、南麂俱不設立兵船，隆慶三年，添抽各關兵船，分爲兩游，以本參中軍把總統領左右哨官二員，帶領民、捕舵兵四百九十二名，軍隊舵兵六百八十九名大小，戰船五十五隻，泊三盤東洛海洋，參將隨征哨係本參標下旗牌官一員，統領帶領民、捕舵兵一百七名，軍隊舵兵一百二十四名，大小戰船一十一隻，專隨本參駐泊黃華、黃大嶼適中海洋，平時往來督哨，遇警隨處應援。

水衝要

○大都海上以東洛、南麂爲外第一重藩籬，以黃飛江鎭爲外第二重門戶，以左、右、中、前、後標蒲珠六營爲外第三重，堂嶼此溫鎭形勢之大也。夫倭自本國五島開洋，乘東北風必至臺、溫欲犯黃華，必由邳山大鹿帶大嶼而入；欲犯瑞平，必由銅盤南龍，鳳凰而入。欲犯鎭下門、蒲壯，必由官嶼、老公頭而入，此入犯之徑道也。官兵分派信地，各爲防守，此可以遏零星之寇，不足以禦大舉之賊。若不合衆共擊，未免勢分力薄。近議定，如賊從東來，則中游黃華兵船當合爲一䑸，駐大小門橫、坎麥、園頭等處，以防突犯府城之患。如南來則南游江口、飛雲兵船屯箚三盤、鳳凰，以防突犯江口。瑞安之患，須時發小船，伏于邳山、大鹿等處，晝夜巡哨，以振聲息。若遇有警勢小，則分擊；

勢大則合䑸共擊；勢愈大則合兩游四開兵船，相機攻勦，此防禦之大機也。再查海上要衝，分派防守，尙有疎虞，如南龍、銅盤一帶，係南游中路極衝，今止以飛雲哨船守之，不無重外而輕內。南麂孤懸外海，倭夷樵汲必經之地，每於此處分䑸入寇，故設官兵以禦之。今止撥泊唬船八隻，輪班協守東洛，餘船盡泊南麂嶼內，萬一東風水漲，群醜揚帆，泛游嶼外，直抵內地，則該游官兵聲息杳聞，欲出攻則阻風逆水，跬步不前；欲出擊則反迫其登岸，不猶開門而揖盜乎？今查東洛戰船足堪禦侮，合以南游協守，該哨漁唬船八隻，協守南龍、銅盤一帶，以南游兵船量留數隻，屯泊南麂，控制賊勢，阻絕樵汲；其餘兵船分屯鳳凰山，及三區大濩地方，則可以哨南麂援東洛，而固內地矣！

陸衝要

○□鎭沿海，陸兵星布棋列，若可謂周悉矣。但甌海之壖，自南迤北，延袤四百餘里，深洋最多，到處可登。今計哨守多止一哨，少止一二隊，僅此防禦流賊突犯，若賊大舉，則我兵勢分力弱，安能收萬全之功哉？今戒各將領部督官兵，照依原派信地，循塗哨邏，如有零寇流突，即便協力擒勦。萬一群醜長驅，北以蒲右標三營爲上一路，東以中軍營上墕、東山二哨，後前營爲中一路，南以左中珠三營爲下一路，分爲三大營，如率然在山，首尾動應，此陸兵形勢之大略也。若夫險要，蒲岐、梅頭、珠炎爲最不可不長顧卻慮以防患于未然。再查：中營屯兵于大濩，左營屯兵于蒲壯新城，即此二處，皆屬內地，撤藩籬而固堂嶼，恐非至計。金鄉大小漁埜外無兵船堵截，內無官兵把守，萬一有流賊徑由小漁埜、嶺門直寇內地，則中營、大濩官兵反爲□所迫。脅汾水一方，與閩浙地聯勢，若輔車，若流賊由銅山可徑犯平陽。先年設兵防守，近因汰革，空無一人扼險。樂清縣北白沙嶺隘，陸接治壤，水通海島，實係縣所咽喉。雖設有右營官兵一總爲之防禦，然該營住守石馮，分哨三嶼，倘賊一時突犯，官兵反出其後，此皆可虞者也。今督中營官兵移屯七溪外藩，分哨潼頭等處，以固大濩。左營官兵移屯壯士舊城外藩，分哨萍蕬等處，以固蒲門。復以金鄉衞新練護衞營軍兵內抽三百名，分委賢能官三員二哨守大小漁埜以固金鄉，一哨守銅山以固平陽，庶可以少舒南顧之慮。白沙嶺隘即以後蒲二所，各選精壯操軍一百名，責令該管陸路統領，汎月搭蓋草廠，駐箚嶺頭，仍傍左右高置一木柵把截險隘，右營官兵仍晝夜往來輪班哨守，以防一時登犯之虞，此則水陸俱備，可保萬全。至于分哨之地，要見何處谿澗崎嶇？何處河港斷絕？何處狹隘險峻？何處沮洳泥濘？何處可以埋伏？何處可以堵截？何處可以掩襲？日與士卒講明，以備緩急，出奇策應，此在各將領相地調度焉。

海山要害

○大巖頭山，賊船自鳳凰、南麂、霓嶼、蒲門、玉環而來，其補陀山分□□率兵船每遇風汎，彼此巡□□島、玉環山，與蒲岐相對，此山懸居海中，聯絡深長背即臺州府所屬太平、松門、楚門交界，海洋賊自北來必經此處。今撥黃華港兵船巡哨黃大嶼，與黃華港直衝，倭船由此入犯黃華、岐頭等處，今撥旗牌官領兵一枝，隨參將駐泊，南北督哨霓嶼，賊船南北往來，多泊于此，可至盤石衞最爲險要。今撥黃華港兵船泊此巡哨；南龍山賊船由北洋來，必經於此，今撥南游左哨兵船泊此巡哨；

南麂山北嶼闊大，坐臨深海，山外大洋別無山島，賊來必經此棲泊，寔巢穴也。風順三潮可到飛雲港，今設南游兵船防守東洛山，此處極險，坐臨外海深洋，賊船南北往來，常泊本嶼取水，或擄漁樵船隻，乘風奔突，今督溫、處參將中軍把總，部領兵船於此外洋邀擊，南與南麂，北與梁灣各兵船交相會哨，則海外爲有備矣！

入寇海道

○倭夷居大海中，東南則琉球、呂宋，諸國西此則月□□□諸國。倭夷自本國開船時，遇東北風則必由薩摩洲或五島至大小琉球，而視風之變遷。北風多則犯廣東，東風多則犯福建，東北風多則至韮山、大陳、積穀、邳山、大鹿，而犯溫州，或進烏紗門、普陀而犯舟山定海，或徑由韮山而犯象山、昌國、臺州。若正東風多則至李西嶼、壁下、陳錢分䑸，或由洋山之南而犯臨觀、錢塘、海寧；或由洋山之北而犯青村，或過南沙而犯大江。若在大洋遇風，值東南則直犯淮、揚，以及登、萊。大抵倭船之來，恒在清明之後，以其東北風多，若過五月，風自南來，倭不利矣。重陽後，風亦有東北，若過十月，風多西北，倭亦不利矣！

汛期

○大汛以春分二月中，此陽和方深，東北風盛，作日本島夷與諸國互市，或乘風剽掠，可以猝至溫、臺，故防之。夏至後，南風盛，海水熱，蛟龍起，颶風作，彼既難來，我亦難哨，故此時撤防。小汛以十月小陽，東北風與南風時或連作，故防之。冬至後海寒，北風欲冱，故十一月撤防，惟四月漁船出洋，乘掠鹽米壯男，不敢深入內地。九、十月海外諸國互市者皆乘東南風之廣中香山遇船劫掠，故大汎之防，本區當重在北黃華、飛雲，小汎之防當重在南鎮下，然亦有不可泥者。其船在海飄泊日久，流突無定，防範均不宜懈，要在當事者時加愼焉。

外海風潮里至

○溫與臺接壤，臺之外海大陳山，與溫之外海邳山交界。自大陳山乘東北風一日可至邳山，自邳山長潮向西南上行，半晌可至大鹿。自大鹿半潮可至橫坎二門，自橫坎門半潮可至玉環山、大巖頭、梁灣。如東北風自邳山，半潮可至麥園頭、筆架礁，或入三盤，或洞頭，或白鹿，或馬耳嶼，俱可泊船。自邳山下行，一潮可至東洛。東洛一潮可至南麂。自東洛上行，一潮可至南龍，南龍半潮可至鳳凰，鳳凰半潮可至江口、青山，與䑩艚炎亭、珠明大嶼、大小濩一帶。自南麂向上行，遇東風，一潮可至南龍；南龍半潮可至鳳凰。如遇東北風，可往江口。䑩艚炎亭、珠明大嶼、大小濩一帶，如出外洋，遇東北風，直至三星、南臺。向上可至七溪、萍蕠、官嶼、鎮下門。向下即出流江、沙埕、南鎮、大箕當、秦嶼、□山、烽火門入閩境矣。雖然海上行船，但論風之順逆，不論潮之長落風順潮順，瞬息千里，風逆潮順，利鈍半之。若風逆潮逆，頗難移動，故或有船在於披洋，或南龍、鳳凰等洋，欲進黃華、瑞安、平陽內地，若乘順風，其進入之勢則甚便，此在任水總者時時辨驗風色，晝夜戒嚴，不可狃於尋常而不察也。

按：謳自昔有倭患至。嘉靖季年，倭乘虛突犯溥郡城，而掠村落，蹂躪慘不忍言。嗣是海上設備，察阨塞，繕甲兵，治艛艙，攻守具矣。然防倭於海，而防海先於練兵。海中風潮叵測，難以列陣操演，故駕船行使，必須演習慣熟，庶應敵不至周章，視江洋如平地，左右進退，惟我指揮矣。其召募水兵隸之哨官補盜，固不專於土著也。然捕盜多外方人，招募黨類，或者有隱憂焉。吾郡瀕海居民，素事海業，近投蘇松各處爲水兵者以千百計，而沿海衞所軍餘，亦皆慣狎波濤，宜屬意用之，稍於外境應召之兵，自從汰減，公私不兩利哉？

戰船

○夫防禦之術，據險爲先；截殺之機，在洋爲易；故哨探莫便於刀舸，衝犂必資于樓艦；惟福船體髈高大，形勢巍峩，望若丘山，建大將之旗鼓，風行潮海，撲賊艇如鷹鸇。若遇大舉，寇邊，非此無以取勝，此海防第一義也。但其轉折艱難，非順風潮莫動，若作脆薄，冒颶不支，惟利深洋，難泊淺岸。①

雜志

禨祥

○嘉靖三十二年夏五月，倭寇入瑞安飛雲江。

○三十五年冬十月，流賊由閩犯瑞安境，守備劉隆，指揮祁嵩死之。十二月，復有倭寇五百餘，由閩來本府。同知黃釧，禦於福寧州水北，死之。

○三十七年夏四月，倭寇大擾，薄郡城及各縣。詳見遺事②

註：

①下有闕文。

②此部溫州府志之「遺事」已佚亡，故無從錄列。

寧波府志

明張時徹撰，明嘉靖間刊本

〔卷二二〕

書一

海防書

○四明郡治，三面環海，與倭奴對峙。倭奴隣三韓而國，故名韓中倭。後自惡其名，更號日本。在東南大海中，依山島而居，地方數千里，為畿五：曰山城，曰大和，曰河內，曰和泉，曰攝津。共統五十三郡 為道七：曰東海，有伊賀、伊勢、志摩、尾張、三河、遠江、駿河、伊頭（豆）、甲裴（斐）、相模、武藏、安房、上總、下總、常陸十五州，共統一百六十郡。曰南海，有伊紀（紀伊）、淡路、河波（阿波）、讚者、伊豫、伊（土）佐六州，共統四十八郡。曰西海，有筑前、筑後、豐前、豐後、肥前、肥後、日向、大隅、薩摩九州，共統九十三郡。曰東山，有近江、美濃、飛彈（驒）、信濃、上野、下野、陸嶼（奧）、出羽八州，共統一百二十二郡。曰北陸，有若佐（狹）、越前、越後、加賀、能澄（登）、越中、佐渡七州，共統三十郡。曰山陽，有幡摩、美作、備前、備後、備中、安藝、周防、長門八州，共統六十九郡。曰山陰，有丹波、丹後、徂（但）馬、因幡、伯耆、出雲、后見、隱伎（岐）八州，共統五十二郡。爲島三，曰伊（壹）岐，曰對馬，曰多褹，各統二郡、總計三千七百□十二都，四百一十四驛，八十八萬三百二十九課丁。土產白珠、青玉、金、銀、銅、鐵、碼碯、硫黃、丹土、野馬、山鼠諸物。大倭王以王爲姓，歷世不易，初號天御中主，居日向筑紫宮，其子號大材雲尊。自後皆以尊爲號，傳世二十三，至彥瀲尊弟四子號神武天皇，徙大和州橿原宮。傳至守平天皇，凡四十一世，自後世次皆不可考。復徙山城國，文武僚吏皆世其官，有德、仁、義（禮、義）、禮、智、信大小十二等，及軍尼伊、足尼翼諸名，後各道分置刺史，王以天爲兄，日爲弟。黎明聽政，日出而罷云。委我弟也，其誕妄若此。用法率尚嚴急，果於殺戮，或戕剝肢體。其初刻木結繩以紀事，魏晉以後得五經佛教於中國，於是緇衣沙門之屬，傳習文字。其俗男子髡頟、文身，短衣無袖，以袴裹束。衣肩背處繪染草木、花虫之狀，以別尊卑。履無約組，以底之長短別貴賤。女子被髮跣足，衣如幃幔，從頭頸貫之。居無城郭，惟國王處以樓觀。其餘富者屋版，貧者覆茅。不識拜起之節，以蹲踞爲恭，搓手爲悅。分器而食，或用籩豆，性極貪鄙，詭譎好兵，行以刀劍自隨。不知嫁娶，男女相悅，即爲夫婦。渡海則令一人齋戒不櫛沐，謂之持衰。不利，輒殺之。漢武帝滅朝鮮，使譯始通。光武帝中元六（二）年，奉珍朝賀，賜以印綬。安帝永初元年，來獻生口。靈帝光和間，倭國大亂，無主。有女子卑彌呼，年長不嫁，以鬼道惑衆，因立爲王。魏景初二年，卑彌呼遣大夫難米升、牛利等來貢。詔封卑彌呼親魏王①難米升率善中郎將，牛利率善校尉，假銀印青綬。正始元年，遣使賫詔書、印綬、金帛賜卑彌呼，上表答謝。四年，遣大夫伊耆掖邪狗等來貢，詔拜掖邪狗等率善中郎將，各假印綬。八年，卑彌呼與狗奴國王卑彌弓相攻，狀聞，遣使詔諭之。卑彌呼死，宗女臺（壹，以下同）與嗣立，遣使來獻生口、白珠、雜錦諸物。晉泰始初，臺與死，復立男王，修其職貢。安帝時，倭王讚，通表江左。宋武帝永初二年，詔賜讚除授。文帝元嘉二年，讚死，弟珍立，遣使來貢，表求除正。詔除珍安東將軍倭國王。二十年，二十八年俱來貢，詔封倭王濟如舊制。孝武大明六年，詔封倭王興安東將軍。興死，弟武立，稱爵如故。順帝昇明二年，表請報讐高句麗，詔許之。齊建元二年，加武鎮東將軍。梁武帝即位，詔進倭王征東大將軍。隋文帝開皇二年，倭王多利思比孤遣使來貢。煬帝大業二年，又貢。書稱：「日出處天子，致書日沒處天子。」帝惡之。三年，復貢，賜倭王冠服。唐太宗貞觀五年，來貢。遣使持節撫之。永徽初，來貢琥珀、碼碯諸物。二年，偕蝦蛦（夷）國人來貢。蝦夷人鬚長四尺許，頗類蝦，故名。咸亨元年，遣使賀平高麗。永淳元年，遣眞人粟田復來，請從諸儒授經，詔許之。四年，遣僧正玄昉來貢。二十四年，遣僧禮五臺山學佛法。天寶、大曆、建中、元和、會昌、光啓，後梁龍德間，朝貢不絕。宋雍熙元年，遣僧大周然②來貢銅器，幷其國年代③、職員紀各一卷。端拱元年，大周然遣弟子喜因，奉表獻方物稱謝。咸平五年，建州海賈遭風，漂至日本。留七年，與其國人滕木吉來貢。景德元年，遣僧寂照來貢。天聖四年十二月，明州言：「日本國太宰遣人來貢，驗無表文，卻之。熙寧五年，夷僧誠（成）尋渡海，止臺州國清寺，願留中國。有司以聞。詔令赴闕。獻銀香爐、木欄子、白琉璃、琥珀、水晶諸物。賜紫方袍，處之開寶寺。元豐元年，僧仲回來貢。乾道、淳熙間，俱來貢。嗣後有夷舟漂至明州、秀州、定海者，而職貢不入矣。元世祖至元三年，高麗使人趙彝，言日本可通。命兵部侍郎黑的，禮部侍郎殷弘充使，賚書往諭，令其入貢，不達而還。四年，兩遣使，無功。六年，復遣秘書監趙良弼，持書往使。八年，高麗王遣通事別將徐稱，導送良弼至倭國，與其使彌四郎俱來，宴賜遣之。九年，復遣使，不報。十一年，加經略使忻都，高麗軍民總管洪茶丘等征東元帥，帥舟師征之，敗績而還。十二年，遣使，不報。十四年，遣商人持金來易錢，許之。十七年，殺使臣杜世忠等。十八年，復命右丞范文虎，與忻都、洪茶丘等，帥舟師十萬征之。颶風，覆於五龍山。至大二年，倭賊寇慶元路，燬郡儀門，及天寧寺。終元之世，竟不入貢。我太祖高皇帝統一寰宇，薄海之外，罔不臣僕，惟倭奴未至。洪武二（三）年，遣使臣趙秩招之。泛海至析木崖，入其國。倭王良懷（懷良）對使者曰：「昔蒙古以戎狄蒞華而以小國視我，使趙姓者訹我以好語，初不知其覘國也。今天子帝華，使亦趙姓，得非蒙古之雲仍乎？亦將訹我以好語而襲我耶？」秩曰：「今天子聖神文武，明燭八表，生華，帝華，非蒙古比，我非蒙古使後，汝若背逆，即殺我，禍不旋踵矣！」王屈服，乃更禮秩，遣夷僧十人隨秩入貢。是年三月，寇蘇州之崇明。太倉守禦指揮翁德，督舟師勦捕，遇於海門之上幫，斬獲甚衆。五月，復寇溫州中界山、永嘉、玉環諸處。五年，太祖謂廷臣曰：「東夷固非北胡腹心之患，亦猶蚊虻警寤，自覺不寧。與誠意伯劉基等議，其俗尚禪教，宜遣高僧說之歸順。乃選明州天寧寺僧〔仲猷〕祖闡，南京瓦罐寺僧無逸〔克勤〕，往使日本，宣諭敕旨。隨遣夷僧來獻馬匹、盔鎧、鎗刀、瑪瑙、硫黃、帖金扇諸物。七年，倭賊至近海。靖海侯吳禎，督率舟師追勦至硫球洋，多所斬獲，俘送京師。十二年，來貢。驗無表文，發雲南、川陝安插。明年，復來貢，亦無表文，仍發安插。又明年，來貢。驗有前年來貢人船名籍，檄至京師，錫宴遣歸。十五年，使臣歸廷用來貢。備倭指揮林賢，交通樞密使胡惟庸，計擒遣還夷使，誣爲寇盜，私其貨物。中書省舉奏其罪，流賢日本。十六年六月，夷船一十八隻，寇金鄉小濩寨，官兵敵卻之。明年，胡惟庸僞差廬州人李旺充宣使以還。林賢率倭兵四百餘人，與僧如瑤來獻巨燭，中藏火藥、兵器，圖謀亂逆。比至，惟庸被誅，朝廷治其逆黨，處賢極刑。夷兵發雲南守禦，降詔切責倭國君臣。詔曰：「曩宋失馭，中土受殃，金元入主二百餘年，移風易俗，華夏腥膻。凡有志君子孰不興忿？及元將終，英雄鼎峙，聲教紛然。時朕控弦三十萬，礪刃以觀。未幾，命大將軍肆九伐之征，不逾五載，戡定中原。蠢爾東夷，君臣非道，四擾隣邦。前年浮辭生釁，今年人來，否眞實，非疑其然而往問，果較勝負於必然，實搆隙於妄誕。於戲！渺居滄溟，罔知帝賜，傲慢不恭，縱民爲非，將必殃乎！故玆詔諭，想宜知悉。」仍著訓典曰：「日本雖朝實詐，暗通姦臣胡惟庸，謀爲不軌，故絕之。」命信國公湯和經略沿海，設防備倭。和於東南邊海，悉爲展拓城池，增置衞、所、巡司、關隘、寨堡、臺堠。尤嚴下海通番之禁。二十六年八月，夷船一隻寇小尖亭。明年二月，夷船九隻寇小尖亭。三十四年九月，夷船六隻寇蒲岐所、茅硯山、永東、黃花諸處。

成祖文皇帝永樂二年四月，夷船一十一隻寇穿山，百戶馬飛興死之。尋寇蘇、松諸處。是年上命太監鄭和統督樓船水軍十萬招諭海外諸番。日本首先納欵（款，以下同），擒獻犯邊倭賊二十餘人。倭賊卽治以彼國之法，盡蒸殺之。時銅甑猶存，爐灶遺址在蘆頭堰。降敕褒獎曰：「爾雖身在外海，實心朝廷，古之東王，未有賢於君者。」給勘合百道，定以十年一貢，船止二隻，人止二百，違例則以寇論。制限進貢方物，馬、鎧、硫黃、貼金扇、牛皮、鎗、盔、蘇木、塗金裝彩屛風、劍、洒金厨子、洒金手箱、洒金木銚角盥、刀、洒金文臺、描金粉匣、描金筆匣、水晶數珠、抹金提銅銚、瑪瑙。隨命俞士吉充都御史，賚金印、錦誥賜倭王，敕其國鎭山爲壽安山，御製碑文勒石其上。四年，平江伯陳瑄，督領海運，與倭寇値於沙門島。追至朝鮮洋，盡焚其舟，斬獲無筭。九年以後，貢者僅一再至，而其寇松門，寇沙園諸處者不絕。如十九年犯遼東之馬雄島，爲總兵劉江盡殲於望海堝④。是年五月望日，倭賊二千餘人，登犯馬雄島。總兵劉江，乃犒士秣馬，令百戶姜隆帥壯士焚毀賊舟，以斷歸路；指揮徐剛伏兵山下，戒曰：「見旗舉炮，響則起。明日，賊逼望海堝下。江，披髮當先，執旗麾伏兵，張翌而進。賊奔櫻桃園空堡中，官兵圍之，有欲奮攻者。江弗許，令開西壁縱之。仍分兩翌（翼）挾攻，悉擒斬之。及還，諸將請曰：「公臨敵安閒，惟飽士馬，披髮衝陣，圍而復縱，何也？」江曰：「窮寇遠來，必飢且勞。我以飽逸待之，此爲治力賊陣，有似長蛇，我以眞武勢壓勝之難，所以愚士卒之耳目，亦足以壯我軍之氣。賊入堡而□□，此圍師必闕之法也。」衆皆悅服。捷聞於朝，進江伯爵，將士陞賞，有差。二十二年，寇象山。縣丞宋眞，持竿擊賊而死；教諭蔡海，罵賊而死。蓋其罔懷帝賜，狡譎不情，固其常也。

宣宗朝入貢踰額，復增定格例，船毋過三隻，人毋過三百，刀劍毋過三千把。八年，倭王源道義卒，遣使弔祭⑤。十年，嗣王上表謝恩⑥。正統四年五月，夷船四十餘隻，夜入大嵩港，襲破所城。轉寇昌國，亦陷其城。時備倭等官以失機被刑者三十六人，惟爵谿所官兵擒獲賊首一名畢善慶，誅之。七年，夷船九隻，使人千餘來貢。朝廷責其越例，然以遠人慕化，亦包容之。八年六月，寇海寧、乍浦諸處。十月，復寇壯士所。景泰六年，寇健跳。官軍城守，不得入。天順二年，遣使來貢。成化二年，賊舟僞貢，備倭都指揮張翥，帥舟師逐之。十一年，遣使〔子樸〕周瑋來貢。正德四年，遣使宋素卿來貢。請祀孔子儀制，朝議弗許。素卿者，即鄞人朱縞，其家鬻于夷商湯四五郎，越境亡去。至是，充使入貢，重賂逆瑾，蔽覆其事。蓋縞在倭國僞稱宗室、苗裔，傾險取寵，輔庶奪嫡，爭貢要利，而夷夏之釁，遂釀於茲。聖上龍興，改元嘉靖。明年四月，夷船三隻，譯稱西海道大內誼興國遣使宗設謙道入貢。越數日，夷船一隻，使人百餘，復稱南海道細川高國，遣使〔鸞岡〕瑞佐、宋素卿入貢。導至寧波江下。時市舶太監賴恩，私素卿重賄，坐之宗設之上。且貢船後至，先與盤發，遂致兩夷仇殺，毒流廛市。宗設之黨追逐素卿，直抵紹興城下。不及，還至餘姚，遂縶寧波衛指揮袁璡，越關而遁。時備倭都指揮劉錦，追賊戰沒于海。定海衛掌印指揮李震，與知縣鄭餘慶同心濟變，一日數警，而城以無患。賊有漂入朝鮮者，國王李懌，擒獲中林望、古多羅，械送京師。發浙江按察司，與素卿監禁候旨。法司勘處者凡數十次，而夷囚竟死於獄。倭奴自此懼罪逋誅，不敢款關者十餘歲。十七年五月，夷船三隻，使僧〔湖心〕石（碩）鼎、〔策彥〕周良來貢，求還前所遺貨。法司諭以事已經亂，貨應入官，且無從索之。良等沮，不敢言。朝廷復申十年一貢之例，責令送還正德以前勘合，更給新者，遵照入貢。二十三年四月，使僧釋壽光等百五十人來貢，驗無表文，且以非期，卻之。二十六年四月，夷船四隻，使臣周良等四百餘人來貢，仍以非期，發外海嶼山停泊一年，期至，方許入貢。先是，福建繫囚李七、許二等百餘人，逸獄下海，勾引番、倭，結巢於霩衢之雙嶼，出沒爲患。上命巡撫都御史朱紈，調發福建掌印都指揮盧鏜，統督舟師擣其巢穴，俘斬溺死者數百。有蟹眉須黑番鬼、倭奴俱在獲中。餘黨遁至福建之浯嶼，鏜復勦平之。命指揮李興，帥兵發木石塞雙嶼，賊舟不得復入。然窟穴雖除，而東南弗靖。徽歙姦民王直即王五峯、徐惟學即徐碧溪，先以鹽商折閱，投入賊夥。繼而竄身倭國，招集夷商，聯舟而來，棲泊島嶼，潛與內地姦民交通貿易。而鄞人毛烈即毛海峯，質充假子。時廣東海賊陳四盻等亦來劫擾。王直用計擒殺，叩關獻捷，乞通互市。官司弗許。壬子二月，直令倭夷突入定海關奪船，福建捕盜王端士，帥兵敵卻之。直移泊金塘之烈港，去定海水程數十里，而近亡命之徒從附日衆，自是夷航遍海，爲患孔棘。是年四月，賊攻游仙寨，百戶秦彪戰死。已而寇溫州，尋破臺州黃巖縣，東南震動。巡按御史林應箕，告急于朝。朝議設巡撫都御史，提督軍務，無制閩、浙。而各設參將，統帥兵衆。於時巡撫都御史王忬，命參將湯克寬捕斬賊首鄧老等。六月，賊陷霩衢城。癸丑四月，賊薄省城，指揮吳懋宣，率僧兵禦之于赭山，力戰死之。賊陷昌國城，百戶陳表持兵相拒，麾賊數人，死之。觀海衞指揮張四維，追賊於崎頭洋，斬首五十級。夷舟漸至直隸登劫，皆依烈港之賊爲窩堵。參將俞大猷，以舟師擣之，弗利，賊亦尋遁至別島，鼓扇餘兇，逞其毒螫。是月，賊復攻陷臨山城。六月，賊復寇嘉興；寇海鹽、澉浦、乍浦；寇直隸上海、吳淞、嘉定、青村、南滙、金山衞；寇蘇州；寇崑山、太倉、崇明；或聚或散，徧於川陸。凡浙直之地，所經村落、都市，昔稱人物顆繁，積聚殷富者，蕩爲丘墟。而柘林、八團諸處胥作巢穴矣！時官兵進勦屢衄，參將湯克寬，督率邳兵戰於葉謝港，斬首五十餘級。海道副使李文進，參將俞大猷，督率都司劉恩至，指揮張四維、郭杰，百戶鄧城等兵船，追賊于蓮花洋。甲寅二月，參將盧鏜與賊戰於史家浜，盡焚賊舟，斬獲無筭。三月，都司劉恩至，指揮張四維，督舟師追賊至三岳山，斬首二十級。尋與指揮潘亨會兵追勦，生擒三十餘徒。賊由赭山、錢塘至曹娥，涉三江、瀝海、餘姚，直走定海縣之王家團，復有盤據補陀山，焚劫海鹽龍王塘，乍浦長沙灣，嘉興、嘉善縣諸處。盧鏜與把總指揮劉隆、潘鼎，邀擊于石墩洋，斬首二百餘級。是月，賊攻崑山城，又攻蘇州城，又攻松江城。九月，賊奔蕭山縣，分寇臨山、瀝海、上虞縣，又攻嘉興城。官兵與戰于孟家堰。指揮李元律，千戶薛綱、宋應蘭死之。賊走嘉善縣，參將張淙、張鈇，都司周應禎，指揮王堯相、楊永昌等，分兵追斬，各有差。賊徒四千餘，突至百家山。百戶趙軒瑜戰死。賊寇沈家河、智扣山、黃灣諸處，都司周應禎戰死。六月，賊寇蒲門壯士所。指揮王希禹，率兵追斬四十級。七月，賊舟遁出金山洋，指揮任錦要擊於銅礁，俘斬三十餘級。十月，夷船三隻，突入松門關，薄于靈門。臺州知府宋治，與把總劉堂，太平縣知縣方畧，率兵襲焚其舟，擊斬有差。十一月，賊徒二百餘人，登自海門港，直趨臺州仙居、新昌、嵊縣，屯於紹興柯橋村。署海道副使陳應魁，同俞大猷率會稽縣典史吳成器，帥兵勦除之。復有賊衆二千餘人，焚劫嘉善縣。廣西領兵百戶賴榮華，戰死。乙卯四月，賊寇常熟。僉事任環，帥湖、廣土兵戰卻之。先是，劇賊徐惟學即徐碧溪，以其姪海即明山和尚，質於大隅州夷，貸銀數萬兩，而惟學竟沒於廣東之南嶼（爲守備持揮黑孟陽所殺。）其後，夷索故所貸於海，令取償於寇掠。至是，海乃偕夷酋新五郎，聚舟結黨而來。衆數萬，寇南畿、浙西諸路。至乍浦，巡按御史胡宗憲，令人載藥酒誘賊。賊中毒死者過半，餘衆數千，擁至王江涇。宗憲督盧鏜與總兵俞大猷，統浙直狼、土等兵大戰，悉擒斬之，聚屍三千，封京觀，更名其地，爲滅倭，涇賊復一支走崇德，以向省城。總督尙書張經，督兵追擊之，而麻陽土酋保其前所殺賊得獲珍貨，戰乃不力，重以不得地利，大致挫衂，經坐重譴。賊復寇常熟，知縣王鈇，與致仕參政錢泮，率兵禦之，被害。賊復寇無錫，寇宜興。官兵敵卻之。已，復攻圍江陰，連月不解。知縣錢錞死之。賊復寇唐行鎮，游擊將軍周瑤迎敵，死之。別有賊九十三人，自錢倉白沙灣入奉化仇村，經金峩，突七里店，敵殺寧波衞百戶葉紳；由甬東走定海崇丘鄉，復折而趨鄞江橋，歷小溪樟村，敵殺寧波衞千戶韓綱；走通明壩，渡曹娥。時御史錢鯨，以便道南還，適與之値，遂遇害。已而過蕭山，渡錢塘，入富陽、嚴州，寇徽州之績溪縣。盧鏜先以勁兵出油口溪扼之，賊奔太平府，渡采石江，道南京外郛。京營把總朱襄、蔣陞戰死。官兵追捕，殲于蘇州之木瀆。復有賊千餘，由掘泥山登犯觀海、慈谿、龍山、定海縣諸處。六月，復有賊數千，自柘林走海寧，直抵杭州北關外，屯聚劫掠。賊自觀海開洋者，備倭都指揮王沛，督帥把總閔溶、張四維、李興等兵船，要擊于霍山洋，悉衝沉之。先是，巡按御史胡宗憲，具奏遣使諭其國王，以彌邊患。是年八月，朝廷以宗憲有才略可大任，遂進都御史，提督軍務。復與工部侍郎趙文華，合奏申前事，報可。乃令福浙藩司檄宣德意。生員蔣洲、陳可願充市舶提舉，以往。九月，賊徒二百餘人登據舟山之謝浦，復有賊數百由海門登劫仙居、黃巖，官兵追之，賊奔奉化，走鄞江橋，出四明山，據紹興之龕山。胡宗憲親督盧鏜，處州梁高山等兵擊斬之。十一月，賊衆二千餘，乘舟遁出南涯口，復有攻犯溫州瑞安者。守備都指揮劉隆戰死，隨流劫仙居、天臺，至嵊縣清風嶺。胡宗憲督容美兵盡殲之。又有福建流賊，由臺、溫至寧海，抵奉化之楓嶺，敵殺慈谿縣領兵主簿畢清，義士杜□發于丘家山，由歲穰橋而出以灌田葉家溪發于日嶺山，由唐家畈至青錦橋。爲小堰，以灌田至城東，一南流爲方勝碶以灌田，一北流鵝鴨溪以灌田，此附邑之流專利郭田者，皆流入于縣溪。縣溪發于鎮亭龍潭，至大萬竹爲大堰，出三十里爲朱家堰，至廣度爲新城堰，而大嶺下溪黃甘嶺下溪皆合流出西溪至龍潭灘，爲資國堰，引水入河分二派，一由南山下注蔣家湖，由舍墟村抵長塘河爲新溪，碶以入後洋河有考到碶以節之。一入潘家斗，又分二派，一注萬壽湖，爲土埭堰達長浚、短浚，由司馬橋抵趙家斗，有鄭家堰以隄之。一由市河注廣平湖，抵新河，有斗門堰以隄之。其流皆入于沈家莊河溉田，不下數千頃。然資國堰港口沙每壅塞而流之，所入者微，尤不可不以時濬導者也。自龍潭灘而下，出新橋惠政橋、金沙灘、長汀至金鍾墩，有倪家碶以節水，入新溪達沈家莊河，與後洋河、趙家斗新河水合，有陳渤頭碶以節水由陳渤頭碶而出栢樹港，自金鍾墩而下，由栗樹州入大倭王畿甸，越斷港而東水陸之程邁于旬月，舟行而西止五六日而已，入我浙直界矣。天朝頒賜勘合，貯肥後州，亦有貯山陽道周防州者，各道入貢，必納貲請取勘合而行，頻年寇邊，實九州島夷也。時徐海久據柘林，是年二月，將寇南京浙西諸路，出嘉興至皀林，遇遊擊將軍宗禮帥驍騎五千人突之，殺賊無筭。明日，復戰，死之。賊攻圍巡撫阮鶚于桐鄉，窘甚。時胡宗憲新受總督軍務兵部左侍郎之命，舊兵不滿千人，度其勢未可驅殄，乃用計稍熖賊，至四月下旬圍始得解。賊乃別遣夷船二十三隻，賊衆二千六百，登劫嗚鶴場。夷船八隻，賊衆千餘，登劫臨山三江，越數日，兩賊合攻觀海、龍山城，突入慈谿縣治，焚劫慘毒。長吏負印而走。縉紳齒刃死者，則副使王鎔，知府錢渙也。賊由丈亭港欲窺郡城，盧鏜帥兵乘輕舠，沿江上下，用鳥嘴銃擊賊，賊疑，退屯海口。後至者，則拾其遺貨。是月，賊衆五百餘，由福建莆田之广頭登岸流劫而西，入據仙居縣。時阮鶚始出桐鄉圍中。胡宗憲行鶚統督兵備副使許東望，參將盧鏜，臺州知府譚綸，指揮伍維統等，進勦盡殲賊於仙居，而宗憲自以身獨當海，乃數遣死士入海營中爲反間，令自縛其黨陳東等八十餘人，而海自以身乞降。佯許之，計徵兵且至，乃與工部尙書趙文華密謀進勦，大殲于沈家莊，海遂自溺。得其屍，新五郎帥餘黨乘舟遁至烈港。參將盧鏜要擊之，俘斬三百餘，新五郎與麻葉等囚至京師，獻俘告廟剉屍梟示。上命儒臣紀頌功德云。賊據定海丘家洋，阮鶚與俞大猷、盧鏜合兵圍守數日，賊甚窘而我兵不戒，遂夜潰圍，踰桃花嶺，渡李溪，走鄞之西鄉。由元貞橋走奉化、寧海，與官兵戰于臺州之兩頭門，把總范指揮死之。遂從寧海走溫州，至福建，得舟而遁。謝浦之賊，移據吳家山，自秋及冬，屢攻弗克。胡宗憲發桑植、麻療兵三千，檄張四維，歲除乘雪夜襲破其巢，悉斬之。丁巳正月，賊衆數千，登自福建之三沙，遍掠沿海，至寧德縣，備倭都指揮劉炌死焉。時領兵指揮、千百戶陣亡者二十八人。三月，賊衆復千餘，與三沙賊合，搶劫洪塘，焚毀新造戰船一百餘隻。四月，賊寇通州海門縣，突流揚州廟灣港。盧鏜追擊，衝沉其五舟，斬首四十餘級。賊出安東縣，復依船爲巢。池河守禦劉顯擊破之，斬首百餘級，餘黨遁去。復有賊舟漂至沈家門，約百餘人，胡宗憲遣朱尚禮誘至定海關，悉斬之。七月，生員蔣洲與倭酋德陽左衛門、善妙松柴門等五十餘人，乘舟進泊舟山，胡宗憲上其事于朝。九月，王直、毛烈葉碧川等亦偕夷商水手千餘，乘舟進泊岑港。毛烈自詣軍門乞降，求市。胡宗憲令烈還舟候旨，檄俞大猷統督浙直兵船爲戰備，檄盧鏜至舟山擒諭，宣布威德。直進退無據，遂就執。戊午三月，毛烈帥其夷兵與松柴門等合巢于岑港山，四出劫掠。總兵俞大猷，統督參將戚繼光、張四維、劉顯、丁僅等兵圍之，久而弗克。賊舟繼自豐州島來者爲烈應援，宗憲督張四維以舟師擊於韮山洋，斬首百有奇其一。支壁於朱家尖，環而攻之，俘獲三百有奇，自是岑港之賊絕援矣。時賊有寇溫州者，其郡致仕僉事王德，帥鄉兵禦之，殺賊數人。次日，復領兵出戰，德陷賊伏而死。其他寇楚門，寇臺州，寇樂清、臨海、仙居及象山之交縮者，衆至萬五千人，時惟臺州民兵前後俘斬數百而已。六月，岑港之賊毀其故巢，遁於柯梅山，官兵攻圍，至十一月，復乘舟夜遁。張參將追及於鎮下門，衝沉其一舟，斬首二十餘級。烈遁至浯嶼，復移於南澳，轉而東奔。己未三月，倭賊千餘，登犯象山、金井頭諸處。海道副使譚綸，督兵剿之，斬首百餘級。賊流至寧海，與先犯桃渚、海門、黃巖諸賊相合。總督胡宗憲，復檄譚綸同參將戚繼光帥兵追剿。賊趨新河所，復奔太平之南灣山，官兵斬首七百餘級。又賊一枝，據寧海之石馬林，譚綸同副使劉存德，參將牛天賜，又奉總督之檄剿平之。復有夷船大寇揚（揚）州通泰諸處。四月，夷船二十餘隻，賊徒二千餘人，漂至三片沙，副總兵盧鏜，督帥游擊樓尚英等兵船擊斬百三十級。餘孽移據三沙，官兵前後斬獲二十級。七月，遁至江北，復寇廟灣、蒙李諸處。總督胡宗憲，都御史李遂，督發參將曹克新，都司何本源等兵悉剿平之。十二月，法司奏讞王直罪逆，遂即誅梟首定海關。東南自倭奴搆亂，數年之間，供億巨萬不貲，而邊氓之被殃，材官之戰沒者又莫可勝紀。幸賴元戎運籌，將士僇力，得偷旦夕之安，但生聚未復，兵食未充，而賊之盤據福建者積歲未解，將來叵測，則將何以待之？我祖宗之制，於邊海郡縣經營，控制爲備，蓋至嚴也。語形勢之遠起遼海，而終瓊崖。考浙之東西，首澉、乍而逮蒲，壯吾郡，南達臺、溫，北運溟渤，並海幾六百里。起慈谿縣向頭巡檢司，止象山縣石浦巡檢司。置衞者四：曰觀海，曰定海，曰昌國，而寧波衞則附於郡城衞之隙。置所者十：曰龍山，曰穿山，曰霩衢，曰大嵩，曰錢倉，曰爵谿，曰石浦前、後所，舟山則懸峙海中，而中中、中左二所在焉。所之隙置巡檢司一十有九：曰螺峰，曰岑江，曰岱山，曰寶陀，四司環置舟山之四面，隸寧波府。曰甬東，曰大嵩隸鄞縣，曰松浦，曰向頭隸慈谿，曰結埼，曰塔山隸奉化，曰長山，曰穿山，曰霞嶼，曰管界，曰太平隸定海，曰爵谿，曰陳山，曰石浦，曰趙嶴隸象山，莫不因山塹谷，崇其垣墉，陳列兵士，以禦非常。復于津陸要衝置爲關隘，曰東津，曰西渡，曰桃花，隸鄞縣。國初皆置船防守，後裁革。今復置列兵船，以備倭寇衝突。曰定海關，在南薰門外，最爲衝要。舊制：額設指揮一員，旗軍五十名，盤詰舟航，以防姦細。官哨戰船亦泊於此。今增協守民兵，福蒼大小戰船，悉爲停泊。曰舟山關，舊制：額設官軍，盤詰停泊戰船，今增置福、蒼等船防守。曰丈亭關，曰長溪關，曰杜湖關，曰石浦關。凡九：曰湖頭渡寨今遷塔山巡檢司於此，曰竹頭寨，曰長山寨，曰小浹港隘，曰青嶼隘，曰碶頭隘，曰錢家隘，曰梅山隘，曰慈嶼隘，曰橫山隘，曰螺頭隘，曰碇齒隘，曰小沙隘，曰沈家門水寨，曰路口嶺隘，曰岱山隘，曰大展隘，曰何家纜(礦)寨，曰仁義寨，曰赤坎山寨，曰黃沙寨，曰松嶴寨，曰土灣寨，曰南堡寨，曰游僊寨，凡二十有五，皆屯兵置艦，以爲防守，其中若定海關、舟山關、湖頭渡寨沈家門水寨、游僊寨，凡二十有五，皆屯兵置艦，以爲防守。其中若定海關、舟山關、湖頭渡寨、沈家門水塞、游僊塞、南堡寨、小浹港隘最爲要害。自昔至今，尤致嚴焉。定海置烽堠一十三，穿山烽堠十，霩衢烽堠六，大嵩烽堠六，舟山烽堠二十五，觀海烽堠六，龍山烽堠六，昌國烽堠三，石浦烽堠二，錢倉烽堠五，爵谿烽堠四，咸設旗軍以瞭望聲息。晝烟夜火，互相接應。若霩衢之三塔山，舟山之朱家尖，矗峙最高，所望獨遠，故設總臺，多撥旗軍，戒嚴尤至。設總督備倭，以公侯伯領之，巡視海道，以待郎都御史領之。洪武三十年以後，總督領於都指揮，海道領於憲臬。定、臨、觀三衞設一把總，指揮松、海、昌三衞；設一把總，指揮金、盤二衞；設一把總，指揮海寧衞；設一把總指揮，分方備禦。各有攸司，海上諸山分別三界、黃牛山、在慈谿縣北大海中，與海鹽縣海洋爲界。馬墓、長塗、冊子、金塘、大榭、蘭秀、劍山、雙嶼、雙塘、六橫、韮山、壇頭等山爲上界；灘山、滸山、羊山、馬蹟、兩頭、洞漁山、三姑、霍山、徐公、黃澤、大小衢、大佛頭等山爲中界；花惱、求芝、絡華、彈丸、東庫、陳錢、壁下等山爲下界。率皆潮汐所，通倭夷貢寇必由之道也。前哲謂防陸莫先於防海，沿邊衞所置造戰船，以定、臨、觀三衞九屬所計，□五百科止定海港一隻四百料、二百料、尖觖等船一百四十有三，昌國衞四屬所四百料等船六十有七。量船大小，分給兵杖、火器，調撥旗軍駕使，而督領以指揮千、百戶。每值風汛，把總統領定、臨、觀戰船，分哨於沈家門。初哨，以三月三日；二哨，以四月中旬；三哨，以五月五日；由東南而哨，歷分水礁、石牛港、崎頭洋、孝順洋、烏沙門、橫山洋、雙塘、六橫、雙嶼、亂礁洋，抵錢倉而止每哨抵錢倉所取到單幷各處海物爲證驗。凡韭山、積固、大佛頭、花惱等處，爲賊舟之所經行者，可一望而盡。由西北而哨，歷長白、馬墓、龜鱉洋、小春洋、兩頭洞、東西霍，抵洋山而止。哨至，亦取海物爲驗。凡大小衢、灘滸山、丁興、馬跡、東庫、陳錢、壁下等處，爲賊舟之所經行者，可一望而盡，即由此南通於甌越，北涉於江淮，皆以南北兩洋爲要會，而南北之哨，則以舟山爲根抵。昌國戰船，南哨則抵於松門，北哨則抵大嵩，分哨之期有同於三衞，而與松海哨船別，統於把總。至六月哨畢，臨、觀戰船則泊於岑港，定海；戰船則泊於黃崎港；昌國戰船則泊於石浦關，海中至六月十二日爲彭祖忌，颶風大作，舟必避之。仍用小船巡邏防守，備至密也。今日之倭奴，更不可以春汛期，自三月至五月爲汛期，六、七、八月，風潮險惡，舟不可行。九、十月小陽汛，復可渡海，亦有停泊海島乘間而至者，故今四時防倭也。而備禦，宜益加嚴矣！

皇上軫念元元，震耀神武，命將興師，以誅不庭。舉祖宗之舊章而振飭恢弘之設，總督直隸福浙軍務大臣，及巡撫都御史，命卿佐以督察軍務，督視軍情。三十四年，命工部尚書趙文華督察軍務；三十八年，命右通政唐順之督視軍情。以藩臬分任兵備，調發廣東、橫江、烏尾船二百餘艘，改造福清船四百餘隻，停造五百料等船，於軍四民六，料銀增給、價值改造福船。雇稅蒼、沙、民船復數百隻，召募福建、兩廣、邳、徐、山東、松潘、保靖、永順、桑直、麻遼、鎭溪、大庾，及蒼處等兵不下十萬，敕鎭守總兵駐箚臨山，今改箚定海，責任與巡撫同。協守副總兵駐箚金山，今改箚吳淞，責任與巡撫同。參將分守各府。杭、嘉、湖一參將，寧、紹一參將，臺州一參將，溫、處一參將，責任與兵備同。把總統轄諸衞，舊制：四把總，今分爲定海，爲昌國，爲臨觀，爲松海，爲金盤，爲海寧六總，裁去備倭總督，而各把總俱以以〈衍〉都指揮體統行事。復有游擊、游兵、統兵等職，以督水、陸之兵。皆題奉欽依，以都指揮領之。一時任事之臣，非不攄殫謀畫，務底安攘，而豺豕日繁，烽烟未靖者，蓋以蹊徑日開，而告急者多，則疲於奔命，庚帑日匱而資用者乏，則窘於設防，糧餉不時而凍餒者衆，則怯於應敵。主兵不實而召募者多，則難於行法，此皆用兵之大患也。試舉目前之事籌之，倭奴入寇，自彼黑水大洋，舟行一二日抵天堂山，復一二日渡官綠水，抵陳錢壁下，漸經濁水西北，過步州洋亂沙入鹽城口，可犯淮安。入廟灣港可犯楊州。再越而北，則犯登萊矣！西南過韮山、大佛頭、積固山，入黃華港，可犯溫州；入桃渚、海門、松門諸港，可犯臺州。再越而南，則涉閩、廣矣！正西過茶山，入瞭（廖，以下同）角嘴、大江口、涉谷櫝鄉、福山諸港，可犯通、泰、瓜、儀、常、鎭；過馬蹟、灘滸、羊山，歷崇明、七丫、白茅、劉家河、吳淞、黃浦、白沙灣諸港，可犯蘇松。過大小衢、徐公、石塔山、馬鞍山、登粱莊、西海口、西嘴頭，可犯嘉、湖；入鱉子門、赭山、錢塘江，則薄於省城；登龕山、烏嘴頭，可犯蕭山縣，過漁山、兩頭洞、三姑山，入蜱浦、三江，可犯紹興、臨山、瀝海、三山；過霍山洋、五嶼、烈港、表登、掘泥、烏山、平石，則薄於吾郡之觀海，龍山、慈谿，登丘家洋、官莊、龍頭，則犯定海之西北界，過岱山、長塗、蘭秀山、劍山，登干礦、大小展，則東北一面可入於舟山，過烏沙門，順母塗，登沈家門、謝浦，則東南一面可入於舟山。過大小干山、十六門，嶴山、盤嶼、登關、山螺頭，則西南一面可入於舟山。過東西、肯長、白礁、馬墓港、冊子山，登岑江碇齒，則西北一面可入於舟山。由舟山之南經大貓洋，入金塘蛟門，則竟趨於定海城下；過穿鼻港，入黃崎港，則犯穿山；過崎頭洋、雙嶼、入梅山港，則犯霩衢。過青龍洋，入大嵩港，則犯大嵩；由東西厨入湖頭渡，則犯奉化縣及象山縣之東界。過韮山、海閘門、亂礁洋、登蒲門，則犯錢倉所。過青門關，登白沙灣、游僊寨，則犯爵谿、象山之南界。入石浦關，則逼石浦城，與昌國衞。宋時嘗於招寶山抵陳錢壁下置十二水鋪，以瞭望聲息。在當時已病海氣溟濛，風雨寞晦，難於接應。今浙直兵船督領於游兵把總等官，謂宜自春歷夏，及小陽汛期，直隸船北哨至茶山、瞭角嘴海洋。江北淮、揚沿海復設總參遊兵等官，督領兵船。哨守名時洋南哨至羊山、馬跡、灘滸、衢山等處，蘇、松、常、鎮兵船於游兵外，又分別枝哨守各洋港。浙船南哨至鎮下門、南麂、玉環、烏沙門、普陀等山，溫、臺兵船又分別枝哨守各洋港北哨則交於直海、寧、紹兵船於遊兵外又分一枝哨守馬跡，一枝哨守兩頭洞，一枝哨守衢山，一枝哨守長塗，一枝哨守普陀。陳錢爲浙直交界分路之始，復交相會哨，遠探窮搜，遇有賊舟，即爲堵截，馳報內境，俾爲預防。復於沈家門列兵船一枝，以一指揮領之。馬墓港列兵船一枝，以一指揮領之。把總則駐劄舟山，兼轄水陸，而總參標下各選練精兵三千，以聽征勦。定海則屯聚重兵，屹爲巨鎮。賊或流突中界，則沈家門、馬墓兵船迤北截過長塗、霍山洋、三姑，與浙西兵船爲犄角，而吾郡之北境可以無虞。迤南截過普陀、青龍洋、韮山、青門關，與昌國、石浦兵船爲犄角，而吾郡之南境可以無虞。賊或流突上界，則總兵官自烈港督發舟師，北截於七里嶼、觀海洋，而參將自臨山洋督兵船爲之應援，南截於金塘、大猫洋、崎頭洋，而石浦梅山港兵船爲之應援，則沿海可以無虞。是故，今日之海防，會哨於陳錢，分哨於馬蹟、羊山、普陀、衢山諸處爲第一重，出沈家門、馬墓之師爲第二重，總兵督發兵船爲第三重，巨艦雲馳，倭夷之舟航弗與也。火器飈發，倭夷之短兵弗與也。以我之衆，制彼之寡；以我長枝，制彼短技，折蛇豕之勢，而免內地震驚之虞，斯策之上者也。萬一疎虞，而賊得登陸，由掘泥歷烏山鳴鶴場，踰杜湖嶺，入慈谿，由平石，歷沈思橋，踰孔家嶺，入慈谿渡、丈亭，走車廐、稠嶺寨、石塘灣，涉鄞之西鄉，可達於郡城，則觀海、向頭、松浦之守不可以不嚴。而慈谿新城之建，實所以扼其衝。由丘家洋，越鴈門嶺；由官莊，越桃花嶺；由龍頭，越鳳浦嶺，渡青林、李溪，可達於郡城，則龍山管界之備，與嶺口把截之兵，不可以不嚴。而丘洋、金嶴、石墻之築，實所以扼其衝；由定海港，可直走寧波，則西渡東津、梅墟、桃花渡之備，不可以不嚴。而招寶山，築城設險，實所以扼其衝，由夏蓋山，走梁湖通明壩，入四明梁衕，出樟村小溪、櫟社，可達於郡城，則臨山、瀝海□出之防，不可以不嚴。由四門石堰渡桃江入樟村，以達於郡城，則三山之防不可以不嚴。由小浹港循長山橋、鄮山橋、七里店走甬東，可達於郡城，則港口置兵船防守。

港口置鐵發貢，重五千斤者一座，調發福船二隻，蒼船四隻，防守港口。添設本港民八槳船十隻，汛期則巡邏、哨探，暇則容其樵採。與甬東巡司之備，不可以不嚴。由穿山碶頭踰育王嶺，歷寶幢、盛店，可以走甬東，則穿山、橫港、水陸之備不可以不嚴。由尖崎，踰韓嶺，涉東湖，可以走甬東，則霩衢、大嵩、霞嶼、太平之備不可以不嚴。由趙嶴、白沙灣走象山，渡黃溪，歷仇村，道陳嶺，入乾坑、橫溪、桃江，可以走甬東，則錢倉、爵谿諸濱海之備不可以不嚴。由昌國、石浦、桃渚、健跳、黃巖、寧海，經鐵場、缸窰、黃溪、青嶺入奉化，渡蔣家浦，越鄞江橋，達郡城之西南，則缸窰、黃溪口與諸險隘之防不可以不嚴。近設蒲門、青門、鋸門、金井頭等隘，凡此皆倭寇所經之故道，為郡城根本之慮。凡在事任者，所當宣猷而致力也。然郡之舟山，故縣治也。四面環海，其中為里者四，為嶴者八十三，其五穀之饒，魚鹽之利，可以食數萬之衆，不待取給于外。初以承平無事，止設二所守之。軍卒不過二千四百有奇，而歲月既久，逃亡且太半矣。重以城垣，低薄不足為固，萬一夷且生心，據以為穴，則險阻在彼，非有勁兵良將，卒未易以驅除。而彼方挾其利便，四出攻剽，則濱海郡縣，容得安枕而臥乎？此今日之所當首以為憂蓋不止如雙嶼、烈港之為賊窟而已也。夫海防莫急於舟師，合定臨、觀、昌各港福、蒼、官民船可二百艘，八槳小網船倍之，今復增造福、蒼、沙船五十隻。舊例：船價六分，則徵於里甲四分，則扣於軍儲以充造作，三年則輕修，六年則重修，九年則拆造，其價扣除於月糧，變賣於釘版，而仍給公帑以佐之。今之造船，給稅又數倍於昔矣，昔之出海旗軍食糧八斗，五斗安家，三斗隨行。今之給餉，水兵者又數倍於昔矣，公私安得不困哉？且昔日之水軍固皆尺籍之編伍，未始徵兵於外方也。間有老弱雜揉傭夫冒充，固可簡而汰也。自巡撫朱紈過懲前弊，謂土軍積脆不振，乃悉從罷免。專募福清兵船，用之戍守，用之攻擊，率以忘命剽掠之徒而充，敵愾干城之役，于時，識者已謂前門拒狼，後門進虎，而將來之患至不可袪除矣。即今分舟而伍，則詭名以冒糧，一或不遂，即有脫巾之變；奉調而行，則劫掠以飽欲，一或抗拒，即有殺戮之慘；及其臨陣，格賊也非。其生同里閈，則其素所交通之人也。陷以甘言，嘗以隱語，即倒戈而反走矣。故屢戰而屢北，自兵興以來，以福兵而取勝者能幾何哉？夫習知其不可而必欲用之。有禦寇之名而無禦寇之實，此誠所謂大舛也。爲今之計，漸罷客兵，而兼用土著，便久而習其揚帆捩舵之法，戰攻衝擊之技，宜無不便者。況寧、紹之民，流亡直隸，投充水兵者亦不下萬計，彼閩人固能施長技於浙海也，浙人又能施長技於直海也，歸吾浙人而行於浙海，又奚不可哉？此言用土人可以省募水兵。議者謂山海有自然之利，捐之民而困可甦，故屯大樹之田，可以固穿山之守耕，牧金塘可以裨糧餉之資。近日督察大臣，嘗奏請舉行，然田方度而勢豪已爲之占籍，果能出力以供稅乎？且其地廣袤，物產無窮，賊屢過而不問者，以其中未有可欲也。既田之，則有可欲矣。能保其不據乎？苟無重兵以守，是委以與敵也，而可爲之乎？此言金塘、大樹不必復田。或謂今之水戰，止能要擊去賊，而於來者未能遏其鋒。夫來賊銳，而去賊惰，擊惰易而攻銳難，人情所習知也。然擊來賊者，譬之撲火於方然之始，火滅則棟宇可以無虞；擊去賊者收燎於既燼之後，此其利害則有間矣。自海上用師，擊來賊者僅一二見，戊午，參將張四維，擒朱家尖之寇；己未，總兵盧鏜，殲三片沙之寇。而要去賊者，亦不過文其縱賊不追之罪耳。今若以擊來賊之賞，優於追去賊之賞，以縱來賊之誅，嚴於縱去賊之誅，而當事者同心僇力，急如救焚，盡遏海外方來之寇，則邊鄙又何不寧耶？此言水戰以擊來賊爲奇功。或謂我兵陸戰，每退怯而鮮成功。夫倭奴常敗于水，而得志於陸者，非其勇怯有殊也，交兵海上，吾特以戰艦之高大，帆檣之便利，火器之多取勝耳。至登陸而沉船破釜，所以一其志也。環龜自守，專其力也。顧能飽以饑，我逸以勞，我伏以伺，我佯北以誘，我蓋其以狡獪習兵，深入重地之窮寇，與吾柔脆之兵相角逐，勝負之數可坐而策也。誠能察彼、己之情，即以其勝我者而勝彼，握符馭衆者復以威克厥愛行之，寧不足以殄滅兇頑耶？此言陸戰當以謀勇兼全勝。古之善用兵者，必先明其賞罰，故金帛之錫，茅土之封，非濫捐之也。莊賈之誅，宮嬪之僇，非妄以立威也。以爲不如，是無以驅之死地耳。國家著令於敗軍之罰嚴矣，見兵律飛報軍情條下，今復奏擬五等賞功之例，曰：論首級。凡水陸主、客官軍、民快，臨陣擒斬有名眞倭賊首一名顆者，陞授三級，不願陞授者，賞銀一百五十兩，獲眞倭從賊一名顆，幷陣亡者陞授一級，不願者賞銀五十兩。獲漢人協從賊一名顆者，陞授署一級，不願者賞銀二十兩。曰：論奇功。如在海洋遇賊，有能要擊衝沉船隻，或追逐登止，使賊不得登岸；如賊旣登岸，有能衝鋒破陣，奮其聲勢，或追出境，或逼下船，使地方不致受禍，或所部兵少而擒斬多者，均以奇功論，聽總督即時具題，巡按作速勘報，超格陞賞。曰：分信地。凡守備把摠及海防民兵，府、州、縣佐，各有信地，如賊至不能拒守，致賊突入者固當律以守備不設之罪，若能奮勇鏖戰，獲有首級，功罪相當者，亦許前贖。若罪小功多者，仍以功論。如賊從別港路出境，有能邀截擒斬打獲船隻，所得貨物盡行給付，仍照例陞賞。至於故縱出入本港，專圖邀取賊贓者，聽督撫官參究重治。曰：計職任。如武將，自守備把總以下文官，自海防民兵同知以下所領軍兵民勇五百名，部下臨敵擒斬眞倭，每五名顆陞一級，十名顆加一級。

千名部下，每五名顆陞署一級，十名顆陞實授一級，各以則例遞陞，至三級而止。如獲功之□，或以後失事革職者，准收贖。若總兵、副總兵之與巡撫，參將之與兵備，水陸士卒俱聽統領戰守機宜，俱聽調度。除在下有違節制者免究外，其餘功罪，參將照所屬分論，兵備隨之，總、副合所屬通論，巡撫隨之。但今經理之初，暫將臨山總兵分理海防，金山副總兵分理陸地，其功罪亦當查照，分別重輕，俱聽總督、巡按酌量時勢，究覈情實明白具題。曰：處報效。凡有官員舉監生員人等，督領家丁赴軍門，隨賊截殺得獲功次，及仗義輸粟者，俱聽軍門及撫按官臨時酌擬奏請從厚陞賞，以爲懷忠慕義者之勸。至於耆民統領沙兵，或屬把總，或屬府縣官管轄者，所獲功次仍照部下功，論擬陞賞。如是而行之，有功不至於濫賞，有罪不容於倖免，而將士戮力用命矣。此言賞罰之令當嚴。昔元人創爲海運，而朱清、張瑄擅其功。國初，沿其舊制，命總兵等官督領海船，運糧至直沽通州，以達於京師。自河漕既通，而海運遂廢，殊不思河渠有壅塞之患，堰閘有蓄洩之煩，徐呂洪流有汎溢之虞，諸襟喉扼塞之處復有意外不測之慮，誠宜如丘文莊公濬所議河海兼運，斯爲萬全。且海防長策，惟恃舟師，使選將募兵，造舟制器，皆能盡善，則內可以足京儲邊餉外，可以致海道肅清矣。如元人海道經，國朝海運額例，皆今日所當講者也。此言海運所當復。或謂定海沿邊舊通番泊，宜准閩、廣事例開市抽稅，則邊儲可足，而外患可弭。殊不知彼狡者倭，非南海諸番，全身保貨之比，防嚴禁密，猶懼不測，而況可啓之乎？況其挾貲求利者，即非脯肝飲血之徒，而捐性命，犯鋒鏑者必其素無賴藉者也，豈以我之市不市，爲彼之寇不寇哉？殷監（鑒）不遠，元事足徵，當商（商，以下同）舶未至而絕之爲易，貿易既通而一或不得其所，將窮兇以逞，則將何以禦之耶？今之寇邊者動以千萬計，果能一一而與之市乎？內地之商，聞風膽落，果能驅之而使市乎？既以市招之，而卒不與市，將何詞以罷遣之乎？夷以百市，兵以千備；夷以千市，兵以萬備；猶恐不足以折其姦謀，我之財力果足以辦此乎？且市非計日限月之可期也，彼之求市無已，則我之備禦亦無已，果能屯兵而不散已乎？此皆利害之較然者也。乃謂可以足邊儲而弭外患，不已大繆乎？此言番船不可通。或謂蕞爾倭奴，敢仇大邦，天討之所必加，宜大發舟師，渡海問罪，以永收摧陷廓清之功。古語云：「無勤兵於遠。」又云：「先王耀德以觀兵。」我太祖之訓曰：「四方諸夷，皆限山隔海，得其地不足以供給，得其民不足以使令。若自不揣量，來擾我邊，則彼爲不祥。彼既不爲中國患，而我興兵輕伐，亦不祥也。吾恐後世子孫倚中國富強，貪一時戰功，無故興兵，致傷人命，是大不可。」皇祖之言，蓋爲慮至深遠矣！昔漢武帝、唐大宗，皆雄主也，而卒罷于渡遼之役。元征日本，徒損國威，竟不能損其一介。今日倭奴，不自揣量，冒其不祥之災，我惟備之，殲之，逐之出境而已，孰云渡海之師可易舉哉？此言倭夷不必征。然則倭奴悔禍，或揚帆稱貢而至，又將何以處之？昔楊文懿公守陳嘗著卻貢之議曰：「倭奴狙詐狼貪，時拏舟載其方物、戎器，出沒海道而窺伺我，得間，則張其戎器而肆侵夷；不得間，則陳其方物而稱朝貢。」侵夷則捲民財，朝貢則沾國賜，且其所貢刀扇之屬，非時所急，價不蒲千而縻國用，敝民生，以通其貢者，一則欲得其向化之心，一則欲弭其侵邊之患也。今其狡計如前所陳，則非向化者矣。是受貢亦侵，不受貢亦侵矣。今倭奴最我讐敵，乃於搆釁之餘，復敢護其狷許狼貪之心，而欲售其譎計，其罪不勝誅矣。況可與之通乎？且前此入寇之少，蓋以通番下海勾引鄉導者少也。今茲入寇之多，蓋以通番下海勾引鄉導者多也。乃不嚴禁姦之令，而欲開非時入貢之門，是止沸而益之薪也。況倭王微弱，號令已不行於國中，即使通貢，果能禁諸島之寇掠乎？且貢夷止數百計，而寇邊者動以千萬計，豈寇邊之賊皆欲貢而不得貢者乎？謂宜頒降明詔，申命海道，帥臣益嚴守備貢，則卻而驅之出境，寇則草薙而禽獮之，則姦謀狡計破阻不行矣！今之議者復曰：「昔三代盛王九夷、八蠻、五戎、六狄莫不來王，聖人之作春秋於荊楚、猾夏，則書人以黜之，至遣椒來聘，復書爵以進之。招携以禮，懷遠以德，蓋王政之所不廢也。」倭奴自祖宗朝効其職貢已非一日，邇者朝廷准令遣使移檄往諭，實屬招來之意，以開其補過之門，但奉使者不能直達倭王，以宣布聖天子威德，而徒以私意簡率行之，欺罔觀聽。如其款邊納貢而峻卻之，恐永塞其自新之路，而益堅其稔惡之心，東南未知所息肩也。夫爲是說者，猶治疾之標，而未察其本者也。王者內夏外夷，修之有道。軍志亦曰：「毋恃其不來，恃吾有以待之。」使在我者未修，而疏於所恃也，則通之適所以招侮，絕之亦足以啓釁，此豈安攘之長策哉？邇者臺省部寺會疏奏行九事：一曰選武將，二曰任文職，三曰精選練，四曰愼徵調，五曰處軍餉，六曰守要害。七曰明職掌，八曰明賞罰，即前所載五條。九曰行撫諭，酌以時議之允協者，而兼行之於以內，收順治之功，而外樹威嚴之績，如其且寇且貢，反覆不情，則用威讓之，令文告之辭以卻絕之，是恪遵太祖高皇帝之明訓，義之所以爲盡也。如其引慝伏罪，重譯效款，必欲率賓王化以自納於覆載之中，則必質其信使，堅其誓約，敕令禁戢各島不復犯我邊疆，期以數年爲斷，共命不渝，而後如先朝著例，容令入貢，此成祖文皇帝綏徠之方，仁之所以爲至也。

是故明徵保定，君子監成憲而行之爾已。是故修治垣隍，愼固城守，一策也。編立保甲，內寓卒伍，一策也。譏察非常，嚴禁闌出，一策也。綏撫瘡痍，固我根本，一策也。此皆所以治內也。修復墩堡，嚴明烽堠，一策也。繕治器械，查復戰船，一策也。出哨會哨，悉遵舊規，一策也。據險守要，聯絡響應，一策也。此皆所以治外也。至於練主兵而免調募之擾，足財用而資軍興之需，聚芻糧而給餉以時，嚴賞罰而功罪不掩，設畫，樹防，出奇應變，爲吾之不可勝以待敵之可勝，則在中外任事之臣加之意可也。然昔人有云：「其備不在邊境，而在朝廷。」故曰：「無怠無荒，四夷來王。」又曰：「惟德動天，無遠弗屆。」今明主方隆唐虞之德，崇舞階之風，又何必規規乎效于甲兵之末乎？

註：

①「親魏王」，三國志，魏志，卷三〇，倭人傳作「親魏倭王」。

②「大周然」，宋史，卷四九一，外國七，日本國傳，及日本史乘俱作「奝然」。奝然（？—一〇一六），日本平安時代（七九四—一一八五）中期，奈良東大寺的學僧，京都人。他於太平興國八年（永觀元年，九八三），搭華商陳仁爽之船西來，同年十二月十九日至首都開封。於崇政殿覲見太宗，獻銅器十餘件幷本國職員令、王年代記各一卷。他對太宗所垂詢有關日本之風土人情與國體，奏對稱旨。離京返國（九八七）時，獲賜法濟大師之號，及新摺大藏經（北宋勅版）四百八十函五千四十卷，新譯經典四十卷，御製廻文偈頌，及孝經等書。事詳宋史，日本傳。東返後，雖回至東大寺，後來卻於京都西郊之嵯峨建清涼寺，將所帶回之釋迦像供奉於此，而獲許多佛徒之信仰。

③「年代」，宋史，日本傳作「王年代記」。所謂「年代記」，就是編年史的意思。

④「如十九年犯遼東之馬雄島爲總兵劉江盡殲於望海堝」，如據太宗實錄、明史，卷三二二日本傳，各方志及其他史乘之記載，望海堝之役發生於永樂十七年（一四一九）。又據望海堝之役，吾學編、明史日本傳、明書、通鑑紀、明史稿、明史紀事本末、明史劉榮傳、東西洋考等均盛紀之，而劉江即劉榮，初冒父名（身世詳本傳）從軍。此役後詔封廣寧伯，始更名榮。

⑤「八年倭王源道義卒遣使弔祭」，源道義即室町幕府第三代將軍足利義滿。如據日本文獻所紀，則義滿之死在永樂六年（應永十五年，一四〇八），而成祖之遣中官往祭，則在同年十二月（事詳太祖實錄）。

⑥考之諸史乘所紀，成祖之遣官齎勅封義滿之子義持嗣日本國王，應是周全赴日之時。

寧波郡志

〔卷一〕

明楊寔撰，明成化四年刊本

沿革考

○元世祖（明州）改爲慶元路，罷制置使，立浙東宣慰使司于紹興，後徙處，復徙婺。景炎二年爲元之至元十五年，以昌國陞州，在城置錄事司。至元十六年，以正使趙孟傅、副使劉良分治于慶元，尋併于婺。成宗元貞元年，奉化縣以戶口及額，陞爲下州。大德七年，島夷龐雜，宜用重臣鎭服海口，遂立浙東都元帥府，舊府治爲之。順帝至正八年，黃岩方谷珍作亂，元不能制。歲丁未，大明軍臨城，谷珎遁避入海，全城歸附。洪武元年，谷珎入朝，改慶元路爲明州府，罷在城錄事司，入鄞縣，又立明州衞指揮使司以鎭之。二年以昌國、奉化二州復爲縣。十四年又改明州府爲寧波府，衞爲寧波衞。二十年以昌國縣懸居海島，徙其民於內地以避海寇，遂墟其地。今領縣凡五，曰鄞，曰慈谿，曰奉化，曰定海，曰象山，屬浙江布政使司。

○定海縣舊名望海鎭，唐末改曰靖海鎭，梁開平間始改爲定海縣。大明以昌國懸居海島，徙其民，惟存在城五百餘戶，附本縣。縣去郡治六十二里，以七鄉爲十三區，屬都二十有三。

○象山縣，象山以其地有山壯負，雄壓海垠，前、後瞻望，屹如象形。縣築於其山之東麓彭姥村，因以名之。去郡治二百七十一里。唐貞元中，定爲中縣列五鄉。五代不改。宋降爲下縣。景德二年，併爲三鄉，元爲下縣。大明以三鄉爲三區，屬都二十有四。

○觀海城池，郡治西北一百一十五里。大明洪武二十年，信國公湯和，以慈谿縣三十都定水寺塗田築城、鑿池，建門二。永樂十六年，都指揮谷祥，增高四尺。環置敵樓，增建西、北二門，各冠以樓，外羅月城。城周圍四里二百七十四步，高二丈四尺，廣三丈。上列敵樓二十八，窩鋪三十六，雉堞一千三百七十。外釣橋四。池周圍九百一十四丈，闊五尺，深一丈五尺。

○龍山城池，隸觀海衛，郡治北七十里。大明洪武二十年，信國公湯和，以定海縣龍頭場石塘團之址築城、鑿池，建門一。永樂十六年，都指揮谷祥，增高八尺，環置敵樓，增建東、南、西三門，各冠以樓，外羅月城。浚子池于城之外。城周圍三里一十七步，高二丈五尺，廣二丈。上列敵樓、窩鋪各二十，雉堞八百五十六。外釣橋三，搆於東、西、南三門之外。池正，濠周圍五百六十二丈，廣六尺，深二丈三尺。備濠，周圍五百一十丈，廣一丈三尺，深一丈五尺。

○定海城池，舊城周圍四百五十丈，濠三百餘丈。後梁錢鏐，置靜安、迎恩、航濟三門。歷元，池塞，城圮。大明洪武元年，千戶王及賢，始立木爲柵。七年，守禦千戶端聚，改築石城。二十年，信國公湯和，置定海衞，拓而大之。列東門、北門、大南門、小南門、小南水門、大西門、小西門。二十九年，指揮劉澄，增小西水門。永樂十二年，都指揮余成，以北抵海，塞北門。十六年，都指揮谷祥，塞小南門。今存四。城周圍一千二百八十八丈，計七里有奇，高二丈四尺，廣一丈，上列窩鋪一十六。敵樓二十四，雉堞二千一百八十五。池袤九百六十六丈五尺，東廣五尺，深二丈。南廣四丈六尺，深二丈；西廣一十三丈，深二尺。北際海爲限，無池。門四各冠以樓，外各建釣橋，羅以月城。

○舟山城池即中中、中左二千戶所，隸定海衞。東海洲中，約二潮可到，即舊昌國縣城，歷元頽圮。大明洪武十二年，前明州衞守禦千戶慕成，立城五百丈，工未克成。十三年，指揮許發展，跨鰲山之上，闢東、西、南、北四門。穴水門於南門之側，每門各置釣橋，冠以樓，外羅月城。十七年，改昌國衞。二十年，信國公湯和，徙衞象山縣之東門，存中所，改作中中所。其中左所守舊城。二十五年，改隸定海衞。永樂十六年，都指揮谷祥加修，增置敵樓七，敵臺二十二。城周圍七里，計一千二百六十丈。上列窩鋪六十，雉堞二千五百七十三。中中千戶所分守西、南，城六百三十丈，高二丈四尺，廣六尺。中左千戶所分守東、北城六百三十丈，高二丈二尺，廣六尺。池周圍一千二百六十丈，深一丈四尺，廣五尺。

○大嵩城池，隸定海衞。郡治東九十里，鄞縣十一都地，名大嵩。洪武二十年，信國公湯和，築城、鑿池，闢東、南、西、北四門，上各置樓，羅以月城。釣橋四，穴水門於西門之側。周城列窩鋪二十五。永樂十五年，都指揮谷祥加修，增置敵樓二十。城周圍三里五十步，高一丈七尺，廣二丈二尺，上有雉堞七百七十五。池東南至北三百三十二丈，深一丈二尺，廣四丈。東至北際石山無池，計二百三十九丈。

○穿山城池即後千戶所，隸定海衞。郡治東南一百五十里，定海縣海晏二都地，名穿山。大明洪武二十七年，安陸侯視其地濱海衝要立城。徙定海衞後所官軍於中以鎭之。二十八年，本所千戶邵通，闢東、西、南、北四門，羅以月城。穴水門於南門之側，其東、北二門置樓，周城列窩鋪，東北跨山爲池。永樂十二年，都指揮余成，開塹二道。十六年，都指揮谷祥加修，增置戰樓、敵臺。城周圍七百四十二丈，計四里有奇，高二丈一尺，廣一丈，上列雉堞一千六百四。戰樓、敵臺各六，釣橋六，窩鋪一十二。池東、西二面二百八十五丈，深八尺，廣四丈。塹東、北二面二道，各三百二十五丈，廣四丈五尺。

○鄮衢城池，郡治東南一百八十里，定海縣海晏三都，名鄮衢。大明洪武二十年，信國公湯和，築城，鑿池，闢南、西、北三門，羅以月城。其東爲水門，各冠以樓。置釣橋，復置瞭遠樓於山城上。周城列窩鋪。永樂十五年，都指揮谷祥，加修增築，置敵樓，塞水門。城周圍四百八十八丈，高一丈九，廣一丈。雉堞九百二十，窩鋪一十三，釣橋三，敵樓九。池東至西北三百七十四丈，深四丈三尺，廣二丈。塹南至西山一百三十二丈，深七尺，廣十丈五尺。備濠三百七十丈，深七尺，廣一丈五尺。

○昌國城池，郡治南三百五十里地，名後門。大明洪武十二年，先於昌國縣開設昌國守禦千戶所。十七年，改昌國衞。二十年，起遣海島居民，革昌國縣，以本衞移置象山縣三都海口東門。二十七年，因東門懸海，水薪不便，徙今地。即後門。指揮武勝，築城鑿池，闢東、西、南、北四門，惟北無月城。穴水門於西、南二門之側。永樂十五年，都指揮谷祥，重加修浚。城周圍七里一十步，高二丈三尺，廣一丈。雉堞一千九百一十四，釣橋三，敵樓三十六。城址因山築砌。池二百一十六丈五尺，廣一丈九尺，深二丈五尺。

隍一百五十丈，廣一丈七尺，深二丈；山坡陡峻九百一十丈。

○石浦城池前、後二千戶所，隸昌國衞。郡治南三百七十一里地，名石浦，舊隸昌國衞。大明洪武二十年，因本衞移置東門，將石浦原設巡檢司，徙於象山縣，遂調前、後二千戶所於石浦。築城鑿池，闢南、西、北三門，各冠以樓，外羅月城。穴二水門於西、南二門之側。永樂十五年，都指揮谷祥，重加修浚。城周圍六百七丈，高二丈三尺，廣六尺。窩鋪二十九，雉堞一千九百六。城址因山築砌。敵樓一十三，池一百一十丈五尺，廣一丈二尺。隍三百二十丈五尺，深六尺，廣一丈。山坡陡峻一百六十丈。

○錢倉城池隸昌國衞。郡治南二百六十一里地，名錢倉。大明洪武二十年，千戶王普，築城鑿池，闢東、南、西、北四門，各冠以樓。穴水門於西門之側，外羅月城。永樂十四年，千戶徐昇，增修。城周圍三里三十步，高二丈三尺，廣一丈二尺。窩鋪二十，敵樓二十二，雉堞一千二百。城址因山築砌，釣橋一，搆於西門之外。池八十丈，廣二丈，深一丈二尺。隍六百丈，廣二丈。深一丈，山坡陡峻二十丈。

人物考

國朝

○俞士吉，字用貞。象山人。別號櫟庵，更號大瀛海客。父仲殷，嘗夜夢，得「老桂古香分月窟，移將天下壓群芳」之句。覺而士吉生，自幼岐嶷異常。既長，有司歷舉賢良，弗就。洪武丙子，領鄉薦。明年，會試禮部，中乙榜，授兗州府儒學訓導。上疏論時政得失十餘事，且言先聖孔氏子孫族屬疏遠者，皆係小宗親。派乞並加優復。朝議韙之，徵拜監察御史。出巡鳳陽徽州。辯釋疑獄，風聲肅然。文廟御極，擢右僉都御史，奉使朝鮮，朝鮮遣陪臣來迎，士吉折以大義拒之。王乃郊迎道左，俯伏慙汗。士吉宣布朝廷所以懷柔遠人，恩德甚至，王亦罄竭歸戴之誠，出鞍馬、貂裘、黃金之贈。士吉一無所受，王遂恪脩職貢，同士吉入覲。上大喜，賜豸衣一襲。後日本國先百番來貢，上嘉其誠，特命刻金印，製錦誥，遣士吉往賜焉。士吉至日本，禮行如使朝鮮。使還，上益喜其克勤，褒賜有加。永樂三年，浙西大水，士吉與戶部尚書夏原吉、通政趙居任、大理少卿袁復，奉勑往治，兼督農務。惟湖州被災尤劇，虧糧五十六萬，同事者以所虧之數，反十倍於所輸爲患，欲損其數以上之。士吉力爭曰：「欺吾君以病民，吾不忍爲也；雖重得罪，吾自任之。」竟以實聞。上允納，悉蠲其輸，仍勑發廩賑濟，民賴以蘇。六年，出守襄陽，政清訟簡，郡以大治。十六年，秩滿入覲。時仁廟在東宮，監國南京，聞士吉善詩，問以古詩唐律難易。士吉對曰：「唐律乃古詩變體，古詩實難。」因命作萬壽聖節詩各一體以進，仁廟覽之稱善。及赴行在，最績天官，陞山東左參政。未幾，唐妖婦惑衆謀叛，藩臬諸臣悉置于法。士吉以督濬居後，衆咸勸其自處，應聲曰：「背死累人，且逆朝廷之怒，非善道也」，遂就獄。上念其舊臣，釋之。洪熙改元，入覲，欲授清要之職。天官卿進曰：「太僕寺卿，品在從三之列。」上默然良久，曰：「渠是秀才，著爲詹事。」時宣廟初登儲，俾士吉隨謁孝陵于南京。既而宣廟嗣位，改刑部侍郎，尋命清理直隸郡縣軍伍，不隱不濫，名實具存，再涖部事，績用尤著。宣德五年，致仕，壽七十有六卒。士吉，儀觀脩潔，舉止清雅，論議切直，文采蔚然。視政之際，他人不足，己獨有餘，諛之不見其喜，犯之不見其怒，偉度洪量汪如也。所著有櫟庵自怡稾若干卷。子磐，績學工文詞，有司以經明行脩薦，未上而卒。

寧海縣志

明宋奎光撰，明崇禎五年刊本

圖經

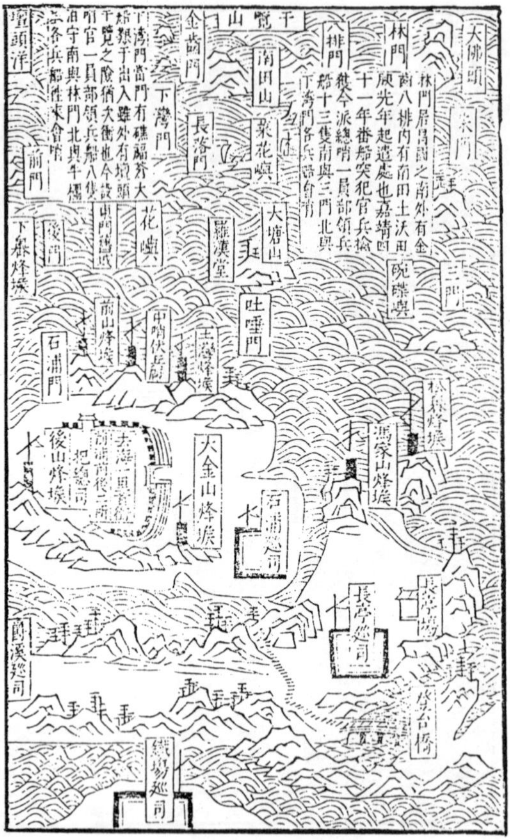

〔卷一〕

輿地志

沿革

臺州府

〇洪武二年，信國公湯和以五十一都遠在海島，恐與倭通，徙民于郡城外，因墟其地，編戶一百一十三里，屢併至今一百二里。

城郭

○寧海城，按：舊志：周圍六百步。唐永昌元年，自海游徙今地築門四，後廢邑令陳宗仁，于驛道立二門：西曰望臺，北曰朝京。嘉靖壬子，倭寇大掠，邑令林大梁，請于當道，是冬十月築城，甲寅二月落成。延袤一千五百四十一丈，高二丈四尺，廣一丈八尺。城之門東曰靖海，南曰迎薰，西曰登臺，北曰拱辰。又西北設小北門，皆冠敵樓。設窩鋪四十有八。城之外鑿址爲隍，延袤七里，廣丈有五尺，深殺三之一。門之外各跨以石橋。萬曆辛卯秋，霪雨連月，城崩三百餘丈。敵樓年久圮壞，邑令曹學程，重修。

○越谿巡司城，東二十里，高一丈八尺，圍二百四十丈。門一。

○長亭巡司城，東一百里。

○曼嶼巡司城，南七十里。

○竇嶼巡司城，東南八十里。

○鐵場巡司城，北六十里。以上四城規制同越谿，皆環布沿海，各設巡簡司官一員，弓兵三十八名。

○健跳所城，南一百三十里，高二丈三尺，圍三里一十七步。門二，西曰登明，北曰崇武。以上六城，皆洪武二十年，信國公湯和建。

建置志

武衛

○傳云：「有文事者必有武備。」古者設險守國，亡戰必危，所以戒不虞也。矧茲國家東西告警，迄有年歲，而徵兵派餉之令，當事孔殷，恐遠人未服，非文教所能來也。有屯營而不訓練，與空籍等，奚以豫防而俾民安土哉？爰及所司之在封內者。

○健跳千戶所，東南一百三十里鳳凰山麓。洪武丁卯，信國公湯和開設，初隸臺州衞。千戶尚膺築城，刱建後隸海門衞。正統間，都指揮王謙，重建廨宇。弘治八年，副使文貴，檄千戶徐信，重修。

○長亭巡簡司東一百里。洪武三年開設。丁卯，信國公湯和，築城。

○海防類考云：健跳城三面阻山皆峻嶺，而東面山前距海，若非兵船豫伏探哨，寇舶卒至，何以禦之？故健跳戰艦之設，不可一時不戒嚴也。其去桃渚一百里，或攀峻嶺，則鳥道魚貫；或涉羊腸，則潮濱梗陷；或行山地，則溪石坎坷；馬不能馳，人不能列，非二日不能至。設賊泊舟城下江中，桃渚一路，決不可以進援。東去昌國衞隔大洋，彼處有賊，所當時時防禦。去寧海、去臺州，俱一百四十里路，徑皆如桃渚，緩急之際，松海大兵必不能猝達。若逕過臺州，從寧海而入，必繇黃巖、臺州、桐巖、桑洲、寧海、寶嶼，計一日餘方到。東所緩兵至此，賊必已遯海而別犯矣！豈能望以成功耶？若報至，即調海門關兵船，抵所城東海山內，設伏以邀擊之，萬無一誤也。

○健跳港原設長洛一渡，逼近東所城，側渡濶四百餘丈，出海直往茅頭大洋。上接海中查盤山，與練蛇等處；下接海中青嶼、黃毛礁，與牛頭、桃渚地方接境，此處宜設兵船一䑸，必得福蒼、海滄二十餘艘，方可守禦。松海二關已稱疎薄，無力分應，若又量抽數隻分守此港，則港大船寡，無益于事。此城孤懸，以船爲命，今雖有守，似爲單弱不足恃也。

○按：臺州，海門不出此數港，分守、合備似不可緩。若春汛之期，當以松、海二港合爲一大䑸，在大陳洋嶼伏截，以爲南䑸；桃渚似當添船與健跳相等，亦令會合外洋，以爲北䑸。其在南䑸也，則海門港必當留大小兵船十餘艘守港，而松門可盡廢。其在北䑸也，則健跳必當留大小兵船數艘守港，而桃渚可盡廢。

健跳所，臺一，高鸞。烽堠五：茅頭、拆頭、後沙、小漁西、大漁西。千戶所官一十一員，旗軍二百四十一名。每歲約支俸銀一千九百三十二石六斗，折鈔銀五十二兩六錢六分八釐。每年額辦軍需銀七十七兩一錢二分。臨海廣儲四倉麥、米共四千四百四十六石三斗四升二合九勺，內寧海徵解麥米三千七百三十六石三斗四升二合九勺。本折中半金華府東陽縣協濟秋米七百一十石，全折俱坐給健跳千戶所官軍。

藝文志

記

寧海新城記

秦鳴夏字子亨臨海人

○邑治東南北俱岸大海，唯臺姥逶迤與西壤接。按志：唐永昌元年，自海游徙今地，故無城郭，所恃健跳、越溪、鋏場、竇嶼、曼嶼，長亭、戎所、巡寨、城守駢錯，足爲外翰。已爾皇明愼德，海波不揚者凡二百年。治極而蠱，邊民挾倭夷爲寇。闖逼關隘，莫敢何問。比嘉靖壬子，遂大肆劫略，焚黃巖，蹂昌國，邑不危者僅僅如線。閩進士雙湖林侯菈治。未幾，寇至，而瘁力捍禦，寇退而開心拊循，逃遁還集，民用底定。乃屬其耆老而告之曰：「夫生厲有階，禦戎無策。曩者所恃以爲安者，今無賴矣！無已，其城乎？夫城之爲役固鉅，然與其委積聚以資寇，孰與併汗血以自守？且吾誠不欲靳一時財力，而不爲吾民建萬世長策也。」衆唯唯，惟侯命，則以請於撫、按藩臬，咸以可報。于是諏日庀工，度道理，平板榦，均勞佚，稱稟餼，凡費之出于公者六，出于民者四，以嘉靖壬子十月始作，而以甲寅之二月成城。延袤一千五百四十一丈，高二丈四尺，廣一丈八尺。城之東曰靖海，南曰迎薰，西曰登臺，北曰拱辰，又仍其舊爲小北門。役成，侯與士民登而落之射孔星，連曲欄森衞，睥睨業起，閉牐高懸，言言仡仡，足以聳觀，視而消奸慝矣。繇是邑博朱君華宗，熊君秀，陳君朝輔，曁合庠多士，徵言勒石以詔後來。予唯世之言治者，祖襲在德，在險之論，莫不以城郭溝池爲保邦末務，其說似也。然莒陋不備，師潰于楚，春秋以爲譏，而南仲城朔方，山甫城東方，詩人歌之，夫子錄焉，抑何以稱乎？蓋物有本末，而推行先後之間，則存乎時；時之所先，雖末也，有不容以後。夫本者，故醫家緩急標本之喻，未嘗不爲岐黃之要訣也。夫民患孔棘，恃吾以爲命，乃吾不爲長慮，刧（却）顧方泄泄然曰：「吾民義可使也，其禮可用也。」卒不可爲，則誘曰：「吾其如何？」此其與傳舍視民者，相去能以寸哉？矧今夷氛甚惡，勞師匱財，迄無寧歲。惟天子喟然覺寤，寬失職之誅，重死節之獎，總其責于守令，一時州邑無城者，咸聽修築，蓋石畫之臣，其見同矣。唯侯恭寬敏惠，舉數百年廢墜之役，屹然以身與民，民亦欣然成侯之志，公無羨費，人無留力，工無餘技，不動聲色，而丕績用成，其于本末先後之間，不既有成筭乎？吾不知他邑之興是役者如何也，是役也，董之以邑丞李君錠，參畫程督勞勸若多，若主簿許君俊，典史王君椿，咸預有事者也，義得併書于石。侯名大梁，字以任，閩之同安人，雙湖其別號云。

明張時徹撰，明嘉靖間刊本

城隍

○司馬氏曰：「建邦域民，必城郭溝池以爲固」，非忘德也。弭釁於未蘖，禦患於方張，非此其道無繇也。故楚丘城而衞興，莒無備而宗覆，有明徵矣　矧定據江海之衝，外以控扼喉舌，內以藩屏腹心，固四戰之地也。自昔分藩啓宇，城障攸興，而衞所寨堡，雲屯而星列，非少設也。爾來夷寇匪茹，邊徼繹騷，而增城置險，蓋益加密矣。然人亦有言：「有形之金湯，不若無形之金湯。」司疆圉之責者，其愼乃圖乎！

○定海城，薄海爲城，東連招寶山，出浹口，南環以江，北負巨海。西通於鄞，距郡東六十二里。高二丈四尺，址廣一丈，面八尺，周圍一千二百八十八丈，延袤九里。闢爲五門：東曰鎭遠，南曰南薰，又南曰清川，西曰武寧，又西曰向辰。門各有樓，新設望海樓於北。俱有釣橋，羅以月城。城之上有敵樓十，雉堞二千一百八十五，警鋪三十九。外爲濠，自東抵西，環九百六十六丈。北際海，不設。初，城築於錢鏐，歷元而隳。國朝洪武元年，千戶王及賢，始立木柵。七年，守禦千戶端聚，易以石。二十年，信國公湯和，建衞，拓而大之，週九里有奇，闢門爲六，各建以樓，上加雉堞、警鋪，外羅以月城，惟小南門無月城。二十九年，指揮劉澄，增置。永樂十三年，都指揮余成，以北抵海，塞北門。舊穴水門於城西，今改置於小南門之右。嘉靖十二年，都指揮劉翔，加增雉堞三尺。三十三年，令宋繼祖，就城之北面增建望海樓。

○威遠城，招寶山雄據海口，與竹山對峙，爲江海之咽喉，郡治之門戶，誠保障要害處也。先是，盧鏜以福建都司督舟師平雙嶼夷寇，尋以參將分守浙東，又進□守。都督屢平倭難，備知阨塞，與海道副使譚綸議謂：「招寶俯瞰縣城，相隔不數十武，賊一登，據置火炮其上，縣城可不攻而破；即夷船絡繹銜尾入□，我軍亦無以制之矣。故守郡非據險不可，而據險非成城不可。」乃于庚申春請于總督胡宗憲，於招寶之巔建築城堡，發漁稅千金，卜日鳩工，斬隆培圮，甃石成城。不費公帑，不屈民力，三越月而告竣。城凡二百丈，高二丈二尺，厚一丈，雉堞一百六十七。四十一年，海道劉庭箕令何愈增覆石屋於上。東、西爲門二，內建戍屋四十餘楹，調兵以守。扼截海口，以壓敵衝，與縣城唇齒相應接，勢增貔貅者百萬，名「威遠城」。復於山麓西南，展築靖海營堡，周圍二百四十丈，建屋四十餘楹，以時教閱，於大小浹口，分布戰艦，以嚴扃鑰。置鐵發貢五千觔者四座，銅發貢三百觔者百餘座。諸職守器械靡不畢具，夷人即鳥舉不能度也。且山如戴鰲，環負城堡爲河圖狀。議者謂：於山巔及竹山，對建兩塔聳矗宵漢，金塘三仙人峯屏列森秀，則天啓圖書之麗，益有以闡人文之盛，而才賢輩出，爲邦家之光。蓋不特修飭武備，亦以敷彈文教，是有待而爲者也。

○城中有總督胡宗憲祠，張時徹爲「平夷碑」。其文曰：「皇帝臨御之三十一載，歲在壬子，島夷越境肆掠，郡邑大□。當事者狃于恬嬉，按兵觀望，莫有發一矢以捍賊塵者。皇帝赫怒，爰命元戎，秉鉞虎符四發，材官雲馳，亦罔克鷹揚、蕩滌妖氛，失律喪師，坐吏議而齒劍者，益踵相接也。皇帝曰：「咨是大辱，國何以師爲？盍擇才御史夙著風猷者，往監督之其可。」於時，梅林胡公，寔來選徒簡將，率先戎行，兵威丕振。數以膚公上奏闕下。皇帝嘉悅，屢降綸音，錫之爵命，不二年而進巡撫與總督。公感非常之遇，厲匪躬之忠，揮金募士，設畫宣奇，蓋無日不討于軍寔，往往被甲戴鍪，決生死於鋒鏑之間，戮其左次與不用命者，於是三軍震勵，人百其競。有乍浦之捷，有龕山之捷，有仙居之捷，有王江涇之捷，有沈家莊之捷，有柯橋之捷，有舟山之捷，其餘逐北追奔，窮搜而掩擊者，不可勝計，賊益望風褫□。乃歲丁巳，叛人王直，挾諸夷酋以來。佯言款邊以要互市，陰包禍心。伺我弛備，逞其毒焰，公預洞隱伏，因其間而用之，陽示羈縻，陰遣里中素所厚善者，誘而致之麾下，納于圜棘，疏請躬提師旅，盡殲餘孽。賊既失桀魁，計出無何，乃遁入岑江，幸緩須臾無死；岑江故山海奧區也，天塹凌空□□□□□□環而圍之。水□艨艟，陸伏貔虎，盡□其□粟之路。於時乃有他夷鳩聚死黨。虎□□張，航海來援氣呑溟渤。公曰：「賊鋒甚銳，不可□也。逮其未合而誘之，此成擒耳。」乃使間諜紿之曰：「直方互市，若等亦有所利乎？」賊疑信未定，遽以偏師襲之，一殲之於補陀，再殲之於朱家尖，無一人得脫者。賊用大怖，悉火其輜重，潛徙于白泉，益聚□□，□塞蹊徑，日謀治舟以逸，無復逞志，乃挑選精銳，分爲數軍，迭出而肄之。賊困不得休，饑不得食，相枕席以死。其餘孽未盡者，乘濤夜遁，諸將奉公民戒，伏兵四集，追而擊之，斬馘若干，俘獲若干，海波澄清，疆境寧謐，露布星馳。捷書上報，道路懽呼曰：「庶幾復見天日乎！」縉紳士大夫交相慶勞，□□興焉。某辱公知愛，覩茲盛美，不啻身親爲之也，爰矢厥詞，用章大伐，公自戊午二月視師海上，迄□有一月乃罷。而定海寔惟駐節之所，維時巡海副使譚君綸，郡守周君希哲，命邑令陳紀、陳正道執石招寶之巔，以詔於永永。其詞曰：「皇祖開基，九服咸熙，放牛歸馬，守在四夷。十聖繼統，風恬物□，外國來賓，惟德用綏。氐戎羌狄，貢有常期。物大□作，防久斯隳。蠢茲狡夷，擾我東陲，神州鼎沸，羽□雲馳。帝命中丞，仗鉞視師，臨軒推轂，假爾便宜，翼翼中丞，奮揚武威。胸中兵甲，百萬熊羆。宣奇□勝，迅若風雷。屢殲鯨鱷，京觀封尸。殊方震疊，反側懷疑。直爲叛首，稱款來歸，要我互市，乞我璽書，滔天大憝，匿于甘辭。電燭其奸，多方羈縻，誘以間諜，餌以金總。致之轅門，縶之牢之。餘孽未靖，阻險海隅，岑江既破，曰泉是逋。如魚在釜，喘息斯頃。爾我戈矛，簡我車徒。分番掩擊，馘將搴旗。群醜褫□，獸駭禽飛。乘濤夜遁，偷活庶幾。號令孔嚴，伏兵□馳犄角窮追，靡有孑遺。海波不揚，妖氛悉除。農歌于野，商謠於途。孰剪□類，靖我郊衢。□施乳哺□我孩雛。乃室乃家，以耕以漁。垣墉屹屹，岳瀆輝揮。誰爲此者，御史大夫。皇皇神武，赫赫廟謨。社稷之衞。天子是毗，光輔中□，周慮商伊。帝曰□□　，錫爵分□，太史□□，□□□□。」

○又有海道副使譚綸祠，張時徹爲之記曰：「天下之患，莫大於倖，視不虞而操執恒筭者，不與焉。故入虎穴而握兵，涉江河而腰瓠，此其事易明，而其難易弭也。乃若河崩於蟻穴，火灼於突烓。即才勇鮮不困已嗟乎？非獨智孰能辨此者乎？東南夷寇之患，起於積弛，是河崩而火灼者也，當是時羽書飈馳，烽燧電掣，材官技擊，遍徵於九域，而失律喪師者踵相接也。天子憂之，博咨才碩，以任驅除。而梅林胡公寔專節鉞；時則有若巡海副使譚公綸，文武兼資；有若都督同知盧公鏜，宿閑韜略：固三軍之貔虎，而海徼之長城也。胡公試於有衆，倚爲腹心，而二公者，感推轂之恩，挾同仇之義，入則紓籌帷幄，出則率先戎行。旌麾所指，折醜若遺。馳露布而奏膚公者，蓋未可以一二數也。已而相與議曰：「夫弧矢威暴，金湯設險，古先聖王豈其棄德，而逞志於武哉？捍禦於未螫，戒衂於未濡誠知保太平，遏亂略，非此其道無繇也。又況豨奔狼突，擾擾不寧者哉？今夫定海，海壖奥區，蓋鯨鯢之國，而烽燧之交也。招寶寔奠其樞，則江海之咽喉，而郡治之門戶也。此其山去縣城百武，而近賊，如登而據之，下飛炮其上，則縣城瓴甓碎耳。即夷船尾啣而入，亦何以制之？語有之曰『百文之山，而跛牂得游，其上五丈之城，而婁季不敢犯也』。誠爲戰守計者，宜莫如城招寶。」便乃以其意裁於胡公，公輙報諾。卜日鳩工，斬隆培圮，開鑿山道二百餘丈，爲城二百丈。爲雉堞一百六十七，爲東、西門二，上構樓櫓爲海神祠。爲戎屋四十餘楹，爲架放發貢廠二，力取於軍隙，財取於漁稅，而經營藏率則盧公寔有之。工始於庚申春，凡三越月而告成。屯戍卒其中，扼海口以壓□衝。與縣□蓋唇齒攝也。其外益兵營，布戰艦，諸威敵物器，靡不畢具，夷人即鳥舉不能度也。於時文武吏士，懽欣鼓舞，以爲更生之賜，乃爲祠以祀胡公，已復爲祠祀譚、盧二公；翬飛鳥，革烟霞，出沒於甍棟、波濤，翔舞於簷楹，眞世所謂瑤臺□□也。縣尹何君愈身保障之責，戴芘翼之功，而終始宣力爲多，乃又屬予丈以章鴻伐，則應曰：「斯役也，余蓋數贊其事，云何則囿之，卻雞豚也。不恃童奴之瓦礫，而恃樸樕之早樊，家之御猛獸也。不在操戈負弩，而在四周之屏，故苞桑繫泰，復隍成否此，其道則然耳！濱海之區，其爲要害也多矣，國初建設墩堡，調兵置戍，蓋種種悉也，承平日久，積以陵遲，率廢棄不講矣，始議所漏者，又莫有出一筭籌之即籌也，亦莫之爲理諸阨塞便利。賊皆得覘而據之，而我望風喪氣，倉皇驅憊卒以當銳鋒，庸能格乎？故賊小入也。我則小衂；大入則大衂，非惟擊鬪之不力，亦其所乘之勢然也。乃如采濤港，如川沙窪，如劉家河，如舟山，如岑江，如柯梅諸所，若先賊未入，扼險置戍，賊惡得據爲巢穴，至塵大衆，久而不克乎？然彼猶守在藩籬也，招寶則門戶矣。無招寶則無縣，無縣則無郡，而可弗亟乎？茲城也，狡夷寢謀，萌黎安堵，功德於吾民至弘遠矣。兵志曰「上兵伐謀」，又曰「善師者不戰」，其三君子之謂乎？祠而祀之，夫誰曰不宜？已而巡海副使劉公應箕繼至，閱武犒士，升高縱覽，謂盧公曰：「阨險樹防，斯策之上者乎？余與公當圖所未竟矣！」乃系以詞曰：「赫赫王化，靡逖不流。薄海內外，控如綴旒，蠢茲狡夷，不令爲讐。燔我積聚，敗我來麰。圉掠貨貝，是任是舟。華都麗宅，鞠爲墟丘。皇帝赫怒，簡茲壯猷。蟜蟜虎臣，公侯好仇。乃膺推轂，秉鉞紆籌。蟜乃弓矢，礪乃戈矛。既折其醜，復執其酋。膚公載奏，皇是用褒。帝曰勞止，臣曰罔休，維茲招寶，維郡咽喉。曷扼之吭，曷伐之謀。乃城乃堞，金湯是侔。威彼不逞，億萬貔貅。鮮我遺育，抃舞道周。撫我黔赤，藝我田疇。伊誰之賜，廟謨孔修。二三元戎，是度是鳩無患不燭，無言不酬。新宮奕奕，令譽悠悠。何以報之？乃黍乃羞。何以戴之？百千斯秋。」

○又重建寧波府知府沈愷祠，張時徹爲之記曰：招寶山故有太守雲間沈公祠云，以兵興毀，已而夷患殄滅海宇晏。□□報効，乃祠胡令公及祠譚海道公逾。□年乃今都督劉公顯，用鄉之縉紳先主，及長老、諸生議復祠，沈公祠既成，少司馬范公、欽憲副錢公、嶧別駕包君、大魁參軍包君、大中郡縣學諸生盧子叔麟、沈子明臣十數輩，儼然造焉，丐余文碑之，謂余嘗主復祠議，且知公治狀甚悉，余雖不文，所以復祠之畿不可不使之章白于世，故不讓而爲之碑曰：「余于沈□之守寧也，有餘思焉！其去寧垂二十餘，稔謳謂于五色者猶一日，茲詎可以倖徼乎？其祠于寧者三，蓋□□當時覆露之德也。惟茲寶山之祠，則尤不可已何？則昔霍氏之謀漢也，當其事未發時，有茂陵徐主上書言之，宜少抑制，帝不以爲然，後其勢漸逼，其謀漸著，然後力起而誅之，乃大封拜其告奸者，而前所上書茂陵生不與焉，故人有爲諺以聞者曰「隻頭爛額爲上客，曲突徙薪無恩澤。」乃始求上書徐生賞之，事故有然者，而今茲舉也，得無似乎？當嘉靖壬寅、癸卯之間，漳閩之人與番舶夷商貿販，方物往來，絡繹于海上。其時邊氓，蓋亦有奸蘭出入者。公方爲厲禁，犯者輒置重法，律無遺誅矣。適武人有欲倖功者，以虛聲鼓上，聽當途柄兵之人，亦皆好爲生事，輒議兵剿焉。公獨憂形于色，上議沮之。其略曰：「海上之患，方以番舶爲甚，然其所欲，不過與地方人負販貿易，務違禁，網物取息幣耳。自愷蒞事來，問死刑軍徒者不下百數十人，今亦稍稍輯矣。然通番非盡從夷之人，番貨非即殺人之物，通番下海，雖在不原，各有定律，要亦未應盡誅也。今欲不問所從來，概名曰賊，遽爾兵之，恐非所以協議安衆也。夫六月行師，兵家所忌，師出無名，事故不成。今海上船止六七，遽與大衆，即發軍衞、巡司義勇、漁船，盡民以逞，萬一無良竊發，嘯聚山谷，又不知何以應之？況海船非我敵明甚，我衞所哨軍要皆貪生畏死之人，綿力薄材，不諳戰鬪。往歲倭夷再至，徵兵應調，逗留不進，諸號爲統領率皆立馬殺□，禮出死力調度，幸爾散去。且軍衞世受國家□□，顧不能奮一旦之力，有事率委之義勇、漁船。夫義勇乃市井之徒，漁船皆網罟之輩，平日既無祿于官，又無忠信之結，一旦驅之死地，其能不舍舟而走者幾希？且海船利一水戰，步騎利于陸陣，此不待智者而後明也。譬之飛蜂有毒，來則撲之，入其窠而擾之，無乃甚辛螫之禍乎？且其懸隔海島，豈能飛渡橫行？爲今之計，合無明示憲諭，道之禍福，速之出境土也。其次，莫若督出海官兵于關津要隘之地，嚴爲防守，不得登岸，地方奸販之徒不得下海，則糧盡計窮，自然遠去。如有採知來歷，陽爲防禦，陰與交結故縱者，依律法之，則愼重而威，不褻令行而民不擾矣！愷職司民社，恐平民無故緣兵以死，萬一差跌則損國之威，示人以怯，彼將肆然無忌，厲階自此長矣！愷不敏，不敢不冒死言之，其官軍果有能出奇定畫，不費府錢，不擾郡民，生擒于海，獨立偉功，此又不當以常格論者。」議上，當事者不聽，遂出師衆，果大潰。海道、公僅以身免。其後番船主如：主直、陳四

（思）盼、許二輩，輙露刃，空葉舟，直入定海關，要索酒米牛豕諸物貨，而有司一不應，輙大譁不已，蓋不三四年，而東南之禍起矣。思當時用公議，不輕出兵以挑之，惟一意修內治，彼必畏讋不敢動，豈能盡知我虛實，肆然無忌，如入無人境耶？乃今祠胡令公矣，祠譚海道矣，蓋焦爛之功靡弗酬也，而曲突徙薪之策，公實有焉。茂陵徐生之賞可後乎？可後乎？禮曰：「先王之制，祀也。」法施于人，則祀之，若沈公者，謂法施于人者，非邪？祠在譚公之後，而胡祠又後數十武。祠之費，寔出劉將軍別駕，方君蘽以視篆，定邑與有力焉。定尹魏君尚大適至，共落成之。系之詩曰：「寶山崔嵬殿大邦，海隅之東瞰扶桑。飛甍雲矗三公堂，前譚後胡公中央。公來刺明二紀強，德星垂耀流耿光。海氛昔起自微芒，我公炳幾灼先防。黑風黯慘吹攙搶，武人徼功弧矢張。公乃奮筆騰言昌，上議不聽尸橫殭。鯨鯢從茲恣洮梁，集南血染山河長。天子赫怒胡、譚、楊，波寧海定煙銷狼，公言得用無死亡，公言不用罹禍殃。追公祠公獻美嘗，願公鴻名垂太荒。皇明之祚永無疆，千秋萬祺貢越裳。公祠奕奕海泱泱，三公騎龍共翺翔。」

○舟山城即中中、中左、二千戶所。舟山屹立海中，舊邑翁山，亦曰昌國。四面皆海，距縣治之東南二百里，城高二丈四尺，址廣一丈，周圍一千二百十六丈，延袤七里。闢東、西、南、北四門，門各有樓。穴水門於東、南，各置釣橋，羅以月城。城之上有雉堞二千六百七十三，警舖六十。外爲濠，自東南及西一千二百六十丈，北際山，不設。國朝洪武十二年，明州衞守禦千戶慕成，立城五百丈，未成，越明年，指揮許友展，跨鰲山，恢弘舊制，成之。十七年，改昌國衞。二十年，信國公湯和，徙衞於象山縣東門，存中中、中左二千戶所，官軍以守舊城，改屬定海衞。永樂十六年，都指揮谷祥，加修。嘉靖四十年，海道譚綸，增築敵臺二十處。

○大嵩城，屬定海衞，在鄞十一都。大嵩，東接海口，南滙江流，西北跨山，距縣西南百廿里。高一丈七尺，址廣一丈二尺，周圍七百四十丈，延袤四里有奇。闢東、西、南、北四門，各有樓，穴水門於西之側，設以釣橋，羅以月城。雉堞七百七十餘，敵樓二十，警舖二十五。所外自東南抵北凡三百□十二丈，爲濠，自西以北際石山不設。國朝洪武二十年，信國公湯和築。永樂十五年，都指揮谷祥，加修。

○穿山城，即後千戶所，名海晏一都。穿山，東北據山，西南臂海，距縣治之南八千里。高二丈一尺，址廣一丈，周圍七百四十二丈，延袤四里有奇。闢東、西、南、北四門，各有樓，穴水門於南門之側。設以釣橋，羅以月城。雉堞一千六百四，敵樓戰臺各六，警舖十二。外自東繞西通二百八十五丈爲濠，東暨北各五百二十五丈，爲塹道二。國初洪武二十七年，安陸侯以濱海要衝，乃成城，徙定海衞後所官軍守之。次年，本所千戶邵通，闢門鑿池，始完。永樂十二年，都指揮余成，開塹道。十六年，谷祥增修。今塞北門。

○霩衢城，即千戶所，海晏三都。霩衢，南滙大江，自南徂東爲渤海，西接阿育王山，北負穿山，距縣治南百二十里。高一丈九尺，址廣一丈，周圍四百八十八丈，延袤三里有奇。闢南、北、西三門，各有樓。外設釣橋，羅以月城。雉堞九百二十，警舖十三，敵樓九。西有瞭遠臺，外東至西北凡三百七十四丈爲濠，南至西山一百三十二丈爲塹，備濠三百七十丈。國朝洪武二十年，信國公湯和，築闢南、北、西三門，東穴以水門。永樂十五年，都指揮谷祥，塞水門。

兵衛

○司馬氏曰：「夫兵衛何爲者也？所以威不軌，而昭文德也。則天之象，察地之宜，揆人之情，而法斯立焉，阨險樹防，豈其得已哉！」

明興，綏懷九服，屏翰藩墉，遐邇絡繹，蓋不啻苞桑四起，方域震騷，猶可以泄泄從事乎？夫建牙析爵，陳師置旅，其在載籍，蓋班班也。明作以樹庸，飭蠱以經政，存乎人焉耳矣。

○定海衛指揮使司，縣治東北一里。唐五代制見沿革表，宋建殿前水軍東西寨，元設蒙古千戶所。國朝洪武七年，剏建石城，調明州衛前所屯守。十二年，置定海守禦千戶所。十八年，調前所守昌國，以寧波衛右所補額。二十年，信國公湯和，展拓城池，立定海衛，調寧波衛左所，及新操中前後三所爲五千戶所。外轄霩靁、大嵩二千戶所。二十五年，徙昌國衛於象山，存中中、中左二所，隸本衛。二十七年，調後所於本縣之海晏鄉。其轄九千戶所，其員指揮使、指揮同知、指揮僉事、經歷、知事、衛鎮撫。所正千戶、副千戶、鎮撫、百戶各頒以印章，衛與內四所軍職九十員，經歷一員，知事一員，印章四十七紐。令史、典吏、司吏、有常員。令史二員，典吏五員，衛鎮撫司吏一員，所司吏四員。旗軍四千四百八十名。四所原額，今止存二千九百九十四名。經歷司、衛鎮撫、千戶所有署，土神有祠，旗纛廟祭器、祭品有常秩。經歷司、衛廳事、東衛，鎮撫、衛廳事、西衛，儀門外設囹圄，設千戶所。東列左、中二所，西列右、前二所，旗纛□，□□事東北土祠，衛東廡。銅牌、制書官吏掌之。銅牌十面，肅字三百二十一號至三百三十號。制書、大明洪武禮制、大明律、大誥、武臣宣諭。武臣勅諭、武臣武士訓誡錄、軍人護身　、祖訓條章、御製申明五常表箋式、繁文鑑戒、禮儀定式、減繁體式、古今列女傳、仁孝皇后勸善書、論善陰隲誡諭，武臣鐵榜。譙樓、演武場、軍器局、火藥局、火攻庫、倉庾各有所。譙樓，衛治南。演武場，城西一里。周圍三百三十五丈，有演武廳，中軍臺，關王廟，軍器局。衛治東北一里，指揮一員，督造軍器。火藥局，衛治東北一里。大攻庫，譙樓南五十步。軍儲倉，衛治南一里。永豐倉，衛治東北一里。俱廢。就永豐倉址改廣安倉，以儲軍餉。歲支官軍俸糧二萬二千二百二十四石六斗。威遠有城，候濤山土，舊設烽堠。嘉靖戊午，總督侍郎胡宗憲，蕩平舟山倭寇，有司爲建祠祀，勒石紀功其上。鎮守都督盧鏜，與海道副使譚綸，建議刱築石城。厚一丈，高二丈五尺，周圍三百丈，置鐵發貢重五千斤者二座，并諸軍火器，調兵戍守，據高臨下，以壓敵衝，名「威遠城」。靖海有營，嘉靖三十八年，鎮守都督盧鏜因祭江亭址，展築營堡，周環二百四十丈，增置舍宇五十楹，爲海口屯戍處，名「靖海營」，慈人王交爲之記。守城軍火、器械、關隘、臺堠、戰船有數。防守衛城門樓、垜鋪、軍火器二千九百二十五件，關一，隘二，詳海防。高山堠，衛治西北四十里。蘆花堠，衛治西北三十里。鸕鶿堠，衛治西北二十里；汪家衕堠，衛治西北十里。招寶山堠，衛治東北五里。竹山堠，衛治東南一十二里。張施浦堠，衛治東南二十五里。打鼓山堠，衛治東南二十里。大尖岡堠，衛治東南二十五里。大漁灣堠，衛治東南三十五里。鬼嶼堠，衛治東南四十五里。小山堠，衛治東南四十五里。長山岡堠，衛治東南七十里。凡一十三。原額戰船五百料官船一隻，船身計官尺長一十二丈二尺五寸，深一丈一尺五寸，濶三丈。成造料價銀一千兩，駕船旗軍一百六十名，每名食糧八斗內五斗，安家三斗，隨行各船，同除各軍隨身盔甲、鎗、刀、弓箭外，軍火器共一千五百八十二件，火藥六十斤。四百料官船六隻，身長九丈四尺，深九尺二寸，濶一丈九尺五寸。成造料價銀四百二十八兩，駕船軍一百名，軍火器共一千八百五件，火藥五十斤。二百料官船一隻，船身長八丈六尺，深八尺，濶一丈三尺四寸，成造料價銀四百兩，駕船旗軍五十名，軍火器八十八件，火藥四十斤，八櫓快哨船一十六隻，船身長七丈三尺，深五丈，濶一丈四尺五寸，駕船旗軍五十名，軍火器共三百八十九件，火藥二十五斤。風快尖哨船四隻，船身長四丈二尺，深二尺二寸，濶八尺，成造料價銀二十兩五錢，駕船旗軍五十名，軍火器共二百十件，火藥一十斤。十槳飛船一十隻，船身長四丈五尺，深四尺五寸，濶八尺。成造料價銀二十六兩三錢一分五釐，駕船旗軍二十五名，軍火器三百九件，火藥一十斤。自嘉靖二十年以後，前項戰船俱改造福倉等船，召募兵夫駕使，本衛止存旗軍，見駕八槳船三十四隻。歲造解京軍器有額。共三千一百件副。

○後千戶所，縣治東南八十里，海晏二都之穿山。洪武二十年，信國公湯和，徙大小榭海島居民於此。二十七年，安陸侯吳，復置所，調本衛後所守禦。轄十百戶所，正千戶、副千戶、鎮撫、百戶、印章視內屬所，司吏一，千百戶鎮撫共一十七員，印章一十一紐。旗軍一千一百二十，原額旗軍，今止存二百二十二名。本衛貼守軍餘一百二十，本衛指揮一員，守禦兼督貼守軍餘。千戶所有署，土祠附焉。署建所城中，土祠，所廳事東南。旗纛廟秩祀同衛。廟在所廳事東，祭器祭品同衛。銅牌、制書官吏掌之，銅牌一十面，肅字二千六百九十號至二千六百九十九號，制書同。譙樓、演武場、軍器局、倉庾各有所。譙樓，所治東北山上。演武場，所治東門外。周圍一百八十丈，有演武亭。中軍臺軍器局，所治東南百步。倉，所治東山上，今改常盈三倉，歲支官軍俸糧三千二百八十石四□。守城軍火、器械、隘寨、臺堠、戰船有數。守城軍火器四千一百二十六件，隘一，詳海防。臺堠：跳頭堠，所治北六里。西山堠，所治東北五里。鍋蓋堠，所治東北七里。嵩子堠，所治東北五里；神堂堠，所治東一十五里。撩蝦埠堠，所治北二十里，碶頭堠，所治西北一里。白峯堠，所治東一十五里。渡頭堠，所治西北一里。廟山堠，所治西北一十□里。凡十。原額戰船：八櫓船一隻，風快尖船二隻，十槳船一隻。船身丈尺、料價、旗軍、火器與本衛同，俱經改造，募兵駕使。旗軍見駕鷹船六隻。歲造解京軍器有額。凡七百七十五件副。

○霩衢千戶所，縣治南一百二十里海晏三都地。宋置霩衢驛。洪武二十年，信國公湯和，改建千戶所，轄十百戶所，正千戶、副千戶、鎭撫、百戶、印章，同後所。千百戶一十六員，印章一十一紐。司吏一，旗軍一千一百二十，原額旗軍，今止存四百五十二名。本衞貼守軍餘六十，本衞指揮一員，守禦兼督貼守軍餘。所有署土祠附焉。署建城中，土祠所治東南。旗纛廟祭器、祭品視衞，旗纛廟在所廳東南。銅牌、制書，官吏掌之。銅牌五面，肅字一百八十七號至一百九十一號，制書同衞。譙樓、演武場、軍器局、倉庾各有所。譙樓，所儀門外。演武場，城西門外，霩衢驛故址。周圍一百五十丈，有演武亭。中軍臺軍器局，所治東北。倉，所治西南山上，今改常盈四倉。歲支官軍□糧五千四百二十七石。守城軍火、器械、臺堠、戰船有數。城門樓舖、軍火器四千一百八十九件，隘一，詳海防。臺堠、高山堠，所治東三里。三塔堠，所治東五里。土澤堠，所治東三十里。觀山堠，所治西五里。梅山堠，所治西一十里。蝦庲堠，所治西一十里。凡六。原額戰船：八櫓快船三隻，十槳船二隻。事例同前。見駕鷹船六隻。歲造解京軍器有額。凡七百七十件副。

○大嵩千戶所，縣治西南一百二十里，鄞縣之陽堂鄉。舊置大嵩巡檢司。洪武二十年，信國公湯和，改建千戶所，轄十百戶所。正千戶、副千戶鎮撫、百戶、印章同於後所。千、百戶鎮撫一十七員，印章一十一紐。司吏一，旗軍一千一百二十，原額旗軍，今止存三百九十六名。紹興衛，貼守軍餘三百二十六。紹興衛指揮一員管理。所有署土祠附焉。所署建城中，土祠，所治東南。銅牌、制書，官吏掌之。旗纛廟祭祀從秩 旗纛廟，所廳側。演武場、軍器局、倉庾各有所。演武場：城東一里。周圍二百丈，有演武亭。中軍臺倉，所治西北，今改常盈五倉，歲支官軍俸糧四千四百四十四石二斗。守城軍火、器械、隘寨、臺堠、戰船有數。

〔卷一一〕

列傳

名宦

○鄭餘慶，字崇善。閩人。由舉人令縣，勞心撫字，不務繁苛。嘉靖癸未，島夷入貢，搆隙倡亂，一郡繹騷，嚴爲防禦。賊退，繕城隍，除戎器，定賴敉寧。甲申亢旱，田疇龜拆，徒跣拜禱，大雨隨渥。葺學宮，置學田，以作士類。建廨宇，陰陽醫學、火攻庫，樹演武場，綽楔以興，舉廢墜作。石坊張鑑，二碶新興閘，時蓄洩以溉民疇。表揚貞節，及奬繆廉五世同居，以風頑器。丙戌夏，大疫，捐俸市藥，多所全活。至冬大侵，陳荒政十事，不待命下，先發庾食其甚尫羸者，餘俟報。敍舉過勞傷神，遂寢疾不起，以死。勤事民久，而懷固矣。敉寧日久以耒耜廢戈矛，紈袴悉於干城，尺籍耗於竄漏，徹桑綢戶，悊士已深憂之。乃今寇亂之餘慶，以儒術飭吏治。師事洪貫、張琦，力梓琦詩文以廣其傳，禮聘薛博士俊纂成定志，躬爲裁訂，跡其所爲誠，非碌碌者矣！

〇周懋，常熟人。由進士。嘉靖丁亥，來尹定海。首進父老于庭，問所欲惡而興罷之，一不搖于浮議。定故業海，於時海寇肆暴，官爲厲禁。且歲比不登，民胥嗷嗷。懋曰：「茲民之所以爲生也。」即弛其禁，民甚賴之。徵科則置廠縣庭，坐區長其中，令民赴納，懸金於前，有過取者，民即鳴以聞。夜則封識存庫，鄉無催科之擾，官無督責之勞，而侵漁歛跡。其作興學校，曲盡鼓舞之術，涖政甫期年而暴卒于省，闔民至今思之。

〇金九成，字鳴韶。武進人。以進士起家。嘉靖乙巳，來令縣。賦性剛毅，持身清謹，人不得干以私。時海寇猖獗，徵發繹騷。以一身當百務之衝，蚤作而晏未息。編立保甲，創置墩堡，積聚芻糧，設畫樹防，種種具有品式，寇以不犯。時巡行郊野，相地作碶，以田斥。鹵，民甚利賴之。定故魚鹽貿區，多援藉權貴，以冒關禁，因之愚啗細民，重罔市利，九成力爲沮抑，令行禁止，然終以此府怨，不得顯陟。尋致他孽左遷，賫志而卒，定民至今有餘思焉。

〇□□，生亹亹講解，爲文不喜枝葉，專求實用。聲色貨利，未嘗一置諸口。歲時餽遺俱辭，不受生徒，貧者推所有以周之，助其婚葬。嘗攝學篆，時有輸粟入監者，例必餽金。方與申呈，乃陽受其金，既而還之，戒以弗泄。所入俸僅給饔飧，即羨餘則葺學宮、培形勝，曾無餘畜，清苦一如寒士。竟卒于官，士論惜之。

〇劉錦，字朝章。溫州衞指揮僉事。嘉靖癸未，擢浙江備倭都指揮，駐節定海。是年夏，兩島貢夷，自郡城相讐殺，焚掠郊原。已，乃搶舟突出關口。錦倉卒督舟師追勦，時遠近士女，避難入城者甚

衆。錦指掌印指揮李震，與縣令鄭餘慶曰：「以城守付二君，惟〔以下闕文〕

○曹一和，江西瑞昌人。嘉靖庚子舉明經，分教定庠。踐履純篤，氣象雍容。博覽群書，貫通百氏。日與諸百萬生靈是圖。予惟討賊耳！遂與賊戰於霍山洋，自辰至申不解。錦手發矢，斃數倭。我舟乘風潮薄賊舟，膠不可動。已而戰棚陷，士卒多墜水死。賊踴躍過舟，錦揮刃奮格，力竭，墜水。呼曰：「受朝廷重寄，惟有死耳！」竟歿於海。賊創甚，遁去。臺省交上其事，詔進爵指揮使，俾世襲焉。

慈谿縣志

明姚宗文等修，明天啓四年刊本

〔卷七〕

人物

國朝

○趙文華，字原寔。幼穎異，爲舉業時，出古格不作世俗語。第嘉靖己丑進士，爲兵部主事。力追古作，蔚然成章。然性素豪宕，不拘小節。謫東平州州同，已而復起，爲南京稽勳主事，改刑部主事，歷升通政司使、工部侍郎。時東南倭寇繹騷，奉命督察有功，進太子太保、工部尚書。會內逆徐海，又召夷爲患，再上疏請討。率先戎行，卒破賊，建慈邑城，功隆保障，加少保。已而以疾乞骸，遂卒。其孫昌期，第庚戌進士，官南京兵部主事。

〔卷一一〕

紀異

○倭奴兆，嘉靖三十三年夏，縣南十里灌浦鄭家有一人昏，時起步室中，忽濩然有聲，若泥淖濺其股。呼燈燭之，乃血也。衣盡赭，滿室沾濕。出門試步，畦町往往皆是。當道舉奏，人以爲倭奴陷縣之兆。嘉靖三十四年十二月二十九日申時，日光暗，有青黑紫色如日狀者數十，與日相盪。俄而數百千萬彌天者半，逾時漸向西北散去。明年四月十一〔日〕，倭奴陷縣。

遺事

國朝

○邊澄，慈谿人。晚家鄞。年十五時，聞王荊公祠祈夢有驗，澄詣祠禱曰：「願學一藝立名，何者可成？」遂托宿焉。夢鬼卒手教之搏，澄自是有絕力。已而客山東，戲以肩當下坡車，車止不行。澄亦病傴僂，聞少林寺僧以搏名天下，托身爲爨下奴三年，遂妙悟搏法。一日，辭主僧歸。主僧念其勞，欲教之。對曰：「澄已麄諳其略。」試之，果出諸學者右。後澄行江湖，閒莫有敵者。嘗飲姚江酒市，醉忤一力士。力士故豪貴子，即求澄與角力。士北，愧忿，因鬨其黨百餘人圍捕之。澄不動，直持悅纏奪其槊，舉足一奮，出群槊外。衆遂投槊伏謝。嘗附官舟夜行，遇賊。澄使舉火迎之，即狙擊其魁，墮水死乃散去。正德間，倭奴來貢，有善槍者。聞澄名，求一角。時大守張公津，許之。倭奴十餘輩，各執槍爭向。澄、舉扒一麾，槍皆落。後者復槍圍之，澄一作聲，直超其圍，抽扒，擬一二倭而弗殺，以示巧守，嘆曰：「此亦足爲中國，重賞之。」時江彬率邊兵數萬，從駕南巡。將回鑾，彬謂南兵不如北之勇，欲留鎮守。兵部尚書喬宇，堅執不可。謂南兵亦自足用。於是會議南北兵較藝，宇檄取淛江勇士慈谿邊澄，及金華綿章二人應募至京。宇乃與江彬集演武場試之，北兵選精武藝者一人，南兵用澄一人。北兵舉雙刀，捷如弄丸；澄挺擊之，兩刀齊折，北兵氣沮。喬謂江彬曰：有議約，誰敢違？遂罷北兵鎮守之議。是太有功於國者。市人不識者或侮之，多不較，若無伎能人。人以是多之。〔卷一四〕

碑記

大司馬胡公建邑城記

馮璋

○慈谿建邑，自唐永徽盛時，迫於開元，經營載成，地傍東海，兵輩罕至。歷宋建隆、皇祐、治平之朝，生聚教訓，垂及千齡，士著之民，敦古好義，有勾踐之遺風焉。治安既久，生齒日繁，華采相勝，至于今，則文盛貨濵，州閭鄉遂之民，莫不談詩書，頌周、孔，尊虛文爲高致，鄙武事而不爲。又烏聞有意外不常，干戈寇盜之事哉！嘉靖丙辰四月十有一日，海寇突至，殺掠焚毀，千有餘年之積，一旦蕩然，縣治皆爲焦土。先是，海上有警，邑人請于官，願築城爲預防計，異議者撓之，事以中沮。而不知其禍之至此烈也。次年丁巳，大司馬新安梅林胡公，附督府於武林，總師十萬，指授群帥，平賊于龕山，平賊於乍浦。械麻葉，縛陳東。司空甬江趙公，以監師再至，幷兵以擒徐海。乃調軍資爲慈谿成城，計而胡公又獨力以擒王直於岑港，渠魁咸殲，徒黨震懾遠去，而慈谿城遂告完，蓋縣令劉侯子延之所効成也。次年，賊至，屯於烈港，涉于青山。磯，又屯於杜嶺之南湖竟。

以有備，不敢犯，乘夜遁走，而城中安堵如平時。吾慈之民，方太平無事時，自謂全安無恙，歷數百年而如磐石也，豈竟有一時之危亂哉。以其向者危亂，無聊之極也，而又豈望有今日之安堵，復如昔年哉！以向者之危亂，今日之安堵，而始悔其城之不早也。嗚呼！晚矣！于是相率以言於劉侯，謀所以誌司馬公之德于不忘，唯是闞湖之墟，湖山之陽，風氣所鍾，土潤水良，蓋司馬公之所嘗駐節也。將祠而祠，公瞻覩惟新儀容，如在使後來者，感而益勸以無忈危亂。已乎。侯曰：「吾志也，亟啚之。」於是闔邑之民，相率涕洟而拜曰：「天、父母之生我也，易司馬公之保我也。難陟降高原，相度、山川，昔人之創縣也，易扶傷救危，如楚丘之存亡。衞，今日之成城也，難沉默以廣志，憂形以遠思。昔句踐之治國，以保民垂二十年，而不改其初，則事之永久也。爲尤難。自今而後，有繼司馬公而來者，益以公之心爲心，養士練兵，振揚威武，瘴海鯨波，永以寧謐，東南之民，庶其有賴乎。有繼劉侯而令吾邑者，益以侯之心爲心，撫疲困，招流移，內本強固而外威是揚，吾邑之民，庶其有瘳乎！」馮璋

慈谿南門城遊記　葉本

○倭夷搆難。連年，辛酉傳復犯郡，勢甚恐。邑令勉齋霍侯，遣速諸大夫士登城，議欲搆備云。既大夫士彙集東門，侯曰：「禍無常狃，勝有難期。臺州頃旣大敗賊鋒，象山餘孽復已授首，惜未盡殲耳。」衆眉稍解，尙書馮公岳，曁余姪都憲公照，同聲曰：「事可遂安已乎？寇摩牙，本以噬物，而顧爲物噬，必且鼓其餘以求中，盍周覽於城，以備陰雨，率先解衣登小東樓，指樓邊高阜曰：「矢且及

我，將焉避之？」于時郡守秦公，金姚公汲，參藩沈公一定，陳公茂義，胥謂四門小樓，各改從平，以遜兵火。便侯曰：「然先是丙辰，寇亂，丁巳廼城。大夫士君者居而病者，老者宅，憂者，仕者，仕而歸者，勢未盡登覽，即覽，或未竟矧曰：「群遊於是集者，願各逐隊以趨，群袂翩翩，風日飄映，蓋青黃雜襲，軒舉輿隸，童僕間出，至南樓，侯出橫盤觴酌，衆各徙倚，談謔無忌。酒半，有于于而來者，目侯曰：南樓之主，其東海之障乎！於城何有？則少參向公洪邁也。維時十有七人，仰天上下，城內外，長睇山川之勝，覽觀興廢之因。且異且嘆，火餘闤闠塡實，風景超曠，足表一方。四隅平疇，曼衍禾黍，竹木陰翳之觀，隱似郊野，有指而言者曰：昔人營城尺度，此可裁而狹也。今何及矣！海潮日夕浸淫，城何能固？主政劉公世龍，迨余小子本相顧言曰：茲獨不可經費，內外植椿護土，圖免崩堋，計久遠乎？浮碧山高覽絕勝，縣故宮焉。城之者下移，非作者意，宜仍于上南門西闢，即非風水，宜改從中此皆尙書之特見，諸馬埠用石擬四門，憲副馮公璋，長臯張公謙，則曰：「越城有禁，是惟弗禁而縱之，越其必由石乎，壞且速矣！有急可梯，木倚城而上，其母石寶峰，盤據逼城，州守孫公炤，僉憲秦公宗道，議設堡別守，以防寇矢，亦或一道。侯曰：「是直可窺城中虛實耳」，矢惟卑可制高，徐圖之西北隅，城與外小山齊，且近不數步，關切利害，侯慮之。已屋其上。其垣布以佛郎機，通府嚴公諒，馮公秉儀，少參姚公梧，請復廣間架，增置器械，爲衝擊具。垣內加木版，復益以磚，則贊畫馮公之圖焉。自西徂北，落照含山，胡丞近溪，迎致城樓，侯復張筵，以待衆指。慈湖深濬，堤土中桃。四碧涵空，勝若加美，不可無弄月乘秋之泛。侯曰：「吉凶悔吝生乎動，憂樂感遇存乎時。諸君湖山之樂，必無忘今日之憂，俾永有藉于茲邦乃可。」已而明燭懸宵，月彩東爛，觴飛無筭，主賓傾洽，各起仍載燭，前後循東北行。火城煌煌，人影散亂，王尉東泉交于途云。自領兵歸，侯悉寇捷，與侯同衆復加喜。鎮洋樓既至，侯與丞尉且留衆，或步或輿，各散去。主政俛仰久之，謂余曰：「樂哉游乎，夫景一也。而日中月下，則殊，情一也。而有觸無感則殊，游一也。而群邁獨行則殊，願聞綜緯于篇以資膾炙。」余曰：「夫記不以游乎？游不以城乎？是故講備，非以宴樂也；策守，非以狎昵也。裒時議之多闕，謀桑梓于將來，非以集纓紳，侈追從也。故曰：城斯游，游斯成矣，如祇以游焉爾也。日月皆嘯歌之期，群孤總山水之侶，奚取爲善勤藻墨爲哉？諸不及城語不錄，諸欲語城而不及，游者無可錄。是歲夏五月既望，邑人刑部郎葉本記。

建慈谿縣城碑記

○慈谿，古勾章縣地也。析置自唐開元始，違故城十五里，而治在郡城六十里之南。歷代惟郡城，屬邑惟定海城。迨胡元，亦復隳圮。明興，聖祖創置海壖城，戍慈谿，則有觀海、龍山，機觸形殲，莫或子紀今百八十餘年矣。嘉靖壬子歲，倭夷肆掠黃巖，浸尋內地。上聞，命師討捕，且勑下郡邑，增築城垣，嚴豫防至計。乃人情習安，煩言靡洽。丙辰四月，賊自東埠入慈谿，市井室廬一空。蔓延村落，蕩覆慘焉，聖天子神武，啇命巡按御史胡公宗憲爲都御史，總督浙直福建軍務。及簡命，工部尚書趙公文華，視師督察，由是師旅滌奮，聲威振揚，旗幟改觀，戈矛耀日，旆張而魁簡獻首頤，指而桀奸繫頸，縶徒次第薙獮，而人始獲生。冬十月，師次慈谿，公及趙公，復申築城之令，若曰重門擊柝，以待暴客，前車覆轍，寧復蹈之？其速議財用，峙木石，略基址，量工命，日事事有弗虔者，罰無赦。于是衆心誠服，有司恪共籍士民產稍裕者任其役。凡傷于兵者，罹于燹者弗役，得四百六十家。木石水陸兼輸，杵聲晝夜弗息。始于丙辰之東，迄于丁巳之秋，中空于農興，再脩于潦圮。工不愆素，民不告勞，而城成焉。約費帑金六萬兩有奇，築民田五百畝有奇，規制雖創造，而屹崒灤洄，與崇岡巨浸相爲表裡。巳未四月，賊復自東徂西，城中戒嚴，礪鋒。纍砲，清野以待。公復遣材官健卒，與民協守賊聞遠去，不敢逼微城。庸詎知其禍不復丙辰耶？慈之黃口垂白，衿珮鶉衣，莫不舉手加額，感泣頌嘆。聖天子覆幬之德，公及趙公保障之功，且啚爲公立祠。公聞之曰：「廟謨也，有司力也，我則何有苐紀其實。以詔後人，俾弗壞，則爾慈人永保室廬禾黍，自爲子孫計爾已矣。」夫後世帥臣鳴劍，伊吾勒石燕然，功非不茂，而枯骨之慘，或病焉，此詩所爲美干城歟？夫干城以捍衞，不以攻擊也。攻擊之利，近捍衞之澤遠，子子孫孫夫容替而忘之。若夫慕晉陽之風，終保障之惠，宣彝階之化，協守險之恭，是有司之良也。孝弟忠信爲幹，禮義廉耻爲維，是民之良也。是又公之所望于後者也。

碑記

倭奴創亂紀

○嘉靖十九年，福建繫囚李七、許二等百餘人，逸獄下海，同徽歙奸民王直即王五峯、徐惟學即徐碧海、葉宗滿、謝和、方廷助等，勾引番倭，結巢于霩衢之雙嶼，窺犯浙直，出沒爲患。時海內承平已二百年，民不見兵革，□聞寇至，遠近竄匿。冒鋒鏑，塡溝壑死者不可勝記。巡視都御史朱紈，調發福建都指揮盧鏜，統督舟師，擣其巢穴，俘斬溺死者數百。有蟹眉須黑，番鬼倭奴，俱在獲中。餘黨遁至福建之浯嶼。三十一年二月，王直令倭夷突入定海關，移金塘之烈港，亡命之徒，從附日衆。自是，倭船逼海爲患。三十五年四月，賊將寇南京圍，巡撫浙江都御史阮鶚，于桐鄉窘甚。時胡宗憲新受總督軍務兵部左侍郎之命，用計陷賊，圍解，賊乃別遣夷船二十三艘，領衆千六百登刦鳴雀場。又夷船八艘，賊衆千餘，登刦臨山三江。越數日，兩賊合攻觀海、龍山城，突入慈谿縣治。時縣原無城郭，知縣柳東伯，負印而走，乃四月十一日也。十八日，又至。五月一日，又至。五日，又至。殺鄉官副使王鎔。知府錢煥，慈谿主簿畢清，以督兵禦賊，死。再湖部長杜文明、杜槐父子，俱以抗賊鏖戰死。義勇魏鏡，背負縣令，力鬬殺賊而死。鄉兵吳德、四德六兄弟，操鋤奮刃，砍渠魁而死。焚掠士民子女財帛，極其慘毒。從文亭港出，欲窺寧波府城。盧鏜帥兵乘輕舟，沿江上下，隨賊向往，用鳥嘴銃擊之，賊退屯海口。先是，工部侍郎趙文華，以督察軍務復命。至是，進工部尚書，奉敕提督軍務，許以便宜行事，統領大軍至。時胡宗憲，日與徐海對壘，數遣死士，入海營中反間。海果縛其黨陳東等八十餘人乞降。宗憲計徵兵且至，佯許之。及文華至，遂與定謀進勦，大殲賊于沈家莊，徐海溺死，獲其尸梟示。辛五郎帥餘黨乘舟遁至烈港，宗憲約文華，復縱兵要擊之，俘斬三百餘。辛五郎與葉麻等，囚至京師，獻俘告廟，剉尸梟示，餘賊由丘家洋夜遁。宗憲督麻陽兵，乘雪夜襲破其巢，悉斬之。三十六年，倭夷來求貢，朝命弗許，遣之，不去。三十七年春，王直等復偕夷酋水手千餘，乘舟進泊岑港，聲言欲詣軍門乞降。然而五旬不至，宗憲乃使生員蔣洲、陳可願誘諭之。直乃遣其養子王滶來見，仍遣之還。十一月，王直乃桀然詣軍門，遂執之，下按察司獄。上疏得旨，誅直于市，梟示海濱。妻子給散功臣之家爲奴。

議

○嘉靖三十四年，縣治遭倭奴焚燬。五年，乃興城築，以士民負郭之產，闤闠之居，僉爲城基。馬道池隍，約動費田地居址百畝，此爲縣治官民百世計，故無所惜。及城成，而求價難盡補，糧稅難盡蠲。當時郡邑大夫，目擊困苦，將初議馬道一丈五尺，量從省減，但盈丈以外田聽耕種，地聽蔬圃，屋聽葺居，仍還民業，此下以己產奉公，而上以餘產便下，是上下交相濟也。四十年來，兩次丈量，起量歸戶，買賣無禁，今且視爲膏腴，其或阻山沿塹，尚不足一丈者亦形執使然。非豪強侵佔者，可以例論，至今而必加增五尺，則撤墻屋，壞良田，荒肥壤，官任箠楚枷罰之怨，民起悲號哀籲之聲，後有改號豁稅之擾，所謂外變未形，而內患先罹也。如止照見存馬路，則多于一丈者仍舊，不及一丈者補足，汗者高之，塹者平之，號不必更，糧不必豁，所謂四民樂業而頌聲可作也。斯二者，利害懸甚，乞憐瘡痍之遺黎，難再損業，方九里之山城，原非通會，夷負郭之膏腴，奚忍踐履，鮮乘馬之孤邑，何取濶步，原無侵佔，似難增益。惟將見在一丈以上者，悉仍其舊，不及一丈者，不論房屋、田地，悉令補足。其山石難鑿處所，雖不及一丈，必難再鑿，即爲定制。官民永守，則地不改闢，民不改聚，慈邑功德，當世世已。

象山縣志

明陸應陽撰，明萬曆三十六年刊本

〔卷一四〕

名臣

○蔡海，閩縣人。永樂十四年學諭。倭犯境，軍民奔散一空。海，獨正襟危坐。賊至，不忍害。海厲聲罵曰：「醜虜自當稱貢，乃敢寇境擾民耶？」賊刺之，海飲刃而卒。

○□達，閩人。嘉靖三十九年典幕。適島寇攻城急，武備懈弛。舉邑中莫知計所出。達慨然曰：「西郭，□賊衝也，吾其禦之，乃擐甲鼓勇，數騎効死。守備曰：「脫有不測，吾輩當戮力以戰。即碎首弗□□寇知有備輒散去邑賴以安，尸祝者充巷。□□象佐自張翥、劉廷賢，而後爲丞，爲簿，爲尉者□，或以清介，或以才諝見稱。邑父老豈乏其人□？然不可更僕，而惟達尉特書之，蓋有捍患功，□衆所推戴，法得首錄云。

○俞士吉，字用貞。別號櫟庵。父仲殷，嘗夜夢得：「老桂古香，分月窟，移將天下壓群芳」之句。

覺而士吉生。自幼岐嶷異常。既長，有司歷舉賢良，弗就洪武丙子，領鄉薦會試，中乙榜，授兗州府訓。上疏論時政得失十餘事，徵拜御史，出巡鳳陽。徽州辨釋疑獄，風裁肅然。文廟御極，擢右僉都御史，奉使朝鮮。已復使日本國，還報皆稱旨，褒賜有加。永樂三年，浙西大水。士吉與戶部尚書夏元吉，通政趙居任，大理少卿袁復，奉勑往治兼督農務。時湖州被災尤劇，虧糧五十六萬石。同事者以所虧之數十倍所輸，欲損其數以上。士吉力爭曰：「欺君病民，吾不忍爲也。雖重得罪，吾自任之。」竟以實聞上充，納悉，蠲其輸，仍勑發粟賑飢，民賴以甦。六年，出守襄陽，政清訟簡，郡大治。十六年，秩滿，最奏陞山東左參政，未幾，唐妖婦惑衆謀叛，藩臬諸臣，悉寘於法。士吉以督濬，後至衆謂可自裁。應曰：「背死逆命，非臣節也，遂就獄。」上念舊臣，釋之。洪熙改元，入覲，欲授清要之職。天官擬以太僕寺卿。上默然良久，曰：「渠是秀才，著爲詹事。」改刑部侍郎。宣德五年，致仕。士吉儀表修潔，舉止清雅，論議切直，文采蔚然。所著有櫟庵稿若干卷。子罄，績學工文詞，有司以經明行修薦，未上而卒。

新脩餘姚縣志

明（撰人待考），明萬曆間刊本

〔卷一九〕

人物志

忠節

○杜文明，以膽力聞里中，推爲豪長。嘉靖乙卯，倭賊犯境。文明與子杜槐，練鄉兵爲守，屢立戰功。一日，賊突至。槐斬酋一人，從賊三十二人，力竭而死。賊亦敗去。是年，賊復寇寧波。文明從主簿畢清，率鄉兵赴之，遇賊於奉化之楓樹嶺，竝戰歿。文明父子俱死，王事義甚偉，同時乃有謝生軍者，自杜倡義竝起云。

○謝志望，國子生。文正公之玄孫也。嘉靖乙卯，倭寇猖獗。志望散家貲，招募勇敢，得五百人，部勒甚整，人號曰「謝生軍」。兵備副使許東望義之，給以資糧，不受。是年十一月，賊由溫州登陸，縱掠黃巖、奉化，入四明山。志望與同庠生胡夢雷等，率鄉兵分道禦之。至中嶺，與賊遇，指揮張佑，援兵不至，志望等手自搏戰，殺賊九人，以矢盡力竭，並遇害。事聞，詔贈志望太僕寺丞，蔭一子入監。胡夢雷，州同知，給其子冠帶，建祠於郡城，額曰「褒忠」。志望妻陶氏者亦曉大義，其時不難以一死殉夫，而植孤存祀，隱忍二十餘年，竟以哀死。論者以忠節雙成，不隤文正家聲焉。〔卷二三〕

叢談誌

禨祥

〇嘉靖三十二年至三十六年，連有倭患。詳後。①

註：

①此部新脩餘姚縣志有關倭患的記載已散佚。

紹興府志

〔卷二〕

明張元忭等撰，明萬曆丙戌（十四年）刊本

城池志

縣城

○餘姚縣城，始築於吳將朱然。圍一里二百五十步，高一丈，厚倍之。莫詳何時墮。元至正十九年秋，方國珍復城之，凡一千四百六十五丈，延袤九里，高一丈八尺，基廣二丈。陸門五：東通德，西龍泉，南齊政，北武勝、後清。水門二，四面引江爲壕，可通舟楫。皇明洪武二十年，大將軍湯和，遣千戶孫仁增治壘堞，後漸圮。縣志云：大將軍置千戶所於餘姚。正統六年，邑人李應吉，奏調楚門城，遂不治，非然也。大率時承平，武備見謂不急，又勞民，勢自弛耳。自嘉靖三十年後有倭患，乃漸完葺。其東門，今改曰澄清。

○江南城，嘉靖三十六年，以倭患建。周一千四百四十丈有奇。陸門四：東泰，西成，南明，北固。小陸門二：恩波、流澤。水門二：左通、右達。四門之上皆有重樓，而北固樓枕江，與舊城舜江樓相直，通濟橋亘其中。南北皆爲月城，通兩城爲一。

大學士徐階記

餘姚，去海百里，夾江，居民數萬家。舊有城，直江北以署所在也。測其生齒，江以南得三之二焉。學宮、倉廩，咸於是乎在。頃歲倭夷犯海上，江南人走保城邑不能容，則散入山谷間，鹿駭狼顧，父子不相保。邑人少保大學士李公聞之，嘆曰：「今兵興尚未已，江南脫不保，縣城則獨完乎？餘姚不完，則上虞、山陰不足恃，而土崩之勢成矣！今若益城江南，紘誦之守，常平之粟，豈惟姚民攸賴，將全浙實屏蔽之！」議既定，有謹于里者少保公以問其里之仕者曰：「如何？」郎中邵君惪久、侍讀陳君陞，前曰：「定大計者不恤浮議。語有之：衆心成城，今日之事，惟公主之，惪久等無有異也。」邵君等，已又爲疏言江南所以不可無城狀。天子可之。於是總督都御史胡公宗憲，實典領其事。胡公曰：「民勞甚矣，兵又不可役，而明詔不敢不舉，少保公之志不可以不成也。」乃會巡按御史王君本固、羅君元楨、程土物，度形勢，而經費則督府制之，不足，始助以諸郡贖緡什之一，蓋總其費白金鍰計不滿萬者百有十，自木甃石之材，以至於畚鍤版幹募人之力，無一求而不給焉。始於丁巳年九月己卯，而以次年六月辛卯城成。江南北之人見城墎、樓櫓之完而不知材之所自出，聞鼛鼓之聲而不聞役召之及己也。四隣有警，弛然而臥，恃以無恐。始之譁者，今乃大媿曰：「城寔生我，而顧謂其屬我以自衞乎？」乃用諸生計，爲祠尸祝少保公而予記之。是役也，憲副陳元珂，開新督率知縣徐養相，規畫綜理。經始則知府李僑，董役則同知王近訥。明皇甫訪句餘八景百雉雙環詩：「萬雉環虹架石梁，中流樹色影蒼蒼。垂竿試問漢溪水，非復平泉醒酒莊。」

○上虞城，水經注：舊治水西常有波湖之患，晉中興之。初治今處，江水東逕縣南，蓋今百官地也。

今縣則自唐永慶中徙。縣志云：舊無城。嘉泰志所稱縣城周一里九十步者，蓋縣治之衙城也。元至正二十四年，方國珍據有東浙，始建議築縣城。東南平衍，西北因山爲隍，西南則跨長者山。周廻凡十有三里，高二丈，厚二丈五尺。置樓堞，作五門：東通明，南朝陽，西晝錦，北豐寧，西南金壘。水門三，在金壘、晝錦、通明之旁。國初，信國公湯和，拆上虞城石改築臨山衞城，縣城惟存土基。嘉靖十七年，知縣鄭芸，乃即故址復建，甃以石。

○嵊城，吳賀齊爲剡令，自江東徙移今治，嘗開城門擊破奸吏族黨，則今城亦齊所創建。水經注：縣開東門，向江，江廣二百餘步。自昔耆舊傳不得開南門，開則有賊盜。舊經云：嵊城，周十二里，高一丈，厚二丈。宋宣和三年，縣遭睦寇，城圮。守帥劉述古，掃清睦寇，遂命縣令張誠發修城，完壁高堞，自是寇至不爲害。慶元初，溪流湍暴，城存纔二三尺。知縣葉範，累石爲堤百餘丈，城賴以全。後二年，水決東渡，城壞。提擧常平李大性，給千緡增築。明年秋，大水，又壞。知縣周悅，增築一百二十餘丈。國初，信國公毀嵊城，移磚石築臨山衞城，由是城半圮，僅存四門。弘治中，知縣臧鳳，以承平久，城雖可緩，然水害急，不可無堤。於是計築堤之費，請於藩臬，借府帑羨餘，及徵於民以足之。高三仞，廣如之，袤二百四十五丈。邑人稱爲臧堤。十一年，適水勢汎濫，堤之潰者又數百尺。知縣徐恂，築護堤，自是隄賴以全。嘉靖時倭患作。三十四年，知縣吳三畏，乃力請築縣城。高二丈有奇，厚一丈有奇，周圍共一千三百丈有奇。爲門四：東拱明，南應台，西來白，北望越。門上各有樓，有月城。東有陡門，上扁曰「溪山襟帶亭。」城上北有四山閣，當學前有起鳳亭，東門有騰蛟亭。敵臺四，火鋪二十四。

郎中王畿碑

世宗皇帝建極之二十有九載，海氛爲孽，倭奴忽飈至，蜮射搆禍於浙東黃巖，萬室爲燼。甲寅歲，再陷天台，海上羽檄無已。嵊知縣吳侯，喟然嘆曰：「是可坐受無城之困乎？」歲己卯，迺請其事於諸上官。相基度費，然帑無羨鍰，民又艱於土瘠。侯於是稽版籍、丁口、田地，凡五十餘丁，築城一丈計，爲丈者九百有奇。因舊爲址，繞山帶溪。侯日日周省城功，自忘饑疲。工始秋九月，凡四閱月告竣。東、西、南、北四門，次年，請布政司五百金成之。東陡門，北四山閣，則取諸罰鍰漸成之。方築城甫半，倭奴自台突入嵊黃泥橋。夜遣諜來五里鋪覘視望。城上燈燎晃，耀呼噪之聲動地，遂並山出浦口宵遁。迨城工未畢止二板，倭奴又自台流嵊。侯日夜督民兵分城哨守，倭奴用是遯逃。夫城工雖未完而有險可據，侯故得以殫力警守而保完億計生靈。嚮使侯不早計而亟圖是役，則兩番寇至時，嵊能免於黃巖、天台之難否也？周別駕入吳侯經始鳩工錐故址，得一甎識云：「漢乙卯歲，剡長吳某記。夫吳侯築城，千五百載之後而與前令姓同，其築之歲又同，噫嘻！亦奇矣。」

○新昌城，嘉泰志：新昌舊有土城高二丈，厚一丈二尺，周十里，久廢無考。惟迎恩、鎮東、候僊、共仁四門名存而已。竊疑東提舊址首起龍山，尾接北鎮，其蹟略如城制意，舊志所云或指此耳。宋知縣林安宅、趙時佺，嘗相繼築東堤以捍水患。嗣而洪水爲災，堤屢齧漂民居，守土者各以時修築。弘治十八年，知縣姚隆，始築洞門於祥溪廟右。嘉靖中，倭夷爲亂。三十一年，知縣萬鵬，始議築城。其城制長一千三百七十四丈有奇，高一丈七尺，濶二丈四尺，周圍凡六里。城門四：東應台，西通會，南仰山，北濟川。城上爲女墻，爲窩鋪。門上爲譙樓，門外爲子城。內外馬路各一丈有奇，自東抵北，自北抵西，皆引溪爲池，而西南則面山。

尙書呂光洵碑

新昌，蓋剡之東境，梁開平間，析其十三鄉爲縣，以其創建也，因名新云。縣舊有城記稱：周十里，高十尺，厚十有二尺，元末城廢。逮我朝，更新令甲而議不及城。聖德丕冒，守在四夷，況疆域之內耶？縣所治地，東瀕海，西帶剡江，內有崇岡、峭壁、絕壑、叢林之險，而魚鹽負販之徒相競逐競而不遂，即呌囂橫暴，此其故俗也。頃者劇盜起海隅，入剽台、寧，台、寧不能禦鋒刃，接于新昌。新昌之民盡震，空其縣，走山谷，即官師亦離次而匿矣。於是武進萬侯鵬，銜命在道，聞警亟馳抵縣，乃召其父老拊循之。其父老率子弟伏庭下曰：「惟侯令。」侯乃簡其壯銳，授以利器，日校於演武之亭，聲聞遠近。盜驚懾，不敢近。乃召吾耆老黎庶而告之曰：「新昌故巖邑也，郡盜所窺，前日僥倖脫虎口，其可恃以久遠耶？吾爲爾計，必依險而城，城固乃可守。」父老曰：「唯侯令。」侯以父老之言告于贈吏部尚書石橋潘公，參議三泉俞公，又以告洵，亦曰：「唯侯令。」侯乃具狀白于巡撫梅林胡公，巡按玉泉趙公。胡公持其議，未下諮于趙公。趙公曰：「新昌頻海，盜時至，無城是棄民也，宜亟下其議。」議下，侯乃大集士庶，度地相基，計工量費。取石於南山，購材於四境，諏日以致工。工始自東隅，，循南山之麓，而西跨澗而北，又遡溪而東。計周一千三百七十四丈九尺，高一丈八尺，厚一丈七尺。表裡俱石，而實以土礫，蓋極其堅緻云。城東故有捍水石堤，城附于堤。堤愈堅，城愈壯，既銷外悔，又禦橫流，居者安堵，過者竦望，覬覦者革心，眞千百載不磨之偉績也。迨今十有餘年，而吾民頌功之碑尙未有詞。竹山田公，乃授簡于洵，洵寡昧未能敷張盛美，竊有愧焉。

衛城

○臨山衞城，洪武二十年二月，信國公湯和，經畫浙東，以餘姚東北控大海，慮島夷或竊發，上虞，非要衝也，乃奏徙上虞。故嵩城於餘姚西北五十里廟山之上，並海而城之，是爲臨山衞城。初用土、石半。其秋，指揮同知武瑛督築，乃盡用石。爲方五里三十步，高一丈八尺。永樂十六年，增五尺，址厚四丈五尺，面半之。陸門四，水門一。城樓大五小三，敵樓十四，月城三。池深一丈五尺，廣五丈五尺。吊橋四，窩鋪三十八，女墻九百九十。兵馬司廳七，瞭望臺一，墩臺九。

○觀海衞城，亦湯將軍築，在餘姚縣東北八十里慈谿縣之境。爲方三里三十步，高二丈四尺，厚二丈八尺。城門四，水門二。城樓大小各四。角樓四，敵樓二十五，月城四。池深八尺，廣六丈八尺。吊橋四，窩鋪三十七。女墻一千一百七十八。兵馬司廳四，墩臺六。

所城

此洪武二十年湯國公築。

○三江所城，在府城北三十里山陰浮山之陽，踐山背海。爲方三里二十步，高一丈八尺，厚如之。水門一，陸門四，北則堵焉。城樓四，敵樓三，月城三。引河爲池，可通舟楫。兵馬司廳四，窩鋪二十，女堵六百五十八，墩臺七。

○瀝海所城，在府城東北七十里會稽三十三都之薛家瀝。爲方三里三十步，高二丈二尺，厚一丈八尺。城門、城樓、角樓、敵樓、月城各四。池深一丈五尺，廣五丈五尺。兵馬司廳四，窩鋪十六，女墻六百十一，墩臺四。三山所城，在餘姚縣東北四十里梅川一都之滸山。爲方三里一百二十八步，高一丈六尺。永樂十六年，增六尺。址厚四丈五尺，面二丈二尺。陸門四，水門一。城樓、月樓、敵樓各四。月城四。池深一丈三丈（尺），廣三丈八尺。吊橋四，兵馬司廳三，更樓一，窩鋪六，女墻六百三十五，墩臺七。

○龍山所城，在餘姚縣東北一百二十里定海縣之境。爲方四里二百七十步。陸門三，水門一，城樓、角樓各四。月樓三，敵樓十七。池深一丈二尺，廣三丈五尺。窩鋪九，吊橋四，兵馬司廳三，女墻四百六十，墩臺五。巡司城，亦湯所築。

○三江巡檢司城，在府城北四十里山陰浮山之北麓。小江經其前，大海浸其東，與三江所城南北相峙，爲東海之門。城惟一門西出，而舊無女墻。嘉靖二年，有倭寇，始增治之。爲方一里二十步，高八丈，厚一丈八尺。城樓一，窩鋪四，女墻三百六十六。

○白洋巡檢司城，在府城西北五十里大海之上，亦山陰境。有白洋之山，緣山而城之。爲方一百一十丈，高一丈一尺，厚一丈。城門一，譙樓一，窩鋪四，女墻一百七十六。

○黃家堰巡檢司城，在府城東北八十里會稽、上虞之界，曰纂風鎮。爲方一百四十丈，高一丈三尺，厚二丈五尺。南北環以月城。城樓一，窩鋪四，女墻一百十。城下有池，深一丈二尺，廣四丈五尺，舊在府城東北六十里黃家堰。洪武二十年，徙瀝海所西，爲海潮所齧。弘治間，徙今所，故址尚存。

○三山巡檢司城，舊在餘姚之金家山，洪武二十年，徙之上林一都之破山西南，去縣六十里。爲方三百五十丈有奇，高一丈五尺，厚二丈。城門一，城樓一，窩鋪四，女墻一百二十。

○廟山巡檢司城，舊在餘姚之廟山，洪武二十年徙之上虞縣第五都之中堰東南，去餘姚縣六十里。爲方一百四十丈，高二丈五尺，厚二丈二尺。城門一，城樓一，更樓一，穴城二，窩鋪四，女墻一百十。

○眉山巡檢司城，舊在餘姚之眉山，洪武二十年徙之孝義二都之湖海頭東南，去縣四十里。爲方一百八十四丈，高一丈八尺，厚二丈，城門、城樓、更樓、望海樓各一。窩鋪四，女墻一百二十。〔卷二二〕

武備志一

軍制

民兵

○山陰民兵一百二十二名，會稽二百八十八名，蕭山四百名，諸暨一百四十名，餘姚一百三十五名，上虞四百名，嵊四百名，新昌八十名。

弓兵

○三江巡檢司三十六名，白洋三十二名，黃家堰三十四名，漁浦三十名，眉山三十四名，三山三十四名，廟山三十四名，梁湖一十二名。

鄉兵

○蕭山縣，嘉靖三十五年，知縣魏堂增置。在城西興龕山、長山，凡四處，有千長在城，西興、長山各一人。有百長在城，六人，西興四人，長山三人，龕山二人。有伍長、副長在城，各二十四人。西興各十六人，長山各設參將一員駐定海，分守寧、紹等處。三十四年，賊破臨山衞，則添設總兵官一員，駐臨山。三十五年，移總兵駐定海，而參將駐臨山，專統陸兵。三十六年，六把總俱授以都指揮體統行事。隆慶二年，參將改駐舟山，專統水兵。以定海遊兵把總調臨山，領陸兵。萬曆十二年，裁革陸兵把總，俱屬臨觀把總統轄，駐臨山。臨觀備倭把總一員，部下書記二名，健步二名，家丁二名，軍吹鼓手四名。總哨官一員，哨官二員，各家丁一名，捕盜一十六名，看民四名，隊長八名。正舵工二十名，副舵工八名，兵六百一十九名，軍兵二百一十七名。福船四隻，蒼船四隻，漁船八隻，沙船四隻，叭喇唬船八隻，網船六隻。每至防汛時分，三哨本總親統臨游哨。哨官二員，分領左哨、後哨。

○臨游哨，沙船四隻，漁船四隻，唬船四隻，網船二隻。內民捕看舵兵二百六十名，軍兵五十七名。汛期泊烈表港，遊哨漁山、兩頭洞，幷臨觀一帶海洋。遇警往來應援截剿，仍與浙西海寧總下兵船會哨，汛畢，與左、後二哨兵船俱收泊定海關。

○左哨：福船二隻，草撇船二隻，沙船二隻，唬船五隻，網船二隻。民捕看舵兵二百五十六名，軍兵八十一名。汛期泊烈表港，東哨馬墓、漁山、東霍、兩頭洞海洋，與定海總馬墓哨兵船會哨；西哨西霍山幷臨觀一帶海洋，與浙西海寧總下兵船會哨。

○後哨：福船二隻，蒼船一隻，草撇船一隻，沙船二隻，唬船五隻，網船二隻。民捕耆舵兵二百五十五名，〔以下闕文〕

〔卷二三〕

武備志二

軍需

○沿海漁稅，永樂間以漁人引倭爲患，禁片帆、寸板不許下海。後以小民衣食所賴，遂稍寬禁。嘉靖三十年後，倭患起，復禁革。三十五年，總督胡宗憲，以海禁太嚴，生理日促，轉而從盜。奏令漁船自備器械，排甲互保。無事爲漁，有警則調取同兵船兼布防守。先是，巡鹽御史董威，題定漁船各立一甲頭管束，仍量船大小納稅，給與由帖，方許買鹽、下海捕魚。所得鹽稅，以十分爲率，五分起解運司，五分存留該府聽候支用。每年三月，以裏黃魚生發之時各納稅銀，許其結綜出洋捕魚，至五月各令回港。萬曆二年，巡撫都御史方弘靜復題，令編立綜綱紀甲，並立哨長管束，不許攙前落後，仍撥兵船數隻，選慣海官員統領，于漁船下網處巡邏，遇賊即勦。說者曰：「海民生理，半年生計在田，半年生計在海。故稻不收者謂之田荒，魚不收者謂之海荒。其淡水門海洋，乃產黃魚之淵藪也。每年小滿前後正風汛之時，兩浙漁船出海捕魚者動以千計。其於風濤，則便習也；器械，則鋒利也；格鬬，則敢勇也。驅而用之，亦足以捍敵；緝而稅之，尤足以餽軍向，乃疑其勾引而厲禁之，遂使民不聊生，潛逸而從盜矣。故緝名以稽其出入，領旗以辨其眞僞，納稅以徵其課程，結綜以連其犄角，而又抽取官兵以爲之聲援，不惟聽其自便爲生，且資其捍禦矣，豈其取給於區區之稅，以助軍興之萬一耶？

漁船監稅則例：

大雙桅船，每隻納船稅銀四兩二錢，漁稅銀三兩，鹽稅銀六錢，旗銀三錢。中雙桅船每隻納船稅銀二兩八錢，漁稅銀二兩，鹽稅銀四錢，旗銀二錢。單桅船每隻納船稅銀一兩六錢八分，漁稅銀一兩二錢，鹽稅銀二錢四分，旗銀一錢。尖船對桅船每隻納船稅銀一兩一錢二分，漁稅銀八錢，鹽稅銀一錢六分，旗銀八分。厰艎船每隻納船稅銀七錢，漁稅銀五錢，鹽稅銀一錢，旗銀五分。近港不捕黃魚，止捕魚、蝦。柴鹿漕網小船每隻納船稅銀三錢，鹽稅銀六分，旗銀一錢。河條溪船每隻納船稅銀三錢，漁稅銀三錢，鹽稅銀二錢四分，旗銀三分，採捕墨魚紫菜泥螺等項海味。對桅尖船每隻納船稅銀一兩一錢二分，鹽稅銀一錢六分。厰艎船每隻納船稅銀七錢，鹽稅銀一錢。河條溪船每隻納船稅銀二錢，鹽稅銀六分。隆慶六年，巡鹽張公更化又題加稅，大雙桅每隻連前共納銀二兩四錢，中雙桅每隻一兩二錢，單桅六錢，尖桅四錢八分，厰艎船三錢六分，輿河船二錢四分，對桅船四錢八分。

賞格

〇隆慶四年例：

願陞者：一、擒斬眞倭首級幾名顆，查係眞正，其功委難，例應世襲。一、擒斬眞倭首級幾名顆，功係稍易，止終本身。

願賞者：一、擒斬眞倭從賊首級，查係眞正，其功委難，每名顆賞銀五十兩。一、擒斬眞倭從賊首級，及漢人脅從首級，功係稍易，每名顆各賞銀二十兩。

○隆慶六年例：

各衛指揮千百戶，獲倭船一艘及賊者陞一級，賞銀五十兩，鈔五十錠。在船軍士生擒殺獲倭賊一人者，賞銀五十兩；陸地交戰生擒殺獲一人者，賞銀二十兩。水陸主客官軍民快人等，臨陣擒斬有名眞倭賊首一名顆者，陞實授三級，不願陞者賞銀一百五十兩。獲眞倭從賊一名顆並陣亡者，陞實授一級，不願陞者賞銀五十兩。獲漢人脅從賊一名顆，陞授署一級，不願陞者賞銀二十兩。反賊功次：內地反賊，一人擒斬六名顆陞一級，至十八名顆陞三級。願係壯男，實授；幼男、婦女與十九名顆以上並不及數者，俱給賞。流賊一人，爲首一人，爲從二人就陣擒斬有名劇賊一名顆，爲首者陞實授一級世襲，如不願陞者，賞銀三十兩；爲從者給賞。就陣擒斬以次劇賊一名顆爲首者授署一級世襲，不願陞者賞銀十兩；爲從者量賞。就陣擒斬從賊三名顆，爲首者陞實授一級世襲，不願陞者賞銀十五兩；爲從給賞。緝獲者不在此例。就陣擒斬從賊一名顆，爲首者賞銀五兩；二名顆，爲首者賞銀十兩；爲從者俱止量賞。緝獲者不在此例。前項功次，一人自擒斬不分首從者照前陞賞，六名顆以上至九名顆者，止陞實授二級世襲，不願陞者賞銀二十兩。不及六名顆者，除實授一級外，扣筭共賞銀一人。爲首者二人，或三人，四五人，俱爲從共斬賊一名顆者，不必分別首從，共賞銀五兩，均分。陣亡者，陞實授一級世襲，如不願陞者賞銀十兩。重傷回營身故者，陞署一級，如不願陞者賞銀七兩。一人獨斬隨從賊人十五六歲小首級一名顆者，量賞；二名顆者給賞；三名顆者加賞。當先破敵被傷者，給賞。其不係臨陣緝捕從賊一名顆者，賞銀四兩；二名顆者，賞銀八兩；三名顆者，賞銀一十二兩；四名顆者，陞實授一級世襲，不賞。一人爲首或二人三四五人爲從，緝獲從賊一名顆者，賞銀四兩，不分首從均分。

○説者曰：勦倭之策，海易陸難。然水戰又以犂沈賊船爲上計，縛賊次之。陸戰以摧鋒陷陣爲上計，斬獲次之。惟重水戰之賞，則賊不得登岸，邊民不知有兵，四境晏然矣！此海防要策也。

險要

○紹興衞駐府城中。

○餘姚千戶所，駐餘姚城中。洪武二十年，湯將軍和奏置者也。餘姚東界寧波，而海潮自定海來抵新壩止，多巨姓強族。人材衆，貨力富，實海濱重鎭。方氏據慶元郡時，蓋以其弟鎭餘姚，帥府遺跡存焉，湯將軍之設兵有意哉有意哉！正統六年，邑人金壇敎諭李應吉，謂餘姚內地兵可去也，奏從之。悍軍恒擾居民，既徙也，城中人稱便焉。曁後倭患作，時犯餘姚，餘姚乃若無兵矣！於是僉事羅拱辰，副使許東望，先後移節來拓前司地居之，而議建江南城也。又擬設一通判駐江南，使此時而創銷兵之議，本兵爲具覆否也。不爲國家謀，將然持久遠算，而徒以滿百歯保目，所見左矣！忘戰必危，愼之哉！

○三江閘，北去府三十八里，山會蕭賴此蓄水，宜防守。古博嶺，西南去府城四十五里，與諸曁楓橋接壤。國初，胡將軍大海，克諸曁。自茲路來戡越郡。嘉靖三十三年，倭夷擾山陰，亦由楓橋進。山間寇盜俱由此入境，舊有楓橋巡檢司，今基址尙在，似宜復設。

○三江所，不濱於海，地勢稍緩，然去省城八十里，海上有警，烽火於此通焉。嘉靖三十五年，倭寇突犯攻城，我兵敵退。

○臨山衞，坐當衝要，東接三山，西接瀝海。嘉靖三十二年，倭賊攻陷。

○龍山所，北對金山、蘇州大洋，東對烈港伏龍山，獨臨海際，去所僅十里，乃賊船往來必由之路，臨觀一總之咽喉也。封守愼固，省城安枕而臥矣。地屬定海。嘉靖三十四五年間，倭賊屢登犯。

○金家澳、丘家洋連界，東對烈港海洋，北望洋山、三姑大洋。嘉靖三十六年，倭船盤據月餘，爲我兵所捷。若突腹裏，由鷹門嶺、鳳浦湖一帶至慈溪縣，直抵寧波府，極爲險要。今汛期撥標兵分哨，若漁船下海捕魚，則輪撥臨觀兵船一枝，繫泊澥浡海洋，盤詰奸細。

○寨一，蕭山縣曰龕山寨，扼錢塘江下流，寔郡西臂。嘉靖三十二年，賊登犯。三十四年，復殲賊於此。彼時嘗置寨焉，有委官一員，軍一百名守之，今裁革。

○港七，曰：三江港，港口深闊，外通大洋，甚爲險要。賊船若泊宋家樓，突入腹裏，從陡門一帶海塘可抵郡城。越港面北，爲浙西赭山，乃省城第一關鎖也。

○臨山港，切近衞城，直衝大海。倭船屢犯，見設舟師屯守。西哨浙西澉、乍二浦，東哨觀海、龍山。如遇臨觀海洋有警，馳報烈港兵船合綜截剿。

○泗門港，爲餘姚東北之咽喉襟帶，越港而北，爲浙西澉浦最險要處。嘉靖三十五年，倭船由東北烈港來突犯。

○勝山港，港深而廣，倭船可乘潮以入。嘉靖三十五年，由此登犯三山所，官兵敵退。近議築臺港口，又建墩臺於山上。

○古窰港，爲慈谿之咽喉。北對乍浦，東接伏龍，西連平石，是極險之處。嘉靖三十五年，賊船盤據，突犯慈谿、烈港，所係甚大。蓋賊船之入臨觀也，非由澉、乍，則由烈港，是爲臨觀之門戶。先年議設三江、蠏浦、臨山、勝山、古窰五港，以衞臨觀，後因各港砂硬水淺，難泊船，遂止。今總在此港出哨。

○浦四，曰：金墊浦，爲定海、慈谿相界之地。北連大海，西連伏龍山。賊船由東北來，必由此繫泊。清溪港由此可入金家嶴

嘉靖三十八年，賊登犯。

○蠏浦，北對浙西石墩，南至紹興府城，通連大海，若突腹裏。由沿江塘路至百官梁湖，直抵上虞，兵船哨守不可一日少緩。

○松浦，在古窰東。

○堰浦，在古窰西。

○嘴一，曰：西滙嘴，在黃家堰。嘉靖三十二年，賊登犯。

○溇一，曰：宋家溇，在三江港東。嘉靖三十五年，賊登犯。

○胡宗宪，松海圖說曰：「倭之入寇也，隨風所之。東北風多，則至烏沙門分䑸，或通韭山海閘門而犯溫州，或由舟山之南經大貓洋，入金塘、蛟門犯定海；由東西厨入湖頭渡，犯象山、奉化；入石浦明，犯昌國；入桃渚、海門、松門諸港犯台州。正東風多，則至李西嶴壁下陳錢分䑸，或由洋山

之南過漁陽山、兩頭洞、三姑山入蟶浦，犯紹興之臨山三山，過霍山洋、五島、列表、平石犯龍山、觀海，過大小衢、徐山入鱉子門、赭山犯錢塘，薄省城。由洋山之北過馬跡潭而西犯青村、南滙。大抵倭船之來恒在清明之後，前乎此風候不常，難準定。清明後方多東北風，且積久不變。過五月，風自南來，不利於行矣。重陽後，風亦有東北者。過十月，風自西北來，亦非所利。故防海者以三、四、五月爲大汛，九、十月爲小汛，其帆檣所向，一視乎風，有備者勝。」

〔卷二四〕

武備志 三

○倭夷，即日本。漢武帝時始通中國入貢，其後或貢或否。元世祖時，嘗遣師十萬征之，俱覆沒。皇明洪武初，嘗入貢。十六年，詔絕其貢。永樂後，仍入貢，亦間入寇。正德四年，日本國遣宋素卿入貢。或云素卿乃鄞人朱縞，鬻于夷，在彼國稱我宗室。爲人傾險，輔庶奪嫡，遂大有寵。至是，充使來貢。重賄太監劉瑾，蔽覆其事，此禍端也。嘉靖二年四月，定海關夷舡三隻，譯傳西海道大內誼興國遣使宗設謙〔道〕入貢。越數日，又至夷舡一隻，復稱南海道細川高國遣使入貢，其使即〔宋〕素卿也。導至寧波江下。市舶太監賴恩，私素卿重賄，坐之宗設之上。又貢舡後至先與盤發，宗設怒，遂相讐殺。宗設黨追逐素卿，過餘姚。知縣丘養浩，率民兵禦之，被傷數人。經上虞，莫之敢攖。直抵紹興府城東閭巷，男婦盡驚號。府衞官僚問計於王新建守仁。新建曰：「若得殺手數百，可盡擒之。今無一卒圖擒，難矣！但可自固守耳。」月餘不能入。素卿匿於城西之青田湖，宗設求之不獲，退泊於寧波港。指揮袁進（璡）邀之，敗績。賊攻定海城，不克，遂出海。備倭都指揮劉錦，追擊於海洋，復敗沒。賊舡揚揚然去。已而被風漂一艘於朝鮮，朝鮮王李懌，擒其帥中林望、古多羅，械致京師。先是，素卿已下浙江按察司獄，遂下浙江並鞫訊焉。久之，皆死於獄。十九年，閩人李光頭，歙人許棟，逸福建獄，入海引倭，結巢於霩衢之雙嶼港，出沒諸番，海上屢驚焉。二十七年，巡視都御史朱公紈，遣都指揮盧鏜等搗雙嶼巢。四月，擒李光頭，焚其營房、戰艦。六月，又擒許棟，賊淵藪空焉。而歙人王直，收其餘黨爲亂。三十一年，叩定海關求市，不許，遂移巢烈港。官兵襲之，移馬蹟潭。三十二年四月，賊蕭顯自平湖來。參將湯克寬，邀擊於鱉子門，破之。是月（丙子朔）乙未，賊陷臨山衞。己亥，參將俞大猷破走之。八月，賊林碧川等自崇明修舡爲歸計。都御史王公忬度其必入浙，預令都指揮劉恩至，指揮張四維，百戸鄧城，分爲二哨，一自觀海、臨山趨乍浦遏其來；一自長塗、沈家門設伏邀其去。賊果南遁，官兵與遇於普陀臨江海洋，敗之。十二月，賊寇瀝海所城。千戸張應奎，百戸王守正、張永俱死之。三十三年正月，蕭顯敗於松江，南奔入浙。鎭撫彭應時禦之，敗死。賊進至海鹽之二十里亭，參將盧鏜追擊，敗之。賊由赭山遁走止屯三江，歷曹娥、瀝海、餘姚，挫於龍山，圍於定海，困於慈谿。盧鏜及劉恩至、張四維、潘亭分道夾擊，大敗之，斬蕭顯。九月，林碧川、沈南山等率衆自楊哥入掠浙東蕭山、臨山、瀝海、上虞。十月，寇觀海衞。十一月，賊自仙居向諸暨，居民悉逃。贊畫周述學謂知縣徐魁曰：「諸暨人強族衆，今雖逃，不遠。公下令，則鄉夫可集。兩關有兵，賊不犯矣！」魁然之，即步往東關。時天已暮，惟一老人來謁。魁令諭居民，衆遂至千餘。裂衣爲旗，拆籬擧火，鳴金鼓，發火砲，喊聲大震。令南關亦如之。是夜二更，賊至，見有備，遂由山徑入山陰境。至府城南，城內不知，莫爲備。常禧門尙開，賊登跨湖橋，覘見城垛高聳，疑不敢入。乃往柯橋，遇鄉民姚長子，貫其肘，使爲導。長子紿之西，而密謂鄉人曰：「倭賊過某橋，若等急毀之，我死不恨。」遂陷賊於化人壇，四面皆水。總兵俞大猷，會稽典史吳成器，各率兵奮擊，悉剿之，斬首二百餘級。賊竟殺長子。三十四年四月，松浦賊自錢倉白沙灣抄掠寧海，趨樟村。百戶葉紳、劉夢祥、韓綱俱死之。遂至上虞東門外，燒居民房屋，渡江。遇御史鄞人錢鯨，殺之。至皐埠，兵備佥使許東望，知府劉錫，典史吳成器，各率兵圍之。至夜，賊乘兵倦遁走。五月，楊哥賊犯餘姚。省祭官杜槐，率鄉兵禦之，斬酋一人，從賊三十二人。槐力竭死。既而賊犯鳴鶴場，盧鏜擊敗之。淞浦賊寇爵溪所，不克，進寇餘姚。初，餘姚後淸門外有橋甚雄壯，鄉士夫以賊將來議毀之，人猶二三。已，竟拆焉，壓沒十餘人，怨詈盈道。後三日，賊至，適潮漲甚，不能渡，望洋而歎。江南鄉兵奮擊之，賊去。寇三山所，把總劉進恩，受院檄他部。甫離所一舍許，聞報即馳還固守。霖雨，城圮數十丈。或勸朝恩突走，朝恩曰：「世受國恩，今正報效之秋，豈可以事權去輒規避也？」遂躬捍圮所督戰，復作本城障之。城上矢石如雨，不能中賊。朝恩曰：「此幻術也，投以生犬首！」發矢中其酋，貫喉而斃。賊驚潰走，朝恩追斬數級。六月，楊哥賊自觀海出洋，都指揮王霈等邀擊於霍山洋，敗之，沉其舟。是月，參將盧鏜，敗賊於馬鞍山、新林，復追敗於勝山、龜鼈洋。十一月，淞浦賊復自溫州登海，歷奉化，遂犯餘姚。參將盧鏜，遇於丈亭，令所部兵能倭語者倭飾，紿賊曰：「餘姚兵盛不可敵，吾等宜南行」，遂逶迤入四明山中。玆地險巇僻遠，避寇者恒之焉。居民弗虞寇至，不爲備，焚刼尤慘。時天大雪，鏜尾其後，經歷文某與接戰于苦竹嶺，副使孫宏軾，又調奇兵與戰于析間嶺，于翁家村，皆不能勝。至斤嶺，餘姚謝生軍及之。謝生者，太學生，名志望，文正公曾孫也。捐家貲，募勇敢五百人，分三隊張左右翼禦賊，酣戰自卯至午，殺賊九人，射傷二三十人。矢盡力疲，猶奮呼陷陣。生貌美皙，賊意其帥也，叢刄殺之。會盧鏜軍亦至，復戰于斤嶺，于梁衕，賊少郄（却）走龔家畈。復至上虞東門，河南毛葫蘆兵迎戰于花園，損二百餘人。賊遂從北城外由百官渡曹娥江。餘姚庠生胡夢雷，與從兄應龍、操六等率鄉兵邀賊戰于東關，死之。賊順流而西。是時提督胡公宗憲，方在浙西剿川沙之賊，移檄諸將，無力戰者，乃身率大兵至。於是僉事李如桂、王詢，指揮楊永昌，知事何常明，典史吳成器等併力追戰于瓜山，又大戰于三界。先是，許東望請以山陰人金應暘爲贊畫，團練鄉兵千餘人，宗憲又益以武生項益隆所領處州兵二百人，至是與賊迎戰于五婆嶺。時賊百餘，官兵數千，見賊即走。處兵與賊血戰，自辰至巳，五十六人死于陣，而應暘手刄數賊，竟死之，賊亦被殺死十餘人。是日，宗憲斬不用命者兵五人于五雲門。翌日，賊遁丁村，盧鏜追擊之，斬首二十六級。賊大懼，以銀物餌之，我兵潰。次日暮，何常明哨賊被殺。宗憲督兵次長山，聞報大怒，撥劍欲自刎，李如桂奪劍救免。丙午，宗憲壁龕山之巔，盧鏜以丁村功獻宗憲。恐賊渡錢塘江也，促鏜再戰。鏜曰：「士疲矣！休養數日乃可。」料玆賊須鏜了，非玆毛頭所能也。宗憲佯諾，與山陰人故郎中王畿計之，畿密諭親兵曰：「爾等豢養久未立戰功，今賊將滅，而諸將逗遛不進。且盧參戎以毛頭目爾，爾能無耻乎？乘其不意襲之，賊可盡也。」衆踴躍請效死，即令吳成器兼率以進，不數里遇賊。死戰，無不一當十，賊遂大敗，循海而走，奔匿於龜山之坡下小堡內。我兵乘勢圍攻之，賊登屋擲瓦。瓦盡，繼之以槍，槍盡，投刀，刀盡，乃下死守。我兵急攻破之，悉斬首以獻。時日且暝，宗憲命取賊心啖之，選猙獰首級二十餘顆置案上，每顆爲飲一觥。暨曉，諸營方知破賊，相率入賀。宗憲謂鏜曰：「再遲一二日何如？」鏜大慙服。閏十一月，淞浦賊復自溫州南麂山，來至平陽之三港。守備劉隆，千戶鄭綱，百戶張澄，皆戰沒。賊遂趨台州，漸北向，欲與紹興賊合。提督胡宗憲，令天台以南知府譚綸兵擊之新昌以北，容美宣撫田九霄兵擊之，吳成器爲先導。十二月乙未，賊抵新昌，焚民居，殺戮一二百人。屯醴泉。知縣萬鵬，率民兵拒之，不克，賊亦去。聞紹興賊已破，畏譚兵及土兵，猶豫莫定所往。至嵊之上館嶺，會容美兵陳而待。田九霄以正兵當其前，田九章援兵繼進，左翼則留守王倫伏兵當之，右翼則經歷畢爵伏兵當之，以一部誘賊，出戰良久，伏兵起，左右夾擊。而指揮吳江率部兵遶賊後，且多張旗幟爲疑兵，賊四面受敵，遂大潰。且戰且走，我兵追之，入清風嶺，俘斬一百七十餘。是賊之未敗也，淞浦賊又有自福寧州來者，越平陽、仙居，至奉化，與錢倉賊合，幾七百人。入紹興，勢益滋蔓。田九霄既破賊清風嶺，提督胡宗憲復命副使許東望，杭州府同知曲入繩，同九霄往邀之。遇賊於西小江橋，僅隔一河。宗憲於馬上自持一幟，作指揮狀示之。賊止聚觀，宗憲笑曰：「此易與耳！若不顧而南，其氣未可乘也」，即率兵渡河。

九霄邀其前，入繩襲其後。賊見兩兵夾至，大怖，走後梅，匿民舍。官兵圍之三匝，縱火夾攻，死者甚衆。宗憲躬立於田中督戰，曰：「賊若乘我兵半渡迎擊，勝負未可知。今已投死地，猶釜魚耳，何能爲？」周述學曰：「賊至夜必南逸，急設伏邀擊。」山陰知縣葉可成曰：「西嶺之巔可伏也。」從之。時値天雨，夜二更大霧，咫尺莫辨。賊乘黑衝圍。典史吳成器，故善戰，驅兵奮擊，頗有擒斬。然脫走者衆，果由西嶺南遁。夜將半，嶺畔伏兵起，賊驚潰，遂大敗之，斬首及焚死者二百有奇。餘奔太平蒲岐港，官兵追之，賊堅壁不出。乃夜逼壘，投以火器，賊驚起，自相攻殺。比明，乃遁出洋，得脫者無幾矣。三十五年四月，賊周屹勾引豐洲賊數千人，自鳴鶴、臨山、三江登掠。次日，合寇觀海衞，弗克。寇龍山所。庠生李良民，率兵禦之，乃解去。掠慈谿縣。時縣無城，被害甚慘酷。知縣柳東伯，募都長沈宏擧族禦之，斬首數百級。賊遁，欲入掠餘姚。盧鏜遏之於丈亭，大敗之，餘姚士民爲勒石頌功云。五月，賊分二支復入，一擾慈谿縣，一攻龍山所。所中兵擊賊數十人死，乃解去。盧鏜復追敗之，擒周屹，餘黨遁入五峙洋。八月庚寅，盧鏜擊蘇常遁賊，及寧紹餘黨至夏蓋山三江海洋，與戰于金塘、馬墓之間，大敗之，沉舟數十，斬首六百五十有奇。乙未，賊八百餘，至慈谿，據丘、王二家爲巢，進寇龍山所。參將盧鏜、戚繼光，副使許東望、王詢，各率部兵二千，把總盧錡等亦率部兵二千，遊擊尹秉衡率北兵三千，遇于雁門嶺等處，連戰皆敗。九月己未，提督阮公鶚，親督官兵來，稍稍破之。賊夜遁。鶚又督秉衡、錡追至桐嶺，誤中伏。賊夾擊我，我兵大敗。賊至樂清出海。三十六年十一月壬子，王直款定海關，執無印表文，稱豐洲王入貢，且要求互市。先是，軍門大臣以直爲亂因，於徽州收其母、妻及子，下金華府獄。後胡宗憲爲提督，乃出之，給以美衣食，奉之爲餌。會朝廷遣寧波庠生蔣洲、陳可願充市舶提擧，宣諭日本國王。宗憲因密諭，令招徠王直。至是，直來，宗憲已晉總督，列狀上請，詔不許，命相機擒勦。宗憲奉詔，秘而不宣。馳駐餘姚，以夏正爲死間，諭直來見。直遣義子王滶，及葉宗滿先來。至餘姚，宗憲盛陳軍儀，納其降。且與連牀臥，因露諸將請戰書十餘通于几上，而含糊作寐語，大略欲全活直之意。然滶出，猶詢城守具，察兵數。宗憲恐其逸去，乃命二人同往見按院藩臬延緩之，又令直子澄以血書諭直，復發金帛間其黨。直乃因夏正報曰：「即歸命！」但部兵無統，欲得王滶攝之。盧鏜曰：「以犬易虎，不可失也。」宗憲遣之。越數日，直不來，復令劉朝恩、陳光祖、夏正、吳成器、陳可願往說之，且以夏正、婁楠爲質，直乃入見盧鏜於舟山中所城。宗憲馳至定海，直來見，宗憲溫語慰之，遂執送按察司獄，疏直罪狀上請。三十八年十二月，得旨，斬於杭州市，自是越中解倭患。

〔卷三七〕

公署上

○國朝永樂中，命內臣掌海舶互市。景泰四年，乃建爲署。成化七年，設關抽分本稅，建署於候潮門外，俗稱南關。嘉靖三十六年，倭寇犯北關，撫按以其逼城拆毀。員外郎李方至具題，命擇地重建，因官帑絀乏，改今處。權署弊政，凡採本山竹木，俱勒報稅，否則以匿論，久爲民害。萬曆四年，主事馬鳴鑾，嚴禁罷之。

清康熙間刊本　〔卷二六〕

武備志二

倭寇①

註：

①此段文字已見於萬曆十四年刊紹興府志，卷二四，武備志三，其文字、內容幾與此相同，故不再錄列。

〔卷五一〕

人物志十四

鄉賢八

忠節

○杜文明，餘姚人。嘉靖乙卯五月，倭賊犯姚境，文明同其子杜槐練鄉兵爲守，屢立戰功。槐斬魁一人，從賊三十二人，力竭而死。賊亦敗走。十月，賊寇寧波。文明從主簿畢清，率鄉兵禦之。遇賊于奉化之楓樹嶺，並戰死。一歲之間，父子死於王事，其忠義足嘉云。

○謝志望，國子生；胡夢雷，庠生。並餘姚人。金應暘，山陰人。賊自海上蔓延姚、嵊。志望等，與知事何常明，分道率鄉兵禦之。倉卒遇賊于四明之巾嶺，及三界伍婆嶺諸所，頗有斬獲。後竟以矢盡，力竭，並遇害。事聞，詔贈何常明、謝志望，太僕寺丞，廕一子入監。胡夢雷、金應暘，州同知，給其子冠帶。建祠於紹興，額曰「褒忠」云。

舊志云：「按：志望，蓋文正公之元孫也。大賢之後，故其死難事易聞，而得旌甚速。何、胡諸人，彼所謂附驥者也。據予所聞，杜文明父子，前後戰死事甚偉，而竟泯泯焉，何哉？當時又有姚長子者，賊由諸暨突入郡境，獲長子貫其肘，使爲導。長子乃紿之西，而密呼鄉人曰：『俟我過某橋，若等亟撤之。我引賊入絕地，可悉就擒，我死不恨。』後果陷賊于化人壇，四面皆水。我兵截其後，賊知爲所紿，殺長子，剉其屍。賊百三十餘人，乃盡殲於此。鄉人立祠祀長子於死所。嗟乎！若姚長子者，其亦塘將軍之□哉！當事者，未聞加邺，而公論顧出於野。悲夫！悲夫！」

會稽縣志

明張元汴撰，明萬曆三年刊本

治書
〔卷四〕

作邑

○瀝海所城，在縣東北七十里三十三都之薛家瀝，本朝洪武二十年，信國公湯和建。城方三里三十步，高二丈二尺，厚一丈八尺，城門四，城樓四，角樓四，敵樓四，月城四，兵馬司廳四，窩鋪一十六，女墻六百一十一，池深丈有五尺，廣五丈五尺，內設教場一所。

戶書四
〔卷八〕

災異

○嘉靖三十四年夏，倭寇失舶於海者，自東關入，止三十七人。轉戰無前，以失路陷臯埠水澤，知府劉錫率衆出戰，潰；越一夕，縛舟以逃，卒殲於常州之五木鄉。
○次年，倭失舶者復八十餘徒亦入自東關，所過焚殺，卒殲於龕山。

慈谿縣志

明姚宗文等修，明天啓四年刊本

〔卷一〕

縣治

○國朝洪武四年，主簿韓文，建縣廳官宇四區於孫之東南，總設一門，以限出入。六年，令靳完壁增創外儀門，建獄室於儀門之西北。十四年，令馬雄建戒石亭於甬道。三十年，主簿陳旭創架閣庫。永樂五年，令杜忠置板屋於鼓樓之左右張掛。

○國朝節降榜文，弘治十二年，令崔𡸁重建，止廳而擴大之，未迄工而去。正德改元，令倪璋繼完之。又創建吏舍於獄室之北，徙建土地祠於儀門之東北。正德五年，令曾大顯重建，板榜廊房東西各十間。嘉靖三十五年，島夷犯邑治，盡燬。改建山前平地。三十八年，令南海霍與瑕復改建山椒。萬曆十三年，令西蜀何偉稍移而前，建於山之紀。二十三年，令毘陵顧言復改建平地，其結構、營綜位置變更不能盡紀。

杭州府志

明陳善等修，明萬曆七年刊本

〔卷六〕

國朝事紀

○〔嘉靖〕三十二年夏四月，錢塘縣民錢鉞海販，引倭入寇。初，鎮守未革，時江干人以進鮮爲名，造三桅大船載水出海，至下八山魚洋，收買黃魚。進鱉子門，至江口市賣，沿襲弗禁。及是，鉞等至魚洋，與倭夷遇，被擄，脅使引舟進海門，至兵馬司登岸，爲募兵逐退。移舟西興，傷一老人，擄掠。無幾，隨落潮出海去巡撫軍門王紓比例問遣鉞等，奏革採鮮。

○倭寇赭山，杭州前衞指揮陳善道戰沒。時承平百餘年，武弁不復知兵，倉卒寇起，莫知所措。善道承督撫檄，率民兵數百直抵赭山，與賊遇。烏合之衆，一時駭散，遂戰沒。數日，賊退。指揮吳懋宣，率僧兵往搜其巢，遇遺賊數輩，被創，歸沒。事聞，廷議方欲激死事者，皆與卹典祠祭。

○三十三年夏四月，倭寇海寧袁花鎮，故都指揮周應禎，戰沒。倭賊七百餘，據尖山四十餘日。至是，焚掠袁花市。應禎督兵逐賊被殺。初，應禎以千戶中武舉，累陞浙江都指揮，總督海道。既以海事被劾奪職，深恥功名不立，盡捐家貲數千金，募北兵千人，率之赴浙報効，以贖前敗。當是時，提學副使阮鶚，遺書勉以忠義。應禎答書略曰：「兵法：十圍五攻。今賊勢甚衆，急攻，未得良策，若有可乘之機，當盡死力圖之，必不敢後。」書至二日而死，蓋不食其言云。

○六月，巡撫都御史王忬，奉旨移鎮大同。忬在鎮和恕不事威嚴，民犯節或譁聲徹其署中者，皆不之罪。去日，杭之老幼追隨泣送，留其鞾爲遺愛。

○三十四年春正月，倭寇海寧硤石鎮。海寧縣志：三千餘徒焚燒硤石鎮殆盡，死者七百餘人。

○遂寇仁和、塘棲鎮，郡城戒嚴。提學副使阮鶚，啓武林門以納郊關之民。賊酋徐海，引倭數萬掠塘棲，撫臣盧奔突至省，下令閉各門。郊關西鄉士女不得入者號泣，守城下。鶚監守武林門，議開納之。郡官與諸將校俱有難色。鶚曰：「方今所患者，倉卒寇至難遏也。吾有以待之，則何害？」遂先開內門，立馬指揮，兵卒列月城中道，隨閉內門。啓外門，左進輜重，右進婦女、童孺。其男子徒手者不得與約。月城將滿，即閉外城，啓內門入之，計進輜重婦女一二時許，始專進男子如前法。又恐其爭道相蹂踐，則令四五十人跪爲一隊，以次令起，譁者笞之。進男子二三刻，已，復進輜重、婦女如初。午則遣兵卒更番就食，而自飯于馬上。卯啓申閉，凡四五日，所全活者計數十萬人，今立祠湖市尸祝之。

○六月，倭寇郡城北廓，焚民居。既。賊自塘棲至北關，直抵武林門，擄掠殆盡。沿途放火，四方分劫，鄉村市鎮，燔燬一空。殺戮之慘，遍于郊野。家無寸兵、一矢之禦，任其所之，如入無人之境。自五月晦日至六月六日，滿載始去。城中萬室徬徨，官司惟閉門謹守而已。

○〔陳〕善曰：「傷哉！乙卯之變，吾郡北廂數萬家，焚掠殆盡，斯氓胡不幸哉！賊飽噬之既，揚揚聯艦去，後雖竟夷殄，然當其時則大逞兇志矣。俾柄事者於彼屯北關沉酣安寢之夕，出重貲，募死士，卷甲潛覘其巢，鼓勇奮擊之，彼不虞我至，必褫魄授首，即未能盡殲，然慴使宵遁，亦雪耻一快也。顧閉門城守，一矢靡發，坐視其去來，莫知所爲計。嗟！嗟！可追憤矣！」

○三十五年秋八月，築新城縣城。時當道以寇起海上，凡杭邑未城者，檄使城之。新城知縣范永齡，念民疲力不勝役，而分水富人王氏者，置產新城幾三之一，且開質肆其地。永齡曰：「財賦視田產，是不當與吾民均役乎？矧漁利久矣！」遂令任城工什五，王不得辭，大銜之，乃令人詐爲永齡家僮走京師，上狀告改王府。時永齡以治行被劾薦例，當得美除，銓曹重違其請，竟予王官去，終莫知其詐也，識者惜之。

○十二月，重建巡撫都察院。本院在斯如坊即清軍察院舊址。嘉靖二十四年，提督都御史朱紈撫臨，併入三皇倉地基改建。三十五年，燬。總督軍門胡宗憲，重建添造賞功。所司府衛縣諸官廳，東南總鎮等坊幷保安樓。

○是歲，倭復寇海寧。海寧縣志：至硤石鎮。

○冬十一月，總督胡宗憲計獲海賊王直。直，本徽州歙人，桀黠善賈。先年挾貨浮海，與倭夷互市往來。久之，諸夷信服，聽其指揮，相率入寇。直乃以同惡徐海、陳東、麻葉諸酋爲羽翼，聲勢相援，肆毒東南。始于沿海諸方，不時侵掠。後知內地無備，尤易窺侮，遂薄省城，益肆慘烈。凡近年各處倭患，皆倡導之也。總督胡宗憲，探知禍源，欲殄滅之。顧竊處海外，難于陣獲，乃欲以計取直，遂百方誘之。先詒海縛東、葉，隨勦海于平湖之沈庄。遂遣諜往說直，許以生全，且授官爵。直勢既孤，訹諜甘言，遂扣定海關乞降，且要互市。宗憲不許，令寓省城。千戶王恩家，俟命出入，以兵健防察。既廷議無恕直意，乃下按察司獄。

○三十八年冬十二月，海賊王直伏誅。直既乞降，宗憲恐失信蠻夷，計欲陳請于朝，以便宜恕令無死。而巡按御史王本固奏劾直等初來由于使人之招，投見于五旬之後，始因力奪于我兵之威，繼因智□□夷心之異，其挾夷求市一念，又其拳拳未忘□□。部咨文亦以直等委宜解獻闕庭，顯戮市曹，以爲叛逆之戒。于是天子惡直反覆行，宗憲、本固會鞫叛逆之狀，決于杭市曹東南，寇患自是乃絕。

○（四十年）總督胡宗憲，築京觀于北新關外。自倭寇起，前後所捕首虜無慮千餘級，宗憲聚而築之于北新關外前，樹崇碑，題曰：「封鯨觀」。

○四十二年春二月，提督軍門趙炳然，設東、西二大營。先年總督胡宗憲調客兵禦寇，嘉靖四十年，方練義烏民兵勦倭有功。至是，盡散客兵，悉練土著。標下設東、西二大營，每營兵五總，東營遊擊統領。西營，廢間將官統領共三千員名許。

○（隆慶六年）五月，杭民張禧等違禁海販抵罪。初，寧波、溫、台近海漁戶，領海道漁鹽旗票下海捕魚，赴各縣行買，年納稅課。本年四月，禧等執蕭山縣漁戶船票出海販鮮，至赭山，爲巡檢司所獲，申報軍門，行蕭山縣究罪。漁船入官，委錢塘縣林典史拆毀冰窖。自後不敢復言販鮮事矣！

（卷三六）

○標兵，自有倭患，召募客兵以充備禦。至嘉靖四十二年，總督都御史趙炳然，始立標兵二營，教練義烏民兵，東大營官兵，監軍道監督，統以左遊擊將軍一員，署在妙心寺巷。改妙心公館爲之。其下爲中軍，官一員，旗牌官三員。書記、醫生各一人，旗健、吹手、家丁、馬丁、鐵匠、戰馬六十八名匹。中軍下書記一名，家丁二名，旗牌官各家丁一名。左、右、中、前、後五總，每總名色把總一員，書記、醫生各一名，健步二名，旗手八名，吹手六名，火藥匠一名，馬丁一名，戰馬一匹。哨官五員，每員下家丁一名，隊長十五名，什長四十五名，兵四百五十名，共五百四十二員名匹。五總通計二千七百一十員名匹。每遇春汛，留本營兵一總劄守省城，其四總調發沿海各區衝要地方防守。遇警就近援剿，汛畢掣回。羅木營屯住訓練。西大營官兵，水利道監督統以坐營。右遊擊將軍一員，團練署在大井巷。□□□等爲之其下爲中軍，官一員，旗牌官三員，書記、雜流、從役戰馬二十五名匹。雜役幷旗手、吹手、火藥匠共四十四名。此五總原係義烏民兵，後發回農操，隨後盡革。至隆慶四年，始抽取杭、湖、金、嚴四府民壯工食，另募精勇，計兵五總。左、右、中、前、後每總名色把總一員，哨隊什兵、雜流與東大營同，每總五百四十二名匹，通計二千七百一十員名匹。每至春汛，留本營兵一總劄守省城，其四總調發沿海各區衝要地方防守，遇警就近援剿，汛畢掣回羅木營屯住。秋、冬仍發前營一總官兵屯守湖州府，中營一總官兵屯守嚴州府，右營一總官兵屯守金華府，後營隊兵輪番派守本省山城要路。

○營房：先是，客兵安插省城街市民居，兵民雜處，內外難分。都御史趙炳然，查省城候潮門外原有羅木營教場舊基，計二百一十八畝，相應起造營房，以便棲止。同巡按御史張科會題，奉旨動支布政司兵餉餘銀五千七百七十六兩一錢六分，起造標下二營官兵六千餘員名營房。四十三年二月起工，七月竣事。大學士餘姚李本爲記。壬戌之秋，令大□□□起公奉聖天子命，總督軍視□□□我兩浙之人民。公至，下令曰：「吾之來，以安民也。倭寇不滅，民不安；用兵而擾民，亦不安。爾民爾兵，其尙體吾之心，民輸其稅，兵禦其寇，式相濟而無相害，必海氛屛息，閭閻樂生，是所望於今日也。」令訖，公乃開示虛懷，與巡按御史及藩臬諸大夫，日夜講求禦倭安民之道而深計之。又巡行海上，相道里之險要，稽什伍之虛實，定兵制，減賦稅，搜剔數年之宿弊，而一旦改觀焉。兩浙之民，莫不欣欣相告曰：「公實安我矣！」公曰：「猶未也。吾標下兵六千人，散處市廛間，豈得謂無事乎？」又令有司查復省城候潮門外羅木營故址，得地二百一十八畝，欲建造營舍，以居標下兵。奏請於上，報可。公乃取裁心匠，示以規制。中爲演武堂前軒，後穿堂，再後爲居室。旁有廂房，左右各爲將官廳。又，左前爲將臺。又，左右各五營，每營一把總，統兵六百名。中爲把總廳，其旁爲房五十五間，哨官隊長與兵居焉。井竈之類，罔不備具。十營之中，空若千丈，則爲各兵演武之地。十營之外，則繚以高垣，浚以巨濠。垣有門以稽出入，濠有橋以通往來。經始於甲子年二月二十一日，至是年七月二十五日而工訖。計所費七千三百五十兩有奇，悉取諸餉餘，而工作卽以兵役之。其財與力，毫髮不及於民。六千之兵，居處於斯，飲食於斯，操演於斯，兵安而民亦安矣！營既成，公屬予記之。予辱公知最久，而茲事又予稔知，其善也不敢以不文辭。予念自倭寇竊犯十餘年於茲，徵兵日多，加賦日重，賊未滅而民不堪命矣！蓋兵無制而欲取民有制，兵雜處民間而欲其不爲民擾，無是理也。惟公有龕世救民之心，欲爲久安長治之計，故下車卽以定兵制，建兵營爲首務。乃設六參將，各統兵三千爲一營，連絡於濱海標下。選兵六千爲一營，雄據於長江。人汰老弱而弊絕虛冒。號令、訓練旣嚴且明，金鼓之聲，旌旗之色，日震於江海之上。今日醜類雖在數百里外，望見浙境，則相與縮首齚舌，議不敢近，且惟恐駐檣過之不速也。是以兩浙之民，但知恃兵以安，而無復苦兵之擾矣！於乎兵有制則選精而強，兵有制則冗去而食省，兵有制則數覆而營舍可建。使公不早定兵制，安能事皆盡善？若此，雖欲建茲營，又可得哉？自茲營之建而兵有虎豹之勢，民無雞犬之驚。非但不知有倭寇，亦不知有兵也。謂民不安，可乎？公之言於是乎信矣！是以公之在浙，尙□歌里詠。公之擢而去也，攀車臥轍，謂公之功德者，當千百年而不衰。雖然，公之功德，豈特建茲營哉？卽茲營之建而餘可知也。

〔卷三七〕

公署上

○國朝永樂中，命內臣掌海船互市。景泰四年，乃建爲署。成化七年，設官抽分本稅。建署於候潮門外，俗稱南關。嘉靖三十六年，倭寇犯北關。撫按以其逼城拆毀。員外郎李方至具題，命擇地重建。因官帑絀乏，改今處。榷署弊政，凡採本山竹木，俱勒報稅，否則以匿論，久爲民害。

〔卷六五〕

名宦五

○陳善道，景陵人。世杭州前衛指揮僉事。善道少以諸生嗣世官。中武舉會試。嘉靖三十一年，爲淺船把總。時寇起海上，撫臺命將未有所屬，指揮崔繼宗者善道婦翁也，欲代其職，極薦善道武勇。撫臺遂以屬焉。善道倉卒率兵，走七十里，戰赭山下，敗語在郡紀中。報至，其父鳳方宴客，驚問：

「創在背乎？抑前也？」報者曰：「前，負傷死耳！」鳳曰：「若是，則死忠矣！吾雖失壯子，奚痛！」事聞，詔恤其家，仍立祠祀之。

清金鋼纂修，清康熙二十五年序刊本　〔卷一五〕

兵防

海防

○漢時，會稽郡海有樓船。守尉都試令丞尉亦各統其縣，以時肄習。後陽嘉中，又詔緣海益屯兵備盜賊，海上之有戍守蓋自漢始也。晉以後，所用皆北府兵，非土著。明于會城置都指揮使司統諸衞所衞，所在內地者主守禦，在沿海者主備倭。衞在內地七而沿海者九，衞各五所。其外又特設所三十四，在內地者六，而沿海者二十八。衞所官有定員，而沿海則特設總督都指揮一人，把總指揮四人。而又備戰有船，守瞭有寨，傳警有烽堠、墩臺。衞所外有巡檢司，司有弓兵，而沿海居其半。

明令蔡完曰：「昔東甌王奉命築海上備倭十數城，似于寧邑有遺憾焉！蓋南有赭山，實惟江門；東有黃灣，尤通海港。兩端相距百四十里而無城守，徒設墩寨，置巡檢，以謹斥堠，何足爲海寇之禦哉？邇年島倭屢犯，首趨龕赭，後據石墩，良由地曠勢單，無兵衞耳。使各有城焉，奪其險要以居，官軍以保黎庶，使賊無駐足之地。東不過袁化而至硤石，南不過犯省城而浮錢塘，而縣治得此兩翼，亦不渺然獨當風濤之衝矣！」鄒泉海防議云：「防海之策，以海口爲要害。在浙則金山、定海、海寧、海門爲海口地，土兵、官軍須參調而用。土兵諳練海道之險易，又能役使船戶。當于要害處分營，以土兵爲主，令隨便出哨，使得撓彼于舟楫之間；官軍扼于塘岸之口，策之上也。然土兵必用哨船巡哨，在大洋之內不必過大，大則轉動爲難。須四時分哨，上下番休，庶可備無患也。」

〔卷三七〕

事紀 下

○洪武二年，海寧縣設硤石巡檢司。後十二年，移於石墩。二十年，信國公築城於此，以防倭患。

○二十年，信國公湯和，修築海寧縣城。視舊高五尺。

○是年，海寧衞奉命改爲海寧守禦千戶所。

○嘉靖三十二年夏四月，錢塘縣民錢鉞海販，引倭入寇。①

○倭寇赭山，杭州前衞指揮陳善道戰沒。②

○冬十一月，南關抽分工部主事劉秉仁，議漕艘規制。南關兼督浙總漕艘，成法具在。但各船所用物料未有定數。每年雖經布政司委府佐估計，惟于船完之日，將各項價值漫爲增減，而發料之初全無稽察。且船式不一，有礙責成。是年，秉仁議將船身長短、廣狹，板木厚薄分寸，料價多寡，數目酌爲定則，呈詳潛運，衙門立石船廠，永爲定法。仍刊書名漕艘規制，凡該管官旗商匠，人給一帙，使互相稽察，上下有所持循，于漕政甚有裨益。

○三十三年夏四月，倭寇海寧袁花鎭，故都指揮周應禎戰沒。③

○海寧所千戶姜楫，與倭戰於海鹽城外，死之。

○六月，巡撫都御史王忬，奉旨移鎭大同。④

○三十四年春正月，倭寇海寧硤石鎭。⑤

○遂寇仁和、塘棲鎮，郡城戒嚴。提學副使阮鶚，啓武林門以納郊關之民。⑥

○六月，倭寇郡城北郭，焚民居既。⑦

○三十五年秋八月，築新城縣城。⑧

○築餘杭縣城。

○是歲，倭復寇海寧。⑨

○三十七年冬十一月，總督胡宗憲，計獲海賊汪直。⑩

○三十八年冬十二月，海賊汪直伏誅。⑪

○總督胡宗憲，築京觀于北新關外。⑫

○冬十月，總督胡宗憲被逮。以給事中陸鳳儀劾其糜費殃民故也，士民相率諸巡臺請保救之。

○四十二年春二月，提督軍門趙炳然，設東西二大營。⑬

○四十四年夏六月，工部員外郎費堯年題改糧儲道，督造漕艘。前工部劉秉仁議定漕艘規制詳甚，而不便于積慣船匠。三十四年，乘倭寇爲名，改船廠于儀眞打造，恣肆漁獵。船不堅完，督造官各罹重法。三十九年，復本廠監督，緣改議後人心渙散，難于管攝。至是，堯年具呈部堂，題准改督糧道專督，于是事權始一。

○隆慶六年五月，杭民張禧等，違禁海販，抵罪。⑭

註：

⑴此一記事之雙行註已見於萬曆七年刊杭州府志，卷六，國朝事記，嘉靖三十二年夏四月條，故不再錄列，見本書第

二〇七一頁。

②此一記事之雙行註已見於萬曆七年刊杭州府志，卷六，國朝事紀，嘉靖三十二年夏四月條，故不再錄列，見本書第二〇七一頁。

③此一記事之雙行註已見於萬曆七年刊杭州府志，卷六，國朝事紀，嘉靖三十三年夏四月條，故不再錄列，見本書第二〇七一至二〇七二頁。

④此一記事之雙行註已見於萬曆七年刊杭州府志，卷六，國朝事紀，嘉靖三十三年六月條，故不再錄列，見本書第二〇七二頁。

⑤此一記事之雙行註已見於萬曆七年刊杭州府志，卷六，國朝事紀，嘉靖三十四年春正月條，故不再錄列，見本書第二〇七二頁。

⑥此一記事之雙行註已見於萬曆七年刊杭州府志，卷六，國朝事紀，嘉靖三十四年春正月條，故不再錄列，見本書第二〇七二頁。

⑦此一記事之雙行註已見於萬曆七年刊杭州府志，卷六，國朝事紀，嘉靖三十四年六月條，故不再錄列，見本書第二〇七二頁。

⑧此一記事之雙行註已見於萬曆七年刊杭州府志，卷六，國朝事紀，嘉靖三十五年秋八月條，故不再錄列，見本書第二〇七三頁。

⑨此一記事之雙行註已見於萬曆七年刊杭州府志，卷六，國朝事紀，嘉靖三十五年是歲條，故不再錄列，見本書第二

〇七三頁。

⑩此一記事之雙行註已見於萬曆七年刊杭州府志，卷六，國朝事紀，嘉靖三十六年冬十一月條，故不再錄列，見本書第二〇七三頁。如據明世宗實錄，卷四五三，嘉靖三十六年十一月庚戌朔乙卯條；釆九德，倭變事略，卷四，嘉靖三十七年正月二十五日條；鄭若曾，籌海圖編，卷八，寇踪分合始末圖譜的記載，王直被誘捕的時間在三十六年十一月，故此所記三十七年應爲三十六年之誤。

⑪此一記事之雙行註已見於萬曆七年刊杭州府志，卷六，國朝事紀，嘉靖三十八年冬十二月條，故不再錄列，見本書第二〇七四頁。

⑫此一記事之雙行註已見於萬曆七年刊杭州府志，卷六，國朝事紀，嘉靖四十年條，故不再錄列，見本書第二〇七四頁。

⑬此一記事之雙行註已見於萬曆七年刊杭州府志，卷六，國朝事紀，嘉靖四十二年春二月條，故不再錄列，見本書第二〇七四頁。

⑭此一記事之雙行註已見於萬曆七年刊杭州府志，卷六，國朝事紀，隆慶六年條，故不再錄列，見本書第二〇七四頁。

清龔嘉雋等修，李榕等纂，清光緒年間刊本

城池 鄉里附

○府 錢塘仁和附郭

府城，周三十五里有奇，西南屬錢塘縣治，東北屬仁和縣治。門十，東曰候潮，曰望江。正東曰清泰。南曰鳳山，皆近江。正西曰湧金，西南曰清波，西北曰錢塘，皆近湖。北曰武林，東曰慶春，曰艮山。又水門四，其濠東起永昌壩，並清泰，至慶春門，長一千丈九尺。自慶春門歷艮山、武林至錢塘門，長二千六百二十三丈。大清一統志 隋楊素創州城，周回三十六里九十步。元豐九域志 隋置州，在餘杭縣。開皇十年，移州居錢塘城。十一年，復移州於柳浦西，依山築城，即今郡是也。太平寰宇記 方隋築城，時吳山東南皆江，西北尙鑿石爲棧道。七修類稿 唐因之。成化志 昭宗大順元年閏九月，杭州防禦使錢鏐，築新夾城，環包家山。洎秦望山而迴，凡五十餘里，皆穿林架險而版築焉。鏐親勞役徒，因自運一甓，由是騶從者爭運之，役徒莫不畢力。景福二年七月，蘇杭等州觀察處置使。開國侯錢鏐，率十三都兵洎役徒二十餘萬衆，新築羅城。自秦望山，由夾城，東亘江干，洎錢塘湖霍山、范浦，凡七十里。乾寧二年，安仁義田頵攻我，請淮帥楊行密攜一僧來瞰城。僧曰：「此腰鼓城也，擊之終不可得。」行密乃歸。吳越備史 錢氏舊門，南曰龍山，東曰竹車、南土、北土、保德。北曰北關。西曰涵水、西關。乾道志 城中又有門，曰朝天，即今鎮海樓 曰炭橋。新門曰鹽橋門。嘉靖仁和志 錢氏羅城有通越門、在子城南 雙門、在子城北皆鋪鐵葉 朝天門、在吳山下今鎮海樓 龍山門、在六和塔西 竹車門、在望僊橋東南 新門、在炭橋東 南土門、在薦橋門外 北土門、在舊菜市門外 鹽橋門、在舊鹽橋西 西關門、在雷峯塔下 北關門、在夾城巷 寶德門。在艮山門外無星橋，神州古史考 時城垣南北展而東西縮，故曰腰鼓城。七修類藁 梁開平四年八月，吳越王錢鏐定捍海塘基，復建候潮、通江等城門。初，王親禱胥山祠，仍爲詩一章，函鑰置于海門。略曰：爲報龍神并水府錢江，借取築錢城。既而潮頭遂趨西陵，王乃命運巨石，盛以竹籠，植巨材捍之，城基始定。其重濠累塹通衢，廣陌亦由是而成焉。吳越備史 是歲，廣杭城築子城。十國春秋 宋紹興二年春正月己未，修臨安府城。宋史高宗紀 時霖雨城壞，詔以修內司所集湖秀等五州役卒就築之。嘉靖浙江通志 二十八年，增築內城及東南之外城，附于舊城，爲門十有三。萬曆志 東曰便門、候潮門、保安門、又名小堰門 新門、崇新門、俗呼薦橋門 東青門、俗呼菜市門 艮山門。西曰錢湖門、清波門、俗呼暗門 豐豫門、舊名湧金門 錢塘門。南曰嘉會門。北曰餘杭門。水門五，曰保安水門、南水門、北水門、天宗水門、餘杭水門。嘉靖志 諸門內便門，東青門、艮山門，皆無甕城。水門皆平屋，其餘旱門皆造樓閣。諸城壁各高二丈餘，橫、闊丈餘。禁約嚴切，人不敢登。夢粱錄 車駕駐臨安府，其東門絕無民居，彌望皆菜圃。西門則引湖水入城中，以小舟散給坊市，嚴陵、富陽之柴聚于江下，由南門而入蘇秀。米則來自北關，故諺云：東門菜，西門水，南門柴，北門米。二老堂雜志 元既取宋，禁天下修城，以示一統。而內外城日爲居民所平。至正十六年，張士誠陷姑蘇，據浙西五都。十九年，發松江、嘉興、湖州、杭州民夫築焉。晝夜併工，三月而完。城周六千四百丈有奇，高三丈，厚視高加一丈。嘉靖志　自艮山門至螺螄門以東，視舊則拓開三里，而絡市河於內，自候潮門則縮入二里，而截鳳山于外。門仍一十有三，東無便門、保安二門，北增天宗、北新二門。南嘉會門，改曰和寗門。成化志　故報國寺，宋宮址也，今已截于外城內，稱鹽法察院。前爲城頭，正宋舊東城之基矣。七修類藁　明太祖命李文忠取杭州，守將潘原明以全城內附，遂因之爲省城。門省爲十，東城五門：曰候潮，曰永昌，曰清泰，曰慶春，曰艮山。西城三門：曰清波，曰湧金，曰錢塘。南城一：門曰鳳山。北城一門：曰武林。爲水門四，在鳳山、候潮、艮山、武林各門之旁。凡城門各有二樓，惟湧金無月城，止一樓，共十有九水門，有樓者武林、艮山而已。總共雉堞九千八百三十三，堵將臺五十座，警舖一百七十一所。舊浙江通志　杭州前衛百戶吳東昇，善楷書。憲宗時負重名，杭城十門皆其題額。兩浙名賢錄　成化十一年，左布政使寗良，議於錢塘門左湧金門右開九渠之一爲河，以導湖水。鎮守太監李義上其事，從之。於是開爲水門，闊七尺，高九尺，入深四丈九尺。嘉靖三十三年，巡撫都御史李天寵，清負城馬路之侵沒者，自鳳山門迤西北至清波門，闊凡三丈餘，長不可計。三十四年二月，倭將犯杭，提學副使阮鶚，增築錢塘門月城雉堞，高二尺。十二月，督撫胡宗憲於清波門南城上築帶湖樓，東南城上築定南樓，鳳山門西城上築襟江樓各一座。按艮山門南城上有望海樓，俗呼跨海樓，當亦是時同築。三十五年，武林、錢塘二城外各浚濠甃，閘上構弔橋環城，皆闢有深池。是年四月霖雨，湖水衝圮錢塘門北城三十餘丈，乃塞濠并毀橋閘焉，湧金、錢塘二門相去數里，中舊有磴道以便守城者上下，頻年盜賊踰城多由於此。隆慶五年十月，督撫鄔連令於城之西上築嚴警樓一座，分營兵直宿。萬曆二年二月，督撫謝鵬舉，令所司夷毀磴道。萬曆志 慶春門有水門，萬曆二十二年，督撫常居敬，郡丞涂文奎開。

○海寧州

州城周七里有奇，門五。元末，因宋址築濠，廣五丈，南臨海，無濠。大清一統志 祥府舊志云：「鹽官縣城周四百六十步，高二丈，唐永徽六年築。咸淳志 舊城入元圮。至正十九年，江浙行省命左右司都事陳元龍重築，高一丈五尺，周七里九十步。萬曆志 明洪武二十年，沿海設衛所備倭。信國公湯和，增築城五尺。永樂十五年，都指揮谷祥，加堞二尺，共計高二丈二尺。城門五：東曰春熙，南曰鎮海，西曰安戍，北曰拱辰，東北曰宣德。每門有樓，樓左右翼以箭樓，而環城列窩鋪者四十有九。每門有官廨，而廨之外繚以月牆。門之側有水門三，一在拱辰門西，一在宣德門北，一在安戍門南。門外各有板橋跨濠，以通水陸。嘉靖三十四年，邑令蔡完，以倭警，後加高城磚五尺，增添女牆及巡警鋪四十五所，敵臺二十四座。浚城河，加深五尺，共深一丈五尺。舊海甯縣志

○餘杭縣

縣城周三里有奇，門四，南臨苕溪。大清一統志 舊縣城在溪南，周回六里二百步。東漢熹平二年，縣令陳渾徙於溪北，後復治於溪南。後唐時號爲清平軍城。錢武肅王修廣其濠。宋雍熙初，再徙溪北，周五百四十三丈，高一丈三尺，下廣一丈五尺，壕闊二丈五尺。城門四，曰：榮春、湖光、迎波、

永豐。咸淳志 舊城入元圯，至正十六年，江浙行省參知政事楊完者，仍於溪南築城周三里內附，後毀。成化舊志 明正德九年，知縣唐鵬，重建四門。榮春門在東街三里許，迎波門在西街二百步許，湖光門在南街一里許，永豐門在北街二百步許。迎波、湖光二門疊石爲臺，建重樓如城之制。嘉靖餘杭縣志 嘉靖三十五年，知縣吳應徵，因寇亂築城，自西迤北至東五百丈，高一丈八尺。自東迤南至西二百三十丈，高三丈二尺，周廣一丈六尺，雉堞一千三百四十三，堵爲門四：南曰對薰，北曰拱極，東曰賓陽，西曰秩成，無濠。南臨溪有水門二，萬曆五年，知縣濮陽棐重建通濟橋南關一座，安樂橋南關一座，皆石甃爲臺，下爲門。萬曆舊志 城內外俱有馬路，可通走馬，惟南城無。萬曆三十二年，知縣程汝繼，以形家言四城門不宜相對，徙北門過西三十丈，東門過北三十丈。東門外增築月城曰啓秀。四十二年，臨溪東南城圯三十餘丈，知縣戴日強重築。餘杭縣志

○昌化縣

縣城周七里，門三，有濠。元末築，明立東、西二關。大清一統志 城周三百六十步，壕闊一丈五尺，久廢，惟古木環城基。咸淳志 舊城高一丈五尺，廣如之。門三，東趨京西三瑞，南登龍，北負唐山，不設門，南因溪以爲池，後圯。嘉靖浙江通志 元至正十七年，江浙省行參知政事楊完者築自登龍門，而東轉唐山，西南至溪滸，凡七里餘，高一丈五尺，厚一丈八尺，門三，仍舊名。內附，後城毀門存。成化舊志 明隆慶三年七月，知縣周易，請於巡撫都察院谷中虛創東、西二關。萬曆舊志 萬曆二十年，知縣周洛都，因島逆告警，於關內充拓舊規，各建城樓三，加睥睨女牆，臨溪屹立。今東西

郭及城東門惟毀，堞僅存。康熙志

○巡撫部院署，在裕民坊通江橋東。嘉靖浙江通志、康熙錢塘縣志均作斯如坊三圖，此從雍正志及乾隆志。明巡撫不常設，有事則遣大臣巡視。官無定員，治無定所。嘉靖浙江通志 嘉靖二十四年，巡視都御史朱紈，以清軍察院併倉址改建。萬曆志 三十九年，胡宗憲總督浙江兼巡撫，重建名總督府。乾隆志參嘉靖浙江通志 其北爲鎮海樓，吳越時爲朝天門 其東爲鎮東樓。坊二：東曰保障江藩，西曰澄清海甸。

兵制

明

○洪武初，立民兵萬戶，簡民之壯勇者編列隊伍，而以時校閱之。有事從征，事已復還爲民。功成，與軍兵一體陞用。康熙志

○洪武三年，始立杭州衞都指揮使司，海寧、錢塘二衞指揮使司。四年，置仁和衞指揮使司，八年，改杭州衞爲浙江都指揮使司，錢塘衞爲杭州左衞，仁和衞爲杭州右衞。九年，改杭州左衞爲杭州前衞，並隸浙江都指揮使司，每衞設左、右、中、前、後五千戶所，每千戶所設百戶十人爲十伍，每伍設總旂二名，每總旂下設小旂五名，每小旂下設軍十名，故每伍旂軍共一百一十二名。十六年開設屯田，凡荒閒田土，許所在守禦官軍於所屬仁和等縣屯田。二十年，改海寧衞爲海寧千戶所。康熙志

按：乾隆志云：「浙江通志攷嘉靖通志云所之直隸都司者曰守禦千戶所。」

○二十三年，詔濱海衞所每百戶置船二艘巡邏海上盜賊，巡檢司亦如之。明實錄 二十六年定：凡天下要衝去處，設立巡檢司僉點弓兵應役。明會典

○天順元年，令招募民壯，鞍馬、器械，悉從官給，本戶有糧與免五石，仍免戶下二丁資以供給，如有事故，不許勾丁。明會典

○宏（弘）治元年，令都司衞所除軍政守城管操管運外，餘分兩班輪操，五年一代，周而復始。續文獻通考

○嘉靖三十二年，議添杭嘉二府守備一員備倭，都司駐箚定海，兼轄海寧，二把總屯兵控禦南京。御史宋賢言：「錢塘江口宜增置守備，捍海塘宜增築高峻，雜植荊棘，勅兵防守。」明實錄 四十二年，提督軍門趙炳然設東、西二大營，七月建欏木營。浙江通志

○萬曆二十六年，復設海寧所中右營額，計驍兵四百三員名。海甯縣志

○杭州府舊設有標兵，及留守省城軍兵，錢塘江水兵，北關水兵，各營制標兵，即趙炳然所設東、西二大營。東大營官兵監軍道監督，統以左遊擊將軍一員，署在妙心寺巷，左、右、中、前、後五總統計官兵二千七百一十員名。每遇春汛留本營兵一總箚守省城，其四總調發沿海各區衝要地方防守。遇警就近援勦，汛畢掣回欏木營屯住訓練。西大營官兵水利道監督，統以右遊擊將軍一員，署在大井巷，官兵員名幷守城防海等，制與東大營同。其留守省城者挑選杭州前右二衞軍兵，一總食糧守城，有警不調，與民兵合操，屬水利道監督，統以管操都司。後抽取仁和民壯一百五十名，錢塘一

百名，與本營軍兵合操。夜則輪撥城守，屬把總官管束，至錢塘江水兵立領哨官一員，巡船二十隻，隊長舵工各二十名，兵二百名於錢塘江、富陽、嚴州等處巡緝。汛期出鱉子、赭山等處外海哨探，若北關水兵立哨官一員，巡船十隻，隊長十名，兵一百一十名，輪流巡至塘棲鎮緝捕鹽盜，後查兵無實用，裁革，暫調東西二營兵一百一十名，下船巡哨，一月一換。康熙志

按：乾隆志引舊府志及各縣志所述明兵制，錄存其概。

○沿海衞所，每千戶所設備倭船十隻，每一百戶船一隻，每衞五所共船五十隻，每船旗軍一百名。春夏出哨，秋冬回守。續文獻通考

○海寧所，千戶等官十八員，旗軍六百九十七名。轄寨一：曰黃灣山寨。臺六：曰下館，曰松林，曰丁家村，曰橫山，曰潘家浦，曰褚家團。烽堠五：曰炎山，曰廟前，曰巖門山，曰赭山，曰石墩。巡檢司二：曰赭山巡司，弓兵一百名；曰石墩巡司，弓兵一百名。浙江通志

按：乾隆志云：「歷代海防事宜已分見於前。」又考舊志云：「海防，漢會稽郡海有樓船，後陽嘉中又詔緣海益屯兵備盜賊，海上有戍守，蓋自漢始也。晉以後所用皆北府兵，非土著，明會城置都指揮使司統諸衞所，衞所在內地者主守禦，沿海者主備倭。衞在內地七，而沿海者九。衞各五所，其外又設所三十四，在內地者六，而沿海者二十八。衞所官有定員，沿海則特設總督都指揮一人，把總指揮四人。又，備戰有船，守瞭有寨，傳警有烽堠、墩臺。衞所外，巡檢司有弓兵，而沿海居其半。」

兵事 三

○明正統八年夏五月，倭寇海寧。明史，外國日本傳

按：五月，籌海圖編作六月。王士騏馭倭錄序云：「圖編多取野史，蓋當時紀載誤後一月也。」

○嘉靖二十七年，倭寇黃灣。乾隆海甯志

按：倭變事略附錄載海商徽人王直上疏，嘉靖二十九年海賊首盧七，擄掠戰船，直犯杭州西興壩堰，刼掠婦女財貨。盧七時未與倭寇相合，犯西興壩堰，即胡玉掠鮑里之比，今不錄。

○三十二年 倭變事略 夏四月，全城志 海賊 萬曆志 徐海、陳東、麻葉等 胡宗憲傳 句倭入寇。日本傳 自袁花犯海甯，屯赭山。倭變事略 前衛指揮陳善道，率民兵禦之，戰沒。錢塘民錢鉞，採鮮至魚洋，與倭遇，引舟進海門，至兵馬司。萬曆志 巡撫王忬，檄參將湯克寬 全城志 往勦。克寬追及於鼈子門，俘斬二百有奇，指揮吳懋宣率僧兵 籌海圖編 搜巢，遇遺賊，被創。萬曆志

按：吳懋宣搜巢被創，廷議欲激死事，與卹典祠祭，萬曆志言之鑿鑿。籌海圖編云：「禦之赭山，力戰而死，非實錄也。」僧兵擊賊，倭變事略云：「陳善道乃萬鹿園婿，有少林僧德萬施欲為報仇，集黨八十餘擊賊。賊二大王者見僧若縛手然，僧以鐵棍擊殺之，幷殺勇戰者十餘賊。我兵從征者爭奪首級，自相殺傷，賊遂能應敵且遁。」說與圖編殊異，詳我兵從征之文，似倡議者僧率之前者，懋宣故次之。如此事略。又有賊搖白扇為蝴蝶陣，僧作採花狀等語，皆鄉曲之言，今刪。

四月，事略作五月，從圖編及萬曆志。

○五月二十八日，倭變事略倭七十餘人流掠乾隆海甯志石墩，倭變事略海鹽知縣羅拱辰，以兵至。乾隆海甯志賊奔尖山，倭變事略掠舟去。乾隆海甯志

按：明史紀事本末，是年冬十月，有失舟倭三百人，突至平湖、海甯等縣。檢倭變事略並無其事，失舟倭蓋即海甯流賊，十月乃五月之譌耳。

○三十三年春三月八日，倭二百餘人剽掠袁花，參將盧鏜追及之，令部卒先芟麥。倭驅所掠人爲敵，自脫去。千總劉大仲邀擊，斬獲過半。倭變事略

按：盧鏜追及之，倭變事略作盧丁追及之。據靖海寇略，丁把總、劉大仲，隨盧參戎征廣，陳知丁僅軍亦統於鏜。今刪。

○夏四月，倭復寇海甯。倭變事略辛巳，自談家嶺踰黃灣，靖海紀略據尖山、萬曆志石墩。壬午，靖海紀略王忬檄僉事羅拱辰，參將盧鏜，都指揮乾隆海甯志周應禎，屯海甯。靖海紀略賊攻城，倭變事略不克。乾隆海甯志自袁花趨硤石。硤石民稠市窄，不得入。倭變事略庚寅，忬行部至海甯，飭部伍，戒諸將。辛卯，戰石墩，靖海紀略傷百人。乾隆海甯志壬辰，賊掠高家橋。癸巳，轉掠裴家村，燬民居且盡。乙未，周應禎部水陸兵，屯袁花崇教寺。賊掠黃灣西寺而去。明日，轉掠紫雲村，一出西旱橋，一出黃山嶺。靖海紀略應禎萬曆志下同及指揮徐行健，率兵兩路追賊。行健自山南，應禎自山北而合。行健失期，應禎行至菩提寺，倭變事略陷伏，失亡二千人。應禎先以乾隆海甯志海事被劾，

捐家貲募兵贖前敗。提學副使阮鶚，遺書勉之。應禎答曰：「兵法十圍五攻，今賊勢甚衆，急攻未得良策，有可乘之機，盡力圖之。」書至二日而死。萬曆志　自是賊益鴟張，據險立柵，諸兵觀望莫敢前。五月庚子朔，賊復掠黃岡、麥墩。甲辰，靖海紀略　別賊犯秦駐山，倭變事略　盧鏜率戰艦邀擊於石墩洋，籌海圖編　以火器破其一艘。倭變事略　賊棄舟從談家嶺奔靖海紀略　石墩，賊壘不納。倭變事略　流掠硤石。乙巳，石浦賊薄海寗，靖海紀略　鏜　籌海圖編　戰二十里亭，不利而退。丁未，硤石賊犯崇德。石墩賊　靖海紀略　掠袁花而東，海鹽民　乾隆海甯志　曹秩，集鄉兵迎敵，賊不敢渡。庚戌，復犯澉浦。丁巳，移舟宵遁。靖海紀略　鏜追敗之，破其艘三，斬首二百有奇，籌海圖編　溺死無算，惟一舟靖海紀略　竄逸。明日，海濱獲浮板託命者三十一人，悉勦焉。倭變事略　賊據尖山、石墩四十餘日，萬曆志　殺戮數千人，至此始蕩滅。倭變事略　杭州官吏以烽火不時發，日集坊民登陴守，多怨苦，怦令罷之。明紀事本末

按：靖海紀略載：入寇之日，與倭變事略時有異同。紀略據當時官報，多得其實，今悉從之。丁巳，移舟宵遁，紀略下有：丙辰，震撼之聲轟然海上之文。丙辰，蓋即震字之衍。盧鏜追截，紀略歸之指揮劉隆、潘鼎。據籌海圖編有鏜無隆、鼎隆，鼎疑亦皆鏜部將校。紀略修怨於鏜，故沒而不著。斬首二百有奇，事略作三百四十統殺溺言之。乾隆海寗志云：斬三百四十級，誤。

○冬十月八日，倭掠石墩。指揮丁僅、徐行健擊之，破其舟，倭變事略　俘十二人，乾隆海甯志　言如鳥語，莫能辨。倭變事略

○三十四年春正月，倭犯海寧。日本傳 三日，掠袁花，由黃道湖 倭變事略 焚硤石。萬曆志引海甯志 時歲初，民不虞寇，死水火者無算。九日，倭變事略 陷崇德，轉掠塘棲。日本傳

按：轉掠塘棲，倭變事略不載其事。日本傳此下有攻德清之文，則在是月審矣。仙潭文獻：三十三年春正月初旬，倭由柘林至崇德，蔓延塘棲，回據新市。三十三年乃三十四年之譌。由塘棲入新市，其事固明白可證。籌海圖編云：六月，大戰於塘棲，彼又一役，萬曆志牽溷爲一失之。明史稾·世宗紀：犯崇德、德清，並系之丁酉；明紀幷及塘棲。以日本傳犯乍浦，及轉掠新市、橫塘、雙林，度之必非盡具一日，事略爲近。乾隆海寧志，此下又有：四月，倭自海鹽來屯西鹽倉，白都司兵敗，失亡其半之文。事略系於三十五年，今移後。

○夏，籌海圖編引俞獻可記平望之捷 五月，倭萬餘人犯袁花，倭變事略 掠長安、乾隆海甯志 臨平至餘杭。二十八日，倭變事略 薄杭州，鄉民避難者號泣城下。有司拒不得入，阮鶚手劍開門納之。胡宗憲傳 賊肆掠村郭，東自江口至西興壩，西自 倭變事略 留下 成化志 至北新關，倭變事略 周四十餘里，七修續稿浙省倭變始末略 燬燔一空。萬曆志 巡撫李天寵，束手無策，惟募人縋城，燒附郭民居而已。總督張經，駐嘉興，援兵亦不時至。明紀事本末 六月六日，大風，晚益急。火焰入城，守者不能立，城幾陷。倭變事略 阮鶚，僉事王詢，竭力禦之，賊始退。明紀事本末 七日，張經遣永順宣慰使彭翼南，保靖宣慰使彭藎臣，倭變事略引胡總督奏捷疏 統兵至塘棲。俞獻可記平望之捷 賊掠官船冒爲軍門。巡視嘉興調守港兵迎至落瓜橋，伏發，截殺二百餘人，倭變事略 彭翼南、彭藎臣復失利。俞獻可記平望之捷 賊掠練市

倭變事略 而去。萬曆志 致仕僉都御史張濂上言：督撫因循玩愒，養成賊勢。堂堂會城，閉門旬日。已有垂破之勢，徒以意得志滿而去，更無一兵一旅阻其去來，賊寇野心，能保其不復至哉！明紀事本末 經、天寵並被逮。日本傳

按：籌海圖編紀此事云：總督尙書張公經，統兵禦之，大戰於塘棲，敗績。據倭變事略，張經時駐嘉興，並不屯扼塘棲。大捷考引俞獻可記作永保二宣慰失利，二宣慰乃彭翼南、彭藎臣，藎經遣以援杭，圖編因以誣經耳。事略云：賊歷長安、臨平諸鎭，至餘杭、塘棲，明非入寇。時所經敗績，必據落瓜橋之役而言。俞記謂失利後掠北關，亦顚倒情事。北關掠在五月，經兵至，六月方敗焉，得移易其月。明紀事本末：賊圍杭時，胡宗憲親登城臨視，俯身堞外，三司皆股慄，懼爲流矢所中，宗憲夷然視之。胡宗憲時亦駐守嘉興，無緣俯身杭堞臨視之說，皆附宗憲者所爲。全城志云：春，賊由硤石抵省城北關。五月，沿海南掠，至硤石而還。全城志以掠塘棲之役爲犯北關，因以犯北關之役爲至硤石而還。圖編、事略、本末具在，可不必論餘杭焚殺，諸書無文。明紀：兩浙被倭，慈谿獨慘，餘杭次之。餘杭乃餘姚之譌。圖編：賊首周乙，統賊四千餘，慈谿不已，延及餘杭，餘杭亦字誤。

〇秋七月，倭變事略 倭六七十人，日本傳 自紹興竄 曹邦輔傳 杭州，日本傳 入富陽，籌海圖編 西掠於潛昌化。明紀事本末

按：六七十人，明紀作六十七人，誤倒七。修續稿云：韋皋九十三人。據倭變事略，上年五月賊

犯秦駐山，盧參戎破其一艘，餘九十三人流於王江涇，獲而殲之。九十三人，別爲一事，續稿涉彼而譌。自紹興竄杭州，籌海圖編作過蕭山，入富陽。續稿云：渡錢塘江入嚴州，詳兩文，似賊至城南，即緣江而上。蓋是時城外民廬皆爲灰燼，無可恣意，故舍去。明史稿日本傳云：自杭州北新關，西剽淳安。北新關三字，亦涉上事而衍。全城志云：壬子，明年倭繞會城，戕陳指揮，西擄新安。全城志：與寇赭山，進至兵馬司之役，牽合爲一疏，舛益甚。然如志云：賊繞會城，固由江而出城南，非自北新關而入城北，史稿之誤，於此可證。七月，圖編作四月，據犯紹興之月系之，明紀作五月，沿日本傳之失耳。

○三十五年春二月，海甯民錢燦作亂。倭變事略 初，巡按御史胡宗憲，戰嘉興北麗橋而溺，燦棹出之。乾隆海甯志 恃功肆惡，刼掠無憚。桐鄉生員胡鶴齡，與謀逆事。泄燦，遂斬捕卒及妻子與其黨。倭變事略 起於硤石，乾隆海甯志 脅衆數百人，倭變事略 揭竿置旗，乾隆海甯志 遣兵追勦，遁入太湖，倭變事略 附於倭。乾隆海甯志

○三月，籌海圖編 倭萬餘人攻乍浦，胡宗憲傳 欲犯杭州。明紀事本末 夏四月八日，海甯兵與賊遇西鹽倉，敗沒其半。賊蔓延數十里，一屯硤石，一屯袁花。倭變事略 總督胡宗憲，調臨安兵駐餘杭、石瀨，雙溪兵駐瓶窰，嘉慶餘杭志引香宇集 自引兵 籌海圖編引茅坤紀勦徐海本末 壁塘棲，與巡撫阮鶚相犄角。胡宗憲傳 賊分二支，一逕至長安，一由章婆堰與長安賊會。籌海圖編 十八日，倭變事略 趨皀林，游擊宗禮，敗死，鶚走桐鄉。宗憲計曰：與鶚俱陷，無益也，遂還杭州，遣指揮夏正等 胡宗憲傳 說徐海降。賊

知杭州有備，不敢攻而去。籌海圖編 五月二十六日，賊復由故道抵硤石，南入袁花，倭變事略 逼塘棲，籌海圖編 索財物。胡宗憲傳 宗憲遣通事胡總督奏捷疏蔣洲①等復申前約，倭變事略 賊退屯李港。籌海圖編

按：倭攻乍浦。籌海圖編引茅坤紀勦徐海本末，在四月十九日。倭變紀作三月，茅紀誤也。逼塘棲、嘉慶，餘杭志引香宇集作犯塘棲，其事系之三月，亦誤。

註：

①如據明世宗實錄、明史日本傳的記載，蔣洲乃被胡宗憲遣往日本遊說渠魁王直歸降之寧波諸生。當時同往者尚有陳可願等。事詳此兩書。

〔卷一一九〕

名宦四

明

○湯和，字鼎臣。濠人。吳元年，以御史大夫拜征南將軍討方國珍，諭降之，浙東悉定。洪武十八年，奉命巡行海徼，相度地形，改創衞所、巡司險要爲防禦計，海寧縣城亦其所增築也。談兩浙備倭方略者必推本於和。明史本傳參萬曆志

○王忬，字民應。太倉州人。嘉靖二十年進士。三十一年，以僉都御史巡視浙江，尋改巡撫。時倭寇犯浙，忬籌度戰守，安輯諸務，蚤夜矻矻。簡才將俞大猷、湯克寬等，委心任之。馭軍寬簡，奏釋

參將尹鳳、盧鏜。鑿然犯軍律者罰無赦，以是不敢橫恣。嫗育黎庶，視之若子。罷編戶守城之役，曰：「寇未至，毋先困民。」民尤德焉。嘗籍罪沒田三百畝於學宮，爲贍士資。進右副都御史，巡撫大同。擁輿泣送者塡道，卒祀名宦。明史本傳萬曆志

○胡宗憲，字汝貞。績溪人。嘉靖十七年進士。三十三年，以御史按浙。時浙西寇熾甚，宗憲行部嘉興，投藥酒中。賊至恣飲，毒死甚衆。乃督兵勦殺，大破之於王江涇，又破之於平望。超拜僉都御史，提督軍務，兼巡撫浙、福。晉總督時，浙地寇患匪一，其中狡黠鼓亂，則徐海爲最。海之下有陳東、葉麻、辛五郎，皆趫捷善戰，爲之羽翼。若汪直，則雖陽見款順，而實發縱首禍者也。宗憲乃先遣間計，啗海俾以次縛麻與東，孤其黨與。辛五郎方擁衆金塘，說不可下，宗憲遣將盧鏜一鼓禽之。事既定，與巡撫阮鶚督諸道兵勦海於平湖之沈家莊。海孤軍勢蹙，旋就夷滅。又遣辯士說直來降，斬於市。督浙八年，捷數十上，累遷少保、兵部尚書、右都御史。萬曆志

○阮鶚，字應薦。桐城人。嘉靖二十三年進士。三十二年，任浙江提學副使。時倭薄杭州，鄉民避難，入城者司拒不許入。鶚手劍開門納之，全活甚衆。擢右僉都御史，巡撫浙江，士民德之，相與立祠。浙江通志

○趙炳然，字子晦。劍州人。嘉靖十四年進士。三十二年，以御史按浙江。正大惇篤，風裁屹然。核吏治，糾官邪，察民隱，部內不嚴而肅。四十一年，大學士徐階以浙寇甫平，請設巡撫綏輯，遂進炳然右僉都御史往任之。浙罹兵燹久，財匱力絀。炳然廉以率下，悉更諸政令，不便者仍奏減軍需之

半，民皆尸祝之。福建巡撫游震得，請浙兵勦賊。詔發義烏精兵一萬，諭炳然協勦。炳然言：「福建所以致亂者，由將吏無馭無術，民變爲兵，兵變爲盜耳。今又驅浙兵以赴，閩急，竊懼浙之復爲閩也。請令一意團練土著，使人各爲用，家自爲守。急則兵，緩則農，然後聚散兩有所歸，即不得已而召募，亦必先本土，後鄰壤，庶無釀禍本。」又條上防海八事，俱報可。瀕海餘寇流入浙江，以援勦功進右都御史。明史本傳萬曆志

○趙玒，字雲翰。祥符人。洪武中由鄉舉入太學歷兵部員外郎。建文初，遷浙江右參政。自奉如寒。素時島夷繹騷，爲瀕海患。玒督兵往討，設奇制變，禽斬無算，境內敉寧。明達多智，每臨事，運籌碩畫，井井諸所興革，務垂久遠。民皆德之，仕終刑部尙書。明史本傳萬曆志

○俞士悅，字仕朝。長洲人。永樂十三年進士。正統四年，任浙江右參政。初至，佯若不解事者。群吏易之，越數日盡得其奸猾狀，發摘若神，吏大驚。倭寇犯境，作乍、澉二浦城以備之。仕至刑部尙書。浙江通志萬曆志

○文貴，字天爵。錦州人。成化十一年進士。宏（弘）治三年，任浙江巡海副使。拔才將，簡士伍，練兵積儲，建立墩堡，以資備禦。號令詳愼，聽斷公平。在任七年，竟無枹鼓之警，海儒晏然。萬曆志

○鄭伯興，字南溟。無錫人。嘉靖三十一年，以進士知海甯縣，民以休息。值倭寇犯海儌，監司欲以糧勸民。伯興持不可曰：「貧民尚逋常賦。」欲以兵授民，又持不可曰：「不忍驅白徒以膏島寇。」至以利害怵之，伯興不爲動，邑人得安。康熙志浙江通志

○蔡完，號古亭。麻城人。嘉靖三十三年，以舉人知海甯縣。值倭亂，增城浚濠，邑賴以安。暇日，聘名儒，增修邑志，發凡起例，綱目燦然，後升同知去。海甯縣志

○沈玉璋，字九山。永定人。嘉靖間以貢授海甯主簿，職司邏逋，勤於訓練。後倭寇掠境，親率東倉兵捍禦，邑以全。福建通志

人物二

武功二

○崔端，字惟正。海甯指揮僉事。偉軀幹，多膂力，精騎射。景泰間，倭入貢還。所過求索，至攘奪，手刃人。浙藩檄端防護。端耀兵戢旅，臨之以威，倭酋帖服。無何，處婺山民相扇弗靖，都督徐恭統兵勦之。聞端才，檄爲前鋒。端率勁兵搗其巢，生禽賊首陶得禮。上功幕府，進指揮同知備倭把總，分守浙東。端感激自奮，水陸之行，無一日休。而勞頓困憊，疽發於背。疾革大呼曰：「大丈夫不以馬革裹屍，竟死于牀第間乎？」言畢而逝。兩浙名賢錄

○邵梗，字良用。仁和人。嘉靖十七年進士。任江西南昌知縣。莅政勤敏，令兩吏讀民辭，且聽且剖，

略無違失。及離任，民涕泣，追送江干不忍別。累官福建巡海道，駐漳州。時海禁廢弛，奸民闌出入，賈禍召寇。梗下令曰：「凡奸民爲賊閒，及違禁出物廉有狀者殺無赦，羅織相告者勿詰。」於是反側悉安。益濬隍增陴，選卒厲兵，徙四郊積蓄入城中，使賊無所掠。倭寇合兵犯長泰，選火藥手百人躡擊之，寇宵遁。又遣舟師攻海寇於月港、銅山、清漳諸處，凡七克，捕斬無算。餘寇自月港掠舟入海。將遁，遣義士沈講率所部兵，與官兵犄角，邀賊舟於東燈，以巨艦衝沈之，禽斬二百餘人，寇盜悉平。又以月港宜建城，而分龍溪之半以爲縣，可以弭寇，是爲海澄縣。既去，民祀之。

江西通志、閩書、福建通志

○鮑奇英，本新安人，家於杭，遂隸籍焉。嘉靖三十三年，總制胡宗憲求才，奇英以文諸生改辟武弁。宗憲嘗坐堂上，見奇英立階下，紅光四映。及召至堂上，了然無異。宗憲奇其人，舉授守備，俾鎭撫塘棲。時倭寇徐海等引衆數萬，由海寧數掠其境。奇英以忠勇自許，身先士卒，屢戰有功。擢留守參將，以勞瘁卒於官。乾隆志

○萬達甫，字仲章。其先定遠人，世襲萬戶府，家寧波。父表，以戰功累官南京中軍都督僉事。達甫籍於杭，補弟子員，襲職爲指揮僉事。董清江艘工，委築淮之連城，皆堅緻。浙西需漕，總詔以達甫往。先是，領運者風波叵測，傾家貲不足償，視運務如戈矛，不敢邇。達甫爲之議僉船。議懲奸，晰利害，一一中款。至印運互更刋爲常規，爲忌者所中傷罷去。家居五年，浙撫廉其才，疏於朝，令庀戰艦備倭，升福建都督僉事。承瘡痍後，士無全伍，廩無全餼。訓練校閱，先聲遠播，倭夷率

服。升廣東都司，轉參將，分守廣州等處，督理海防。適蜑賊剽竊海上，當事者張皇爲縻費計。達甫慨然曰：「殲此屬一校任耳！奈何費不貲，煩鬭士？」當事詘其議，竟大征之，殺傷過當，徼功者齕齕不下，則相與諱，達甫先見。達甫乞病歸，子邦孚襲職，升齊閩僉事屬。倭薄釜山，羽檄旁午。達甫條製火器，練水戰，數事令邦孚上之，試立效。尋邦孚以龍江游擊統師朝鮮。方舉子，未彌月，達甫叱而命之行，卒平朝鮮以歸，補松江游擊。迎父就養，卒於署，反葬錢塘。達甫事親孝，父卒，哭泣哀毀，咸盡禮。母病，籲天願以身代。晚年頗耽禪寂。陳鳴華撰墓志

○周嶅，字嶸伯。仁和人。嘉靖三十五年武進士第一，授錦衣副千戶，進指揮僉事。守備贛州，諸山寇不敢入境，以功進浙江都指揮僉事。酌議屯政，切中時宜。遷江南鹽城參將，弭盜、防倭，有保障。功移守廣西高肇等處。平尖嘴等巢，搗黠酋，全仕修等寨，功聞於朝。督撫臺部交薦。會疾劇，竟卒於官。嶅，賦質清粹，通朱氏周易義，善詩文，作眞草書，遒勁有法。性孝友，事兄巒，終始無間。爲將多機警，馭下恩威並用，孚士卒心，故所在有功。張瀚撰墓志

○郭孝，字可忠。仁和人。嘉靖三十八年進士，授南吏部主事。父憂服闋，補北刑部。時嚴嵩已罷，世蕃被誅。海瑞以直諫忤上，得緩死，孝皆有力焉。歷湖廣僉事，備兵惠、潮。時嶺表盜賊充斥，巨寇曾一本、林道乾爲之魁，巨艦乘風出沒波濤間。孝至，大修戰具，遣人明諭禍福，道乾遂降。一本獨頑梗不受撫，孝密遣間諜，使自相攻，因檄閩、廣兵剋日大舉。孝，親執枹鼓，立矢石間，士氣百倍，遂大破之，一本遁去。當事者忌其功，調河南僉事，轉陝西左參議，遷江西副使，分巡

饒南。九江等處盜賊，剽掠行旅。孝，增置戰艦，江道遂清。嘗獲礦盜數百人，悉杖遣之。曰：「此貧乏之求延旦夕耳，不以功聞。」尋轉福建左參政，過莆陽。環視城形，三面夷曠，東南有高山，城俯接其下，曰：「此寇竇也，往歲城陷，應從此入。」遂增闢城址，圍高山於城中，三月而功畢。升貴州按察使，致仕歸。兩浙名賢錄

○宋應昌，字桐岡。山陰人，徙仁和。嘉靖四十四年進士，知山西絳州。悉心撫字，罷四門稅金。豪宗擾民者，廉治之，鏡冤雪，枉有異政。擢刑部員外郎，改戶科給事中。互市議起，疏陳撫賞不便者三事，又陳防守六事。轉刑科右給事，禮科左給事，陳防邊七事。時張居正當國，奏事者必先白副封，怒應昌戇。已出爲山東濟南知府，釐奸剔蠹，問民疾苦，擢按察副使，備兵河東。時蒲州河隄決，三月築成。既苦旱，用董仲舒禱雨法，檄所司行之，輒應。升河南左參政，兼督漕糧。條九議，禁革奸弊，軍民稱便。升山東按察使，轉江南右布政，歷福建左布政。升山東巡撫，疏陳三事。又定積累、權變二法，以授有司。巡視登、萊、青三府，題海防便宜五事。又題海防要略，大意謂：倭奴情形已著，春汛可虞，請復營衞巡司舊制。進選將、練兵、積衆三策。親歷海口，撥兵設防。升大理寺卿。朝鮮告急，萬曆二十年八月，以應昌爲兵部右侍郎，經略備倭軍務。十月，以都督李如松提督薊遼保定山東軍務，充海防禦倭總兵官。應昌移檄四鎭，分布海口，而如松羈甯夏未至，兵食皆未備。詔書督促應昌鑿空枝梧，部署出關。時倭奴衆三十萬，應昌兵僅三萬五千。十二月，如松始至。應昌即誓與如松踏冰渡江。明年正月，兵薄平壤。倭將〔加藤〕清正、〔小西〕行長等，

築飛樓，鑿牆穴，守牡丹峯，以相犄角。應昌指授方略，圍其三門。外布蒺藜數重，火器齊發，毒煙蔽空。令軍士含解藥，仰面肉薄而上，諸門皆破。斬首一千六百四十七級，焚溺死者無算。行長渡大同江，遁還龍山。朝鮮所失黃海、平安、京畿、江源四道並復。清正亦遁回朝鮮王京。時王京聚倭三十餘萬，應昌畫依山俯攻之策，以疲卒當銳師。聞王京城南有龍山倉，積粟數十萬。夜令死士以明火箭射燒龍山十三倉，倭遂乏食，棄王京去。應昌與如松入城撫恤傷殘，招歸脅從。游擊沈惟敬，輒乘間率倭使以封貢請。應昌方具防守善後議。聞撤兵議，上疏力爭。召還，轉左侍郎，升都察院左都御史。歸隱孤山，絕口不談東事。明史本傳、朝鮮傳、浙江通志黃汝亨撰行狀

海寧縣志

〔卷一〕

明蔡完等修，明嘉靖丁巳（三十六年）刊本

地理志

山川

〇大海在縣治南一十里，東連海鹽，西接浙江，潮汐往來衝激不常。舊有捍海塘二，後添築鹹塘。宋時亦有崩陷之患，元時爲害尤甚。先是，嘗築備塘以防衝激，塘之外有沙場二十餘里。塘內陸地草蕩，及桑棗園一百六十七頃有奇。沙場既淪於海，而陸地桑棗亦皆崩沒。都水監張仲仁，用竹籠、木櫃實以瓦石，横亘三十里，磓之以塞崩處，費用不可紀。又建天妃大廟，僧用祕法，鑄深沙神以厭勝之，皆不能止，民情皇皇。天曆元年，文宗即位，至于八月，正當大汛，潮勢不湧，風水貼然。是後遂改「鹽官」曰「海寧」，人皆以爲天數，非人力所能爲。豈知聖人將起于南服百神受職，而陽侯效靈乎？涉岸無虧百有餘年，以及成化甲午始坍至城下，用崇德郡丞築法甚善，堤乃成。隨復漲出甚遠，至弘治壬子漸坍，嘉靖戊子大坍，復至城下，海商大舶來往不絕。方二年而復漲自城下，至水口約有四十餘里，皆爲沙場，灘淺而草茂，民獲魚鹽之利，而遠波濤之害。以故連歲倭賊入寇，不能遽登，皆遙自金山而至。近聞善崩之勢，又復駸駸內向矣。此先幾君子之所憂也，舊有元人祭海神文，錄于後。國朝胡虛白望海詩云：「元氣濛濛混太虛，天吳簸蕩撼坤輿。千年木石勞精衛，百谷波濤會尾閭。月下明珠鮫女淚，雲中飛觀羽人居。秋風吹老珊瑚樹，不見磨姑錦字書。」〔卷三〕

建置志

城池

○城在縣治。按：舊志，周圍九里三十步。元至正十九年，張氏始命其屬築城，高一丈五尺。國朝洪武二十年，爲備倭事，信國公沿海設立衞所，遂增築，高五尺。永樂十五年十一月，內都指揮谷祥，加高城堞二尺，計高二丈二尺。及築造月墻、箭樓、吊橋。城門五座：東曰春熙，南曰鎭海，西曰安戍，北曰拱辰，東北曰宣德。每門有樓，樓之左右翼以箭樓。城之周圍環列窩舖四十九處，每門有官廨。廨之外繚以月墻。門之側有水門三：其一在拱辰門之西，其一在宣德門之北，其一在安戍門之南，以通鄉市往來。宣德、鎭海、安戍三門之外，各有板橋跨池，以通水陸舟馬之行。嘉靖三十二年以來，倭奴作逆，不時虜刼入境。軍民防守，風雨無趨避之所。嘉靖三十四年，知縣蔡完，復於城上周圍增添女墻，及巡警舖舍，共四十五所，爲守備軍民風雨日夜起處之便。加高磚城五尺，內塡土二尺，每十垛制高燈一盞，城外養馬地，復周圍土墻，高五尺。又增置敵臺二十四座。

○池在城外，周圍旋遶里數與城相等。濶五丈，深一丈。嘉靖三十四年，知縣蔡完浚深五尺，共深一丈五尺。

巡司

○石墩巡檢司，在縣東南六十里。洪武二年間，除授巡檢甯希於硤石鎮開設。十二年，移置今址。二十年，信國公提督沿海巡司俱築城，於是繚以城垣。二十三年，海潮衝毀，廨屋無存，見在營房九間。城周圍一百四十丈，高二丈。有門二，門之上有樓。池周圍丈數與城等，濶二丈，深一丈五尺。

○赭山巡檢司，在縣西南四十五里，元至正間開設。國朝洪武初，潮嚙司址。二年，巡檢王賢，移於六都陳橋北。二十年，信國公提督沿海巡司俱築城，於是迁赭山北而築石城。周圍二百四十丈，高一丈八尺。城有門二。永樂六年，海潮，復陷。今徙文堂山，周繚以垣九十丈五尺，高一丈。有門二。

兵衛附

○海寧守禦千戶所，在縣東一百十七步。洪武二十年開設，千戶孫貴建，歲久傾圮。嘉靖二十八年，知縣高尙志，千戶金堂，重建廨宇一所。

○演武場，在縣東一里，廣袤三百三十三丈。內築將臺一，座亭三間。

○寨猴石墩山寨，在縣東四十里，繚以土城。周圍四十二丈。城有門一，內建廳宇一間，營房一十間。

○黃灣山寨，在縣東五十里，繚以土城。周圍七十四丈。城有門三：曰東，曰南，曰西。門之上有樓，內建廳宇一間，營房二十四間。

○下管烽堠，在縣東九里。

○二十一都烽堠，在縣東十八里。

○二十六都烽堠，在縣東十七里。

○石牌烽堠，在縣東三十六里。

○大尖山烽堠，在縣東四十五里。

○廟前烽堠，在縣南一里。

○松林烽堠，在縣西一十里。

○牛皮巷烽堠，在縣西二十里。

○横路烽堠，在縣西三十里。

○何莊山烽堠，在縣西四十里。

○豬山烽堠，在縣西五十里。

○議曰：①

運船三十四隻　每船旗甲一名軍十名。

○議曰：按：祖宗舊制：浙江都司所屬一十六衞，五千戶所，凡係腹裏衞分，皆領運船，如：杭、湖、衢、嚴、寧、紹、台、金等衞所是也。其沿海風汛去處，專以備倭，俱不上運，如：海寧衞所、臨觀、定金磐等處是也，制既定矣。後於天順間，海寧衞有莊指揮者，謀領杭州衞淺船四十七隻。景泰二年，福、溫賊亂，調遣附近官兵征勦，暫將衢州等淺船三十四隻撥發海寧所代運，自此俱皆沿習爲常。時値太平，食糧聽遣，固其職分，年久士伍消耗，不堪煩役。奔南走北，加以民差，不勝其苦。嘉靖壬子以來，海波屢揚，邊備廢弛，登埤之士，十無一二，蓋逃亡者既過半，而飛輓者復取盈焉！城池誰與守乎？未免假借客兵，費用不知紀極，於是海寧衞運船始蒙革免。年添壯丁五百，以固金湯，而本所則運糧如故。今除上運、出海巡鹽、局匠、吹鼓手等項外，實在守城止餘數人而已，虛空如此，可爲寒心。合無比照海寧衞事例，將此運船查發原來衞分，使得專力備倭，庶各得其職，固非利此而病彼也。

雜誌

○嘉靖三十一年冬，有四虎入石墩民家，口啣稻稈、草束，穴於其家場上，家人恐怖，皆踰墻從後而出，如此數日，一虎失足於澗石中，不能出而死，餘虎皆不復見。次年，島夷作亂，二百餘人自金山沿海而來，直至赭山，殺死軍職。

○三十三年，島夷七百餘人，據尖山四十餘日，燒焚袁花市，死者不可勝計。

○三十四年正月，島夷三千餘，燒焚硤石鎭殆盡，死者七百餘人。

○三十五年，復至硤石鎭。

註：

①此「議曰」已見於康熙二十五年序刊杭州府志，卷一五，兵防，海防條蔡完之言，故不再錄列，見本書第二〇七九頁。

嘉興府志

清袁國梓纂修，清康熙二十年序刊本

祥異 〔卷二〕

○嘉靖二十九年庚戌三月二十一日午刻，大風揚沙雨，黑霾者三日。李樹生王瓜。諺云：「李樹生王瓜，百姓無人家。」已而倭亂。

○三十一年壬子二月，白日望見秦駐山軍馬縱橫，金戈閃爍，疑是操軍，追而視之，無有也。至八月亦然。海上夜行者悉之尤明，如是數次。秋末，日晡時，西有赤氣亘天，至暝不散，如是者百餘。明年，倭亂。

官師內附武職後附兵政 〔卷一四〕

兵政

○明洪武初，設民兵萬戶府，簡民間武勇編伍操練。後兵府既革，以軍政屬本郡清軍同知。其間有正軍、民兵之別。正軍有二：其一曰嘉興守禦千戶所，設郡城內，隸蘇州衞。正千戶四員，副千戶、所鎭撫、百戶各一員。每百戶所，總旗二名，小旗十名，軍人一百名，共旗軍一千一百二十名。其一曰海寧衞千戶所，設于海鹽，隸浙江都指揮使司，統左、右、中、前、後五千戶所，遙統澉浦、乍浦二千戶，以海鹽爲防海要地故也。正統間，添設把總一員，以統衞所，銜曰備倭。嘉靖三十六年，又加欽依，以都指揮體統行事。至於衞所職掌有四：曰軍署，曰關隘，曰儲運，曰屯田。民兵有三：曰弓兵，曰民壯，曰募兵。初設八巡檢司，每司官一員。在秀水曰王江涇杉青閘，在石門曰皂林，在嘉善曰魏塘，以內地各弓兵三十名。在海鹽曰海口鎭，曰澉浦；在平湖曰白沙灣，曰乍浦；以沿海各弓兵七十名。正統六年，江西寇作，奉詔僉練民壯守禦，其法每縣千餘人。十三年，減爲六百餘人。十九年，定爲每里一人，隨正軍操演，保障城邑。嘉靖中，倭寇猝發，撫按題准設參將一員，駐箚乍浦；設兵備一員，駐箚郡城。召募民兵五千名，分列水陸五營巡警。以舊演武場隘，不便操練，廼改建城北郊外百步橋南，廣袤三倍於昔，猶謂：「禦職於城下，莫若遏之於遠郊；俟其登陸而格鬬，莫若拒之於水次。」復築秦臺於石塘灣，魏漢二臺於會龍橋左右，唐晉宋三臺於百步橋，仍於嘉、秀二縣每里僉取鄉兵一名，共五百八十一名，撥守陸臺。海石城外亦各置敵臺二座，俱據險阨要。至隆慶元年，地方寧謐，欽依裁革，軍務事宜俱分巡僉事兼理，仍駐郡中。三年，因錢糧匱乏，革民兵三營，在於海寧衞幷澉乍七所軍兵挑選足數，左營防守海鹽，右營防守澉浦，前營防守乍浦，後營防守嘉興，遇汛月協守海濱，汛畢退守嘉興，各總以海寧衞指揮統領，哨官以各所百戶統領，哨軍兵工食，在於軍儲倉本所按月關支。

○若水兵之制，洪武中六縣無設，惟海鹽備倭置船瞭望巡守。永樂七年，立水寨於沈家門，盡構軍船赴之，倭寇縱掠，遠不及救援，浙江布政周幹以聞，請復洪武故事，從之。正統十四年，奏革出海五百料金字號戰船七十二隻，改立寨堡，千戶所設備倭船十隻，每一百戶船一隻，每一衞五所共船五十隻，每船旗軍一百名，春夏出哨，秋冬回守，月支行糧四斗。嘉靖中裁減。末年倭入，無船爲禦，募倉山、福清等船哨守。三十六年，設海鹽、澉、乍三關水寨，兵船七十八隻；立把總三員，哨官十員；正副捕舵、繚椗、稍手、散兵共二千餘名。船有福倉、小哨、叭喇唬、八槳等項各色。在海鹽者泊白塔港，在乍浦者泊西海口，在澉浦者泊黃道廟。遇汛月輪番出哨洋山、滸山等處，有警合綜截殺；汛畢各守本處。工食在於各縣田地山蕩起科，解府發縣分給。隆慶三年，裁革海、澉二關，留乍浦一關，兵船五十餘隻，各兵餉隸平湖縣散給；郡城五營民兵，守臺鄉兵以漸裁革，止存召募兵三營，抽選海寧衞所軍兵二營，每營設隊、什長，俱屬兵備及參將統調，內中營官兵專守府城，春汛調發防海，後復議題兵巡道標下額設中軍督陣把總官一員，領健步二十名，吹鼓手二十名。隆慶六年，內河鹽賊竊發，又議造叭喇唬船一十四隻，共募捕兵二百二十四名，巡緝裏河鹽盜。前項水陸官兵，各該應支名糧，按月把總官造册，呈送兵巡道掛號，俱本府散給。其關隘則海寧衞烽堠六：曰麥庄涇，曰中寨，曰九里亭，曰教場，曰夾塘，曰鹽塘。山寨一十三：曰東轉塘，曰朱公亭，曰第二寨，曰頭寨，曰南寨，曰北寨，曰三間寨，曰閘口，曰龍王塘，曰落塘大寨，曰南小寨，曰藍田大寨，曰藍田小寨。瞭望臺二：曰南臺，曰北臺。澉浦烽堠五：曰秦駐山，曰青山，曰墻山，曰西山，曰廟山。寨一十四：曰南石山，曰秦駐山，曰東鹽團，曰西鹽團，曰青山，曰墻山，曰鹽場東中，曰墻山平洋，曰墻山東嘴，曰墻山西嘴，曰南門水閘，曰混水閘，曰葫蘆灣，曰南湖塘。乍浦烽堠三：曰觀山，曰陳山，曰高公山。寨一十三：曰東山嘴，曰高家灣，曰西海口，曰聖妃宮，曰東山，曰金家灣，曰蒲山大寨，曰蒲山外寨，曰蒲山西寨，曰鹽山，曰獨樹東寨，曰獨樹西寨，曰周涇。

〔卷一八〕

記上

新築敵樓碑記

趙文華

嘉禾爲財賦要郡，多舟楫之利。其民饒給，地獨瀕海。邇年倭寇爲患，被兵慘甚。城以外數萬家，僅存餘燼。有議築東城者，顧民居櫛比，四遠多水澤，未易爲力。余故定議，于沿關盡處，據其要築敵樓焉。蓋賊所由入，南從海鹽曰海鹽塘，東從平湖曰漢塘，從嘉善曰魏塘。塘之北爲杉青閘，閘之北通蘇爲運河，皆賊孔道。故築南之樓一爲鎮海，築東之樓二爲鎮漢、鎮魏；築北之樓三爲上青、中青、下青。樓址石臺，下通大門。內穴墻爲厨湢，溷井具全。其上樓三層，四面皆磚壘穿牖，最上用堞如城，總可容兵數百人。其城西南以杭爲敵，非賊經不復作。闔郡樓凡六，共費銀四千有奇而足。初議築東城，煩費不貲，今改築此，費省而事集，幸險可恃，顧在善守云。郡故有教場在北關而稍狹，因斥地遷于杉青之敵樓下，以便鄉兵屯戍，且敎之戰，有警即登陴而守，使賊不得越。而時或出奇擊之，據要害而治，亭障具闌石，庶幾善守矣。使爲他郡者各設關隘以推之邑，爲邑者各設關隘以推之鄉，俾民憑險而居，出作入息，得肆意南畝，以供國賦，誰曰非長策。況城守飭于內，海防嚴于外，烽火校聯，每事有備，賊安能爲害哉？是役予無巡撫都御史胡公宗憲、僉事王君詢規事，首議興工，則嘉興知府劉慤，同知張任，通判鄧遷，嘉興知縣張烈文，咸多勤勞。以七月若日工始，于十月若日告成。或曰：「四郊多壘，此卿大夫之辱也。執事速將明命，固督察諸帥，以愊臆奮發，席捲醜是務。乃設壘崇壁，靡敝財力，爲持久計，則謂之何？」予曰：「戰與守，一道也。公輸之攻，與墨翟之備，其善一也。戰不足而守有餘，雖未勝而猶無敗，孰與戰守兩失乎？若夫藏于九地，動于九天，以進必克，以退則堅，戰守並競，是謂萬全。吾今揆厥緩急爲之以漸務，俾威稜遠暢，有征無戰，詎復云守也？顧毛羽未成，難以高飛。」于是言者敞罔逡巡而謝不敏。

按：嘉秀敵樓六座名義載前記中，而萬曆間本府志乃以秦、漢、魏、晉、唐、宋爲稱，豈未見記文，特以意改之耶？故敢筆此爲前志忠臣。

嘉湖兵巡道題名記

楊日昭

嘉禾當吳越之交，東南距海，西北控湖，奸宄出沒，孽牙之萌，蓋相尋于其間，夙稱難治云。國初設民兵萬戶府，未幾旋革。所增介冑士，僅以供海上，而居中彈壓，以臨制四方者未之及也。嘉靖中，葉島夷內訌，蹂躪屬邑，致勒朝廷南顧之憂，始命總督大臣提督軍務。爰即臬司分署，建立幕府，當是時，胡公宗憲、劉公燾實成偉功，地方賴之。已而當事特請設備兵使□一員，駐箚經理，而浙西三郡屬焉，蓋其專也。嘉靖丙寅，海氛寧謐，乃議革備兵專官，而總其事於分巡，命曰兵巡道。簡書申飭，視昔有加。雖所轄止嘉、湖二郡，而事權愈重，職任愈難稱矣。遡初迄今，無慮數載，蒞斯職者殆無虛宇，而題名之石缺然。乃令乘休者淹沒弗彰，繼躅者從違靡據，余甚慨焉！爰稽官署沿革之由，幷涉宦之名氏，與其履歷歲月，悉勒石以誌，因敢諗諸同志者，曰：「熙朝按察監司之設，即先代觀察肅政廉訪遺制，與內臺實提衡，而理厥惟重矣！且曰巡則有省方安民之義，曰兵則有建威消萌之義；顧名繹旨，不可不慎，雖今天子威靈遐邕，可保恭寧脫也。旦暮有急，何以譚笑樽俎，保障奧區，撫時慮患乎？」故勒石于第，用志不朽，將令覽者屈指而數曰：若以功名終，若以道德重，若者聲泯無聞，若者貽垢未滌。則是石也，固研強之鑑，而趨避之模也。苟歷千百年而有勝色，則與羊叔子峴山之碑、韓昌黎瀛州之石比重，不則上負吾君，下負所學，令賢豪有道之士羞爲之伍，寧不愧于九地哉？余不敏，敬志歲月，以俟後之君子。

郡守侯公生祠碑記

范　言

吾郡雅崇直道，蓋有三代遺風焉。太守蒞郡，初迎謁慶問，罔敢弗虔，去而感之，則建祠立碑，肖像秩祀以圖不朽。其或恣睢觖骳，則碩鼠大東，得以鼓舌，而巷議之上抗權力，下愧私昵，美刺抑揚，曾無忌諱，其亦直而過於激者哉！守之賢者，在憲皇帝時，則有若陽城楊公繼宗，蒞任九載，官舍蕭然，一意以約己裕民爲務，倂夏稅於秋徵，給月糧於負匠。剛明清介，上徹宸聰，精誠格天，嘉禾呈瑞，紾都御史，郡人懷思，里聚而野祭焉。諸生懼其瀆也，始請祠諸郡城，載在祀典。毅皇帝時，則有若貴溪徐公盈，勵士勸農，明法飭禁。聖駕南巡，宗藩倡亂，列郡騷動，嘉獨晏如，公之貺也。亡何，被讒去，郡人伏闕訟寃者再，獲復任加級。今上皇帝時，則有若進賢何公祉，以前給事中罷去，治郡不久，而清潔方嚴，視二公無愧焉。今並祠西郭龍淵之上。萬安劉公慤，清謹剛介，海寇薄城下，晝夜巡陴間，衣不解帶者累月，供餉不出，未嘗科及小民。士民德之，祠祀城中，顧褊隘未稱耳。繼是則有若掖川侯公東萊，敏達爽闓，祛吏弊，恤民隱，恩覃七邑，麥獻兩岐。其治行之著，吾不知其與四公者相上下，而築城斯舉，永世攸賴。高墉懸壁，嚴折重關，且工集私傭，費儉公帑，民不勞而事集，功亦偉哉！昔周城洛邑聿修元祀，而捍患定國，法施于民，亦祭法之所必擧也。歲甲子，父老因擇地于徐、何二祠間，而倪有孚、有觀割田十畝以供歲祀。先是，徐、何二祠成，守僧戒性受田六十四畝奉香火，茲三祠者永永鼎峙矣。

清許光瑤等修，清光緒丁丑（三年）刊本　〔卷四〕

城池

嘉興府 嘉興、秀水二縣附郭

府城

○元末兵起，守臣議防禦。至正十六年，路推方道叡案各志俱作方叡，今考碑碣名道叡復營羅城。甲辰，案二十四年同知繆思恭重築，未就。柳志：案宋濂集有刪烏城志一篇紀其事云：「吳僧本誠著烏城志，予刪以附集篇曰：元至正七年冬，嘉禾地西有烏數千，營巢於地。圍八尺，崇五尺，晝夜弗休，若有廹之者。未幾，大盜弄兵，紅巾繼起，江淮皆驛騷。朝廷遂詔州郡築城，築城自嘉禾始。」明興，太守呂文燧、謝節始竟其役，較舊縮三里，案：今西南隅一角。高倍于舊二尺，面闊一丈，敵樓二十五，女墻三千四百一十五。增置月城四，釣橋四，城樓四，城門四。水門同。其城下隙地聽民置房屋，歲課入灰爲繕城之費。趙圖記：嘉興何志：四門上各有禽獸、人物刻石，藏於墻內。爲厭術相傳，西門有鳳凰石像，故俗名鳳城。或曰：「西門獨昂向南如鳳脛云。」明徐發嘉禾鳳城詩：嘉禾秀水擁名城，丹鳳回翔此哺鳴。較勝蟠門空一戰，放閒范蠡傲韓彭。原注闔閭城有蟠門。嘗刻木作蟠龍」以鎮越，今名盤門。嘉靖三十三年，倭寇猝至，知府劉慤繕修城隍。案：嘉興湯志：知府劉慤，允里人。賫卿請修城防倭，即申乞工費。今嘉、秀二縣各築其半，每縣分二十四作，各委義民監督，不期年而成。嘉興何志：寇至。愍命：「賊在東門則開西門受民，賊在南門則開北門受民。」全活甚衆。三十九年，知府侯東萊，奉檄增築。案：嘉興何志：巡撫周際嚴，檄知府侯東萊興築增高，城一丈二尺，幫岸三尺，計周城一千九百餘丈。括公帑銀一萬八千六百餘兩有奇。知縣嘉興何源、秀水張翰翔董其役。改春波門曰澄霽，通越門曰阜成，澄海門曰迎薰，望吳門曰拱辰。重建敵樓二十七座。明吳鵬修城記略：江東之郡以十數，嘉興稱腴壤，人垂老不識兵革，視城且贅也。國家承平日久，人情狃於晏安，玩細娛而忽遠慮，城郭溝池之固廢而莫之講。自島夷內寇，民惶駭，棄戈蒲伏，疲茶相枕，孥戮即數十百人，不足以當倭夷一二。灰燼室廬，魚肉民命。又虜子女，括玉帛，持粱飲醋，相謂入寇晚。江南北並受其毒，大都無城者屠城，歛而不爲備者陷。當是時寇數蹂躪，薄嘉興城下，城之弗陷，蓋天幸焉！嘉靖己未，侍郎周公際嚴，奉天子命來按全浙。行部周覽曰：「城弗修，猶亡城也。」檄知府侯君東萊，使修築之。乃下令曰：「往者郡擊三罪人，予察之有寃狀，其贖三罪人以裏城事。」守乃按行隱度，委帑緡于三人，使具諸費而躬爲之。量工程日，以考其成焉。計所修城周一千九百餘丈，高視舊加一丈二尺，厚以高計三之一。又改爲城樓者四，凡守之具故所有者，今無不飭其所無者必備之。始事於某月某日，越五旬而迄工。飛閣崇墉，薄上阻下，憑高氣倍，跳粱環望者卻步而回首。于是鄉大夫范君言輩咸樂其成，爲狀馳使京師，請予記之。予嘉產也，睹期役之成，不獨爲邦人慶，實惟東南無疆之休。遂書以貽之，使邑人范言有修南城樓記。萬曆初城漸圮。案：秀水任志：萬曆七年，城間有拆泐。知縣朱來遠修城一十八丈三尺。十六年，知縣郭如川，勘治近城隙地，令民築舍以防禦。二十年，知縣李培，又以城多拆泐，大加葺治，計三十四丈二尺。嗣令排年開報，相繼修葺城堵，分轄兩縣。遇有傾圮，即爲補葺，額定歲修城銀兩。

關隘 附敵樓

敵樓

○本縣自危堞深隍，而外無壯險可恃，止于東北二郊有東柵、北柵之名，用拒暴客，不足言保障也。嘉靖三十三年，倭寇蹂躪，城外數萬家僅存餘燼。三十四年，巡撫胡宗憲，僉事王詢，侍郎趙文華，議建敵樓六座。有記。嘉興湯志。案：今俱廢。

嘉善縣

縣城

○明宣德四年分縣，無城。案：嘉善章志：城外東有賓暘門，在演武場，右西有平成門，在跨塘橋北，俱正德五年知縣胡潔建。舊無城，故建此以備啓閉，今則儼然有重關之意云。

○嘉靖三十二年，倭警。巡撫王忬，以知府劉慤議奏請築城，命通判鄧遷董其事。三十三年十月興工，三十四年三月竣事。東西皆係民居，城基輾轉不定。劉公親至周行相視，始定今址。水門五，案其南一門，後塞。陸門四：東曰大勝，西曰太平，南曰慶豐，北曰熙寧，各因其坊舊名也。城樓如之。月城一百四十四丈，望樓四座。水門旁臺五座，墩臺一十二座，窩鋪三十六間。周圍六里，計一千四百八十八丈。原注：當時兵役並興，財費甚窘，鄧公以大丈量之，僅僅足用。實計一千七百八十五丈六尺，約八里。高二丈三尺，厚二丈二尺。

築城成功碑記　明邑人姚宏謨

嘉善故無城，聯衆爲邑，室廬鱗次，市廛輻輳，寇盜鮮警，晏如也。歲癸丑，寇起海陬，挾倭稱亂，睥睨東南，勢甚張然。他邑猶有城郭相拒，至嘉善則藩籬莫隔，賊遂不可制。於是郡守劉公，惻然憫曰：「民困極矣！及今不城，是以民予敵也！」矧茲地蕞爾，實爲三吳門戶，通海臨泖，逼賊巢最近，城不可緩。」遂移文巡撫省集諸公，亦下茲議。衆謀僉同，謹請諸朝制曰：「可行委通府鄧公董其事爾。」乃簡人戶，飭工役，計丈尺，齊物料，稽出入，警勤惰，亡大小，公私咸協諸一。卜於甲寅年十月初四日興工，閱五月爲次年之三月四日告成。先是，嘉善久襲承平，兵燹罕及，咸樂田畝，重興作。盜初入，遂巡鄉落，偷旦夕安。聞大役，不樂者什九，紛然阻撓。劉公屹不爲動，議益堅。及黠寇再入，焚縣治，燬公所，民舍蕩然爲燼。衆遂惶駭，徙避，即居者無旦夕寧，始斷斷有還定安集之想。而惡勞靳費者，猶橫議囂然。鄧公曰：「嘻！吾今亦惡乎辨，夫計小者亂大謀，多者寡成。任勞任怨，乃始有功。且始寇之至也，邑之民孰不曰：設有城，吾民奚至是？及茲築城，而當事者又鰓鰓然懼不克任，是抱薪而救火也。」乃始毅然計決，黎庶亦用，是踴躍樂觀厥成。上官移檄褒勵衆職，賞勞諸役。有差。可以觀善政。城垣周一千五百二丈有奇，高三丈，廣二丈，濠六丈。月城一百一十四丈，周圍方九里而遙，敵樓十二，城樓四座，階梯倍之。窩鋪三十六，水門五。旱門四：東曰大勝，西曰太平，南曰慶豐，北曰熙寗，外門曁樓如之。樓櫓修，修長堞，逌逌翼翼濯濯，下埊上削，晝偵宵邏，鈴鐸聲聞，境以內寗謐。是役也，用徒萬人，僉取人戶七百四十餘名，分督工役。縣丞董邦寗，主簿魏世鏊，公估田三百五十三畝，包補名糧一百二十七石七斗，各項費銀三萬五千八百五十六兩九錢二分四厘六毫。中二萬出公帑，餘取之丁田，其幫貼之費不與焉。於是縣之士大夫詣余徵文勒諸石，以紀碩績。余惟域民威暴卻敵，振武莫大乎城，故春秋之義，築城必書，雖美刺殊，旨其重厥事一也。劉公仁愛洽民，力主斯議。鄧公涖事，勤恪克底成績，咸可書以垂後。而諸士子克自趨公，乃錄其實而爲之記。

○萬曆二十年春，海警。知縣章士雅，增土修築城垣、雉垛。

城守議　　知縣　章士雅

有兵有食而城池不固，不可守也。本縣衛所不設無兵已，倉廩久虛無食已，兼孤城草創，而四圍臨大河，高不越二丈，以樓船臨之，船尾高於雉堞，此不亦至危險哉？本縣於二十年間，已於內城加土三尺，增雉垛之傾頹者，稍稱完固。第城周數里，僅止敵臺十二所，防守甚難。爲今之計，合應添設敵臺數處，萬一有警，可以從旁攻擊。城外東西附郭要地，亦宜設建墩臺三四座，一以便屯聚，一以便探望。語曰：「圖大事，不惜小費。」此其費雖不小，但事關一邑生靈，即破格設處錢緡，修繕城池，更議兵議食，以期可守，亦目前要務，非迂圖也。嘉靖中，海酋竊發，以柘林爲巢穴，離本縣七十餘里，橫行境內，民受荼毒，此檇李之隱憂，宜於演武場左臨華亭塘對築兩臺，或即於羅星陰處築之。縱有倭船深入，兩岸矢石交下，賊必不能飛渡矣！大都附城劇地，俱宜築臺，而此爲尤要云爾。

○崇禎八年，知縣李陳玉更修。

平湖縣

縣城

○明宣德四年立縣，無城。嘉靖三十二年，島倭爲亂。巡撫王忬，巡按趙炳然，採諸生張洽等議，檄知府劉慤，署知縣殷廷蘭，量材鳩工興築，至冬城成。三十五年，知縣陳一謙，復建東、西二甕城。四十一年，知縣顧廷對，增加城堞，高五尺。置窩鋪一百一十二座。城凡九里，高二丈五尺，闊二丈，周一千六百九丈有奇。陸門五：東曰啓元，西曰毓秀，南曰豫泰，北曰豐亨，西南曰小南門。水門五，西、南、北各一，東處當湖亘浸爲二，東之北爲水洞口。袁志參平湖程志

築城記略

明鄞縣張時徹

平湖故爲當湖鎮海鹽所治地也。宣德四年始析壤，而邑之承平既久，海防積弛。嘉靖壬子，倭寇蟻聚，大掠於黃巖，毒流海壖。癸丑夏四月，遂掠平湖南境。五月，又掠於東湖，去縣治半里。郡守劉慤，調兵轉餉，極力捍禦。推官殷廷蘭，適署邑事。挽舟飛控，鼓勇當先，寇乃稍稍引卻，四封騷然。生聚失業，遺黎凜凜，乃始僉議事城，而文學諸生張洽、陳實、陳萬鍾、馮敏功、陸萬里，陸萬竣輩實倡之。殷君以其事聞諸郡。劉涕泣而言曰：「疆境之民，吾赤子也。父母之謂何而忍使橫噬於豺狼乎？」乃請於撫按、藩臬諸司，次第報可。請命乎朝守，乃與殷君揆度土方，酌規景向。不踰旬而經畫條貫，咸井井矣。水門五，旱門五，城樓、窩鋪、外濠、馬道、水閘。周圍一千六百九丈有奇，廣二丈，高如之。表裏以石，覆以磚瓦。用官銀三萬三千八百有奇。區畫既定，刻日告成。而知縣劉存義適來，肩所未備。凡樓櫓、門闕、濠、臺、鎖鑰之類，罔不畢具。工啓於九月十二日，

訖於十二月二十日，總九十九日。城既成，賊聚驍銳數千，奄薄城下。我乃閉門乘城，捍以矢石。環視仰梯，憤曰：「城如是，雖百萬，其能克乎？」遂踉蹌而走。平湖之民，蓋自是得喘息矣！春秋，城築必書，重用民也。然重門禦暴，設險守固，先聖蓋亟言之；其在今日，倭患孔棘，百姓皇皇，莫必須臾之命，是惡可已乎？余因守令之請而爲之記。

乍浦城

○在縣東南二十七里。明洪武十九年，信國公湯和置乍浦守禦千戶所。累土築城，城形正方。案：海鹽圖經：初，張士誠處江浙，築城崇德，甚雄壯。信國議欲隳之，移築乍浦城。

○永樂十二年，都指揮谷祥，始用石甃。正統八年，久雨傾頹。侍郎焦宏，參政俞士悅，奏令杭、嘉、湖三府葺治。景泰二年，都指揮使王謙，添設城樓四。後廢 嘉靖三十三年，知縣劉存義增築，併建敵樓十座。城周九里十三步，高二丈，廣一丈五尺。窩鋪二十七座。陸門四：東曰迎暉，西曰惹秀，南曰朝宗，北曰拱極。水門一。平湖程志參乍浦志 崇禎十一年，署知縣李懷玉，開設東南水門一。平湖朱志

乍浦新開水門記略　明　許丕祚

乍懸海上，爲浙西形勝。宋元時，並村落通互市，以是召隙。洪武十九年，信國公湯和，練兵海上，築七十餘城，乍其一。然猶擁土爲墻埤，而望之郭外，人見城中人面，麋鹿可越。至永樂時，始覆外石，視昔有加。正統間，建言有稱崇德城孔固，爲僞吳張士城所築，徙築於乍浦，而發杭、嘉、湖三府之廩餼之，凡數仞，環以流水，虓虎之士戍其中，遂成天塹，而猶憾昔人經畫之疎也。爲門

五，水僅水關居一，城中人如在甕中。遇警，決而灌之，則沈竈久，即魚鼈死壅。而塞之，則又竭。城中人又不舉火，又其甚者。乍之城凡四面，南郭而外，即古戰場；稍出，又大海。其西則民以鹽生，牢盆聲達數十里。稍有餘土，一望葦茅，不耕。北雖原田通湖，邑民有米，咸走湖間，來乍亦罕。惟東南數十百頃，獨近。乍田腴，歲獲畝一鍾。貿易相通，乍命咸係，而其坎不鑿，太平猶可，一旦有警，米在山中，門懸天北。至則盜糧，不至則民且枵腹，是莫大之憂也。是以嘉靖時，倭寇偵知內犯，擁據上流，城中之水，東南之粒，又遭堵截。城中兵軍撮塵而食，溲溺而飲，不戰自潰。剽殺係囚，引頸貫索，長老言之，猶爲流涕。至於軍士凋瘵，火變時起，與夫地脈底滯，雖有淵雲之才，莫不抱瑟王門，奏輪主第，猶其害之小者。萬曆時，豫章趙公，備兵建海，指示方略，欲東建水門，以裨守禦。而於觀山之頂建浮屠七級，其留意於地方良厚。後因必需公帑，邑侯某菴陳公無策，事遂寢。崇禎十一年二月，里人合詞上請，並得俞其說，而署縣宰吉陽謙菴李公適至，郡侯鴻逵鄭公業首屬之，兵憲香城葉公又視師臨鎭，遂以建築之事一委李公。李公仁心爲質，兼精形家，親臨卜視，酌於巽巳之方建水門一座。爾時操築未幾，入地丈許，得椿木一，小方石一，上署卜吉二字，二物並當卜向處，不失纍黍。因歎公目過於曾廖，即昔人籌畫若信國公，厥有深意，未可思議。李公復首助贖鍰爲地方助之，倡撰文鼓舞，繼以良喻。事方半，新任元蓴吳公至，一如李公，因繼二公之志，何其似我趙公也。始於崇禎十一年四月，成於明年十月。鑿新河七十餘丈，舊河狹淺者增鑿三百餘丈。時董其事者則有地方耆賢陳堯中、張文奕、劉士鼇、丁文鸞、劉應潮、吳彭、王建章，因思客冬讀書一葦禪舍，周子斌起過訪，談及東南水門事，遂附里人李孝廉屨園之末，合地方而請之。復請王君景儀，白君啓元監策，諸耆指畫，經營功成，咸二君之力。若丕祚與周子，幸免罪戾，何功之有焉？

梁莊城

○縣東南四十里。明正統五年，巡按李奎，以其地爲倭船最衝，奏建大寨築城。周八百丈，高一丈五尺。城樓二，角樓四，移海寧衞指揮一員鎮之。嘉靖三十三年，倭寇，失事，遂置不守。四十年，知縣顧廷對申議，移乍浦巡檢司居之，仍設官兵，以時防禦，後廢。海鹽仇志參平湖程志

石門縣

縣城

○元末張士誠處蘇州。戊戌年，於本縣築城。鑿池周五里三十步，置城門四，水門三，池濶七丈，深二丈二尺，里步比城有加。明洪武十九年，海寧衞依奉左軍都督府勘合，將城磚石拆運公用，舊址尚存。柳志參崇德靳志

案：靳志，崇德故無城，城築於元順帝十六年，禦僞吳張士誠之亂。洪武十九年，海鹽有倭警，徙城，城乍浦。又云：拆磚石築乍浦千戶所。考元末方內兵起，嘉興羅城猶議築未就，未必特築。崇德以禦僞吳，海鹽圖經謂張士誠處江浙，築城崇德，甚雄壯，則城爲張士誠築近是。

○天順間，王令輿仍立四門以障之。東青陽，南薰仁，西素商，北朔義，無城如故。嘉靖三十四年，

倭寇屢入。巡撫王忬，檄知縣蔡端本，度地鳩工；郡守劉慤，躬詣定址畚鍤，未竣。明年正月，倭寇徐海，擁衆萬餘，突入剽掠。蔡令坐譴去，閱五月城完。凡七里餘三十步，高二丈七尺，闊一丈五尺。水、旱門各五。又明年，倭復來窺，以城守有備，遁去。

築城記

明 呂希周

崇德，古爲要區，故無城。勝國之季，嘗一創築。及高皇帝混一華夏，薄海內外，罔不寧謐，無所事城。洪武十有九年，倭夷倡亂，遣信國公湯和，經理海上，遂撤崇城，城乍浦。然崇南百里爲浙江省，北百里爲嘉興府。崇介於其間，擬之前代，尤爲衝要。嘉靖壬子歲，倭夷入犯，深擾內地，蹂躪無忌。當道諸公，以崇翊省控府，非城不可。乃中丞王公下議城。維（惟）時守吾府者唐巖劉公，以海寇數犯嘉興，內安外攘，出奇制敵，府固以城爲賴。諸邑無城，其誰與守？歲在甲寅，議新築崇德、桐鄉、平湖、嘉善四城，一時並擧，尤介注於崇。崇城舊址，悉爲居民，洶洶稱不便。城址數易不能定。唐巖公親涖邑中，觀形勢，集士民諭之曰：「爾城舊址，水陸輻輳，生齒蕃庶，究爲安宅久矣！夫築城衞民，民居盡毀，城成，孰居之？自是恢廓城制，凡里中要會之處環城而囊括焉！北多幽曠，乃城於舊址，址遂定。又以天目之山，苕水發源，從西南數百里，流入崇德之陽。舊南門乃在東偏，公遷於中，迎山水以納王氣。爰命邑大夫蔡侯董其役。城未及完，正月初六日，倭寇偵知，突如其來，大罹慘酷。蔡侯以罪去。公臨城，爲之潸然。乃屬事於貳守瀛峯張公，浹月而樓櫓、雉堞完且備矣！丙辰歲，立齋崔侯，自長垣調崇，首務防禦。凡城工創始，樓雉未有齊壹，火器未有鑄造者，夙暮從事。夏四月，海寇擁衆，從金山越乍浦，經海鹽入園花，抵長安，欲循故道來寇崇，犯浙省，取道犯留都。時總督司馬胡公，設險制勝，隨地爲備。在嘉業已屬公，築敵臺六座，防寇北犯。賊不復窺伺。北路在崇，則已捐資築敵臺二座於南門三里橋，以防寇犯。南路賊望見不敢近，走趨硤石，以圍桐鄉，而崇城獨安堵如故。崇民溯城伊始，慶城保終，乃籲天而祝曰：「遐哉！劉公之澤也。今而後，福弗替矣！」於是崔侯造呂子曰：「崇城隆隆，維公之功。崇有安宅，維公之澤。」請樹豐碑於南門左方，紀元功也。惟是作記，以昭示無極，盍重圖之？於是呂子曰：「崇之鄉校，嘗有詠謠矣，崇無城，賊入境也如無人，崇有城而不守，民隨侯而出走。崇有城有守，人安乃久。觀於詠謠，而我公我侯，口碑具在矣！」矧余又嘗考有周中興之盛，城彼東方，命仲山甫，賦政於外，平淮南之夷。召虎疆理，旬宣徐方，繹騷南仲，專此南國，是天生聖王，不貴無警，所寶惟在賢哲先後禦侮。爾今我皇上聖神文武，允邁宣王，區區倭奴，不逌徐夷。乃我劉公修仲山甫召虎南仲之職，祇今海寇蕩平，殘孽俘馘殆盡，東南寗謐如故矣！聖朝億萬年，無彊大歷，服當永永泰平，而豐碑所樹，豈特如甘棠已哉！」

○三十九年，知縣劉宗武加築南北甕城。門各一座，箭臺三十，窩鋪二十有四。嗣是間有雨潦，旋潰旋修。萬曆戊申，知縣靳一派增修。袁志

○明靳一派論曰：「設險以守國也，風氣之聚，一邑之屯泰，饒乏繫之。嘗聞之邑父老，崇自劉郡守愨，經始築城。規地定址，業有成畫矣。邑東南居民有狡黠者，陰以私便。害成，遂朘削東南隅，

如割左股；南薰仁門又拆，而西若垂首然。劉公臨眺，咄咄有空匱之嗟，而謂塘以東受詘特甚。昔日素封之家，列塘東者今若掃矣！言固不誣，堪輿家稱邑城獨西門進水，餘四門皆洩瀉無瀦，宜遷薰仁門於丙方，遷南大水門於鯨音閣右。併塞西南與南、北二水門，更通進龍港巽水於學宮前，此一議也。又謂：宜築湖於包角堰左，彷彿鴛湖。復查劉公所定原址改築城墉，則形勝包裹無缺陷，亦一議也。夫非常之事難與慮始，惟邑父老愼謀焉。

桐鄉縣

縣城

○明宣德四年分縣，無城。五年，知府齊政相度土宜，始分崇德之東鄙爲縣治。天順初，知縣張泰，成化中孟俊，正德中任洛等始創城隍，工俱未竣。嘉靖三十二年，海警。巡撫王忬，檄知府劉慤，知縣金燕築成之。周圍五里，計一千二百丈，外高三丈一尺，內高一丈四尺，闊一丈八尺。上磚下石。陸門四：東曰青陽，西曰兌悅，南曰時薰，北曰來遠。水門四，各有吊橋跨池隍以通往來。惟西水門閉不通流。垜凡一千一十二，城樓四座，月城四，敵臺十三，敵樓八。

修城記　　明主簿　江以同

夫事有曠世相感者，恨時不同而惟歌其德之不可及也。以故戀德期於親炙，並時擬於相遭。予以天官選領簿浙江之桐鄉縣，時龍飛改元五月也。適右轄劉公唐巖翁函表入賀，同於屬下末吏。嘗謁公行臺，辱垂念，通家既惠以顏色，又迪以官箴，復語及作郡嘉興縣之有城，乃公所創也。子（于）

時唯唯，及抵縣，閱其崇墉峻阻，攖帶天壁，壯哉翁之功德，於此藐不可及矣！每出入於斯，輒俯躬欽其雄鎮也。及拜生祠，復知前大令金芝川翁極有功於桐鄉，民去思不已，致爲像祀之，且功莫大於建城。事繁而不可省民費而不得已，向非二公同心，其能措斯民於久安，遭倭寇而徑免於湯火哉？斯時之感，必不徒然。翁昔被謫，起令貴溪，政肅風清，曾不數月，飄然徑去。而說尹在口，民不忍忘。今困而復起，列於內卿，風被龍光，叨庇金城側竚，二公尋登廊廟，勒勳鼎彝，實所優爲，其覿德醉心，遭時之盛，幸孰大焉！緣裁詩紀德業之不替，同斯城之不磨也。其後之取法，俟諸世世，豈啻興感已哉？穹碑列績，嶄然在隅，本不假蕪蔓贅疣，第景仰之私，謹錄鄙詞，鐫諸貞珉，嵌置城隅，竊附同慶。詞曰：「四海提封內，天朝長撫之。萬國錯碁置，小大羅網維。設險其爲虞，金湯飭郊圻。帝念民星散，居之屬有司。事變乃無常，周防先所宜。惟時同氛祲，着處競張旗。斯民致流冗，倉猝靡所支。不有城爲保，士庶紛流離。據城能制勝，堅壁實爲隄。民駭免蕩析，寇來藉安棲。同心摧鋒鏑，衝突勢自披。保障遍方隅，紀綱自我持。封域界相侵，斯實民之依。或陶甓爲堅，或壘石壯基。風塵時竊發，安堵如山溪。茲城建有因，早晚若得時。頃遭倭虜變，嗟咄壘爲敧。無警向因循，亟建功最奇。動魄駭倭毒，黎庶走且啼。府主端籌畫，縣宰無停羈。版築躬率作，突地擁丹梯。岌嶪羅壯觀，百雉雄睥睨。旗亭重門禁，鋒櫓肅威儀。劇賊空悵望，肆暴安能施？是役最宜民，奕世以安貽。有初遭艱難，克終愼勿迷。避侵德爲最，保固愼先幾。東馬懸東守，安常輯鼓鼙。不備莒先貶，繕緩仍垂譏。先訓旨燦然，識早戒辨遲。勳業起今古，金石豈磷淄？儉德時修舉，鞏固萬年斯。」

武備 歷代兵事附

海防

明

○正軍有二：曰嘉興守禦千戶所，曰海寧衞嘉興所。設於郡城內，隸蘇州衞。正千戶四員，副千戶一員，所鎮撫一員，百戶一員。每百戶所總旗二名，小鎮十名，軍人一百名，通共旗軍一千一百二十名。海寧衞設於海鹽，隸浙江都指揮使司，統左、右、中、前、後五千戶所，遙統澉浦、乍浦二千戶，以海鹽爲防海要地故也。正統間，設把總一員，以統衞所，銜曰：「備倭。」嘉靖三十六年，又加欽依，以都指揮體統行事。

○宣德初，設八巡檢司，每司官一員，在秀水曰王江涇、衫青閘，在崇德曰皂林，在嘉善曰魏塘，以內地各弓兵三十名在海鹽，曰海口鎮，曰澉浦。在平湖曰白沙灣，曰乍浦，以沿海各弓兵七十名。

○正德六年，江西寇作，奉詔僉練民壯守禦。每縣千餘人。十三年，減爲六百餘人。十六年，定爲每里一人。嘉興縣三百一十六名，秀水縣二百三十五名，嘉善縣三百名，海鹽縣一百六十一名，平湖縣一百六十名，崇德縣三百二十名，桐鄉縣二百七十名，隨正軍操演，保障城邑。

○嘉靖中，倭寇猝發，設參將一員，駐劄乍浦，兵備一員，駐劄郡城。召募土著民兵五千名，分列水陸五營巡警。以舊演武場地隘不便操練，改建城北郊外百步橋南，廣袤三倍於昔。又謂禦賊於城下，莫若遏之於遠郊。俟其登陸而格鬭，莫若拒之於水。次復築秦臺於石塘灣，魏漢二臺於會龍橋，左右唐晉宋三臺於百步橋，仍於嘉、秀二縣每里僉取鄉兵一名，共五百八十一名，撥守六臺。海石城外亦各置敵臺二座，俱據險扼要。至隆慶元年，地方寧謐，欽依裁革軍務事宜。俱分巡僉事兼理，仍駐郡城。三年，因錢糧匱乏，革民兵三營在於海寧衞，并澉、乍七所軍兵挑選足數。左營防守海鹽，右營防守澉浦，前營防守乍浦，後營防守嘉興。遇汛月。協守海濱；汛畢，退守嘉興。各總以海寧衞指揮統領，哨官以各所百戶統領，哨軍工食於軍儲倉本所按月關支。

○水兵之制，洪武中，六縣無設，惟海鹽備倭，置船瞭望巡守。永樂七年，立水寨於沈家門，盡攝軍船赴之。倭寇縱掠，以遠不及救援，浙江布政周幹以聞，請復洪武故事。從之。正統十四年，革出海五百料金字號戰船七十二隻，改立寨堡千戶所，設備倭船十隻，每一百戶船一隻，每一衞五所，共船五十隻。每船旗軍一百名，春夏出哨，秋冬回守。月支行糧四斗。嘉靖中裁減。末年倭入，無船爲禦。募蒼山、福清等船哨守。三十六年，設海鹽、澉、乍三關水寨兵船七十八隻，立把總三員，哨官十員，正、副捕舵繚椗梢手散兵共二千餘名。工食在於各縣田地山蕩，起科，解府發縣分給。隆慶三年，裁海、澉二關，留乍浦一關，兵船五十餘隻，各兵餉隸平湖縣散給。郡城五營民兵，守臺鄉兵，以漸裁革，止存召募兵三營，抽選海寧衞所軍兵二營，每營設隊什長，俱屬兵備及參將統調。內中營官兵專守府城，春汛調發防海，後復議兵巡道標下額設中軍督陣把總官一員，領健步二十名，吹鼓手二十名。隆慶六年，內河鹽賊竊發，又議造叭喇唬船一十四隻，共募捕兵二百二十四名，共募捕兵二百二十四名，巡緝裏河鹽盜。以上劉志

○洪武三年，李文忠奏置浙江七衞。一曰海寧衞，續文獻通考

○浙江通志：沿海特設海甯衞，領乍浦、澉浦二所，隸海甯備倭把總統轄。洪武十七年建。在海鹽縣治，西去海半里，乃嘉、湖二郡之屏蔽。南澉北乍，各相去四十里。

○指揮以下等官六十員，旗軍一千四十九名。轄寨二：曰北鋪，曰藍田。藍田浦在海鹽縣南三里 臺六：曰南臺，去衞六里 曰麥莊涇，曰朱公亭，曰北臺，曰九里亭，曰三間亭。烽堠一：曰藍田。巡檢司一，曰海口鎭巡司。弓兵七十名。浙江通志。

原注：在海鹽縣東北一十八里。唐時於縣東一里置甯海鎭，元置海沙巡司，明初因之。在縣東門外。洪武十九年徙此地，名沙腰村。海鹽縣圖經：衞置指揮使一人，同知二人，僉事四人，鎭撫二人。左、右、中、前、後所各正千戶一人，副千戶一人，鎭撫一人，管軍百戶二十人。又轄總旗二人，小旗十人，軍百人。衞隸浙江都指揮使司，以內隸於左軍都督府。凡官一百二十七人，旗軍一萬三百二人。

○海甯衞屯所九處，以八百戶零一小旗領之。共官九員，旗軍九百六名。派種到海鹽縣三等都田地一百七頃二十五畝五分，歲收子粒不等。澉浦屯所一處，在城外西北五里，係十二等都以一百戶領之。計旗軍一百一十二名。派種到海鹽縣田地一十三頃二十六畝，歲收子粒不等。乍浦屯所二處，並在城北一十六里，今係平湖縣齊景鄉二十二都，以二百戶領之。計旗軍二百二十四名。派種到本縣田地二十六頃五十二畝，歲

收子粒不等。嘉興所屯所一十處，劉志

案：嘉興縣長水鄉二十一都，田一十頃八十八畝。百戶康泰管領屯軍八十名。白苧一十五都，田一十一頃六畝。百戶羅雄管領屯軍九十名。長水鄉二十一都，田一十一頃八畝。百戶曾貴管領屯軍九十名。秀水縣零宿鄉二十三都，田一十頃八十六畝。百戶王暹管領屯軍九十名。復禮二十九都，田一十一頃六畝。百戶鄧春管領屯軍九十名。象賢鄉二十二都，田一十一頃一十畝。百戶鄧禮管領屯軍九十名。復禮鄉二十九都，田一十一頃八畝。百戶劉顯管領屯軍九十名，嘉善縣遷善鄉三十四都，田一十一頃。百戶高安管領屯軍九十名。遷善鄉三十四都，田一十一頃。百戶范信管領屯軍九十名。麟瑞鄉三十五都，田一頃九十三畝。百戶劉保管領屯軍九十名。

○海寧衞，烽堠六：曰麥莊涇，曰中寨，曰九里亭，曰教場，曰夾塘，曰藍塘。山寨一十三：曰東轉塘，曰朱公亭，曰第二寨，曰頭寨，曰南寨，曰北寨，曰三間寨，曰閘口〔寨〕，曰龍王塘，曰落塘大寨，曰南小寨，曰藍田大寨，曰藍田小寨。瞭望臺二：曰南臺，曰北臺。澉浦，烽堠五：曰秦駐山，曰青山，曰牆山，曰西山，曰廟山。寨一十四：曰南石山，曰秦駐山，曰東鹽圃，曰西鹽圃，曰青山，曰牆山，曰鹽場東中，曰牆山平洋，曰牆山東嘴，曰牆山西嘴，曰南門水閘，曰混水閘，曰葫蘆灣，曰南湖塘。乍浦，烽堠三：曰觀山，曰陳山，曰高公山。寨一十三：曰東山嘴，曰高家灣，曰西海口，曰聖妃宮，曰東山，曰金家灣，曰蒲山大寨，曰蒲山外寨，曰蒲山西寨，曰鹽山，曰獨樹東寨，曰獨樹西寨，曰周涇。劉志

○乍浦鎮，在平湖縣東南三十里，舊在縣西南二十七里。吳越設鎮遏使。南宋置水軍，設統制領之。元置市舶司。明洪武十四年，自故邑城徙巡司於此，改乍浦所。十九年，移於東南，改建千戶。二

十六年，增置水寨，爲海道三關之一。隆慶三年革。海口、澉浦二關，止留乍浦一關，轄白塔港、西海口、許山、羊山、四哨 大清一統志 本所千戶等官二十四員，旗軍八百六十名。轄寨七：曰獨樹林，曰梁莊大寨，曰梁莊舊寨，曰長沙灣，曰蒲山外寨，蒲山，在平湖縣東南三十里濱海 曰金家灣，曰唐家灣。臺七：曰獨樹林，曰益山，曰西山嘴，曰蒲西山，曰聖妃宮，曰惹山，惹山，即雅山。平湖縣東南十七里 曰東山嘴。烽堠三：曰陳山，平湖縣東三十里 曰高公山，在陳山南一里 曰觀山。平湖縣東南二十八里 巡檢司二：曰乍浦巡司，弓兵七十名。在平湖縣東南三十六里 曰白沙灣巡司，弓兵七十名。浙江通志

○澉浦鎮，在海鹽縣東南一十八里。宋置鎮，在縣南三十六里。明初置巡司，後改建澉浦守禦千戶。大清一統志 本所千戶等官二十二員，旗軍五百二十名。轄寨四：曰西山嘴，曰南海口，在海鹽縣南，離海半里，與東海口俱爲衝要 曰混水閘，曰葫蘆灣。葫蘆山浸海中 臺一：曰東園。烽堠五：曰青山，在澉浦鎮東三里 曰西山，曰秦駐，曰牆山，長牆山，在鎮東三里，橫截海濤，若堵牆然 曰廟山。鎮北三里 巡檢司一：曰澉浦巡司，弓兵七十名。浙江通志

原注：在海鹽縣東南十八里秦駐山北，初在澉鎮，洪武中徙此。海鹽圖經：澉浦守禦千戶所在澉浦鎮縣德政縣鄉之海岸，正千戶一人，副二人，鎮撫一人，管軍百戶二十人。又轄旗軍如衛制。

○嘉靖三十六年，設海鹽、澉浦、乍浦三關水寨，兵船七十八隻，立把總三員，哨官十員，正、副捕舵、繚椗、梢手、散夫共二千餘名。船有福蒼、小哨、叭喇烏、八槳等項名邑。福船捕兵五十名，

蒼船捕兵三十名，小哨捕兵二十名，叭喇烏八槳船捕兵各一十名。在乍浦者船泊西海口，在海鹽者泊白塔港，在澉浦者泊黃道廟。遇汛月，輪番出哨羊、許山等處，浙東兵船會哨。如遇有警，合綜截殺，汛軍各守本關。海鹽仇志

○海寧把總，統水兵三枝，駐劄海寧衞，隸分守杭嘉湖參將。羊山游哨，本總督同總哨官一員，部領大小戰船二十隻，兵四百一十四名。汛期泊南羊山聖姑礁，東哨至徐公、上下川、馬蹟等洋，馬蹟、徐公、上川、下川四山，並在羊山東。與定海總兵官會哨。南至大羊、山沙、塘嶼、衢山、鼠狼湖等洋，與定海總北哨官兵會哨。西哨至灘許，與游哨官兵會哨。北哨至小羊山、大小七山、蘇州洋、茅草洋，與吳淞官兵會哨。許山哨總哨官一員，部領大小戰船二十隻，兵三百七十五名。汛期泊許山，東哨至大小七山、蘇州茅草等洋，大七山、小七山，並在羊山東北。與直隸官兵會哨。南哨至大羊山、沙塘嶼、東嶽嘴，與定海總北左哨官兵會哨。西哨至北漁山，與臨觀總後哨官兵會哨。北哨至白塔港，白塔山，在海鹽縣東南二十里海中，有港通魯浦，名曰白塔潭，海舟多泊焉。與本關官兵會哨。乍浦守關總哨官一員，部領大小戰船一十八隻，兵四百八十八名，泊守乍浦西海口外，東哨至金山，西哨至海鹽、澉浦、海寧等處海洋。浙江通志

○杭嘉湖參將，嘉靖三十八年增設。統陸兵四總，前營、後營、左營、右營。水兵一枝，游哨駐劄海鹽縣海寧，一總屬其調度。前營，名邑把總一員，部領哨官四員，兵四百三十七名，屯劄乍浦所城。汛期劄守乍浦、梁莊，東哨至大營盤地方，與南直隸金山參將標兵會哨。西哨至乍浦牛橋地方，與後

營官兵會哨。後營官兵同前營屯箚海鹽，汛期箚守乍浦海口，東哨至牛橋地方，與前營官兵會哨。西哨至海鹽白馬廟地方，在海鹽縣北一十八里沙腰村與左營官兵會哨。左營官兵同前營屯箚海鹽縣城，汛期箚守東門一帶，東哨至白馬廟地方，與後營官兵會哨。西哨至秦駐山地方，與右營官兵會哨。右營官兵同前營屯箚澉浦所城，汛期箚守南海口，東哨至秦駐山地方，與左營官兵會哨。西哨至海寧黃灣，與海寧所官兵會哨。游哨中軍名色把總一員，部領大小戰船一十九隻，兵二百五十九名。汛期隨參將駐白塔山海港巡哨灘許、羊山等洋策應，督察各游哨兵船。浙江通志海鹽陸兵五營，分爲左、右、中、前、後五。左守海鹽，前守澉浦，中、後守乍浦。每營把總一員，隊長一十五名，什長四十五名，正兵四百五十名，火兵四十五名，雜流五十五名。柳志

檇李記　明　王樵

○浙江久不設巡撫，自有倭寇始復設，而溫、台、寧、紹、杭、嘉邊海之郡，各設兵備。杭嘉湖兵備駐檇李，參將駐海鹽，備倭把總駐乍浦。至汛期，把總出哨羊山海洋，則兵備參將並駐乍浦。陸兵一營，兵備標下中軍官領之。水兵船百五十艘，分爲三枝，各設水兵把總一員統之。一泊澉浦黃道廟，謂之上關；一泊海鹽白塔港，謂之中關；一泊乍浦西海口，謂之下關。大小汛期，輪撥兵船，遠出羊山、許山，與浙東臨定，直隸吳淞兵船會哨。澉浦在海鹽之西，宋、元時通番舶之處。城周九里有餘，軍民雜居，不及三之一，人少不足以實城。春汛時，巡撫發標兵一枝以協守，且備東西應援。秦駐山距澉浦、海鹽各十八里，與浙東臨觀相對。白塔山、大步山左右環拱，嶼內宛轉可避

風濤。海鹽居中，兩浦爲左右翼，乃檇李之屏蔽也。自倭亂平，三關改爲四哨。白塔港爲一哨，兵船九艘，哨官一人領之。乍浦爲一哨，兵船八艘，參將中軍把總領之。許山爲第二層門戶，立爲一哨，用蒼船二艘，沙船、小哨船、叭喇唬船共十六艘，水兵把總一員領之。以羊山爲第一層門戶，立爲一哨，用船如許山之數，以備倭把總親督領之。欲錢唐無虞，當守附海之三關，欲三關有備，先防大海之羊、許。但羊山去許山一潮，許山去乍浦一潮，緩急難相應援。且蒼船二艘兵夫僅六十二人，沙船四艘兵夫僅百人，小哨等船兵夫共百九十人，以孤艅守此，恐瞭望不及，備禦不敷。倘海賊有不由羊山徑入內洋者，則首尾不相顧矣！隆慶元年，有胡參將者，汛夜巡城。忽見外洋大船無數，此時守羊、許者固不知也。倭船入寇，必至下八山分艅。若東北風猛，則向馬蹟西南行，過韭山以犯閩、廣。若東南風猛，則向殿前羊山過淡水門，以犯蘇松。若正東風猛，則向大衢西行，過烏沙門以犯浙江，而羊山正浙直交界之處，兩處兵船會哨於此，倭奴因糧於我，每人止帶淡水數觔，乾糧數升，若絕其汲道，堅壁清野無所掠，其計自窮矣！海東之國，日本爲大，五畿七道，固彼侈言。然漢史已云百餘國矣，豈古分而後併歟？然雖聞有王，亦不能統一其衆，貢者其名，市者其實。寇則無常，視吾有間無間耳。亦多吾人誘之，無接濟不來也。嘉興水兵叭喇唬船一十四艘，民壯兵二百餘名，於嘉興裏河巡緝鹽盜，汛期調發西海口白塔港以備遏擊之用，汛畢掣回，仍舊巡緝鹽盜。杭、嘉、湖三郡，河港四通，鹽盜不時出沒，前船徒有巡緝之名，多分散各處，虛應故事，一遇賊勢重大，便稱衆寡難敵。予至則不許分散，督令各艅定與信地，某日起某日止，兵分一正一奇出哨，還日面詢有無盜賊，曾否擒獲，皆不能隱。自此屢有擒獲，乃知盜賊是惟不緝，緝則無日不有；緝惟不嚴，嚴則何盜不靖？閭閻被刦，止因保伍不嚴。保伍若嚴，盜無著蹟之處。彼欲刦一家謀非，一旦探聽、蹟踏、潛伏、脫退皆有處所，此有可入，故彼能來。既不能察之於先，及盜已入門而四鄰不知，知亦不救，使盜得以肆刦而去，進退無虞。若使一家有事，比家皆聲鑼，衆巷皆應之，比門壯丁執械而俟，盜敢近乎？予在檇李申嚴此令，境內頗靖。沿海衞所專爲備倭，例不運糧。自指揮莊端謀領杭州衞運船四十八艘，彼時猶承平無事。嘉靖三十二年，倭船四十二艘，突犯海鹽龍王塘，攻城幾破。巡撫乃查復舊制。至隆慶二年，腹裏湖州所復撥與本衞一十二艘，近日指揮姚磐以爲言。巡按蕭公，一時未察，未及正也。各處水陸要害之處，設敵臺，所費不貲，誠以事關防守，而事寧之後上下全不經心，多就廢壞，予嘗理會及之，尋以遷官不及竟也。以上伊志。

兵事

○明正統八年，倭夷始寇台州、海寧、乍浦諸處。倭夷即日本，歷朝入貢。至嘉靖二十七年，御史周亮上疏，請改浙江巡撫爲巡視，不置巡撫者四年。海禁弛，倭遂肆。大奸若汪直、徐海、陳東、麻葉輩，悉逸入海島爲倭謀主，誘之入寇，倭患日劇。於是廷議復設巡撫，而勢已不可撲滅。三十二年三月，汪直勾諸倭，大舉入寇。海濱數千里，同時告警。破昌國衞。四月，破太倉、上海，攻海鹽。至海寧衞，把總馬呈圖，指揮采煉，百戶王相、姜楫、呂鳳、姚岑，千戶王繼隆，百戶楊臣、康綬，皆歿於陣。五月，破乍浦所，百戶陳綬，指揮陳善道，冠帶哨旗張儒死之。三十三年三月，賊首蕭顯，流突海鹽，官兵敗於二十里亭。九月，攻嘉興，官兵追之，與戰於孟家堰，指揮李元律，千戶薛綱、宋應瀾死焉。既而賊走嘉善，奔百家山，走沈家河。參將張欽，百戶趙軒、梁瑜，都指揮周應楨①等戰死。十月，攻乍浦所。十一月，賊入嘉善，遂至湖州。十二月，賊復入嘉善，百戶賴榮華中駁死。賊還屯柘林，縱橫來往，若入無人之境。帝命兵部尚書張經總督軍務，乃大徵兵，四方協力進勦。是時，倭以川沙窪、柘林爲巢，抄掠四出。三十四年正月，賊奪舟犯乍浦、海寧，陷崇德，轉掠塘棲、新市等處。五月朔，突犯嘉興。經遣參將盧鏜，督保靖兵援；以俞大猷督永順兵，由泖湖趨平望；以湯克寬引舟師，由中路擊之，合戰於王江涇；斬賊首一千九百餘級，焚溺死者甚衆。自軍興〔以〕來，稱戰功第一。時帝遣工部侍郞趙文華督察軍情。文華貪婪，顚倒功罪。當倭寇嘉興，巡按胡宗憲中以毒酒，死數百人。及經破王江涇，宗憲與有力。文華盡掩經功，歸宗憲，經遂得罪棄市。即超擢宗憲代之。賊尋犯平湖。十一月，賊登犯海鹽，知縣鄭茂，指揮徐行健，即日討平之。三十五年，宗憲見倭勢日甚，與文華定招撫計，乃令客蔣洲、陳可願諭日本國王。遇汪直養子滶於五島，邀使見直。宗憲與直同鄉里，本欲招致之，釋直母、妻於金華獄，給資甚厚。洲等諭宗憲旨，直心動，令洲諭各島，而遣滶護可願還。宗憲厚通滶，令立功。滶遂破倭舟山，再破之列表。亡何，徐海偕陳東、麻葉，引萬餘人攻乍浦，過海鹽，指揮徐行健死之。四月，攻嘉興，指揮程祿死之。時宗憲壁塘棲，與巡撫阮鶚相犄角。會海趨皁林，鶚遣游擊宗禮，擊海於崇德三里橋，三戰三捷。既而敗死，鶚走桐鄉，賊乘勝圍之。宗憲遂還杭州，遣指揮夏正等持滶書，邀海降。

時海病創，意頗動。正曰：「陳東已他有約，所慮獨公耳。」海遂遣使來謝，索財物。宗憲報如其請。海乃歸俘二百人，解桐鄉圍，復巢乍浦，以弟洪來質。宗憲厚遇洪，諭海縛陳東、麻葉，許以世爵。海果縛葉以獻。宗憲解其縛，令以書致東圖海，而陰泄其書於海。海怒，海妾受宗憲賂，亦說海，於是海復以計縛東來獻，帥其衆五百人去乍浦，別營梁莊。官軍焚乍浦巢，海遂刻日請降。先期猝至，留甲士平湖城外，率酋長百餘胄而入，叩首伏罪。宗憲摩海頂慰諭之，海自擇沈莊屯其衆。沈莊者東西各一，以河爲塹。宗憲居海東莊，以西莊處東黨，令東致書其黨曰：「督府檄海夕擒若屬矣！」東黨懼，乘夜將攻海，海挾兩妾走間道，中矟。明日，官軍圍之，海投水死。會盧鏜亦擒辛五郎至，辛五郎者，大隅島主弟也。遂俘洪、東、葉、五郎，及海首獻京師。餘黨奔舟山，俞大猷雪夜焚其柵，盡死，浙倭遂平。明史參籌海重編、海國圖志。

○嘉靖三十二年，倭入境。百戶徐東瀛，統軍至，申號令，明賞罰，選屯之餘夫爲請兵甲。倭畏撻，乃令百人習棍，曰打手。三十四年夏，倭復至。衆議守，東瀛曰倭未知地利，且狃前役，必小吾，當乘其不備擊之。薄暮，秣馬飽士，四鼓至石墩，焚倭營，倭死傷無算。黎明，伏兵葛嶺，自殿而還，無一人傷者。既倭圍澉，以木作舟形，舁百餘衆戴之，掘城，東瀛與典史李茂戮力捍禦，以大石從堞下之，斃倭甚衆。圍四旬，乃解。三十五年，倭猝至東瀛，以請糧他往。東瀛子雨川集所部奮擊，殺賊五、六百人，溺死尤衆。次夕，倭復至，攻城。雨川已預爲防禦，發駁殪賊三千餘人。時雨川方弱冠，奉獎賞，辭之，特爲屯之。餘夫殺賊有功，請給口糧，謂餘夫聚之無食，散之可惜也。

總制胡宗憲允其請，澉兵之設，由雨川請也。澉浦詩話

○劉存義令平湖時，倭急攻城。城上懸燈，患風雨吹爛，且苦燭寡，乃令作薄鐵版，斲薪木以瀝青灌其上，爲長鈎墜城腰，上置木版遮覆，瀝青遇風雨益熾，不添燭而火光亘長夜。且城上望城下如晝，城下望城上如漆。平湖程志

〔卷四二〕

名宦

○趙居任，永樂三年，海溢塘圮，居任以右通政督浙西蘇松等九府水政，躬行海上，指授布置，併工修築，堅厚完固，至今賴之。劉志

○崔源，寗波衞指揮同知。正統七年，任備倭把總。潔己奉公，退食端坐無惰容。後征處州賊葉宗留，累功陞都指揮，守武義。賊復來攻，戰死。

○陳文，字彥章。溫州衞指揮同知。天資仁厚，慕古好讀書。時延儒者講論經史，後以平處州寇功，陞都指揮，移鎭金華。以上海鹽圖經

○案：景泰續衞志云：正統七年，設把總備倭海寗總，崔源其初涖也。陳文繼之。而王文祿衞志以陳文居首，崔原次之，未知孰是。

○王文祿曰：「浙東西四總，自正統間，倭夷數犯，始設備倭把總。嘉靖三十六年，因倭夷內擾，加欽依，自樂埧始。加以都指揮體統行事，自祁雲龍始」。聞諸獻老云：「崔端之英邁忠勇，劉

瑄之威重有謀，王英之沉雅剛介，卓乎不可及矣。黎端之嚴重，邢相之儒雅，嚴明之廉威，豈易得哉？予所及見者，顧邦重之才，能有守楊和之材識，崔鼎之清介，亦表表云。承平日久，力加振作，而海甸肅如者，其張寵之乎！又聞：張鯤者，正德間征開化，守察西寨路逢漆客巴，元宗縛之爲俘。控馬壯士，俟左叩而諫曰：「曹彬不妄殺，子孫永昌，請釋之！」不聽，遂都指揮李隆，竟斬焉！嗚呼！用兵當以此爲戒可也。此文可備掌故，附錄之。

○王忬，字民應。太倉人。嘉靖進士。三十一年，以浙江倭寇，命忬提督軍務，巡視浙江。先後上方略十二事。任參將俞大猷、湯克寬。又奏釋參將尹鳳、盧鏜。擊賊首汪直。及漳、泉群盜連巨艦百餘蔽海至，濱海數千里同告警。上海及南滙、吳淞、乍浦、蓁嶼諸所皆陷。蘇、松、寧、紹諸衞所州縣被焚掠者二十餘，留內地三月，飽而去。忬遣將士逐燬其船五十餘艘，於是先所奪文武將吏俸皆得復。尋以給事王國禎言，改巡撫。忬方視師閩中，賊大至，犯浙江，盧鏜等頻失利。御史趙炳然劾其罪，帝特宥忬。忬因請築嘉善、崇德、桐鄉、德清、慈谿、奉化、象山城，而恤被寇諸府。時已遣尙書張經總督諸軍，進忬右副都御史，巡撫大同。明史本傳

○湯克寬，鳳陽人。邳州衞指揮。嘉靖三十一年，任浙江參將。克寬器宇雄壯，臨敵果毅。先爲福建參將。會倭寇海上，巡撫王忬奏調守海鹽。至則簡卒伍，嚴號令，休兵養士以待。方經營間，倭數百突入乍浦，即帥衆往剿，賊遁據高公山。克寬鼓噪而登，殺賊四十餘人。未幾，倭大至，以三十七艘泊東關龍王塘，直抵城下。四面亟攻，城中震駭。克寬獎率官軍，百計捍禦，所部邳兵劉黑虎、

黑煞神等三百餘人，並驍勇絕倫，分門督守。克寬親自繞城巡察，衣不解甲者五晝夜。賊知有備去。調守金山，邑人議欲建祠祀之，未果。劉志，參海鹽圖經。

○馬呈圖，字兆先。襲衞指揮僉事。嘉靖三十一年，倭犯海鹽，呈圖奮勇攻擊，生擒眞倭二十四名。次年，倭首八大王等自青村登岸，官軍摧敗。呈圖提兵出城，與戰，軍潰。直入賊圍，身被三十餘創，殞絕。祀英烈祠。子繼武，襲。浙江通志參嘉禾徵獻錄

○徐行健，合肥人。父玠，守禦乍浦，鋤強植善，汰革弊規，兵民帖服。幼時，父訓之甚嚴。行健即以忠義自許，有膽略，勇決過人。承襲海寧衞指揮。嘉靖癸丑，倭犯海上。行健統兵守澉浦，訓練有法，倭攻之輒敗，不敢近。臨陣必書姓名於衣，以死自誓。横經河、鳳凰山諸處，屢戰捷，獲倭級百餘。丙辰四月，倭犯海鹽。行健率兵五百當之，倭分其衆，一由乍浦，一由北王橋，腹背夾攻，行健力戰死。贈官、立廟。子志達襲陞都指揮僉事，次子志伊指揮僉事。

○滿朝，字建臣。黑山人。世襲指揮同知。有氣節。嘉靖癸丑，守梁莊寨，倭酋八大王，以賊四十二人，由金山潛踰梁莊而南。朝所統兵甚少，奮勇率千戶王繼隆，百戶楊臣、康綏追及砂腰村。賊據民家，登屋揮旗，朝射之，殪。復有賊從白馬廟突出。朝，力敵不支，死；繼隆等亦死。祀英烈祠。子子謙襲。子謙，幼育於繼母，嘗擠之井不死，而事之益恭。壽一百一歲。孫上林，輪刀如飛，弓挽二石。後逐寇，沒於硤石。

○康綏，嵩縣籍。乍浦所百戶。嘉靖三十二年，禦倭寇於白馬廟，戰歿。以上海鹽圖經

○釆煉，字叔鋼。定遠人。襲衞指揮。少負氣，有膽略，管陸路團操。嘉靖三十二年，倭犯新塘嘴，馬呈圖先馳。煉率澉浦所兵三百策應，手斬二賊，力屈，與指揮陳善道俱死。祀英烈祠，子鳳翙襲。海鹽圖經參嘉禾徵獻錄

○盧鏜，處州衞指揮。嘉靖三十二年，攝參將，分守海鹽。追勦倭寇，多所斬獲。乍浦、沈家莊等大捷，皆由鏜統率兵船圍海口，截寇歸路也。歷官大都督。海鹽圖經

○姜椙，海寗所千戶。嘉靖三十二年，征海寇，死海鹽城外。事聞，陞其子本所副千戶。浙江通志

○王鏜，吳志作鐺 字海山。密雲人。世襲乍浦所正千戶。持身剛介，好讀書，馭下有法。嘉靖三十二年，倭犯乍浦城。鏜率其子邦振，分軍巷戰，力盡被執，不屈，罵賊死。與鏜同日死者，百戶陳綬，冠帶總旗張儒。海鹽圖經參平湖張志

○滿繼隆，乍浦所千戶。嘉靖三十二年，追倭寇於白馬廟，戰殁。子國昌，陞正千戶。

○楊臣世，襲乍浦所百戶。嘉靖三十二年，禦倭寇於白馬廟，力戰死。後絕。

○呂鳳，零陵人。襲澉浦所百戶。嘉靖三十二年，率其子爵禦倭於新塘嘴，並戰殁。孫繼忠襲。以上海鹽圖經

○張經，榜姓蔡 字廷彝。侯官人。正德進士，除嘉興知縣。上下文移，自爲區畫，宿胥巨猾，咸斂迹，無敢吐語。僉審糧役，皆訪其貧富，臨期去取，悉愜人心。値歲凶，賑全，活無算。召爲吏科給事中，歷兵部尚書。以倭寇，命經總督江南、江北、浙江、山東、福建、湖廣諸軍，便宜行事。經徵

兩廣狼、土兵聽用。倭二萬餘，據柘林、川沙窪，其黨方踵至，經日選將練兵，爲搗巢計。以江浙、山東兵屢敗，欲俟狼、土兵至用之。及田州瓦氏兵至，欲速戰，經不可。東蘭諸兵繼至，經以瓦氏兵隸總兵官俞大猷，東蘭、那地、南丹兵隸游擊鄒繼芳，歸順及思恩、東莞兵隸參將湯克寬，分屯金山衞、閔港、乍浦犄賊三面，以待永順、保靖兵之集。會侍郎趙文華以祭海至，與浙江巡按胡宗憲，比屢趣經進兵。經曰：「賊狡且衆，待永保兵至夾攻，庶萬全。」文華再三言，經守便宜不聽。文華密疏經糜餉殃民，畏賊失機，欲俟倭飽颺，勦餘寇報功。帝怒，下詔逮經。方文華拜疏，永保兵已至。其日即有石塘灣之捷至。倭突嘉興，經遣參將盧鏜督保靖兵援，以大猷督永順兵，由泖湖趨平望，以克寬引舟師，中路擊之，合戰於王江涇，斬賊首一千九百餘級，焚溺死者甚衆，自軍興來，稱戰功第一。給事中李用敬、閻望雲等言：「王師大捷，倭奪氣，不宜易帥。」帝大怒曰：「經，欺誕不忠，聞文華劾，方一戰。用敬等黨奸，杖於廷，斥爲民！」經既至，備言進兵始末，且言任總督半載，前後俘斬五千，乞賜原宥。帝終不納。論斬，天下寃之。隆慶初，復官，謚襄愍。明史本傳參嘉興湯志

○胡宗憲，字汝貞。績溪人。嘉靖進士。三十三年，出按浙江。時歙人汪直據五島，煽諸倭入寇，而徐海、陳東、麻葉等巢柘林、乍浦、川沙窪，日擾郡邑。帝命張經爲總督，李天寵撫浙江，又命侍郎趙文華督察軍務。倭寇嘉興，宗憲中以毒酒，死數百人。及經破王江涇，宗憲與有力。文華盡掩經功，歸宗憲，經遂得罪。超擢宗憲總督兵部右侍郎。初，宗憲令客蔣洲、陳可願諭日本國，遇汪

直養子激於五島，邀使見直。宗憲與直同鄉里，欲招致之。釋直母、妻於金華獄，資給甚厚。洲等諭宗憲，指直大喜，因留洲而遣激等護可願歸。宗憲厚遇傲，令立功。激遂破倭舟山。宗憲請於朝，賜激等金幣，縱之歸。激大喜，以徐海入犯來告。亡何，海果引大隅、薩摩二島倭分掠瓜州、上海、慈谿，自引萬餘人攻乍浦。陳東、麻葉與俱。宗憲壁塘棲，與巡撫阮鶚相犄角。會海趨皁林，鶚遣游擊宗禮擊海於崇德三里橋，三戰三捷，既而敗死。鶚走桐鄉。賊乘勝圍之。宗憲計，與鶚俱陷無益。遂還杭州，遣指揮夏正等持激書，要海降。時海病創，意頗動。因曰：「兵三路進，不由我一人也。」正曰：陳東已他有約，所慮獨公耳。」海遂疑東，而東知海營有宗憲使者，大驚，由是有隙。正乘間說下海，海遣使來謝，解桐鄉圍，復巢乍浦。初，海入犯，焚其舟，示士卒無還心。至是，宗憲使人語海曰：「若已內附，而吳淞江方有賊，何不擊之以立功？且掠其舸爲緩急計。」海以爲然，逆擊之朱涇，斬三十餘級。宗憲令大猷潛焚其舟。海心怖，以弟洪來質。宗憲因厚遇洪，諭海縛陳東、麻葉，許以世爵。海果縛葉以獻。宗憲解其縛，令以書致東圖海，而陰泄其書於海。海怒。海妾受宗憲賂，亦說海。於是海復以計縛東來獻，率所部降。宗憲摩海頂慰諭之。海自擇沈莊屯其衆。沈莊者東西各一，以河爲塹。宗憲居海東莊，以西莊處東黨。令東致書其黨曰：「督府檄海夕禽若屬矣！」東黨懼，乘夜將攻海。海挾兩妾走間道，中矟。明日，官軍圍之。海投水死，遂俘洪、東、葉、五郎，及海首，獻京師。加宗憲右都御史。明史本傳

○阮鶚，號函峯。桐城人。嘉靖進士。官浙江提學副使。浙方苦倭寇，鶚下令諸生操弓矢，習射，作

忠義之氣，擢右僉都御史，巡撫浙江。賊攻乍浦，追斬之皁林，賊奔桐鄉。鶚冒重圍入桐鄉，賊多方攻擊，隨機應之。計窮，遁去。後設伏擒巨魁陳東、麻葉、辛五郎，滅徐海，勦餘黨於舟山，擒斬殆盡，兩浙始得休息。士民思鶚德，相與立祠。明史胡宗憲傳 參獻徵錄

案：禦倭之有戰功方略者，尚有戚繼光、俞大猷諸人。前志既不載，攷其勳績，亦不盡屬嘉興，不備列。

○宗禮，字周道。其先常熟人，隸籍於燕中。嘉靖武舉，由祖職署指揮僉事，任參將，奉命禦倭於浙。禮，提兵掩擊，敗賊於新城堡。乘勝攻破新場，賊遁去。總督胡宗憲，檄禮隨賊所向追勦之，連有吳江、嘉興之勝。至崇德縣，探倭至皁林，勢且犯杭。率兵往皁林迤西石橋止營禦之。倭萬餘，夾河來戰。禮，統兵不滿九百人，殺傷甚多，賊敗去。番休來攻，三戰三北，死傷無算，軍大振。會石橋前鋒中賊砲，橋失守。禮被重傷，猶裹創奮臂戰，以衆寡不敵，兼乏食，軍無後救，力竭。仰天呼曰：「死當滅賊以報國」，遂遇害。事聞，贈都督同知。謚忠壯，建褒忠祠於皁林，以時饗焉。分省人物志

○霍宗道，宗一作貫 湮其籍貫。時爲裨將，與宗禮並奉命討賊。賊至，適遇宗道張左右翼於城下。鏖兵鏖戰，斬首數萬，因無援力竭。見禮死，亦自刎。時同死者副將侯槐、何翔本、宋應瀾、楊巨、王相、賴恩、李錫。新纂

○彭應時，山陰人。中武科，爲鎭撫，以亢被黜。都御史王忬鎭浙，檄使練士。會參將盧鏜自松江擊

走蕭顯，時有千總劉大仲，率黨胡大少仲、吳鑾、牛力戰死。應時截諸乍浦海塘，爲賊所掩，乃奮鬭被鎗墮馬死。性聰敏，能詩文，材力武技益鄉里中，尤妙馳射，善撫士卒。徐文長集
○劉燾，天津人。嘉靖間，倭警起，爲浙西兵備道。燾，精奇門風角之術，至郡按圖視險，選將募兵，有乍浦、王江涇諸捷。著浙西海防稿行世。舊浙江通志
○朱輔，字翼公。公安人。成化進士。初任南陽同知，擢御史，轉嘉湖道。禦倭失援，爲所獲，弗屈死。倭首憐其忠，以屍還嘉興，民戴其德，衆爲營斂，賜祭、贈官，祀鄉賢。廣東通志
○潘恩，字子仁。上海人。嘉靖進士。浙江參政，分守杭嘉湖道。方按部海鹽，而島寇猝至，圍之數十匝。時城無見兵，恩鼓舞吏人，晝夜睥睨，間不少懈。賊知不可破，乃解累。遷右副都御史，巡撫河南。徵獻錄
○陳宗夔，湖廣人。先巡按福建，勦倭有功，改浙西兵巡道。嘉靖甲寅，兵寇蝟集，宗夔外禦內撫，確有碩畫，以不隨俯仰去。
○姜廷頤，巴陵人。嘉靖癸丑，分巡浙西。時倭寇犯海鹽，廷頤衝圍入城，閱實埤守，鼓勵士卒。與鄉士大夫講畫捍禦之方，不少懈，城賴以全。
○李元律，字師吉。滋陽人。世襲衞指揮。祖振，力能拔樹。性至孝，親疾，衣冠不解。父煥，熟於春秋，能左右射。嘉靖甲寅，元律從參將盧鏜追倭寇於孟家堰，遇伏，力戰死。元律，初爲諸生，有文名，應武擧中第一人。

○劉大仲，處州人。以把總守海鹽。孟家堰之戰，與指揮李元律，處州千戶薛絅，俱死之。以上吳志

○于守爵，襲澉浦所千戶。嘉靖三十三年，勦倭寇累功陞澉浦衞署指揮同知，子時保襲。

○方泰，字吉甫。儀眞人。儒雅善書法及詩。嘉靖丁酉，武擧署海寧衞指揮同知，以廉介恭勤著稱。嘉靖甲寅，倭寇來犯，帥兵追勦，屢有功。隆慶中，錄其勤事，幷其麾下方昇等一百二十九人。陞賞。有差。著詩稿三卷。海鹽圖經參嘉禾獻徵錄

○姚宏梁，海寧衞指揮。嘉靖乙卯九月，征倭寇於金山，進攻陶宅。同指揮邵鼎，生員于岳，乘勝搗賊巢，皆戰歿。吳志參倭變志亦知兵，同僅追倭廣陳，獲輜重三艘。倭據小營盤巡司，堅壘自守，攻破之。部下有得倭賄者，斬以狥。又與指揮徐行健，追倭石墩海岸，獲級尤多。王江涇之戰，僅父子先登，衆倭披靡，官兵大捷。以上海鹽圖經

○張鈇，字龍之。台州衞指揮。嘉靖丙辰，攝參將事，築海鹽縣澉浦、乍浦、海寧三所外墉，防禦有賴。其禦箭牌、火器諸攻守具，至今用之。

○徐玠，合肥籍。世襲海寧衞指揮使。守禦乍浦時，鋤強植善，弊規革汰一新。玠子行健，素以忠義自許。嘉靖丙辰，大艘倭寇登乍浦，進犯海鹽。行健率兵當之，腹背受攻，身被重創死。贈官立廟。海鹽圖經

○姚岑，潛山人。襲澉浦所千戶。嘉靖三十五年，禦倭寇於新塘嘴，戰歿。子思堯襲。海鹽圖經參嘉禾徵獻錄

○陳文治，字國章。秀水人。衞指揮僉事，坐事戍新河所。嘉靖三十九年，參將戚繼光選入幕府，以

斬倭級功授海寧衞前所百戶，稍遷指揮同知。以總兵昌平上首功不實，繫獄十餘年死。

○莊國禎，晉江人。嘉靖時爲兵備道，駐郡城，廉肅淸愼。時倭警初平，民苦兵革。國禎持以鎭靜，務與民休息，修戰守備方略，未嘗以戎事擾民。按獄平反，不務深文。及去官，人思頌之。以上劉志

〔卷五〇〕

列傳一

嘉興

○許爚，字文叔。以進士知莆田。莆濱海，倭艘突至。爚率民兵督戰，生獲賊魁。値亢旱，徒步請禱即雨。調鄱陽，改濰縣，遷主事，歷員外郎，出爲順慶府同知，解組歸。嘉興湯志參嘉禾徵獻錄

○朱先，當戚繼光時爲薊鎭參將。遷副總兵後，數爲廣東福建總兵官。初，起家武擧，募海濱鹽徒爲一軍。自胡宗憲爲御史至總督，皆倚任先。大小數十戰，殺倭甚衆，以功授都司。宗憲被逮，先解官護行。宗憲釋還，先乃歸。御史按福建巡撫王詢侵軍費，檄先證之。先曰：「先，王公部將也，不敢誣。」府主御史怒，坐先萬金論死，繫獄閱八年始白。萬曆初，用薦起歷登閫帥，以年老謝事歸。先，爲將有膽智，砥節守公，其處宗憲、詢二事，時論以爲有國士風。同時有王憲，嘉靖二十五年倭寇入境，憲以捍城勦寇功，官鎭撫，亦爲戚繼光所重。明史戚繼光傳參嘉興湯志

○徐軫，有膂力。嘉靖中，有倭寇至，當事募勇力士，能擒一倭者與官。軫同朱先往。先，獲倭三；軫，獲二，授百戶。遷把總，管火器。三十四年，戰平湖，無援，被殺。祀邑厲壇。又有沈應仕、

劉大道，亦以禦倭戰死。袁志

○金丹，少爲諸生，坐事褫褫。倭寇嘉興，主帥令將鹽兵五百禦之。遇賊，先登。戚繼光以爲才，上之制府，爲裨將，授千戶。平妖賊李松於烏鎭，受上賞。時胡宗憲遣蔣洲入海游說未歸，募能再往者。丹遂往說徐海、陳東等降，成約而還，授本省都司。從繼光勦閩、廣諸寇，累遷副總兵。袁志參嘉禾徵獻錄

○王司敬，諸生。少問業於唐順之。多膂力，能以齒張弓。倭至，據浮圖，瞰城中。司敬射之，應弦墜，賊氣奪。凡建敵樓以禦寇，皆其議也。嘉興何志

〔卷五二〕

列傳三

秀水

○屠仲律，字宗豫、應埈子。嘉靖甲辰進士。授弋陽知縣。寬賦省役，瘠土之民賴之。擢南京湖廣道御史。時倭寇大訌，上言禦倭五事：一、絕亂源。二、防海口。三、責守令。四、議調發。五、作勇敢。又言禦倭諸將不善用兵之弊有九；又論倭寇充斥，軍餉不足，其耗破之端有六；皆下部議行。出知廬州府，軍興浩繁，更値景府之國郡邑騷然，仲律一意節省，費減他郡十五。歲大祲，民多逋稅，出贖鍰代償。平糴積穀十萬，全活甚衆。以勞卒於官。葛麟，字後川。與仲律同領，庚子鄉薦，知含山縣，築城經畫有方，而民不擾，終吉安府同知。秀水李志參徵獻錄

列傳五 〔卷五四〕

嘉善

○王俸，字廉父。嘉靖壬戌進士。授職方，從尚書劉燾征曾一本。燾欲誅老帥王詔，俸力爲解釋。後竟用詔擒酋首以獻。歷武選郎，以議馬市忤高拱、張居正。而拱又秉銓，遂出爲永州守。庭無滯獄，乞終養，歸服除。拱、居正先後敗，起廬州知府，累陞湖廣道御史。以疾乞休，居家好施，予宗黨賴之。

列傳七 〔卷五六〕

海鹽

○鄭曉，字窒甫。舉鄉試第一，成進士，授職方主事。日披故牘，盡知天下阨塞、士馬、虛實、強弱之數。尚書金獻民，屬撰九邊圖志，人爭傳寫之。以爭大禮，廷杖張孚敬，柄政器之，欲改眞翰林及言路，曉皆不應。父憂，歸，久之不起。許讚爲吏部尚書，調之吏部，歷考功郎中。夏言罷相，帝惡言官不糾劾，詔考察去留。大學士嚴嵩，因欲去所不悅者。而曉去喬佑等十三人，多嵩所厚，嵩大憾。嵩欲以子世蕃爲尚寶丞，曉曰：「治中遷尚寶丞，無故事。」嵩益怒，以推謫降官周鉄等；貶曉和州同知。稍遷太僕丞，歷刑部右侍郎。俄改兵部兼副都御史，總督漕運。大江南北皆患倭，通州人顧表者桀黠爲倭導，以故營砦皆據要害，盡知官兵虛實。曉懸重賞捕戮之，募鹽徒驍勇者爲兵，增設泰州海防副使，築瓜洲城，廟灣、麻洋、雲梯諸海口皆增兵設堠，遂破倭於通州，連敗之如皋、海門。襲其軍呂泗園之狼山，前後斬首九百餘，賊潰去。錄功，再增秩，尋召爲吏部侍郎，遷南京吏部尚書。俺答圍大同右衞急，帝命兵部尚書楊博往督師，曉攝兵部。曉言：「今兵事方棘，而所簡聽征京軍三萬五千人，乃令執役赴工，何以備戰守？乞歸之營伍。」帝立從之。尋還視刑部事。故事：在京軍民，訟俱投牒通政司，送法司問斷。諸司有應鞫者，亦參送法司，無自決遣者。後諸司不復遵守，曉奏循故事，帝報許。於是刑部間捕囚畿輔，而巡按御史鄭存仁謂訟當自下而上，檄州縣法司，有追取，毋輒發。曉聞，率侍郎趙大祐、傅頤守故事爭。存仁亦據律執，奏章俱下都察院，會刑科平議。議未上，曉疏辨，嵩激帝怒切讓，遂落曉職，兩侍郎亦貶二秩。曉通經術，習國家典故，時望蔚然，爲權貴所扼，志不盡行。既歸，角巾布衣，與鄉里父老游，處見者不知其貴人也。既卒，子履淳等訟曉禦倭功於朝，詔復職。隆慶初，贈太子少保，謚端簡。履淳自有傳。明史

案：海鹽圖經：曉所著有吾學編、徵吾錄、古言今言奏議文集、史論、策學、禹貢圖說等書，其他居鄉善事尤多，見端人譜諸書者，槪不復贅云。

○錢薇，字懋垣。嘉靖十一年進士，擢禮科給事中。請令將帥家丁得自耕塞下田，毋徵其賦。總督大臣假便宜專制，閫外格不行。又疏劾大學士李時，禮部尚書夏言，工部尚書溫仁和，外戚蔣輪進，右給事中郭勛，請復鎭守內官擅易置宿衞將校，薇憤疏其不法七事。帝眷勛然，素知其橫，兩不問。

已因星變，極言主德之失，帝深銜之，未發。疏諫南巡，坐奪俸。內閣夏言輩所選官僚多以循私劾罷。薇偕同官呂應祥、任萬里，乞如會推故事，集內閣九卿公舉。帝特命竝斥爲民。累薦皆報寢。集鄉里晚進與講學，足跡不及公府。倭患起，請於巡撫王忬，集兵爲備，鄉人德之。卒年五十三。隆慶初，贈太常少卿。明史

案：薇爲臨江守琦兄珍子。歸田後，如罷運艘，均田則，清里甲諸事，區處贊畫，爲利於鄉邑者甚夥。隆慶之初，既贈太常，當事者復爲建特祠於縣署之西，額曰：「顯忠」。薇所著有國朝名臣錄、承啓堂稿、海石間草學錄、樂律諸書。詳見褒忠錄，及湛若水撰傳。

○劉炌，字元白，朮子。嘉靖庚戌進士。歷官撫州守。值鄰寇初退，簡兵保穀，拊循瘡痍，築崇仁、樂安、宜黃三城，修千金堤禦水。佐俞大猷、戚繼光等擒大盜曾一本，多勞績。炌至孝，痛父不逮養，事母曲意承歡，居喪毀幾滅性。忌日衰絰坐冢旁，泣守至暮始歸。門闈之內，肅若朝典。海鹽圖經參兩浙名賢錄

〔卷五八〕

列傳九

平湖

○陸淞，字文東。進士授禮部主事，歷郎中。時藩國多踰制，請乞淞格，不行。倭使宋素卿，賄奄人劉瑾，求數入貢。淞上疏言非中國利，且素卿本寗波人，潛通外島，以邀中國，請誅之。瑾怒，中

淞他事，下獄。瑾敗，遷光祿少卿，歷南鴻臚卿。上疏陳九事，極愷切。尋陞南光祿卿，致仕卒。賜祭葬。淞接人甚溫，及臨事，毅然不可奪。自奉儉約，好周恤故舊。宴客酒七行即撤。有東濱集，累贈刑部尚書。子杰、皐，並有傳。徵獻錄參吳志

○沈煉，字剛夫。以進士歷任江西參議。所至豪右屛息，墨吏輒自引去。值寇警，煉以文臣飭武事，身赴險難，卒撲滅之。子圻，字子京，以進士除江西道御史，以忤當道，降高郵州判。陞休寧縣，歷陞貴州參政，投劾歸。徵獻錄參吳志

○曹禾，字世嘉。父渭，以掾爲驛丞。禾以進士知鄱陽縣，入爲工科給事中。奏請蠲浙直被倭郡縣田租，從之。進工科都給事中，尋坐累外謫，遷松江府推官，歷知韶州府。孫徵庸別見。徵獻錄

○陸萬垓，字天溥。以進士授福寧知州。有倭寇，當事議增賦，力爲節縮，歲省金六千有奇。歷刑部員外郎，中守梧州。招撫叛夷數萬，置東安、西寧二縣。會滇緬大訌，遷雲南兵巡副使。躬冒矢石，下隴川，禽岳罕，收反卒。尋以僉都御史巡撫江西。去煩苛，絕餽遺，築圩千頃，創社倉法。兩值大祲，全活無算。母老，五乞歸，不得。聞訃，以哀死，贈右副都御史。著知非小鑑十卷。徵獻錄參福建廣西江西通志

○楊府，字見山。擧人任滄州知州，移寧州，有惠政。後里居，力助築城禦倭。析縣後，利弊因革，均資經畫。著有經書講言、醫學搜精。吳志

○周翼明，字季醞。乍浦所軍舍，以武進士授昌國把總。賈舶失途至，同事欲誣以盜，翼明持不可，

遂被讒歸。歸二年，起署金盤，歷臨觀。倭犯溫州，翼明入大洋，抵莫山逐之。討建州，領浙兵爲都督，劉綎先鋒，由寬甸深入破牛毛、馬家、深河、古火、狐狸十五寨。至横壤，兵潰，戰死。賜祭葬，贈都督僉事，建愍忠祠，蔭乍浦所百戶世襲。明史劉綎傳參徵獻錄

○沈萃楨，字君聚。與弟杞楨，同舉於鄉。萃楨以進士授工部主事，出督荆州關稅，盡革諸小稅名目。以羨金築堤、禦水，歷兵部郎中。出守蘇州，舊派福府白糧，詔令協濟，五年七運。未已，竟革，不供歲祲，饑民肆掠，杖斃首事三人，乃止。陞福建副使。紅夷入寇，身冒矢石，出奇兵撓之，五越月就降。轉本省參政，以親老乞歸，爲御史曹欽程劾罷。初，欽程令吳江，贓私狼藉，萃楨按之如法，至是，附璫勢報復。給事中張國維，白其事，起湖廣參政，不赴，再補福建按察使。時海盜叵測，撫臣屢經諭降，首鼠觀望。聞萃楨至，乃相率降。尋陞湖廣右布政使，歸卒。子曰昆，字以白，舉人。日晃，字以大，諸生。孫嶙，太學生。浙江通志參徵獻錄

○沈君楨，字用缶。以舉人署瑞安教諭。捐俸新文廟。海寇劉香之亂，畫策上巡，石某用其言平之。遷知奉新縣。以法繩宗室。觀察使吳某，欲藉故都御史帥某家產充餉，君楨以帥名御史，無子，爲其家人詿誤，力爭，得免。調德安，革郵傳供應，罷歸。徵獻錄參袁志

○陸鏊，字味道。以進士授刑部主事。尋出守肇慶府。淸市舶，抑豪強。陞副使，佐制府，破海寇劉香連。猺叛，鏊攝巡南韶，密移師擣其巢。猺懼，乞降。歷湖廣按察使，乞終養歸。後流寇四起，有建議，於夏鎮添設巡撫，以鏊爲之。會病，不起。著有寶綸堂集。吳志

列傳十二

桐鄉

〔卷六一〕

○濮文起，字三槐。諸生，有謀略。總督胡宗憲就問所以禦倭者，因出金帛餌賊首徐海愛妾紫雲，始解圍，東屯乍浦。又令妓翠翹、碧桃蠱海，乘間攻之。海溺水死，宗憲欲題用，固辭。卒祀本邑忠義祠。徵獻錄參禦倭紀事

○沈鏵，字東溪。嘉靖時，倭寇攻城，倉卒被圍。時鏵寓邑中，僧舍揚言曰：「欲退賊，何必張皇？」巡撫阮鶚聞之，奇其語，訪於鏵。鏵令戶出爨釜，募工鎔汁，視賊圍疏處，彙大木以巨索綳給雉堞外，待賊薄城，則斧斷巨索，聲震如雷。寇譁，傳城一隅，摧蟻集其下，即引鐵汁，雜火藥灌灑之，寇盡殲。功成，鶚手書「退寇全城」四字榜其廬，薦於朝，授百戶，不就。隆慶間，從祀宗禮祠。

新補纂

〔卷八二〕

藝文一

表

禦倭五事疏① 屠仲律

一、絕亂源。夫海賊稱亂，起於負海姦民通番互市，爲賊腹心，勾引深入，因而作亂。其人雖概稱

倭，其實多編戶齊民，此所謂亂源也。故禦盜之標，在腹裏防守；弭盜之本，當邊海制之。邊海諸處，漳、泉、福爲始，而寧、紹次之。其一、禁放洋巨艦。其二、禁窩藏巨家。其三、禁下海姦民。三法者立，而亂源塞矣！即使舊賊未盡殄滅，然而後無所繼，其勢自孤。退無所歸，其情知懼矣！二、防海口。夫海口涯涘無際，然賊泛海來犯，放洋則衝濤，入口則起陸，非可絕險而徑渡也。故其往來出入，所可防拒者，姑自浙東西大江。以南濱海數郡言之，入平陽港，則近金鄉，入黃花澳，則近盤石而逼溫州；入海門，則越新河而寇台州，入寧海關，入湖頭灣，則窺象山、定海而瞰寧波；入三江口，則搖尾於紹興，入鼈子門，則垂涎於杭州；入乍浦硤，則流毒於嘉興，入吳淞江，則犯松江，入劉家河，入七丫港，則寇蘇州；此其大勢也。中間經行或潛形於馬蹟山，或遁跡於大七洋及大、小衢，上、下川，則其要害也，此沿海諸郡之通患也。故守平陽港，拒黃花澳；據海門之險，則不得犯溫、台；塞寧海關，絕湖頭澳，遏三江之口，則不得窺寧、紹；把鼈子門，則不得近杭州，防吳淞江，備劉家河、七丫港，揚威馬蹟、大七洋、大、小衢，上、下川諸險，則不得掩蘇松、嘉興。此皆險地，一處失守，蔓延各處，不可以彼此分遠近異也。且賊長於陸戰，短以水鬬，以其船不敵而火器不備也。在我宜用所長，棄所短，則莫若恃海船，請以見在把總船隻通行查齊，不足則令福建如法添造，或即令沿邊地方買補。每大小船百隻，或五十隻，號爲一䑸，募以柁工、水手而充以原額。水軍於前諸海口各量緩急，以爲置船多寡。又爲遊艟數䑸，分布上流，往來要害。芻糧、衣甲之給，比陸軍加優，令其更番巡邏，併力捍禦。來遏其衝，去擊其惰。責以毋令賊入，賊入而力拒有功者陞賞；其失備者重究，此禦寇之長算也。三、信賞罰。臣聞倭之入也，豈盡無軍之患？蓋有有軍而移入便地者矣，有失於巡哨者矣，甚有買渡報水，受其釣餌者矣。若此，則地方奚賴焉？夫百處守之，一處失之，無益也，千日防之，一日疏之，無益也，是在督撫及海道諸臣明信其賞罰耳。夫荷戈戟，載甲冑，爭鋒死刃者，將士之能也。保封域，固郊圻，全境安民者，守令之任也。今之守令，不肖者棄城守走矣；其賢者大率遇警則嬰城守耳，其關廂村落委之無可奈何。夫城之外，獨非赤子乎？且邊海孤城，猝然無備，猶可諉也。腹裏巖都，江南奧壤，寇非可長驅而卒至者，顧使倘徉去，來若履無人之境，則國家建邦設邑，張官置吏，將焉用耶？自今江南守令之職，當以訓練士兵，保全境土爲殿最。仍敕吏部：凡遇沿海守令員缺，必慎擇其才且賢者然後授之，庶保障定賴耳！四、議調發。近日徵調各處，兵民遠近四集，徐、邳、山東、永、保、川、廣，及軍門編調各府義勇，無慮數萬，然師老財殫，竟不見膚功之奏者。臣請指諸臣不善用兵之弊陳之：夫古者用兵，潛機密計，電馳霆擊，進退倏忽，妻子莫聞，所以能有成功也。今則先發後行，剋期始動；前軍未啓，而先聲已聞，其弊一也。古者名將，算不百勝，不輕動；今也謀不預成，計不先定，冥行突進，動陷伏中，其弊二也。守不據險，屯不列要，奔急救難，賊逸我勞，其弊三也。語曰：「夜戰，聲相聞，足以相救；晝戰，目相見，足以相識，懽愛之心足以相死。」言兵之貴熟習也。今也兵不專一，主客雜聚，卒遇狡賊，易衣變飾，突然來前，不能別識，其弊四也。兵無素統，將不預設，一遇有警，卒然命官，以烏合之人，帥以未經識面之將，其弊五也。夫三軍之衆，所以冒白刃，蒙矢石，至死而無敢卻顧者威之素也。今法令姑息，紀律不肅，進有必死之恐，退無伏鑕之慮，是以但畏敵而不畏將，其弊六也。地形不習，險易不識，趨利不及，避難不早，其弊七也。糧糗不儲，料理不周，遠兵勞役，撫恤未至，枵腹待爨，窮愁思歸，其弊八也。士不精選，勇怯無辨，前擊後懈，灌然而散，雖有悍夫勇士，或以無援而力屈，或見先奔而膽喪，其弊九也。地狹人衆，不能旋轉，互相排擠，雖有勇敢，無以效其所長，其弊十也。近日汀州，如賴百戶兵敢死，先登足，當一面，以不善用之，使頭領陣亡，軍士逃遁，如此則徵兵雖多，亦何益哉？夫賊非有遠略大志，約束號令，不過群聚為姦利，在貪淫耳。所以制禦之則，非兵少之憂，而實寡算之患。蓋欲防盜者，必知盜情；欲制盜者，必怵盜心；故必詳謀而熟計之，然後成功可期也。五、作勇敢。沿海如沙民、鹽徒、打生手及村莊悍夫，皆勇敢可用。然多樂效用於私室，而不樂報名於公家，何者？以公家勢遠而役繁也。豪民以之保村里則有餘，以之充行伍則無益，何者？以行伍之多而心力渙也。然則順其情，相其宜，以振作鼓舞之，必有術矣。乞敕下各該有司，通諭豪家大族，及里巷豪傑，各為身家，併力拒守。其有能團結鄉民，保固村鎮者，先與免其糧里押運重役及均徭一應雜差。獲功者一體陞賞。其有願授文職，審其果能保障一方，及斬首十顆以上民，得比輸粟例入監；係有職役者，並得起送赴郡，與本等常選陞授。閭里之人，竝得以其功累增至赴部實選；其不願官爵者，則重給賞，優恤之，或亦制賊之一策也。近蘇、松、嘉、湖之民，常有糾集智勇，乘賊怠玩，或掩其昏暮，間能殺賊奪其輜重，隨為官軍刼其財而奪其功。夫居民出百死之力，卒被刼奪，曾不獲分毫之報，不亦激衆怨而失民心乎？又有村民團結，自相防護，志在全家保妻子耳。有司輒謂其能，遂報名入官，以致人各畏避，不敢復謀拒賊，此又沮民之氣而抑其忿也。請諭地方官，凡義民不願在官者，不得一切附報，且嚴禁官軍不得攘奪民功，則民見利而動，無畏而奮，各思所以自效矣！

記

宗都督碑記　　張廷志

古忠臣孝子所重者一死耳，惟重者故能輕之。當其時，忠義所激，視死如歸，至功及萬姓，名垂千古，而英靈永永，則一死之所關甚重，茲於宗將軍益徵矣！將軍諱禮，嫺韜略，善騎射，迺河朔驍將，非官守於浙也。嘉靖丙辰，倭寇入犯，連艦蔽海而來，分銳趨浙，所至蹂躪。時中丞阮公鶚與將軍有素，因其挾糗入閩，道經浙甸，遂留爲部署。阮公移節巡檇，李將軍與副將霍貫道、侯槐、何衡實爲後勁。倭雄徐海，帥兵亟追阮公。公〈衍〉入桐鄉城，將軍奮勇而前，禦倭於皁林市之三里橋，桐邑之襟喉也。時將軍精銳悉屯塘棲，卒未集。將軍以單騎格賊，且戰且東。一勝於崇德，再勝於石門，三戰至此，未得一餐。枵腹血戰，衝突往來於數千輩雕面少年之中。斬首闐河，河水爲之不流。賊乃退伺其隙，登龍翔寺之鴟吻，望將軍止踽踽殘師，賊復嘯集，合圍四擊。將軍砍桑木，壘橋西，塊以當櫓楯。賊入河，夾橋分射，箭發如雨。礌石中馬足，將軍一躍而墜，失所執持。徒步空拳與賊鬬，攫賊刀，復斬數人，勢莫支。踴躍大呼：挾二賊投橋下，遂自刎。越月餘，寇退，始覓將軍尸，眉目如生，將軍眞英烈哉！是時，大司馬胡公宗憲，總督四省，方誘汪直議和，不復聲言戰爭。阮公困守桐鄉，宗以客將死事，功幾弗敍。已而卒得題請。史載：遊擊宗禮，帥兵九百禦倭於阜林之三里橋，三戰賊兵，斬首四百餘，兵興以來，稱血戰第一功，卽其事也。祭法有云：「能捍大患則祀之。」今將軍廟食桐鄉，而家戶戶祝，亦不負將軍一死矣！風雨淒黯之夕，里中士庶，猶見霓旌霜戟飄忽隱現於長林野水之間，此其忠勇猶擁庇我桐也。乃巫覡託之以惑愚民，凡有疫癘，咸曰：「宗實爲祟」，豈庇此者而反爲厲於此耶？廟貌塵生，諸生父老倡義修葺，余紀此以慰將軍之靈，解愚民之惑。有敢祟者，將軍當以桃弧百萬射卻之！

靖海記略

鄭　茂

嘉靖甲寅夏四月五日乙亥夜漏下三刻，倭船二自乍浦來，亟登城召居民分垛守。六日丙子黎明，二船抵龍王塘，吹螺。登賊五百餘，直趨東門，箭如雨發，佛郎機卻之。賊退，焚其船。復進時，戍守海鹽者，有參將盧鏜兵調赴廣陳，無可出戰。余塞四門以死守，諭衆，衆皆惟命。賊攻西門，燬民舍三百餘，煙燄蔽空，矢鏃交集攻城，幸擊斃當先者一人，遂退屯天甯寺左右。晚復出擾城下，群情洶懼。乃與衞所諸君分守各門：方君泰東門，彭君瑞、劉君潮北門，南、西二門則余與陳溥鉄，余仍左右督焉。邑博士鄭、歐陽、許三君暨諸縉紳先生，賓造秀士，咸徒步從，爲士卒先。每垛軍一民一，垛十有五，一胥吏攝之。敵臺以驍兵勇壯老人攝之。人各米二升，燭五枝。夜及子，賊以長竿探於北城，守垛者以亂石擊退。是夜，馬不停策，火不滅燼，梆鈴矢石聲相屬。統城六匝，天始辨曙，賊乃解圍去犯郡城。八日戊寅，賊還至孟家堰。盧兵遇之，敗績。是午，復進，薄城下。

知不可犯，又去。十一日，至海昌石墩，立柵巢焉。嗣後揮使劉君岱松，丞林子士儀，朱子光裕，尉李子茂並歸，自調所協力守，巡督益嚴。四門惟開其西出入。諸水關皆瓦甃，軍民守垛如初。置竹牌以避矢石，建篷廠以禦風雨，修鞭銃、火藥、弓矢以壯軍實，皆先後就緒，可裨實用。旦則詣縣治兵事，夜則宿西城樓，視公廨若浮萍矣。賊在石墩四出刼掠，縣西北境隣海昌者多殘。至五月十八日丁巳，賊掠飽，奪海舟四，宵遁。水兵者舟百餘追擊之，覆其三舟，斬首二百有奇。時統領水兵者，揮使劉君隆，潘君鼎，千戶晏君繼芳也。奮翼桑榆，過緣功準，亦不負初心焉！

海城外墉記

徐　泰

嘉靖癸丑夏四月，漳倭、海寇犯海鹽。鹽及乍浦內外居民傷害，逃移無算。惟時撫按藩臬當道諸公，咸用驚惕。既謀檄邳州參戎湯侯克寬，淞陽令今陞僉按察司事羅侯拱辰，相繼提兵勦殺，寇用潰散。然鯨鯢未即斂跡，洪濤巨艘猶不時出沒，乃復謀必求智勇，元戎坐守其地，蓋慮客兵或弗克卒應。於是中軍都指揮台衞劍崖張侯鈇，承檄分督西浙，駐節吾鹽。侯既至，軍民生氣，流移復業。寇不量力，輒復敗去。鹽有海寗衞侯，乃自衞躬歷澉、乍及海寗等守禦所，相度地勢，求防禦之策。乃具畚鍤役，戍卒各緣城濠掘土，築爲外墉。基厚僅六尺，惟其堅；其崇一丈三尺，惟其峻削；不可涉。外瞰深濠，而減其內以洩水。各關外爲關門，門有柵，柵置守卒。惟澉委成於衞使徐行健，餘各委官監築。而侯則往來督視。役以樂從。功固易集。蓋自是城有障蔽，衞及各所官軍咸曰：「吾其可力守矣！」四城黎庶咸曰：「吾其可寗居矣！」當道諸公嘉之，咸曰：「吾其可紓海上之憂矣！」

今侯既握兩浙兵符，坐鎭列城海鹽之大夫、士及諸父老相與謀曰：「是惡可無述」，乃代徵子言記之。予惟南仲城朔方而玁狁於襄，張侯墉四濠而海寇斯遠，孰謂古今人不相及？然予竊有說焉，功以大垂，業以嗣久。是墉霖潦崩剝，或不免於他日。時加修葺，無墜侯功，是則嗣守者之責也，亦記者意也。敢即民誦侯之詩，併詔將來。詩曰：「崇崇外墉，下瞰深濠。捍彼寇攘，屹如虎牢。伊誰是築？張侯孔勞。崇崇外墉，內障城垣。壯我形勢，巑如龍蟠。伊誰是築？張侯孔煩，侯築外墉。詎曰：干名民之攸恃，恃此孤城。城有障蔽，士有甲兵。蠢彼醜物，望之逃形。侯築外墉。詎曰：徒飾不傷民財，載守載役，惟是戎卒。成之不日，天念我民。生我張侯，克武克文，有爲有猷。海寇既遠，邊防益修。外墉之築，計遠慮周。桓桓張侯，功垂千秋。」

〔卷八四〕

註：

① 此疏之節錄見於明世宗實錄，卷四二二，嘉靖三十四年五月甲午朔壬寅條。

藝文三

詩

秋日海上　　鄭曉

○孤城海上若星棋，聞說三遷事更悲。百谷東南空地力，九秋潮汐自天時。黃灣水落魚鰕亂，白塔煙深草木遲。鼙鼓年來猶未息，何人肉食抱長思？

○獨立滄溟歎禹功，長隄隱現亂濤中。鹽田何處蘆花雨？茅屋誰家燕子風？漂泊苔痕連水碧，參差楓葉帶霜紅。珊瑚樹底垂綸者，豈盡天涯白髮翁。

海鹽縣志

清王彬修，徐用儀纂，清光緒二年至三年刊本

〔卷一二〕

武備考

歷代兵事

明

○明實錄：洪武五年五月二十一日，倭寇澉浦，殺略人民。

○圖經云：倭亦名日本，其國西南至海，東北大山。地分五畿七道三島，即班固書所云會稽海外有東鯷人者是也。其人魁頭斷髮，跣足輕生，好殺多狡謀，喜爲盜賊。漢唐〔以〕來通貢中國，未聞入挸犯。後至宋，沿海開市舶，徑道益通。元人承之，奸闌出入者寖多，勾引廣，於是患始興。先是，元至大中有倭泊慶元，焚掠，釁早兆。而國家初平海內，所殲滅群雄方若張，皆在海上，故部黨逋誅，不能出者則竄而之海島，糾群倭入寇掠，以故警之發乃在開國時。

○倭國事略曰：「日本山城居中爲國都，其西南爲五島，入中國必由五島而來，隨風之所向，以行。東北風猛則由薩摩，或由五島至大小琉球，而視風之變遷。北多則犯廣東，東多則犯福建。若正東風猛，則必由五島歷天堂官渡水而視風之變遷。東北多則至烏沙門分䑸，或過韮山、海閘門而犯溫州，或由舟山之南而犯定海，犯象山、奉化，犯昌國，犯台州。正東風則至李西□壁下陳錢分䑸，或由洋山之南而犯臨觀，犯錢塘；或由洋山之北而犯青南，犯太倉；或過南沙而入大江。若在大洋而風欻東南也，則犯淮揚，犯登萊；若在五島開洋而南風方猛，則趨遼陽，趨天津。」按：洋山即羊山，青南者青村、南滙也。本縣在青南錢塘之間，故犯此二處者往往流突而至，而羊山尤爲我之衝要云。

○圖經：洪武二十六年九月，倭寇澉浦。明年正月，又來寇。永樂二年夏，有倭來寇。十四年五月，倭大掠縣境，燬民廬，殺守戍，驅入畜無算。正統七年七月，倭寇乍浦。八年六月，又來寇，百戶徐榮戰歿。十四年夏，倭夷犯境，殺官軍。成化十二年，倭寇突至，嘉興府同知趙哲戒嚴乃退。嘉靖二十五年夏五月，漳寇及崇明寇犯乍浦，金家灣軍士陳馬兒等死之。二十七年，復犯黃灣秦駐塢，軍兵童欽等死之。是年十月，又掠鄭家埭、包家埭而去。

○崔嘉祥紀事：嘉靖三十二年四月初二日，倭七十餘人泊舟演武場北，指揮王彥忠，率軍逼之。倭乘雨夜逸其半，厥明焚其舟，賊多死者。又明日，有流賊名八大王者四十餘人，自金山來經乍浦梁莊，過獨山，至白馬廟。督守梁莊指揮滿朝，引兵追之，戰死。報至，協總馬呈圖，檄指揮釆煉、徐行健，兵次演武場以待。六日，軍方晨炊，賊突至，不及陣，呈圖與煉皆遇害。案：圖經云：「是役，千百戶王繼隆、姜楫、楊臣、康綏、王相、呂鳳、姚岑，並沒於陣。行健走免，賊遂過海鹽，逾澉浦，直抵海寧界。杭州把總陳善道，率兵禦之，兵潰而死，賊乃奪舟浮錢塘江復入海。其初二夜逸去之賊，把總王應麟追戰於矮婆橋，官兵死者二十餘人，賊遂繞鹽平諸鄉出乍浦，居海口天妃宮。適新至賊百餘與合，勢益熾。時守巡參政潘恩，僉事姜廷頤來鹽鎮守。巡撫王忬，又檄參將湯克寬率邳兵三百人來援。克寬簡衞兵及湖兵合千人，於二十五日出攻乍浦賊，皆就擒，班師回鹽。五月初四日，賊船三十有七，泊龍王塘。克寬督率軍民登城守禦。賊攻城五晝夜，城守益堅，賊乃揚帆而北，分其半由陸路趨乍浦，不逾日而乍城陷。

案：圖經云：「邑郊外數十里，焚掠幾盡，男女被擄者亡算，殺溺死者千三百有奇。」又，倭變事略云：「是年八月十四日，澉浦東關泊三倭船，賊二百人，自眞君堂掠至李家圩而去。」

○三十三年四月初六日，賊衆乘二船抵龍王塘登岸，即燔其舟襲東門，不克，焚繞城居民數百家，由璵城半邏至郡城被擊還。初八日，參將盧鏜，邀擊於孟家堰，兵潰，死者千餘人。指揮李元律，千總劉大仲，皆戰沒。案：倭變事略云：「大仲處州人，最驍勇，統坑兵五百來鹽，多建戰功。」是夕，賊復至鹽。次日，犯宋亭村，過澉浦，據石墩。官兵屯海寧，進戰，敗績。都指揮周應楨（禎）墜馬死。至五月十八日，賊移輜重，奪舟入海，爲指揮劉隆、潘鼎等水兵擊敗，斬首二百餘級，餘皆溺死。

○釆九德倭變事略：嘉靖三十四年正月初一日，賊數千出沙口，焚掠而行。次日，過鹽城。是晚，分宿茶院六里堰。初三日，掠出袁花鎮，由黃道湖抵硤石鎮，經三宿，西犯崇德，陷之，旋還柘林。四月二十三日，賊自金山、乍浦來鹽，至礀頭門，復轉由城西官塘抵璵城。海鹽及郡城發兵夾擊，斬獲數百級。二十九日，諸軍會勦於王江涇，大捷，斬獲二千餘級。殘賊還柘林者無幾。五月二十二日，北來賊萬餘，次八團圩，經海鹽，南抵礀頭門，西犯袁花鎮。次日，又賊千餘繼之，旋由長安鎮犯省城，大肆焚掠。既而總督張經，督戰於嘉興，敗績。十一月二十日，賊六十人，自大步門登岸，指揮徐行健，率兵擊之，悉數捡斬。

○崔嘉祥紀事：嘉靖三十五年正月，賊首徐海，擁衆數萬，與柘林賊陳東合，分兵掠諸郡。總督胡宗憲，遣兵分屯平湖、海鹽間，相爲犄角。指揮徐行健，截守北王橋。四月初六日，遇賊，力戰，死之。已而宗憲計捡賊酋王直、葉麻、陳東等，大兵攻柘林賊巢，破之。徐海窘迫自殺，餘黨悉平。

圖經載都督萬表云：「向來海上漁船出近洋打漁、樵柴，無敢過海通番。近因海禁漸弛，勾引番船，紛然往來海上，各認所主，承攬貨物裝載。或五十艘，或百餘艘，成群合黨，分泊各港。又，各用三板、草撇脚船，不可勝計。在於沿海兼行刼掠，亂斯生矣。自後日本、暹羅諸國無處不到，又誘帶日本島倭奴，借其強悍，以爲護翼。徽州許二住雙嶼港，最稱強，後被朱都御史遣將官領福兵破其巢穴，焚其舟艦，擒殺殆半，就雙嶼港築截，許二逸去。王直亦徽州人，原在許二部管櫃，素有沉機勇略，人多服之。乃領其餘黨住烈港，漸次併殺同賊陳思盼、柴德美等船伍，遂致富強。以所部船多，乃令毛海峰、徐碧溪、徐元亮分領之，因而海上番舶出入關無盤阻，而興販之徒紛錯於蘇、杭，近地之民自有餽時鮮，餽酒米，獻子女者。自陷黃巖、霩鸖，而其志益驕。其後四散刼掠，各通番之家則不相犯，人皆競趨之。杭城歇客之家，貪其厚利，任其堆貨，且為之打點護送。如銅錢用以鑄銃，鉛以為彈，硝以為火藥，鐵以製刀，皮以製甲，及布、帛、絲、綿、油、麻、酒、米等物，無不齎送接濟，而內地之人無非倭黨矣！」

海昌外志

清談遷撰，鈔本，墨筆批校

〔卷一〕

輿地志

形勝

○明初，築石墩、赭山兩寨，東西據海之勝。嘉靖中，島夷果首犯之，東陲黃灣，北陲硤石，亦隩區也。宋嘗立寨黃灣，元末張氏犯杭城，分部自黃灣進，推此可以徵守矣。

山水

○赭山，縣西南四十五里，高七十五丈，周三里。界仁和，對紹興。龕山山色正赤。曹漢炎詩：「江流曲似陽氷篆，山色丹如葛令砂。」宋建炎三年，金完顏、宗弼犯臨安，郡守康允之退保赭山。明湯信公和，請設巡檢司立寨。嘉靖中，島夷首趨龕赭。又，國初，海鹽、乍浦河泊所舡戶太倉劉河出洋，後苦倭，改錢塘江赭山出洋。龕赭夾峙，扼潮迅湧，二、八月最高峨，峨二丈有餘。

○黃山，縣東五十二里，高六十丈，周七里。巉巖峭拔，多楊梅、山茶。嘉靖中，都指揮周應楨〔禎〕逐倭死此。萬厤（曆）末，許太守令典治，東西兩宅爲名流觴詠處。

〔卷四〕

建置志

城郭

○縣城：周九里三十步。舊志無考。貞觀四年，立鹽官市於縣西北。開元十一年，令路宣遠徙於縣西南，或即有城，亦頹廢。元至正十九年，張士誠遣築，高丈有五尺。我明洪武二十年，信國公湯和，增築五尺。永樂十五年十一月，都指揮谷祥，加堞二尺，共高二丈二尺。城門五：東曰春熙，南曰鎮海，西曰安戍，北曰拱辰，東北曰宣德。水門三，今西南壅，獨北通舟。嘉靖三十四年，令蔡完益城軌五尺，增敵臺二十四，直廬四十五。周城濠廣五丈，深一丈，今西南淺涸，宜濬。崇禎二年秋，鎮海門火，重葺。

○石墩巡檢司；洪武二年，巡檢甯希設於硤石鎮。十二年，徙石墩。二十年，信國公湯和，提督沿海巡檢司，俱築城。周百四十丈，高二丈。樓門二，濠環城，廣二丈。

○赭山巡檢司，元至正間置。洪武三年，巡檢王賢避潮遷六都陳橋北。二十年，築石城赭山北，周二百四十丈，高丈八尺。門二。永樂六年，避潮遷文堂，周垣九十丈五尺，高一丈。門二。

○赭山寨：洪武二十年築石城赭山北。周二百四十丈，高丈八尺。門二。永樂六年，潮陷，今徙文堂山。周垣九十丈五尺，高一丈。門二。東南逼大海，南對蕭山，與錢江相連，倭嘗突犯，寔爲險要。

祠廟

○周將軍廟：嘉靖間，都指揮周應禎，擊倭黃山下，死之。天啓初，里人許令典立廟。

周將軍死難記　　祝以豳

當世廟甲寅、乙卯間，倭奴犯閩、浙，乘汛直躪入內地。會承平久，民不習兵，所在無不聞風奔竄。而倭奴恃其長技，舞刀跳躍，如懸猿，如飛鳥。即倉皇新集士兵，素不閑紀律，遇賊輒抱頭反潰，至蒲伏乞憐，長跪受刄。於是奴益猖獗甚，所過焚刧廬舍，擄掠子女、玉帛，倍極荼慘。而吾袁花里最近海，與澉浦、石墩諸寨堡相錯，爲賊所必經道。周將軍者，奉督撫中丞李公檄，與參將盧鏜，各住兵住袁花之崇教寺。將軍善騎射，與士卒同甘苦，帳下健兒亡不人人可一當十者。時倭奴據石墩，慴將軍威名，至鳳山止，不進。而鳳山以北之居民猶恃將軍，而不輟耕，不罷市也。居亡何而流言洶洶，謂山以南民且無噍類，勢必旁及，一鳳嶺安能障之？將軍齒指奮臂曰：「山以南獨非赤子耶？而擁衆坐視，何以報中丞？」鏜次且不敢應，謂：「日時不利，須後期。」將軍恚曰：「我不利出師，彼何以利入寇？」策馬彎弓而前。帳下諸健兒從之，而士民千餘人願隨行助聲勢。於是悉黝其鼻，以相別識。行至河橋，有二鴉飛鳴。馬首將軍仰天射一鴉墮地，衆心切疑之。將軍不顧，鼓行而進。遇賊數百步外，與賊引弓射，無不應弦而殪者。斬數十級，賊潰。復追逐之，至放鷹山，篠菁蒙翳，賊伏露圍敗垣中。馬經行垣側，賊抱石擊將軍，中額，身被數創。馬咆哮負馱崇教寺，越宿而絕，馬亦不食三日死。先是，將軍與鏜約，吾先驅，君後至，爲犄角。日晡，當會菩提之陽。負約不至，矢盡，以報鏜，復不應。雖賊之狙擊，出不意乎？寔以卒寡無援兵。將軍倘不死，必有所以酬賀蘭之矢者，而竟死。悲夫！是役也，戰卒不滿數百人以當賊新勍，能大挫其鋒，而鳳山南北時時挾風雨，爲金鐵戰鬥聲，賊相戒不敢近。將軍固曰：「吾死當爲厲鬼以驅賊。」亦賊素慴將軍之威，草木皆兵矣。而當事者沒其功不錄，迄今六十餘年，父老時時能道之，而恤典尚虛，祠祀乏絕，將軍忠魂無所憑依。至熯溢夭札村社巫覡禱祝祈請，必曰是周將軍之怒。比者督撫中丞劉公，因諸生胡某言，下郡邑議祠祀，而予里許比部同生，慨然身肩其事，庶幾足慰將軍之靈於九原矣！將軍名應禎，中都留守衞人，時爲浙江都使司僉書，故稱周都司云。

〔卷七〕

叢談志

祥異

○嘉靖戊申，倭犯黃灣、秦駐塢，海塩健兒童欽等死之。

○癸丑夏四月癸未，倭四十二人，自海塩經袁花，屯赭山數日。把總杭州前衞指揮陳善道，以民兵三百人禦之。陳乃參將萬表婿也。方出師，家人具饌大言曰：「吾滅此而後朝食。遇賊即陷伏中。萬將軍素好施，有少林僧自幼行脚，善鐵棍條貫古大錢，長八尺，嘗德萬公欲爲其婿。報且曰：吾輩不願受中丞約，集黨八十餘，迎擊賊。賊戰且搖白羽扇，僧識爲蝴蝶陣，令軍人簪榴花，僧自張一蓋作採花狀。賊渠帥二大王望僧即若縛手，僧錐殺之，并斃數賊。我兵爭級，至相傷。僧怒，揮蓋。倭進迫之，民兵皆鳥合而潰。善道獨戰於泥淖中，靴滑而仆，遇害。壯士潘賓、王貴力鬪死。數日，倭縱掠江船而去。指揮吳懋宣，率僧兵搜巢，遇遺賊數輩，被創，歸沒。癸卯，別部倭七十餘人，流掠村落。六月，松陽知縣羅拱辰，攝海塩事，以兵至，先鋒項東岡、胡虛寔，引數十人抵石墩，斬賊一級。餘奔尖山祠，項獨追其祠，破其門，無援，被殺傷我十數人。次日，羅至，已掠海舟去。

○甲寅夏四月辛巳，倭千人入海塩，自談山來屯黃灣，掠袁花市，焚刦甚慘。南攻邑城，不克，掠轉塘徐氏。西自袁花，歷黃岡麥墩，西北抵硤石，還歷談山，所過數十里，無人烟。執廟灣周氏二諸生，令負擔，不任，釘手足於樹殺之。宿朱家柵，守港道。以布漬油燃火於長竿，徹夜如晝。督撫王忬，檄僉事羅拱辰，參將盧鏜，都指揮周應禎來援。庚寅，忬行部諭師。辛卯，戰石墩，傷狼兵百人。壬辰，掠黃灣。癸巳，掠談山。乙未，周應禎自崇教寺進及黃山，陣如半月形。賊望而呼爲牛角陣呪之。應禎馬蹶遇害，失亡二千人。應禎前事被劾奪職，耻之，盡捐貲募北兵千人赴浙。時學憲阮鶚書勉之，答曰：「兵法：十圍五攻。今賊勢甚衆，急攻未得良策，若有可乘之機，當盡死力圖之，必不敢後。」書至，浹日而死。賊乘勝立柵，益淫掠，我軍觀望，莫敢前。五月壬子朔，掠黃岡。乙卯，別賊舟二，計九十二人，赴石墩，賊壘不納，流掠崇德。乙巳，抵邑城。盧鏜戰廿里亭，不利而退。丁未，石墩賊掠袁花，而朝海塩。義民曹祑、曹禎以鄉兵迎敵，賊不敢渡，復屯黃灣。丙辰，出談山。丁巳，泛海次白塔山。海塩兵追敗之，斬三百四十級，俘三十一人。

○九月丁未，倭一舟，計四十三人，泊石墩，就炊民舍。次日，東掠海塩，渡東洋橋，爲官兵敗逸。

○十月戊辰朔乙亥，賊百餘，泊石墩大舟一，詭言官兵行汲，暮而大掠。戊寅，解維遇官舟登陸。辛巳，丁總兵擊之，俘十二人，賊逸。

○乙卯正月己亥，倭三千餘人，自海塩西掠袁花。載輜重由黃道湖抵硤石。盜魁葉麻，舊掠袁花祝氏婦，時以携行。賊過海塩南關，婦按轡語賊，頗受其約束。前鋒六騎，按劍守硤石口。時歲初，人皆酣飲，忽殺掠，焚擄亡算。

○四月壬申，倭自海塩來西塩倉，白都司兵敗，失亡其半。賊分屯袁花、硤石，焚掠相望。硤賊據惠力寺，山巓（顚）樹大白旗，出則樹，歸即偃之。掠婦女繅絲，及極裸辱之慘。壬午，掠皀林北去。五月戊午，倭千餘人，自海塩經袁花。明日暮，掠長安。初佯市飯，飯畢，遂分入客舍殺掠。辛酉，寇杭州。

○六月庚午，盜魁葉麻，遣百餘賊，駕六舟至袁花，取祝氏婦。婦杭人，有姿。葉刼嬖之，居沙久。一日，思歸，流涕，葉遣還。會徐海飲酣，語葉及祝氏，欲娶之。葉大怒，故有是遣。明日，登舟至賊巢，觴賀累日。

○丙辰二月，硤石錢燦作亂，胡總督宗憲，嘗戰嘉興北麓橋而溺燦，棹出之。燦初犯法繫獄，有舉其力，遂從軍，既怙功暴掠。桐鄉諸生胡鶴齡，約同逆謀泄，燦斬捕卒及己妻子，匿邑人許生家。索之急，次日與黨蔡義脅數百人於硤村，揭竿置旗。官兵追捕，遁太湖。或云入倭黨，不知所終，胡許獄死。

〇丁丑，倭復犯硤石。

平湖縣志

明程楷等纂輯明天啓間刊本

政事三

兵防

南人之舟，比於北人之馬。雖然，非特其駕舟良也，身輕而材疾，善以步戰摧陣。湖邑邊海荷戟之衆，出入風濤如履坦。而戎幕所籍，水陸各實其伍。即城市森嚴，亦屯健兒作扞圉。蓋外銷夷訌，內弭萑苻，惟茲是係。歲按籍而補虛。其揚舲馳擊者，爲陸兵；其破浪揮戈者，爲水兵；其依隍固圉者，爲民兵；其沿緝夜警者，爲弓兵；其疾足郵傳者，爲舖兵。其形魁碩，其力超強，其器精良，其技熟閑，乃可歲食於官，而曰「吾兵也」。縻公之餉，怠公之事，一擁盾持矛，而即曰「吾兵也」。「吾兵也」歟哉！操演止作嬉戲觀，支離亦可攘臂。倘聲傳烽火，不謀挺刃，而謀倒戈。平日之按圖結隊，亦奚爲者？蓋自倭虜驛騷後，恬熙日久；談兵而色變。皆黃口稚也。選驍騰以充之，駁羸瘠以汰之，齊步伐以練之，明罰賞以作之。海不揚波，垣無伏莽，是在鎮茲土者，定計於蚤也。過銘盤識。

一弓兵

嘉靖九年，設白沙灣乍浦巡檢司。以沿海獨倍他處，每司各設弓兵百人，與正軍同操，有事聽調隨伍。倭變後，因抽取工食，多所裁汰，減至每司各三十四名。隨操亦廢。僅主巡鹽捕盜之事。

一陸兵

洪武十九年，築乍浦城垣。十月初十日，置守禦千戶所。續調錦衣衛官軍湯成等守禦。隸海寧衛。正統七年，倭再寇乍浦，吏兵不能支；奏調後所，移署乍城。貼守其北梁庄堡地。亦以指揮一人，統官軍戍焉。至嘉靖二十二年，倭變大作，乃始設海寧衛五營官兵。左右二營防守海鹽，前營防守澉浦，中後二營則防守乍浦。每營把總一員，哨官四名，隊長一十五名，什長四十五名，正兵四百五十名，火兵四十五名，雜流五十五名。按月，把總統領操練。春汛，更撥杭州營兵五百名協守；至五月方撤去。隆慶三年，汰諸營，且有抽選軍丁補兵之議。四年，巡撫谷公中虛，始定嘉興區兵制。凡一營五總。中總守嘉興，左、後總守海鹽，右總守澉浦，前總守乍浦。萬曆二十五年，巡撫劉公元霖，以乍浦地充衝，兵止一營爲弱，增設軍兵一總，名左營。汛時，前營民兵移屯梁庄，而左營與省城大營標兵，屯本所防守。劉公元霖奏設疏云：「海塩三關，惟乍浦突臨大海，密邇平湖內地一帶，最稱衝要。止設前營陸兵一總，深屬單薄。查得乍後二所、操備正軍一千一百四十名，或占役投閑，或經營商販，積弊相沿，操備徒爲虛名耳。今議於二所正軍內，挑選精壯軍兵四百名，內選隊長一十二名，什長三十六名，立爲一營。仍於該衛所軍職官內，選委把總一員，哨官四員，就於乍浦所城，朝夕訓練。遇汛調發前營民兵移在梁庄，而以該營之兵與省城大營標兵一總，協力防守本所。至於月餉，自有本等名糧，無煩加派。第於汛期，少加口糧與總哨廪糧。紙箚之費，爲數無幾。旣於本區支剩額餉抵給。此營一立，邊海孤城隱然增一藩屛矣。乍浦所城左營軍兵一總，於該所軍餘內挑選。計四哨名色把總一員，哨官四員，隊長一十二名，什長三十六名，兵三百二十四名，戰馬一匹，雜流吹鼓旗手二十四名，共四十二員。民兵一總，計五哨名色把總一員，哨官五員，隊長一十五名，什長四十五名，兵四百五十名，戰馬一匹，雜流吹鼓旗手二十五名，共五百四十一員名匹。以上二營，常川防守該所城池。汛期，前營出守梁庄，東至大營盤，與直隸金山營，西至乍浦教場，與本區左營官兵各會哨。左營出守西海口。東至梁庄大寨與前營，南至大馬廟與後營各官兵會哨。

一水兵

洪武中，設海鹽備倭，置船瞭望巡守。永樂七年，立水寨於沈家門。倭遂乘機縱掠。水寨相去千里，不能救援。宜德二年，巡撫浙江右布政使司周幹，請復洪武故事。周幹言：海塩地臨海岸，每有倭寇。洪武中，設海寧衛及澉浦、乍浦二千戶所。陸置㷆墩，水備戰船，瞭望巡守，因得無虞。永樂七年，盡拘軍船赴沈家門，立水寨防守。撤去㷆墩。倭寇乘虛，連年縱掠。水寨㷆墩，相去千里，不能救援，民甚苦之。請如洪武中防守。令累勘覆，皆以爲便。上曰：古人云：利不什，不變法。凡謀事，須爲永久之計。其再令巡撫大理卿胡槩與三司計議。果爲熟便，然後處置。其沈家門戍，即以其時撤回。增設騎操馬一百五十四匹，轉遞塘報。而戰艦則減爲小□哨船二十，備乍之西海口，不復遠汛。先自衞指揮千百戶率□乘戰船哨往沈家門防倭，半年始更番。或遇颶風，全溺，或病疫。每更番，哭聲震地。海口居民劉鳳奏云：海東遼遠，防彼失此，枉喪生靈，請罷之，增沿海堡戍。復下議，責居民可保無虞否？鳳自保之，乃罷沈家門之役。停革戰船增置馬軍焉。至嘉靖中，海船盡廢，馬額亦減，武備寢衰。而倭變適大作。於是僱募福建倉山、福清等船哨守。三十六年，議設海鹽、澉、乍三關水寨。兵船七十八隻。立把總三員，哨官十員，正副捕舵繚椗梢手散兵，共二千餘名。船有福倉、小哨、叭喇唬、八槳等項名色。福船步兵五十名。船在海鹽者，泊白塔港，謂之中關。在乍浦者，泊西海口，謂之下關。在澉浦者，泊黃道廟，謂之上關。遇汛，月輪番出哨洋山、許山等處，與浙東直隸兵船會哨。有警，合船截殺。汛平，各守本關。隆慶三年，奉文革海、澉二關，止留乍浦一關。凡四哨：白塔港爲一哨。兵船九艘，哨官一人領之。乍浦西海口爲一哨。兵船八艘，參將中軍把總領之。許山爲第二層門戶，立爲一哨。用□船二隻，沙船、小哨船、叭喇唬船，共十六艘。水兵把總一員領之。羊山爲第一層門戶，立爲一哨。□船如許山之數，以備倭。把總親督領之。按是時船□□爲五□三艘 其哨守之規，各總遞移屯就遠，以資防□。水哨遠出海洋。各哨所占山澳，南與臨觀海哨會，北與直隸金山吳淞海哨會哨。陸有籌哨，水有符稽，驗各有法。而水兵耆舵募兵貼駕用軍兵。時當事者，以軍與民壯並，元在食糧之額，用以充抵。民兵則兵數不虧，餉數自減。蓋於總參新法中，仍參用軍伍。存衞所初建意。萬曆初，水兵貼駕者，復改用民兵，僅存軍兵之半。時以倭警久息，始裁五總中哨。又裁白塔港哨船之半。不數年，釜山見告，海上復修舊備。所裁者多補，而移屯之規稍變。其黃道廟，舊置澉浦關處，亦增設哨船，爲中游右哨。而以白塔港爲中游左哨。每遇汛期，督撫軍門檄嘉湖兵巡道同分守。參將躬至乍浦，督發兵船，出戍海洋。中游左哨，即白塔港哨。本參中軍官統領。沙船五隻，小哨船七隻，唬船十隻，捕舵兵四百一十名。平時沙船收泊乍浦，併綜合操小哨船。泊秦駐山唬船分派內河巡緝鹽盜。汛期，俱泊白塔海港。遇警策應。游守各哨，仍輪撥兵船與本區羊、許、乍浦三關官兵會哨。中遊右哨，即黃道關哨。本參中軍官兼攝。小哨船三隻，唬船六隻，捕舵兵夫一百五十六名。平時泊守，與左哨同。汛期，專派黃道廟哨守。羊山哨，備倭把總統領。總哨官一員。福蒼、沙哨、唬等船，共二十隻，捕舵兵薪三百四十六名。平時駐泊乍浦所西海口。汛期出守羊山聖姑礁，輪撥兵船於沙塘衢東等澳，幷直隸金山營官兵會哨。□守關哨，總哨官一員統領。蒼沙哨唬等船共一十八隻，捕盜兵薪三百六十名。平時駐泊乍浦西海口，汛期出守塘家灣。每上下半月，輪撥兵船前往浙東沙塘、衢東等澳，幷直隸金山營官兵會哨。近因出洋與守關，勞逸不均，三哨遞年更番輪易。□參將與各哨，撥福蒼等船一隻，網船六隻，居中往來調度。汛畢，收泊乍浦關訓練。仍撥叭喇唬船輪出外洋探哨。

○西海口寨按：當湖距海二十餘里。倭寇乘風掛帆，直抵李西澳壁下陳錢。經行羊山，一折而東，則乍浦首當其衝。昔年但知守沈家門，而寇即乘我無備，直搗長驅，騷擾四五年。雖殄滅幾盡，而我民受其屠戮，流尸塡河，慘不可言。則臨變之救焚，何如平日之徙薪？總之，海寇狡猾多端，莫可窮詰。或借捕魚以潛踪，或托市販以窺隙。種種奸計，不可謂無意圖我。而其枕戈臥矢，走死如夷；使其登陸，便一以當百，銳不可犯。莫若於舟中擊之，則處勢順而爲力易。其法：宜於沙船、倉船，高大其制。旁護以竹板，使強弓勁弩不得入，而我乃可施其技。我兵所恃者，長筅火器。使從上而下，則發必中而中必斃。然後以矢鏃如遺，用八槳、唬船，從中播弄，未有不望風卻走者也。然而止持土著之民，掛虛名於冊籍，目不習戰，手不知兵。上下相蒙，操演如同兒戲。若一驅之臨敵，是以羊餧虎，一几上肉已耳。須平日訓練有法，操演不尚虛文。非具膂力善諳射者，不充行五。老弱隨時汰去。兵有宿飽，餉無虛糜。平日人人賈勇，卽使寇在門庭，奚慮勁卒之不爲堅城耶？且近日盜賊縱橫，潛住海島，稱王稱帝，官兵不敢問。普陀、舟山一路，並受其號令。萬一乘勢大舉，將何策以禦之？此東南一大患，而當事者，不宜以泄泄處也。然則欲守平湖，當先守乍浦；而梁庄者，又乍浦之咽。羊山、許山實其門□□□庄，宜常設守禦，不□□點烽堠山寨修□□□□兵，毋僅循會哨故事，停泊僻島，使寇盜往□自門庶一邑之固余湯，而浙西可恃以無虞耳。

政事 四　〔卷七〕

倭變

○中國擯外島夷，溟渤浩渺，萬里作限。古未有倭躪中國，若嘉靖間之屍山血海，爲東南天地凶毒也。況我湖以一彈及地，首擭數千里戈殺鋒豺虺窟，使得收拾此穹壓地，毀人碎物，消第一難了之局。蓋自癸丑至於丁巳，莫不紀歲盡歲凶，紀月必月殺，紀日定日死。而寫風識號，借雨寄哭，先後而年。總之，家聚族於雷霆之上，人眠食於刀劍之端。即或聞鼓耳聱，聽角心破，惟幸寸晷之在我，莫必來朝之屬誰。以摶得沈圧一朝捷問。我又懼以大喜墜陽而默斃者，必有其人矣。惟許款擣巢，最詳於馮劉兩公筆記。然馮處城而情眞，劉在師而事確。余故參補諸作，並用兩存，俾作來鑒。陸濬原識。

○倭奴之爲平湖患，自正統七年七月寇乍浦始。八年六月又來寇。百戶徐榮戰沒，并殺死官軍路德等，大掠而去。成化十五年，復寇乍浦。嘉靖二十四年，倭賊四十餘，突至包家埭。二十五年五月，漳寇及崇明寇，犯乍浦金家灣，軍士陳馬兒等死之。二十七年十月，又掠包家埭。此皆海寇入犯之小者。至三十二年，而禍始劇矣。是年四月二日，首犯海鹽，與官軍殺傷相當。初五日，沿塘而遁。自竹林廟，經平湖縣地方。典史喬登父子，率兵壯邀擊。喬遇害，兵士死者十七人。生員張洽請兵於府，郡守劉公愨，即募水兵沈應奇等應援；寇因遁去。二十一日，復寇縣東南境。嘉興所千戶曾勇，率兵拒却。賊轉至乍浦，匿天妃宮。把總王應麟，率兵圍之。賊以神前長旛，編帆紋索。既備，向軍前紿曰：「我等不敢與將軍戰。乞退舍。俟海潮至，各願自投海死，是爲兩全，毋作刀下鬼。」我師輕信而退。賊持帆索衝出，掠哨船脫去。四月廿三日，乍浦倭船七隻，賊數百，圍薄南城口，索糧食。守禦指揮姚洪，度湯帥克寬必援，城上佯刻日以待，因先剽掠附近村落。二十五日，湯帥果至，賊即遁去。有遠掠回者數十，取民居門屏，竄高公山，負固獨留。湯率所部邳兵三百，合鹽兵約千餘，公親冑矢石，登山督戰，殺賊四十餘。以馘貫長矛，凱旋入鹽。時鹽與平湖，俱中倭患。銓部乃選癸丑榜中有才名者，爲二邑令。壺陽鄭侯諱茂，令鹽邑；而平湖則漢樓劉侯諱存義，同日除任。時湯帥鎭鹽。賊圍鹽三夕，以城有備，遂揚帆，竟往乍浦。湯登城樓望之，知其往乍也，顧謂衆曰：「乍難支矣。」倭船三十餘隻，果薄乍浦城。會大雨。守將王應麟下令曰：「毋擊柝！試靜聽之！」有頃，賊遂瀰漫四入，而城陷矣。千戶王鏜，率其子罵賊死。指揮陳善道，百戶陳綬，冠帶總旗張儒，皆死之。昔五月初九日也。屠戮姪劫，不勝其慘。十二日，又攻乍浦。是時縣鈌正官，又無城守。郡守劉公愨，舉本府推官殷廷蘭署縣印。五月十八日，賊數十犯平湖，居民死者百餘人。二十日，倭船六隻，停泊獨山東，約賊二百餘人。登岸，直抵東湖金家庄，去縣治僅里許。廷蘭戎服登舟，督勇夫捍禦。居民皆執木爲戈，聲振如雷，賊亦駭怖。指曰：「人城也」。會松陽令羅侯，率兵來勦，斬首七級，賊夜遁。擄掠諸物，棄不暇載。二十六日，訛言賊至，男女驚走。遇疾風大雨，陷水死甚多。金山衞流來倭賊一夥，在梁庄居民胡壁家住札。湯帥率兵勦之，斬首三十餘顆。時撫巡諸公，皆慮平湖爲郡邑襟喉，欲建城以守。七月六日，平湖流賊，匿沈姓民家。湯帥會羅令赴勦。火其廬。勇士吳壽，升屋逐出諸匿賊，斬獲數十，餘皆奔散。追勦連日，漸次擒獲。九月十二日，起土築城。是日，賊船十餘隻，泊乍浦天妃宮。湯率兵來會。參將盧鏜禦之，分兵布觀山等處大戰，斬賊首四十顆。我兵松陽葉千戶、嘉興沈隊長等四人死之。識者皆謂：城始築，遂破賊，賊必殲於此。十一月城成。是年，平湖、乍浦，各三被寇。乍城陷日，有避神祠屋上者，潛窺賊，黎明時禱於神前，問：許我住此城數日否？不許。許我盡殺否？又不許。遂傳令止殺。僅掠一日而去。三十三年三月，知縣劉存義始涖任。初八日，流賊二百餘，經乍教場。適處州兵四百，新調至。饑憊應敵，遂捐其半。四月初四日，松江倭賊，陸路寇乍。初五日，賊舟泊東湖。時存義親立堞間，一矢殲其巨魁。賊度不能攻，大掠焚廬舍而去。五月二十日，賊百餘過城西陽墩。原調守本縣百戶朱璽，率兵勇追及，於嘉興與戰，被殺。二十一日，有三十六賊，自松江來，匿大六滙民家。先是張參戎樂把總前後與戰，皆敗。二十四日，丁總戎統兵來援，賊已盡遁去。追至廣陳，不及而還。二十六日，賊泊舟城北。二十七日，賊屯城南。復報：三十六賊匿小營盤巡檢司。司有石城。賊先積石城上。丁總戎命作木梯，可並登十人者，凡五具。次日攻城，飛石如雨。又命射火藥筒，百矢齊發。賊不能支，城遂下。圍之數重，刀劍森列如蝟。賊入巡司後堂，自分必死，先入斬戰傷者十餘人首，用門窻火煨之。張總戎部下四漳兵，入與打話；遂私與賊約，佯爲潰走。縱之出。時獲一賊，道其詳。丁縛四漳兵送當道驗，果得賊賄。斬之。賊中固多漳人，用漳兵勦之，焉得不僨事乎？是時客兵數千，守海鹽，每日結餉五分。平湖、乍浦守兵，費亦如之。額外增稅，每田一畝，出兵餉至一分三厘。沿海之民，膏血爲之罄盡。二十八日，賊千餘過東湖西去，焚掠府城。三十四年，正旦賊船犯乍浦。二月二十日，賊首徐海，自柘林犯平湖。置長梯攻城。城上卸大石，擊殺數賊。因散去。二月二十六日，賊首葉麻衆六七千，自柘林穴至東湖。駕數艘攻東門，勢甚猖獗。劉令統率鄉兵民壯、闔城士民，竭力以守。生員陸萬鍾、張合，參畫鼓勇，人無懈意。賊不得間，擄掠而歸。四月二十日，大倭船八隻，犯乍浦。五月十五日，賊□東湖巢於華二十二都彭于梁家，遠近悉被焚刼。二十八日，由廣陳巢於姚梓家，盧帥統□勦之，斬首七十餘顆，餘皆逃至海壖，陷於□□而獲。按：籌海圖編云：賊犯平湖，指揮李希賢邀擊，俘斬一百二十有奇。既而賊益衆攻城，月餘始解。蓋賊首莊良之踪也。三十五年二月二十九日，總督胡公宗憲，巡歷海鹽、海寧、平湖、澉、乍沿海諸地。練將卒，閱城濠，稽查糧餉，踰月乃還。三月二十六日，賊首徐海、陳東，率衆沿海而來，欲取乍浦爲巢。劉公疾馳應援，官兵大勝，斬首五十有五。賊勢少挫。翌日，賊自金山而下復萬除，遂圍乍。壞民室爲臺，高於城，置薪臺上，覆以青麥，縱火焚之，煙噴入城，守卒不能立，城幾陷。兵憲劉公，躬督男婦，運石擲下，賊稍不敢近。旬日，外援不至。用健卒善水者，伏水從間道馳赴軍門請援兵。四月初三日，新提督阮公鶚兵至。初七日圍解。劉公尾追之，斬首一百三十。賊復由乍浦巢於隣境之呂港。日肆刼掠。未幾，後攻平湖。指揮翟文擊之，賊退走。指揮劉岱，預伏潘港，後追至瓦山，皆勝之。是月，軍門遣生員蔣洲等，說賊首汪直內附。直遣養子毛海峰與蔣偕至諸酋所。蔣諭以禍福，誘之降。奏請官職。六月初二日，賊遣使報如約。十七日，遣使各縣，促船限是月二十五日泊乍浦。於是海親詣平湖城下納款。劉兵憲欲放賊入。二十一日，城中士宦慮賊入城爲變，與劉公議：左咸以鐵鍊自鎖其頸。走索劉公同赴京。奏辯謂其與賊交通也。是日兵憲家兵竝騷動，城中士夫大亂。胡、阮二公及侍御趙公孔昭，在郡聞報，急趨平湖解之。二十五日，賊期乍浦看船，設浮舖南北相連十餘里。廿九日，徐海行出海口，見兵船如蜂聚，火炮之聲，震海島，懼而復回箚於梁庄。七月二十九日，還巢乍浦城。胡公遣劉兵憲等，運奇設伏，合衆齊進，大破之。斬首八百餘顆。死於海者甚衆，惟徐海一支尚在。胡公擇便地，得沈參政屋處之，猶慮其生變，日遣通事三四輩，慰藉備至。於是海始心安，自剪其黨葉麻、陳東等，以冀輸罪。八月初一日，海入平湖城，款四公於庭。先是限是月二日進款，而海故示強梗違期。先一日率其黨陣於外，自與部佐數十入城。諸官兵聯屬直抵各衙門，盛陳兵器，令賊縱觀，咸有畏色。及款四公，海頓首口呼：「天星爺，死罪！死罪！」時視師尚書趙公文華及胡、阮二公，慰遣之。緣海欲識總督，通事指之，海復款如初。胡公手摩其頂曰：「毋更作孽！」獨侍御趙公震怒，不爲禮。謂：「汝害我無數百姓，當服何罪？」

海俛首伏地久之，若有退避之狀。因開關放出。按：籌海圖編云：陳東黨既爲官兵所破，海內不自安，陰修戰備，爲死鬬之計。胡公知之，復令羅龍文、童華等，往慰之。且諷使入見。海猶豫未決。龍文宿其營，安寢如家。海以足蹋之。覺，曰：「此虎狼之穴，何酣睡若此耶？」龍文曰：「我爲爾，百口且不顧，況此身耶？今爾乃心持兩端，何也？」海曰：「聞趙必欲殺我，恐公不能救。」龍文曰：「趙公初意如此，今也則否。」海曰：「焉知非誘我而執之耶？」華曰：「胡、趙二公，欲爲爾題請封爵，使爾專提一旅之師，捍海上寇。若不入見，彼何所據以正請也？」海曰：「蹈不測之險，奈何！」龍文曰：「我京官也，且胡公姻戚。爾第入見，我則質爾營中，萬無一失矣。」海始首肯。華既馳報軍門，軍門許之，爲之期日。諜使復數四，紿既定，海猶慮中變，先期而至，入見胡、趙、阮三公，及巡按趙公孔昭於平湖城中，受犒而出。謂龍文等曰：「鑒諸軍門之貌，吾禍終不免。」嘆息者久之。時官兵四集，軍威甚盛。海偵知之，陰收陳東、葉明餘黨，謀拒自全。胡公復遣華往解之。海迎謂曰：「吾以爾言，結怨諸倭。今軍門既受吾降，而復徵兵漸逼。非爲我而誰耶？」叱左右縛華將殺之。華大笑不止。海曰：「爾尚何言？」華曰：「吾笑爾不識人，以忠爲姦，使吾枉死爾乎耳。」海曰：「何謂也？」華曰：「陳、葉二黨尙多，且心跡不一。今陽爲附爾，實爲豫讓之計，軍門恐爾入其彀中，故遣我相聞。官兵壁近郊者，防其變也。爾何不悟耶？」海曰：「然則如之何？」華曰：「今沈庄有東西二所，爾曷不分其黨，各自爲巢，而密約官兵殺之？爾後患絕矣。」海深然之。卒用其策。由是二黨互相猜疑。胡公知之，遂部署大兵，進搗其巢。是時賊壁甚堅，據敵樓以拒，四面皆掛白布覘我，我不得覘賊也。諸將以佛郎機攻之，畏矢石不敢近。七日弗克。胡公怒，命都指揮戴冲霄攻之。冲霄率兵士逼賊壘，立於矢石之下，燬其西南正西敵樓各一座，賊失據。冲霄及把總楊永昌等，督永保等兵大進，搗巢於半日之間。實冲霄毀敵樓之功也。海既敗歿，其黨散走。一支據定海丘家洋。阮公與總兵俞大猷、盧鏜，令兵圍之，賊潰走。踰桃花嶺，渡寧奚，歷鄞、奉化、寧海，與官兵戰於台州。兩頭門把總指揮范□死焉。賊突走溫州，至福寧，得舟而遁。一支自直隸出海，爲大猷兵所滅。一支自浙江出海，爲鏜兵所滅。其得脫走者，突登慈谿縣伏龍出。阮公率官兵滅之。由是賊無生還者矣。初八日，海自沈庄遣使持書抵軍門，復乞降。且曰：「願買此宅及田三千畝爲贍。永願投降，不渝前盟。」是時海旣讐諸黨，縱得歸，必爲襲擊，欲寓吾土。故見沈庄高敞，遂注意焉。十一日，海歸計不遂，見水陸兵各處戒嚴，始悟連和爲僞。又悔散黨勢孤。乃以計設酒會隣，遍送飲劵。三四里間，以年高者先。民懼不敢往。惟比隣附居不能辭者乃赴焉。是日，合四十餘人，人設一席。殽核豐腆，結鄉隣久處之盟。各贈席金而散。蓋誘其父兄，將以貨取其子弟也。十二日，亦如之。壯夫赴席者至二三百人。酒半，出刀剪髮，髡其首，咸刼爲用。十五日，平湖守備官，遣人邀海賞月，不赴。十六日，乍城使使至海巢，海拘留之。十七日，軍門遣使至，幷斬之。連和之路，自此塞矣。十九日，海知危在旦夕，漏二鼓，遣親密護送二愛姬，出巢逃遁。會葉麻黨深銜海，夜每伺於巢，側不得出。二十日，永保等兵，進薄賊巢。擒四賊，俘軍門。二十三日，誘斬賊二十餘顆。二十四日，軍門督諸路主客兵，幾二十餘枝，圍海數重。賊放發熕。以銀塞熕口，火發銀如星飛。中人、中土、中水，如雨鳴。衆皆不能進。二十五日，軍門令取民家犬，數百爲群，被以戎服，以當熕擊。復使數人持火，雜於群中，驅之以入。賊但擊前犬，不知火已四發矣。焚溺無筭，斬獲二千餘。按：籌海圖編云：時賊巢甚堅，難於進攻。義勇劉進首抱火器渡河，焚賊巢。火熾，賊亂。官兵乘之，遂大捷進。重傷升屋以死。惜無父母妻子，故其功莫酬焉。是日海爲讐黨偪殺，獲屍水中。二十六日，搜巢於溝渠中，逐出數賊，尙突出與兵鬭；因而擊斃之。渠魁旣除，孽黨無不就擒矣。次日，朔，設宴百席奏凱，論功行賞，加秩恤賚有差。按：馮汝弼當湖勦寇紀事：嘉靖丙辰春三月，劇寇徐海（即明山和尙）大合賊黨及倭奴數萬，由乍浦趨桐鄉，攻圍甚急。巡撫阮公守禦逾月，幾不可支。時梅林胡公，以兵部侍郎，總督軍務，未閱月也。兵僅二千餘，勢難與敵。乃陽示昭撫，爲緩賊計。海果就撫解圍。其黨陳東，獨與海異。然以勢孤，旋亦引去。復合於乍浦。公知賊有隙也，遣人間於海，曰：「若誠降，必執酋首葉麻來。」海即執葉麻獻。適尙書趙公以領天兵至。公復遣人間於海，曰：「若誠降，必執酋首陳東來。」海即執陳東獻。余入賀曰：「徐海信不負公矣。」公曰：「海不負我，我欲負海耳。」余以是知公之終必勦海也。公謀秘，人鮮有知者。公復遣人間於海，曰：「天兵靖亂，非立大功，無以自贖。」海因紿衆陽爲聽撫，而陰約我軍乘其懈擊之。公令預泊斂舟數十艘於海灘行兵備。劉公潛入乍浦城，覘賊。知諸倭疑海有賣衆歸降意。咸伺海，海不得自出入。劉公曰：「賊心離矣，幾不可失也。」約諸路兵，城上擧火齊發。先是阮公，督諸路兵，伏各要害處。諸路兵見城上火起，爭趨奮擊。海挈妻妾，率精銳二千餘人循城來，賊遂潰。我軍追殺，斬首七百餘級。餘賊爭奔海舟，自相殺及蹂踐溺死者甚衆。海率衆由梁庄入據沈家庄。去縣治僅十餘里。衆心洶洶，且驚且懼。公羈縻之，間諜往來不絕。未幾，海率黨二百餘人，詣公降。時趙公、阮公及巡按趙公俱在座。賊介而入。弦弓藥銃，勢甚猙獰，一見卽復去。公亦不復留也。邑人轉驚懼，若不可一朝居者。一日，公及阮公，邀巡按趙公，過余山園，登山亭。盡屛諸從人，議勦賊事。間是議者，惟東涯呂通政及余耳。趙公曰：「賊名雖降我，觀其情狀，抗我也。不速勦，必遺大患。」公謂：「賊黨方固，我兵不精，勦之必不能勝；不若姑少待之。」時間諜未成，永保兵未至。阮公及呂東涯咸同公議。趙公謂余，曰：「公家此地，利害切身，必有定見。」余曰：「僕山野之人，安敢與廟堂之計？然僕家此地，得此賊早離此地一日，則此地之人獲一日之安耳。」趙公惻然謂公曰：「能五日內驅此賊使離此地乎？」公擧其大指曰：「不去此則可，今去此賊不信矣。安能驅之？」蓋海之聽撫，質其弟洪於公。公處之嘉興。尙書趙公，斷其手大指。故云。趙公沉思久之，曰：「公前奏海已降。今縱能驅之外地，倘遁歸海島，□朝廷有處分，將何以復命？」公又曰：「不若姑少待之。蓋欲爲萬全之舉也。」是日，設宴於聚樂草堂。酒數行，卽罷。志有在也。海所據沈庄，有新舊二宅。海居舊宅，是爲東巢。陳東、葉麻之黨居新宅，是爲西巢。公遣人間海，使攻西巢以自效。海猶豫未決。公復使人，遺金珠美飾，於海愛妓翠翹、紫雲者。翠翹、紫雲日夜勸海攻西巢以自効也。海以罪重，恐西巢既復，東巢亦所不免。尙在遲疑。使人洩其謀於西巢。西巢之賊始相疑懼，離心於海矣。適永保兵至，公遂欲大擧爲擣巢之計。乃協謀於尙書趙公及阮公，督諸軍齊發。公親履行陣。尙書趙公及阮公，俱駐軍中，隨宜經略。而兵備劉公，獨率驍勇先登。先是西巢之賊，疑海之圖之也，悉奔東巢以制海。海亦知西巢之賊之疑之也，居其衆於外舍，而擁兵自衞。由是互相疑忌，不爲戰守備。劉公率衆直抵賊巢。賊有格鬪者，輒射却之。乃擧火焚巢。時東南風急，煙焰蔽天，賊莫知所措。我軍齊進，斬首一千四百餘級，焚溺死者，不知其數。廣兵名海底鬼者，獲海屍於浜水中，蓋二千餘。賊殲焉無一人得脫者。時八月二十五日也。海之爲禍，首尾五年，方數千里。生民咸遭其毒。殺害諸路官兵，不可勝計。而殲於吾邑。公之運籌決策，固自有成筭。而吾邑人心效順於公，山川鬼神其亦有以識公之忠誠，而默相之與？

○又，諸大圭乍浦紀捷云：嘉靖丙辰秋七月，賊徐海、陳東之解桐鄉圍而東也，陽爲聽撫，心實狐疑。自呂港新場，移屯乍浦城南。營廠絡繹，改修舊船，以圖出海。且窺伺我兵強弱，爲其進止。總督侍郎胡宗憲策知其計，因外示羈縻，而密檄副使劉燾圖之。會尙書趙公文華再奉命督察至。公乃與定議，以乍浦西南海塘可通杭州，咨浙福提督都御史阮公鶚，偕郎中郭仁、副使徐洛、總兵徐珏等，壁海鹽以遏犯杭之路。東北金山可通松江浦東，咨直隸提督都御史張公景賢駐松江。而參政任環，僉事董邦政，留守王倫，同知熊桴，容美土官田九霄等，扼青村、黃浦及出海之路。公親督大兵，與參政汪栢，參議王詢等，駐平湖，與賊偪壘而陣。總兵俞大猷、盧鏜等，則以舟師設伏洋山、馬蹟，邀其歸路。分布既定，候間而發。適上海之賊，由吳淞而西南出復萬餘人。公恐海或中變，與之連衡，急啗海使東出擊賊，可得舟還島。海以爲然，果逆斬賊數百。賊遂夜走。以故海不及取其舟而返。其他酋長，脫出海者，公已別遣大猷，伏飛艦海上遮擊之，溺且盡。公又計：海書記麻葉不死，無以堅其內附之心。而陳東者，與麻葉聲相倚，桐鄉之設，與海相睚眦者也。於是又計令海，縛麻葉併陳東以獻。海遂併有其衆。而諸酋長則疑且怨海矣。海自度進退無所。而公故與趙公薄責。海益急。因遣諜私海，令其誘衆俘斬之以謝，可無罪。海不得已從之。遂與定約。公乃令副使劉燾，引遊擊尹秉衡兵，夜伏乍浦城中。而徐珏等兵，分爲三哨，進壁白馬廟。左瀰等兵，由平湖間道而出。主簿曹廷慧，參將丁僅等，壁乍浦城，以爲內援。至期。珏等移營瓦山。海果挈妻走。海上艘群倭，爭逐之。大亂。城上舉火。我兵四合兢進。大敗之。燒賊巢廠二十餘里。時海執稱歸順，投梁庄去。諸遁出海洋者，大猷兵邀擊之。前後俘斬七百有奇。沒海及焚死者無筭。乍浦之賊，無孑遺矣。夫徐海以首惡煽禍，而陳東、麻葉等爲之犄角。勾引外夷，侵擾中土。受其螫毒者，五年矣。丙辰春，擁衆數萬，分道入寇。北犯瓜、揚，阻絕運道；東掠寧、紹，牽制我師。聲言：欲下杭州，犯留都。比之曩時，猖獗尤甚。公相度機宜，不輕與爭鋒。捐千金賞敢死之士，用間誘退呂港賊艘，以伐其深犯之謀。復誘令殺賊立功，以剪其羽翼之勢。擒麻葉，擒陳東，度其孤危可以取矣，猶謂困獸死鬪。乃故棄船海灘，開一面之缺。而卒以遊兵邀之，無一得脫者。後先下着，不爽纖微。島夷之所以畏服，而東南之所以奠安者，不以此哉？不以此哉？

○又，姚士麟見只編曰：倭酋徐海內託，吾郡受禍最酷。沈庄之捷，亦用兵一大捷。然籌海圖編，所載不詳。偶得兵憲劉公燾所著沈庄進兵實錄一篇，節其文以著其實。嘉靖三十五年七月二十九日，徐海敗走梁庄，遂於八月初一日，率倭一百五十餘人，詣平湖城乞降。軍門納其降，而厚遺以歸，夷性狡猾，以擄掠爲食者也。至是則縱之乎？則禁之乎？抑官府爲之供給乎？不數日，提督趙公，總督胡公，遂下令郭郎中，會劉兵備燾議處。適聞永保之兵將至，遂上進兵之議。賊覘知之，即於八月十六日，舉旗放火，分據沈家庄新宅，以爲西巢。徐海盤據沈家舊宅，以爲東巢。相去約有三里。周圍水遶數重。拆取民舍板片，沿墻起蓋敵臺。本月十八日，永保之兵始至平湖。十九日，各軍門下令曰：二十日子時放砲三個，起火三枝，催督各兵一齊進戰。至二十日，西路永順之兵，止可達於黃泥堰，去巢尚有數里。東路保靖之兵，止可至廣陳，去巢尚有二十里。南路直隸之兵，止可下梁庄，且隔水數層。至二十一日，以永順彭翼南之兵，分爲三哨，以攻其西北。保靖彭藎臣之兵，分爲三哨，攻其東北。容美司田九霄之兵，山東參將唐玉，直隸總兵徐珏，參將左灝之兵，攻其東南。山東游擊尹秉衡，河間守備朱曕、河南守備夏時，本地參將丁僅，把總樂塤之兵，攻其西南。各路期以舉火爲號。過水搭橋而進。本日午時，輕兵哨近西巢不及一里。賊有四百餘人，執旗揚兵。劉發房觀望，尚隔水港二道。至晚各散回營。諸兵尚在五七里之外屯住。至二十二日，劉同巡撫阮公，復至前地，察賊虛實。永順等兵，見得巡撫親臨，亦至前地屯箚。劉乘馬率家丁五千餘人，又越一水，去巢不及一箭之地，尚隔一水。賊有五七十人，出巢迎敵。當被箭砲射打，即時退入墻內。劉督令水兵王三，先行浮水放火。巢外草房，盡行延燒。將大發熕十三座，排列水邊，或打敵臺，或打門墻，聲勢振天。有賊止沿墻探頭而望。至晚，將永順兵誘至此地安營。至二十三日，督兵搭橋過水，以搗西巢。先差永順兵過水踏路。有賊百十餘人，一擁衝出，將兵衝爲三股，賊分三路追趕。去巢約有三百餘步。劉率箭砲官兵，同尹游擊，從旁衝擊，賊方退敗廻巢。各兵又復追回，止斬獲賊首三顆。劉見官兵單弱，恐賊再出，即督土兵策應。更無一人肯渡水者。天已近晚，復將前兵據水屯箚。至二更時分，哨者報：各賊下船出巢。彼時天色昏暗，且係各處襍集之兵，彼此素不相識。萬一驚詐，必至敗溺。此時有兵難遣，惟靜以應之。及至哨者爲報曰：「賊奔東巢矣！」方敢發輕兵五七十人尾後。斬獲首十二顆。而各營尚未知也。至天明，二十四日，先將西巢焚燒，去東巢尚隔二水。復督前兵，搭橋過水。而東巢賊之火器猶多。南門安駕發熕。諸兵莫敢近前。劉同尹游擊，率輕兵五七十人，親詣南門，被賊向劉放一發熕，其鉛子去劉不遠尺餘入土，尚滾三五尺。劉即向賊連箭去，賊即棄熕，追入門內。各兵方敢挨次而進。彼時天已將暮，復喚永順把總田有年等，曰：「此地去賊止隔一水，夜晚切不可搭橋，恐我之所入，即彼之所出。且依水爲險。」至天明，二十五日，密約直隸山東之兵，鼓譟而前。南面之兵，炮火連天而進。永順北哨，恐南軍先進，即爭先而至墻下矣。一哨之兵既進，則西北各路之兵，一擁俱至。墻下賊即奔入巢內。彼時賊不敢出，兵不敢入，惟隔墻抛打磚石。劉即下令，攻賊敵臺。賊即棄臺。則西面三臺盡爲我兵所得。遂由臺登墻，由墻登房。墻下之兵，始得由墻孔而入。即時斬首數十。將發熕奪獲。並徐□之妻擒出。賊即東潰，以衝東北保靖之兵。連却二陣。幸有郭郎中在營，復催唐參將、徐總兵等率箭炮攻打，賊復入巢。保靖亦得挨至墻下。彼時東南之風甚急，遂縱火燒房，煙焰蔽天。西北房上之兵，爲煙火所逼，各下墻躲避。兵疑爲賊衝出，轟然大潰，各兵奔有半里之外，回視旗鼓不移，方往劉請軍門旗牌，欲綁丁參將以申軍法。各兵稍定，又有浙直水兵，乘勢入巢，竊取財物，又復驚潰。各兵又退三五百步之外。回視旗鼓不移，復住。如是者三，不見一賊追出。劉曰：「此非賊也，兵也。互報賊以爭利耳。」遂將水兵攔住，不放一人入巢。自辰至未，西面斬首七百有餘，東面斬首三百有餘。至日將晚，不見徐海。巡撫阮公，亦至陣前。劉請過水。把總由有年急來報曰：「此夾墻內，尚有百賊，短兵不能相接，可請砲箭手三四十人，入巢射打。賊卽退敗。士兵曰：「我自取首級，不用你了。」各兵一回，賊卽乘其退勢，鎗刀直上。兵又大敗，越墻，越房，拚死而逃。遂由西夾墻向南吶喊衝來。劉正在西南墻下，卽時放炮吶喊鼓噪而前。賊遂由墻而東，以衝南門。南門容美之兵，又復敗走。所幸南門原係船搭浮橋，兵方過而船卽脫矣。賊不能渡。劉復催永順之兵二千，從後追之。賊見兵追，慌懼下水。兩岸夾擊，一時斬首二百餘級。此時徐海，亦爲水中之鬼。及至收兵，天已昏黑。首級不及驗看。明晨査驗至左哨，士兵海底鬼，已得徐海之首矣。次日，遍搜賊巢，斬首一千四百有餘。焚死者，一千二百有餘。人皆曰：「沈庄之捷」。而其所以捷者，賊計拙而兵力不齊耳。使當時賊若乘夜以亂三軍，合力以衝一面，我兵雖有三萬之衆，分爲四面之圍，當鋒於一路者，亦不過一二千人耳。彼豈能盡爲釜中之魚乎？愚故曰：「沈庄之捷者，人也。而其所以捷者，天也。」附記：進兵沈庄，調到客兵數：京營神鎗手三千名。涿州鐵棍手六千名。保定箭手三千名。遼東義勇衛虎頭鎗手三十名。河間府義尖兒手三千名。德州兵備道民兵三千名。臨清漕、濮二道團操快手兵三千名。河南毛葫蘆兵三千名。河南睢陳兵備道團操馬軍三千名。漢州府礦徒三千名。永、保二司上兵三萬。容美等司上兵一萬。

○又，沈懋孝，論城守：今城堞樓櫓之事，足守禦稱備矣。而城上燈燭似未甚善。倭若塹而窺城，常以夜燈燭者，兵家日月也。弟頃過雲間大母氏。彼太守方君之法，其略可採；故與足下議之。我湖城守燈燭出居民。三堞一燈，一夕五燭。城十丈，燈三，而燭十五。城千丈，燈三百，而燭千五百。城周遭九千丈。夕夕計之，不勝算也。雨而懸之竿，則燭滅；風而懸之竿，則燈焚。城頭明，城足晦，倭之潛行附城者，我不能瞭視。倭若擧矢射燈，則燈落；射人，則人一一在燈光中。倘城門以儆急鍵下，靑蠟之路絕矣，非可常之算也。且彼販夫隻丁，何能夕夕辦燈燭如令乎？是以疑之，殆不可久。萬君之法，令冶人鎔鐵皮爲方斗，如炙硯狀。絡以鐵線，長丈許，柴松實其間，灌之以瀝脂。懸堞上下版，而墜之城腰間，風雨則脂柴愈烈。雨不滅，風不搖。下可照十丈外，上不見堞上人。晦冥之中，我可瞭遠射賊，賊不能見而射我。終夕可不更燭。而燭猶有缺壞時，柴與脂可久儲不壞。兩燈可照二十丈許。比於燭之光，省十倍。焰過之。一月之省，可數十萬錢。其法易行，宜可聞之官。翌日者，與兄共奏記言此事。

武備志

弓兵

○嘉靖九年，設白沙灣、乍浦二巡檢司，每司各設弓兵百人，與正軍同操，有事聽調□伍。倭變後裁汰，每司各存三十四名，隨操亦廢，僅司巡鹽捕盜之事。

陸兵

○洪武十九年，築乍浦城垣。十月初十日，置守禦千戶所，續調錦衣衞官軍湯成等守禦，隸海寧衞。正統七年，倭再寇乍浦，吏兵不能支，奏調後所移署乍城貼守，其北梁庄堡地，亦以指揮一人統官軍戍焉。嘉靖二（三）十二年，倭變大作，乃始設海寧衞五營官兵，左、右二營防守海鹽，前營防守澉浦，中、後二營則防守乍浦。每營把總一員，哨官四名，隊長一十五名，什長四十五名，正兵四百五十名，火兵四十五名，雜流五十五名。按月把總統領操練，春汛更撥杭州營兵五百名協守，至五月方撤去。隆慶三年，汰諸營，且有抽選軍丁補兵之議。四年，巡撫谷中虛，始定嘉興區兵制，凡一營五總，中總守嘉興，左、後總守海鹽，右總守澉浦，前總守乍浦。萬曆二十五年，巡撫劉元霖，以乍浦地尤衝，兵止一營爲弱，增設軍兵一總，名左營。汛時前營民兵移屯梁庄，而左營與省城大營標兵屯守本所。

水兵

〇洪武中，設海鹽備倭置船瞭望巡守。永樂七年，立水寨於沈家門。沈家門在定海洋外，舟山、普陀間，去浙東爲近，去浙西實千里，非本衞衝要必守之地。倭遂乘機縱掠水寨，相去千里，不能救援。宣德二年，巡撫浙江右布政使司周幹，請復洪武故事，其沈家門戍即以其時撤回，增設騎操馬一百五十四匹，轉遞塘報，而戰艦則減爲小尖哨船二十，備乍浦西海口，不復遠汛。先是，衞指揮、千百戶率軍乘戰船，哨往沈家門防倭，半年始更番，或遇風全溺或病疫，每更番哭聲震地。海口居民劉鳳奏云：「海東遼遠，防彼失此，在喪生靈，請罷之，增沿海堡戍。」復下議，責居民可保無虞否？鳳自保之，乃罷沈家門之役，停革戰船，增置馬軍。至嘉靖中，海船盡廢，馬額亦減，武備寢衰，而倭變適大作，於是僱募福建倉（蒼）山、福清等船哨守。三十六年，議設海鹽、澉、乍三關水寨，兵船七十八隻，立把總三員，哨官十員，正副捕舵、繚椗、梢手、散兵共二千餘名，船有福倉小哨、叭喇唬、八槳等項名邑。福船步兵五十名，船在海鹽者，泊白墖港，謂之中關；在乍浦者，泊西海口，謂之下關；在澉浦者，泊黃道廟，謂之上關。遇汛月，輪番出哨洋山、許山等處，與浙東、直隸兵船會哨。有警合䑸截殺，汛畢各守本關。隆慶三年，奉文革海、澉二關，止留乍澉一關，凡四哨，白墖港爲一哨，兵船九艘，哨官一人領之。乍浦西海口爲一哨，兵船八艘，參將中軍把總領之。許山爲第二層門戶，立爲一哨，用蒼船二隻，沙船、小哨船、叭喇唬船共十六艘，水兵把總一員領之。羊山爲第一層門戶，立爲一哨，用船如許山之數以備倭，把總親督領之。按：是時船已減爲五十三艘。其哨守之規：各總遞移屯就遠以資防禦。水哨遠出海洋，各哨所占山澳，南與臨觀海哨會，北與直隸金山、吳淞海哨會。哨陸有籌，哨水有符，稽驗各有法。而水兵耆舵、募兵、貼駕，用軍兵時，當事者以軍與民壯並元，在食糧之額，用以充抵民兵，則兵數不虧，餉數自減，蓋於總參新法中，仍參用軍伍，存衞所初建意。萬曆初，水兵貼駕者，復改用民兵，僅存軍兵之半。時以倭警久息，始裁五總中哨，又裁白塔港哨船之半。不數年，釜山見告，海上復修舊備，所裁者多補，而移屯之規稍變。其黃道廟舊置澉浦關處，亦增設哨船，爲中游右哨，而以白塔港爲中游左哨。每遇汛期，督撫軍門檄嘉湖兵巡道同分守，參將躬至乍浦督發兵船出戍海洋。中游左哨，即白塔港哨，本參中軍官統領，沙船五隻，小哨船七隻，唬船十隻，捕舵兵四百一十名，平時沙船收泊乍浦，併綜白塔港海港，遇警策應游守，各哨仍輪撥兵船，與本區羊、許、乍浦三關官兵會哨。中游右哨，即黃道關哨，本參中軍官兼攝，小哨船三隻，唬船六隻，捕舵兵夫一百五十六名。平時泊守，與左哨同汛期，專派黃道廟哨守。羊山哨，備倭把總統領，總哨官一員，福、蒼、沙、哨、唬等船共二十隻，捕舵兵薪三百四十六名。平時駐泊乍浦所西海口，汛期出守羊山聖姑礁，輪撥兵船於沙塘、衢東等澳，并直隸吳淞官兵會哨。許山哨，總哨官一員，福、蒼、沙、哨、唬等船共十九隻，捕舵兵薪三百六十六名。平時駐泊乍浦西海口，汛期泊守許山，輪撥兵船前往浙東沙塘、衢東等澳，并直隸金山營官兵會哨。守關哨，總哨官一員，統領蒼、沙、哨、唬等船共一十八隻，捕盜兵薪三百六十名。平時駐泊乍浦西海口，汛期出守唐家灣，每上下半月輪撥兵船，前往浙東沙塘衢東等澳，并直隸金山營官兵會哨。近因出洋與守關勞逸不均，三哨遞年輪易。參將與各哨撥福、蒼等船一隻，網船六隻，居中往來調度，汛畢收泊乍浦關訓練，仍撥叭喇唬船輪出外洋探哨。

倭變

○倭爲溯患（患溯）自正統七年七月，寇乍浦始。八年六月，復寇。百戶徐榮戰沒，官軍路德等死之。成化十五年，復寇乍浦。嘉靖二十四年，倭賊四十餘，突至包家埭。二十五年五月，漳寇及崇明寇犯乍浦金家灣，軍士陳馬兒等死之。二十七年十月，又掠包家埭，此皆海寇入犯之小者。至三十二年，而禍始劇矣。是年四月二日，首犯海鹽，與官軍殺傷相當。初五日，寇遁自竹林廟，經平湖縣地方。典史喬登父子率兵壯邀擊，遇害，兵士死者十七人。生員張治，請兵於府，郡守劉公慤，即募水兵沈應奇等應援，寇遁。二十一日，復寇縣東南境。嘉興所千戶曾勇拒之。賊轉至乍浦，匿天妃宮。把總王應麟，率兵圍之。賊以神前長旛編帆絞索既備，向軍前紿曰：「我等不敢與將軍戰，乞退舍，俟潮至，願自投海死。」諸軍輕信而退。賊持帆索衝出，掠哨船脫去。四月念三日，倭賊數百，械七艘，薄乍浦城南，索糧食。守禦指揮姚洪，度湯帥克寬必來援，佯刻日以待，因先剽掠附近村落。二十五日，湯帥果至，賊即遁。有遠掠回者數十，竄高公山，負固獨留。湯率所部親冒（冒）矢石，殺賊四十餘，以馘貫長矛凱旋入鹽。時海鹽與平湖俱中倭患，銓部乃選癸丑榜有才名者爲二邑令，壺陽鄭公茂，令海鹽；而平湖則漢樓劉公存義。時湯帥鎭鹽，賊圍鹽三日，以城有備，遂揚帆往乍浦。湯登城望之曰：「乍難支矣。」果薄乍城，會大雨，城陷，千戶王鏜率其子罵賊死；指揮陳善道，百戶陳綬，冠帶總旗張儒皆死之，時五月初九日也，屠戮姪掠極慘。十二日，復犯乍浦，是時平湖無城，推官殷廷蘭署事。五月十八日，倭數十入犯，居民死者百餘人。二十日，倭船六隻泊獨山，賊二百餘登岸，直抵東湖金家庄，廷蘭戎服登舟，督勇夫捍禦。居民皆執木爲戈，聲震如雷，賊亦駭。指曰：「人城也。」會松陽令羅侯率兵來，斬首七級，賊夜遁，盡棄擄掠諸物。又金山衞有倭流至梁庄居民胡璧家，湯帥會羅令赴勦，火其廬。勇士吳壽升屋，逐出諸匿賊，斬獲數十，餘奔散，漸次擒獲。九月十二日，起土築城。是日賊船十餘，泊乍浦天妃宮，湯帥會參將盧鏜禦之，分兵布觀山等處。大戰，斬賊首四十顆。是時松陽葉千戶，嘉興沈隊長等四人死之，識者謂城始築遂破賊，賊必死於此。十一月城成，是年平湖、乍浦各三被寇，乍城陷日有避神祠屋上者，潛窺賊，黎明，禱於神，問：「許我住此城數日否？」「不許。」「許我盡殺否？」又不許。遂傳令止殺，僅掠一日而去。三十三年三月，知縣劉存義始蒞任；初八日，賊二百餘經乍教場，適處州兵四百新調至，饑憊應敵，遂捐（損）其半。四月初四日，松江倭賊陸路寇乍。初五日，賊舟泊東湖。時存義親立堞間，一矢殪其巨魁。賊度不克，掠焚廬舍而去。五月二十日，賊百餘，過城西陽墩。百戶朱璽，率兵追及於嘉典，戰沒。二十一日，有三十六賊自松江來，匿大六滙民家，張參戎、樂把總與戰，皆敗。二十四日，丁總戎統兵來援，賊遁，追至廣陳，不及而還。二十六日，賊泊舟城北。二十七日，賊屯城南，復報三十六賊匿小營盤巡檢司。司有石城。賊先積石城上，丁總戎命作木梯，可並登十人者，凡五具。次日，攻城，飛石如雨。又命射火藥筒，百矢齊發，賊不能支，賊遂下。賊入巡司後堂，自分必死，先入斬戰傷者十餘人，用火煨之。張總戎部下四漳兵入，與打話，遂私與賊約，佯爲潰走，縱之。出時獲賊道其詳，丁縛四漳兵，送當道驗，果得賊賄，斬之。

賊多漳人，今用漳兵，遂致僨事。是時客兵數千守海鹽，每日給餉五分，平湖、乍浦守兵費亦如之。額外增稅，每畝出餉至一分三厘，沿海之民，膏血罄盡。二十八日，賊千餘，過東湖，西去焚掠。三十四年正旦，賊船犯乍浦。二月二十日，賊首徐海，自柘林犯平湖，置長梯攻城。城上卸大石擊殺數賊，因散去。至二月二十六日，賊首葉麻，衆六七千，自柘林穴至東湖，駕數艘攻東門，勢甚猖獗，劉令統率鄉兵、民壯闔城，士民竭力以守，生員陸萬鍾、張治參畫鼓勇，人無懈意，賊不得間，擄掠而歸。四月二十日，大倭船八隻，犯乍浦。五月十五日，賊過東湖，巢於華二十二都彭於梁家，遠近悉被焚刼。二十八日，由廣陳巢於姚梓家。盧師統兵勦之，斬首七十餘顆，餘皆逃至海壖，陷於塗沙而獲。按：籌海圖編云：賊犯平湖，指揮李希賢邀擊，俘斬一百二十有奇。既而賊益衆攻城，月餘始解。蓋賊首莊良之踪也。

○三十五年二月二十九日，總督胡公宗憲，巡歷海鹽、海寧、平湖、澉、乍沿海諸地，練將卒，閱城壕，稽查糧餉，踰月乃還。三月二十六日，賊首徐海、陳東，率衆沿海而來，欲取乍浦爲巢。劉公疾馳應援，官兵大勝，斬首五十有五，賊勢少挫。翌日，賊自金山而下，復萬餘，遂圍乍，壞民室爲臺，高於城。置薪臺上，覆以青麥，縱火焚之，烟噴入城，守卒不能立，城幾陷。兵憲劉公，躬督男婦運石擲下，賊稍不敢近。旬日外援不至，而健卒善水者，伏水從間道馳赴軍門請援兵。四月初三日，新提督阮公鶚兵至，初七日，圍解。劉公尾追之，斬首一百三十。賊復由乍浦，巢於隣境之呂港，日肆刼掠。未幾，復攻平湖，指揮翟文，擊之，賊退走。指揮劉岱，預伏潘港後，追至瓦山，皆勝之。是月，軍門遣生員蔣洲等說賊首汪直內附。直遣養子毛海峯與蔣偕至諸酋所，蔣諭以禍福，誘之降，奏請官職。六月初二日，賊遣使報如約。十七日，遣使各縣促船限。是月二十五日，泊乍浦。於是海親詣平湖城下納欵。（款，以下同）劉兵憲欲放賊入。二十一日，城中士宦慮賊入城爲變，與劉公議，左咸以鐵鍊自鎖其頸，走索劉公同赴京奏辯，謂其與賊交通也。是日，兵憲家兵並騷動，城中士夫大亂。胡、阮二公，及侍御趙公孔昭在郡聞報，急趨平湖，解之。二十五日，賊期乍浦，看船設浮舖，南北相連十餘里。二十九日，徐海行出海口，見兵船如蜂聚，火炮之聲震海島，懼而復回劄於梁庄。七月二十九日，還巢乍浦城，胡公遣劉兵憲等運奇設伏，合衆齊進，大破之，斬首八百餘顆，死於海者甚衆。惟徐海一支尚在，胡公擇便地，得沈參政屋處之。猶慮其生變，日遣通事三四輩，慰藉備至，於是海始心安，自剪其黨葉麻、陳東等，以冀輸罪。八月初一日，海入平湖城，欵四公於庭，先是限是月二日進欵，而海故示強梗違期，先一日率其黨陣於外，自與部佐數十入城，諸官兵聯屬直抵各衙門，盛陳兵器，令賊縱觀，咸有畏色。及欵四公，海頓首口呼：「天星爺，死罪！死罪！」時視師尚書趙公文華及胡、阮二公慰遣之。緣海欲識總督，通事指之，海復欵如初。胡公手摩其頂曰：「毋更作孽！」獨侍御趙公震怒，不爲禮，謂：「汝害我無數百姓，當服何罪？」海俛首伏地，久之，若有退避之狀，因開關放出。按：籌海圖編云：陳東黨既爲官兵所破，海內不自安，陰修戰備，爲死鬬之計。胡公知之，復令羅龍文、童華等往慰之，且諷使入見。海猶豫未決。龍文宿其營，安寢如家，海以足蹋之。覺，曰：「此虎狼之穴，可酣睡若此耶？」龍文曰：「我爲爾，百口且不顧，況此身耶？今爾乃心持兩端，何也？」海曰：「聞趙必欲殺我，恐公不能救。」龍文曰：「趙公初意如此，今也則否！」海曰：「焉知非誘我而執之耶？」華曰：「胡、趙二公欲爲爾題請封爵，使爾專提一族之師捍海上，寇若不入，兄彼何所據以上請也！」海曰：「陷不測之險，奈何！」龍文曰：「我京官也，且胡公媢戚爾第入見，我則質爾營中，萬無一失矣。」海始首肯。華既馳報軍門，軍門許之，爲之期，日諜使復數四。約既定，海猶慮中變，先期而至，入見胡、趙、阮三公。及巡按趙公孔昭於平湖城中，受犒而出，謂龍等曰：「鑒諸軍門之貌，吾禍終不免。」嘆息者久之。時官兵四集，軍威甚盛，海偵知之，陰收陳東、葉明餘黨，謀拒自全。胡公復遣華往解之。海迎謂曰：「吾以爾言，結怨諸倭，令軍門既受我降，而復徵兵漸逼，非爲我而誰耶？」叱左右縛華，將殺之。華大笑不止。海曰：「爾尚何言？」華曰：「吾笑爾不識人，以忠爲姦，使我枉死爾乎耳！」海曰：「何謂也？」華曰：「陳、葉二黨尚多，且心跡不一，今陽爲附爾，實爲豫讓之計，軍門恐爾入其彀中，故遣我相聞。官兵壁近郊者，防其變也，爾何不悟耶？」海曰：「然則如之何？」華曰：「今沈庄有東西二所，爾曷不分其黨，各自爲巢，而密約官兵殺之，爾後患絕矣！」海深然之，卒用其策。由是二黨互相猜疑。胡公知之，遂部署大兵進擣其巢。是時賊壁甚堅，據敵樓以拒，四而皆掛白布覘我，我不得覘賊也。諸將以佛郎機攻之，畏矢石不敢近，七日弗克。胡公怒，命都指揮戴冲霄攻之。冲霄率兵士逼賊壘，立於矢石之下，燬其西南、正西敵樓各一座。賊失據。冲霄及把總楊永昌等，督永、保等兵大進擣巢於半日之間，寔冲霄毀敵樓之功也。海既敗沒，其黨散走。一支據定海丘家洋。阮公與總兵俞大猷、盧鏜，合兵圍之，敗潰走，踰桃花嶺，渡寧奚，歷鄞、奉化、寧海，與官兵戰於台州兩頭門，把總指揮范□死焉。賊突走溫州，至福寧，得舟而遁。一支自直隸出海，爲大猷兵所滅。一支自浙江出海，爲鏜兵所滅。其得脫走者，突登慈谿縣伏龍山，阮公率官兵滅之。由是賊無生還者矣！

○初八日，海自沈庄遣使持書抵軍門，復乞降，且曰：「願買此宅及田三千畝爲贍，永願投降，不渝前盟。」是時海既讐諸黨，縱得歸，必爲襲擊，欲寓玆土，故見沈庄高廠，遂注意焉。十一日，海歸，計不遂，見水陸兵各處戒嚴，始悟連和爲僞；又悔散黨勢孤，乃以計設酒會隣，遍送飲，劵三四里。問以年高者，先民懼，不敢往。惟比隣附居，不能辭者乃赴焉。是日，合四十餘人，人設一席，殽核豐腆，結鄉隣久處之盟，各贈席金而散，蓋誘其父兄，將以貨取其子弟也。十二日，亦如之。壯夫赴席者至二三百人。酒半，出刀剪髮髡其首，咸刼爲用。十五日，平湖守備官遣人邀海賞月，不赴。十六日，乍城使使至海巢，海拘留之。十七日，軍門遣使至，幷斬之。連和之路自此塞矣。十九日，海知危在旦夕，二鼓遣親密護送二愛姬出巢逃遁，會葉麻黨深啣海，夜每伺於巢側，不得出。二十日，永保等兵進薄賊巢，擒四賊，俘軍門。二十三日，誘斬賊二十餘顆。二十四日，軍門督諸路主客兵幾二十餘枝，圍海數重。賊發熕，以銀塞熕口，火發，銀如星飛，中人、中土、中水，如雨鳴，衆皆不能進。二十五日，軍門令取民家犬數百爲群，被以戎服，以當熕擊。復使數人持火，雜於群中驅之，以入。賊但擊前犬，不知火已四發矣。焚溺無算，斬獲二十餘。按：籌海圖編云：時賊巢甚堅，難於進攻。義勇劉進首抱火器，渡河焚賊巢。火熾，賊亂，官兵乘之，遂大捷。進重傷，升屋以死，惜無父母、妻子，故其功莫酬焉。是日，海爲讐黨傴殺，獲屍水中。二十六日，搜巢，於溝渠中逐出數賊，尚突出與兵鬬，因而擊斃之。渠魁既除，孽黨無不就擒矣！次日朔，設宴百席，奏凱諭功行賞，加秩恤賚。有差。按：馮汝弼當湖勦寇紀事① 又姚士麟見只編曰：倭賊徐海內訂，吾郡受禍最酷，沈庄之捷，亦用兵一大捷。然籌海圖編所載不詳，偶得兵憲劉公燾所著沈庄進兵實錄一篇，節其文以著其實：嘉清三十五年七月二十九日，徐海敗走梁庄，遂於八月初一日，率倭一百五十餘人詣平湖城乞降。軍門納其降，而厚賚以歸，彝性狡猾，以擄掠爲食者也，至是則縱之乎？則禁之乎？抑官府爲之供給乎？不數日，提督趙公、總督胡公遂下令郭郎中，會劉兵備燾議處。適聞永、保兵將至，遂上進兵之議。賊覘知之，即於八月十六日舉旗放火，分據沈家庄新宅以爲西巢，徐海盤據沈家舊宅以爲東巢。相去約有三里，周圍水遶數重，折所民舍板片，沿墻起蓋敵臺。本月十八日，永、保之兵始至平湖。十七日，各軍門下令曰：「二十日子時，放炮三個，起火三枝，催督各兵一齊進戰。至二十日，西路永順之兵，止可達於黃泥堰，去巢尚有二十里，南路直隸之兵，止可下梁庄，且隔水數層。至二十一日，以永順彭翼南之兵，分爲三哨，以攻其西北；保靖彭藎臣之兵分爲三哨，攻其東北；容美司田九霄之兵，山東參將唐玉，直隸總兵徐珏、參將左灝之兵，攻其東南；山東遊擊尹秉衡，河間守備朱曕、河南守備夏時，本地參將丁僅，把總欒埍之兵攻其西南，各路期以擧火爲號，過水搭橋而遊。」本日午時，輕兵哨近西巢，不及一里，賊有四百餘人執旗揚兵，劉登房觀望。尙隔水港二道，至晚各散回營。諸兵尙在五七里之外屯住。至二十二日，劉同巡撫阮公復至前地察賊虛實，永順等兵見得巡撫親臨，亦至前地屯箚，劉乘馬率家丁五十餘人，又越一木去巢不及一箭之地，尙隔一水，賊有五七十人出巢迎敵，當被箭炮射打，即時退入墻內，劉督令水兵王三先行浮水放火巢外，草房盡行延燒，將大發熕，十三座浮列水邊，或打敵臺，或打門墻，聲勢振天。賊止沿墻探頭而望。至晚，將永順兵誘至此地安營。二十三日，督兵搭橋過水，以搗西巢。先差永順兵過水踏路，有賊百十餘人一擁衝出，將兵衝爲三股。賊分三路追趕，去巢約有三百餘步，劉率箭炮官兵，同尹游擊從旁衝擊。賊方退敗回巢，各兵又復追回，止斬獲賊首三顆。劉見官兵單弱，恐賊再出，即督土兵策應，更無一人肯渡水者。天已近晚，復將前兵據水屯劄，至二更時分，哨者報各賊下船出巢。彼時天色昏暗，且係各處樵集之兵，彼此素不相識，萬一驚詐，必主敗溺。此時有兵難遣，惟靜以應之。及至哨者爲報曰：「賊奔東巢矣！」方敢發輕兵五七十人尾後，斬獲首十二顆，而各營尙未知也。至天明二十四日，先將西巢焚燒，去東巢南隔三水，復督前兵搭橋過水，而巢賊之火器納多，南門安架發貢，諸兵莫敢近前，劉同丹游擊率輕兵五七十人親詣南門，被賊向劉放一炮，其鉛子去劉不遠尺餘，入土尙餘三五尺，劉即向賊連箭三，賊即棄貢，追入門內，各兵方敢挨次而進，彼時天色將暮，復喚永順把總田有年等曰：「此地去賊止隔一水，夜晚切不可搭橋，恐我之所入，即彼之所出，且依水爲險。」至天明二十五日，密約直隸山東之兵鼓噪而前，南面之兵炮火連天而進，永順北哨恐南軍先進，即爭先而至墻下矣！一哨之兵既進，則西北各路之兵一擁俱至墻下。賊即奔入巢內，彼時賊不敢出，兵不敢入，隔墻拋打磚石，劉即下令攻賊敵臺，賊內棄臺，則西面三臺盡爲我兵所得，遂由臺登墻，由墻登房，墻下之兵始得由墻孔而入，即時斬首數十，將發煩獲奪，並徐海之妻擒出，賊即東潰以衝東北，保靖之兵連却（却）二陣，幸有郭郎中在營，復催唐參將，徐總兵等率箭炮攻打。賊復入巢，保靖亦得挨至墻下。彼時東南風甚急，遂縱火燒房，煙焰蔽天。西北房上之兵爲煙火所逼，各下墻躲避，兵疑爲賊衝出，轟然大潰，各兵奔有半里之外。回視旗鼓不移，方住。劉請軍門旗牌，欲綁丁參將以申軍法，各兵梢定。又有浙直水兵，乘勢入巢竊取財物，又復驚潰，各兵又退三五百步之外。回視旗鼓不移，復住。如是者三，不見一賊追出。劉曰：「此非賊也，兵也，互報賊以爭利耳！」遂將水兵攔住，不放一人入巢。自辰至未，西面斬首七百有餘，東面斬首三百有餘。至日將晚，不見徐海。巡撫阮公亦至陣前，劉請過□，把總田有年急來報曰：「此夾墻內尙有百賊，短兵又亂相接，可請炮箭手三四十來射打。」劉即時令丁參將、丹游擊共發炮箭手四十人入巢射打，賊即退敗。士兵曰：「我自取首級，不用你了各兵一同之。」卽乘其退勢，鎗刀直上，兵又大敗，越墻越屋拚死而迯。遂由西夾墻向南，吶喊衝來。劉正在西南墻下，卽時放炮，吶喊鼓噪而前，賊遂由墻而東，以衝南門。容美之兵又復敗走，所幸南門原係船搭浮橋，方過而船卽脫矣！賊不能渡。劉復催水順之兵二千從後追之。賊見兵追，慌懼下水。兩岸夾擊，一時斬首二百餘級。此時徐海亦爲水中之鬼。及至收兵，天已昏黑，首級不及驗看。明晨，查驗至左哨，土兵海底鬼已得徐海之首矣！次日，遍搜賊巢，斬首一千四百有餘，焚死者一千二百有餘人。昔日：「沈庄之捷」而其所以捷者，賊計出，而兵力不齊耳。使當時賊若乘夜以亂三軍，合力以衝一面，我兵雖有三萬之衆，分爲四面之圍，當鋒於一路者，亦不過一二千人耳，彼豈能盡爲釜中之魚乎？愚故曰：「沈庄之捷者，人也；而其所以捷者，天也。」附記：進兵沈庄，調到客兵數京營神鎗手三千名，涿州鐵棍手六千名，保定箭手三千名，遼東義勇衛虎頭鎗手三千名，河間府義尖兒手三千名，德州兵備道民兵三千名，臨清、濮二道團操馬軍三千名，漢州府礦徒三千名，永、保二司土兵三萬，容美等司土兵一萬。又，方孔炤「全邊紀略」：倭夷入犯，隨風所之，東北風猛，則繇薩摩或繇五島，至大小琉球而視風之變遷，北多則犯廣東，東多則犯福建。正東風猛，則繇五島歷天堂、官渡，而視風之變遷，東北多則至烏沙門分船，或過韮山海閘門而犯溫州，或繇舟山之南，而犯定海，犯象山、奉化，犯昌國，犯台州。正東風多，則至李西澳壁下、陳錢分船，或繇洋山之南，而犯臨觀，犯錢唐，或繇洋山之北，而犯青南，犯太倉，或繇南沙而入大江，則犯瓜儀、常鎮，或繇大洋而風欻東南也，則犯淮揚，犯登萊。若在五島開洋，而南風方猛，則趨遼陽，趨天津、□洋山，卽羊山。青南者，青村、南滙也。乍浦在青南、錢塘之間，故犯此二處者，往往流突而至，而羊山卽爲我之衝要云。

註：

①此「當湖勦寇紀事」已見於天啓間刊平湖縣志，卷七，政事四，故不再錄列，參看本書第二一九五至二一九六頁。

〔卷一〇〕

外志

○嘉靖三十年，李樹生王瓜，諺云：「李樹生王瓜，百里無人家。」已而倭寇剽殺甚衆。

象山縣志

明毛德京等修明嘉靖間刊本

〔卷一〕

建置志

城池

○明興，信國公湯和，巡視東浙。以玆邑三面環海，寇盜易入；議築城。衆論撓沮，竟不果。止於沿海置衞所，及一二巡司。其後又增置爵谿所，及陳山趙嶼二司。嘉靖乙巳，漳寇竊發。巡撫都御史朱公紈，奏請城象。參政沈公繼美，僉事陳公善，臨縣估度。時値兵荒，議遂寢。三十一年壬子，倭夷登刼遊仙、赤崁等處。鄉兵出戰，被傷。勢將抵縣治。民咸奔竄。賊旣退，知縣毛公德京，乃從民情，計戶植木城，次又加爲土城，次議爲石城。請於當道，得官銀若干兩。於是量民資力高下，審面勢，分丈尺，算用度，起工築城。城長一千八十九丈有奇。西北高一丈六尺，東南高一丈四尺。因土濘易陷，乃損二尺。雉堞一千二百三十一。址闊二丈，面闊一丈。外方石，內塊石。爲門四：東曰

「賓暘」，南曰「來薰」，北曰「拱極」，西曰「迎恩」。城門俱有樓，各三間。內置鼓，以節鈴柝。水門三：一在北門之右。下設窩鋪，撥兵防守。二在南門之左右相去各二十步。亦守以兵。敵臺二十有四，上各有窩鋪。西南門外，置石橋，塹上隆起。東門外爲平石橋。南北二門，皆吊橋。隍自西水門至東門。可舟。自東門以上，至西南門之東止，爲涸塹。城內則自東水門至東門放生池、史家湫，自西水門至小河頭，及行時廟前。皆可舟。起工於壬子九月，畢事於甲寅七月十八日。議者謂：成金湯，捍寇虐；一邑生靈，賴以全活。又曰：象之築城，毛侯之績尙矣；誘以有成，則太府孫公宏軾，功不可泯也。其自東門下至南門，厥土惟泥塗。惟深河。而城惟附郭。居民安焉。故以派於六里。若夫九都、二十四都，亦以施及。知其丁夥而戶設耳。疊石復加方石；蓋緣春雨浹旬，新土濘圮。參議許公東望，來閱視，以爲未美。推官昌公應時，以價廉之說進毛侯。因得請於上官。而巡撫王公忬，與郎中應雲鸑，同知周希程，皆爲同年。懇言之，故得允請加銀若干兩，石始可辦。計前後動支官帑，一萬二千四百兩有奇。民之所費，亦稱是。

○昌國衛，在縣治南九十里。地名後門。大明洪武十二年，先於昌國縣今定海舟山開設守禦千戶所。十七年，改昌國衛。二十年起，遣海島居民革昌國衛，以本衛移置象山縣之西南天門山。名東門，今舊昌國二十七年，因天門懸海，薪水不便，徙今地。即後門指揮武勝，築城鑿池。城周七里一十步，高二丈三尺，廣一丈，雉堞一千九百一十四，吊橋三，敵臺三十六，門四，東、南、西俱有月城。城門有樓。水門二。窩鋪七十有三。轄所四：左、右、中前、中後。

〇城自永樂十五年，都指揮谷祥重修，成化間，指揮張勇又修。嘉靖三十二年，倭賊入城，七日去；統兵梁鳳，又加崇焉。

〇遊仙寨，縣治東南十五里，即赤崁寨。城高一丈八尺。門一。有樓，四角置窩舖。官廳三間，大門三間，寢室三間。指揮一員，軍二百七十名，常住把守。正統八年，因倭賊由此登崖，乃築城。嘉靖三十一年，倭賊攻寨，失守，百戶秦彪與弟秦豸，舉兵來援，俱遇害。暨賊退，統兵劉恩至，乃增築城高數尺。都司梁鳳，慮其孤城援絕，適爲已累，欲撤之。識者以爲不可。議遂寢。